#내신 대비서
#고득점 예약하기

수학전략

Chunjae Makes Chunjae

[수학전략] 중학 3-1

개발총괄 김덕유
편집개발 마영희, 정광혜, 서진원
디자인총괄 김희정
표지디자인 윤순미, 한은비
내지디자인 박희춘, 이혜미
제작 황성진, 조규영

발행일 2022년 2월 15일 초판 2022년 2월 15일 1쇄
발행인 (주)천재교육
주소 서울시 금천구 가산로9길 54
신고번호 제2001-000018호
고객센터 1577-0902
교재 내용 문의 (02)3282-8852

※ 정답 분실 시에는 천재교육 교재 홈페이지에서 내려받으세요.

수학전략

중학 3-1

중간고사

이 책의 **구성과 활용**

주 도입

이번 주에 배울 내용이 무엇인지 보여 주는 부분입니다. 재미있는 만화를 통해 앞으로 배울 학습 요소를 미리 떠올려 봅니다.

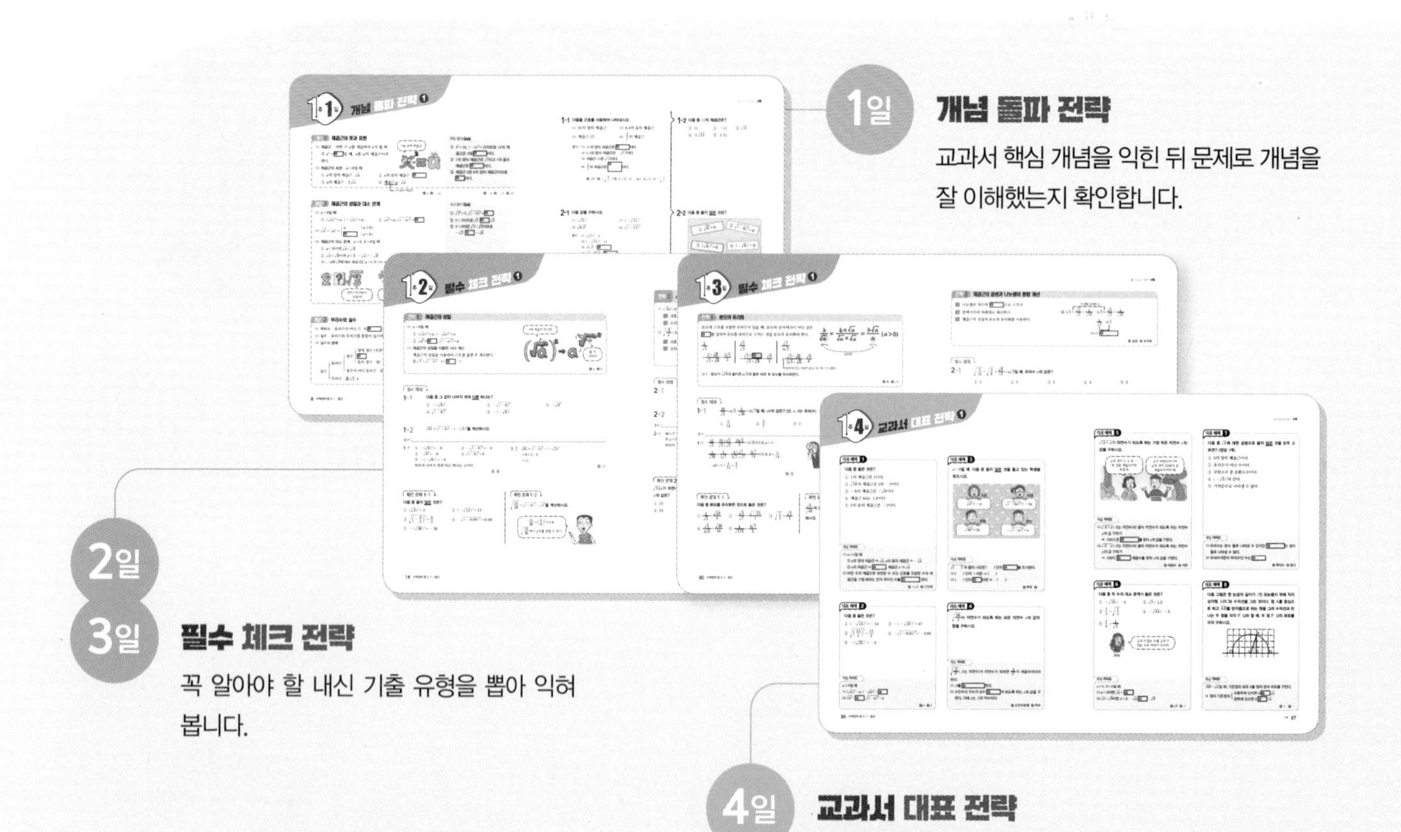

1일 개념 돌파 전략

교과서 핵심 개념을 익힌 뒤 문제로 개념을 잘 이해했는지 확인합니다.

2일 3일 필수 체크 전략

꼭 알아야 할 내신 기출 유형을 뽑아 익혀 봅니다.

4일 교과서 대표 전략

내신 기출에 자주 등장하는 대표 유형의 문제를 풀어 볼 수 있습니다.

부록 시험에 잘 나오는 개념 BOOK

부록은 뜯으면 미니북으로 활용할 수 있습니다.
시험 전에 개념을 확실하게 짚어 주세요.

주 마무리와 권 마무리의 특별 코너들로
수학 실력이 더 탄탄해질 거야!

주 마무리 코너

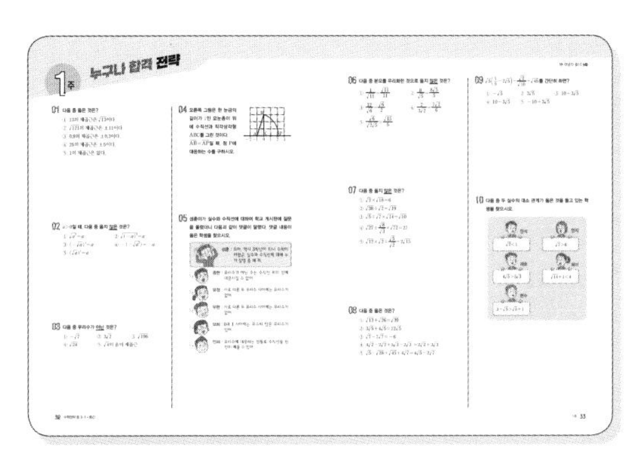

누구나 합격 전략

난이도 낮은 종합 문제로 학습 자신감을 고취할 수 있습니다.

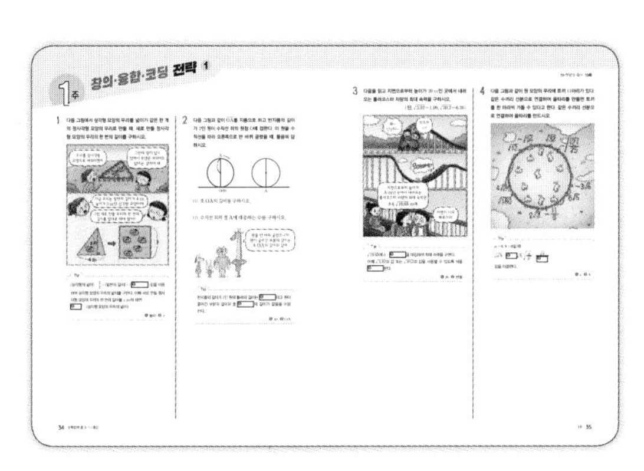

창의·융합·코딩 전략

융복합적 사고력을 길러 주는 문제로 문제해결력을 기를 수 있습니다.

권 마무리 코너

중간고사 마무리 전략

학습 내용을 마인드맵으로 정리해서 2주 동안 배운 내용을 한눈에 파악할 수 있습니다.

신유형·신경향·서술형 전략

내신 최신 기출을 바탕으로 신유형·신경향·서술형 문제를 제공합니다.

적중 예상 전략

실제 시험에 대비할 수 있는 모의 실전 문제를 2회로 구성하였습니다.

이 책의 차례

중간고사

1주 제곱근과 실수

2주 다항식의 곱셈과 인수분해

이 개념들을 알면
시험 대비는
문제없지!

1
주

제곱근과 실수

나의 제곱근도 구해 줘!
-2
음수의 제곱근은 없어.
$x^2 = a$ $a>0$일 때
나는 너의 제곱근!! ♥
짝!
어떤 수 x를 제곱하여 a가 될 때 x를 a의 제곱근이라고 하는 거야!

제곱근의 성질을 확인해 볼까?
사격장
제곱근의 성질
$\sqrt{a^2}$
펑!
a
$\sqrt{a^2}$
$-a$
펑!
$a>0$
$a<0$
$a>0$일 때는 그대로 나오고, $a<0$일 때는 '−' 부호를 붙여서 나오네.
$a>0$일 때
$(\sqrt{a})^2 = a$
$a>0$일 때
$\sqrt{(-a)^2} = a$

공부할 내용

❶ 제곱근의 뜻과 성질
❷ 무리수와 실수
❸ 제곱근의 곱셈과 나눗셈
❹ 제곱근의 덧셈과 뺄셈

1주 1일 개념 돌파 전략 ❶

개념 1 제곱근의 뜻과 표현

(1) 제곱근 : 어떤 수 x를 제곱하여 a가 될 때, 즉 $x^2=$ ❶ ☐ 일 때, x를 a의 제곱근이라 한다.

나는 a의 제곱근!

(2) 제곱근의 표현 : $a>0$일 때

① a의 양의 제곱근 : $\sqrt{a}$ ② a의 음의 제곱근 : ❷ ☐

③ a의 제곱근 : $\pm\sqrt{a}$ ④ 제곱근 a : $\sqrt{a}$

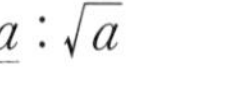

❶ a ❷ $-\sqrt{a}$

개념 돌파 Quiz

① $4^2=16$, $(-4)^2=16$이므로 16의 제곱근은 4와 ❶ ☐ 이다.

② 7의 양의 제곱근은 $\sqrt{7}$이고 7의 음의 제곱근은 ❷ ☐ 이다.

③ 제곱근 6은 6의 양의 제곱근이므로 ❸ ☐ 이다.

❶ -4 ❷ $-\sqrt{7}$ ❸ $\sqrt{6}$

개념 2 제곱근의 성질과 대소 관계

(1) $a>0$일 때

① $(\sqrt{a})^2=a$, $(-\sqrt{a})^2=a$ ② $\sqrt{a^2}=a$, $\sqrt{(-a)^2}=$ ❶ ☐

(2) $\sqrt{a^2}=|a|=\begin{cases} a & (a\ge 0) \\ ❷ ☐ & (a<0) \end{cases}$

(3) 제곱근의 대소 관계 : $a>0$, $b>0$일 때

① $a<b$이면 $\sqrt{a}<\sqrt{b}$

② $\sqrt{a}<\sqrt{b}$이면 $a<b$, $-\sqrt{a}>-\sqrt{b}$

참고 | a와 $\sqrt{b}$의 대소 비교 (단, $a>0$, $b>0$) ➡ $\sqrt{a^2}$과 $\sqrt{b}$의 대소를 비교

❶ a ❷ $-a$

개념 돌파 Quiz

① $\sqrt{2^2}=2$, $\sqrt{(-3)^2}=$ ❶ ☐

② $2<3$이므로 $\sqrt{2}$ ❷ ☐ $\sqrt{3}$

③ $3<6$이면 $\sqrt{3}<\sqrt{6}$이므로 $-\sqrt{3}$ ❸ ☐ $-\sqrt{6}$

❶ 3 ❷ < ❸ >

개념 3 무리수와 실수

(1) 무리수 : 유리수가 아닌 수, 즉 ❶ ☐ 소수가 아닌 무한소수

(2) 실수 : 유리수와 무리수를 통틀어 실수라 한다.

(3) 실수의 분류

- 실수
  - 유리수
    - 정수
      - 양의 정수 (자연수) 예 1, 2, 3
      - ❷ ☐
      - 음의 정수 예 -1, -2, -3
    - 정수가 아닌 유리수 예 $\frac{1}{2}$, 0.3
  - 무리수 예 $\sqrt{2}$, π

❶ 순환 ❷ 0

개념 돌파 Quiz

(1) $0.\dot{1}\dot{5}$, $\sqrt{7}$, $\sqrt{25}$, $-\sqrt{3}$ 중 무리수인 것은 $\sqrt{7}$, ❶ ☐ 이다.

(2) 다음 중 옳은 것에는 ○표, 옳지 않은 것에는 ×표를 하시오.

① 순환소수는 유리수이다. ( )

② 무한소수는 모두 무리수이다. ( )

③ 근호가 있는 수는 무리수이다. ( )

(1) ❶ $-\sqrt{3}$ (2) ① ○ ② × ③ ×

1-1 다음을 근호를 사용하여 나타내시오.

(1) 21의 양의 제곱근　　(2) 0.4의 음의 제곱근

(3) 제곱근 13　　(4) $\frac{3}{7}$의 제곱근

풀이 | (1) 21의 양의 제곱근은 ❶ ☐ 이다.
(2) 0.4의 음의 제곱근은 $-\sqrt{0.4}$이다.
(3) 제곱근 13은 $\sqrt{13}$이다.
(4) $\frac{3}{7}$의 제곱근은 ❷ ☐ 이다.

❶ $\sqrt{21}$ ❷ $\pm\sqrt{\frac{3}{7}}$ / 답 (1) $\sqrt{21}$ (2) $-\sqrt{0.4}$ (3) $\sqrt{13}$ (4) $\pm\sqrt{\frac{3}{7}}$

1-2 다음 중 11의 제곱근은?

① 11　② -11　③ $\sqrt{11}$
④ $\pm\sqrt{11}$　⑤ ± 11

2-1 다음 값을 구하시오.

(1) $(\sqrt{5})^2$　　(2) $(-\sqrt{11})^2$

(3) $\sqrt{0.3^2}$　　(4) $\sqrt{(-12)^2}$

풀이 | (1) $(\sqrt{5})^2=5$
(2) $(-\sqrt{11})^2=11$
(3) $\sqrt{0.3^2}=$ ❶ ☐
(4) $\sqrt{(-12)^2}=$ ❷ ☐

❶ 0.3 ❷ 12 / 답 (1) 5 (2) 11 (3) 0.3 (4) 12

2-2 다음 중 옳지 않은 것은?

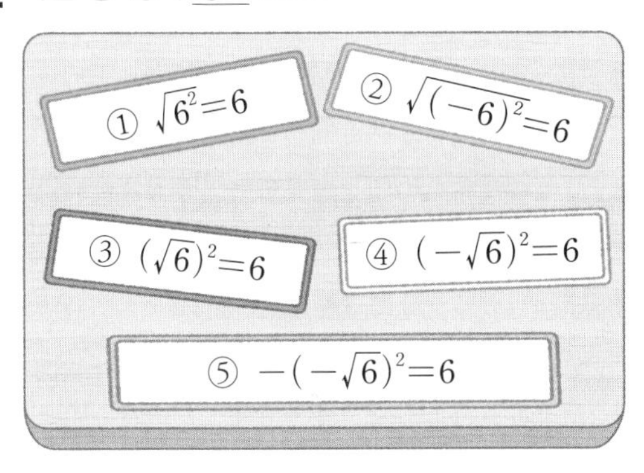

3-1 다음 보기의 수를 유리수와 무리수로 구분하시오.

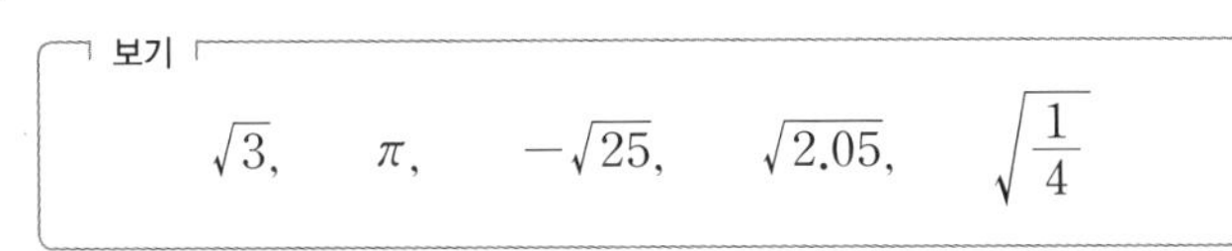

풀이 | 유리수 : $-\sqrt{25}=-5$, $\sqrt{\frac{1}{4}}=$ ❶ ☐
무리수 : $\sqrt{3}$, π, ❷ ☐

❶ $\frac{1}{2}$ ❷ $\sqrt{2.05}$ / 답 유리수 : $-\sqrt{25}$, $\sqrt{\frac{1}{4}}$
무리수 : $\sqrt{3}$, π, $\sqrt{2.05}$

3-2 다음 중 무리수가 아닌 것을 모두 고르면? (정답 2개)

① $\sqrt{10}$　② $0.\dot{4}$　③ $\sqrt{\frac{1}{7}}$
④ $-\sqrt{36}$　⑤ $-\sqrt{0.2}$

1주 1일 개념 돌파 전략 ❶

개념 4 제곱근의 곱셈과 나눗셈

(1) 제곱근의 곱셈 : $a>0$, $b>0$이고 m, n이 유리수일 때

① $\sqrt{a}\sqrt{b}=\sqrt{ab}$ ② $m\sqrt{a}\times n\sqrt{b}=$ ❶ $\sqrt{ab}$

(2) 제곱근의 나눗셈 : $a>0$, $b>0$이고 m, n이 유리수일 때

① $\dfrac{\sqrt{a}}{\sqrt{b}}=\sqrt{\dfrac{a}{b}}$ ② $m\sqrt{a}\div n\sqrt{b}=\dfrac{m}{n}\sqrt{\dfrac{a}{b}}$ (단, $n\neq0$)

(3) 근호가 있는 식의 변형 : $a>0$, $b>0$일 때

① $\sqrt{a^2b}=$ ❷ $\sqrt{b}$ ② $\sqrt{\dfrac{a}{b^2}}=\dfrac{\sqrt{a}}{b}$

❶ mn ❷ a

개념 돌파 Quiz

① $\sqrt{5}\times\sqrt{2}=\sqrt{5\times2}=\sqrt{10}$

② $2\sqrt{3}\times3\sqrt{7}=2\times3\times\sqrt{3\times}$ ❶ $=6\sqrt{21}$

③ $\sqrt{12}\div\sqrt{3}=\sqrt{\dfrac{12}{3}}=\sqrt{4}=$ ❷

④ $\sqrt{24}=\sqrt{2^2\times6}=2\sqrt{6}$

❶ 7 ❷ 2

개념 5 분모의 유리화

(1) 분모의 유리화 : 분수의 분모가 근호를 포함한 무리수일 때, 분자와 분모에 0이 아닌 같은 수를 곱하여 분모를 ❶ 로 고치는 것

(2) 분모를 유리화하는 방법 : $a>0$이고 a, b가 유리수일 때

① $\dfrac{b}{\sqrt{a}}=\dfrac{b\times\sqrt{a}}{\sqrt{a}\times\sqrt{a}}=\dfrac{b\sqrt{a}}{a}$ ② $\dfrac{\sqrt{b}}{\sqrt{a}}=\dfrac{\sqrt{b}\times\sqrt{a}}{\sqrt{a}\times\sqrt{a}}=\dfrac{\sqrt{ab}}{❷}$ (단, $b>0$)

❶ 유리수 ❷ a

개념 돌파 Quiz

$\dfrac{12}{\sqrt{6}}$의 분모를 유리화하면

$\dfrac{12}{\sqrt{6}}=\dfrac{12\times❶}{\sqrt{6}\times\sqrt{6}}=\dfrac{12\sqrt{6}}{❷}=2\sqrt{6}$

❶ $\sqrt{6}$ ❷ 6

개념 6 제곱근의 덧셈과 뺄셈, 분배법칙

(1) 제곱근의 덧셈과 뺄셈

m, n이 유리수이고 $\sqrt{a}$가 무리수일 때

① $m\sqrt{a}+n\sqrt{a}=(m+n)\sqrt{a}$

② $m\sqrt{a}-n\sqrt{a}=($❶$)\sqrt{a}$

(2) 분배법칙 : $a>0$, $b>0$, $c>0$일 때

① $\sqrt{a}(\sqrt{b}\pm\sqrt{c})=\sqrt{ab}\pm$ ❷ (복호동순)

② $(\sqrt{a}\pm\sqrt{b})\sqrt{c}=\sqrt{ac}\pm\sqrt{bc}$ (복호동순)

다항식의 덧셈과 뺄셈에서 동류항끼리 모아서 계산하듯이 제곱근의 덧셈과 뺄셈은 근호 안의 수가 같은 것끼리 모아서 계산해.

❶ $m-n$ ❷ $\sqrt{ac}$

개념 돌파 Quiz

① $3\sqrt{2}+5\sqrt{2}=(3+5)\sqrt{2}=8\sqrt{2}$

② $7\sqrt{3}-4\sqrt{3}=(7-4)\sqrt{3}=$ ❶ $\sqrt{3}$

③ $\sqrt{3}(\sqrt{2}-\sqrt{7})=\sqrt{3}\times\sqrt{2}-\sqrt{3}\times\sqrt{7}=\sqrt{6}-$ ❷

❶ 3 ❷ $\sqrt{21}$

4-1 다음 식을 간단히 하시오.

(1) $\sqrt{6}\times\sqrt{7}$　　(2) $3\sqrt{2}\times4\sqrt{5}$

(3) $\sqrt{56}\div\sqrt{8}$　　(4) $4\sqrt{18}\div2\sqrt{3}$

풀이 | (1) $\sqrt{6}\times\sqrt{7}=\sqrt{6\times7}=\sqrt{42}$

(2) $3\sqrt{2}\times4\sqrt{5}=(3\times4)\times\sqrt{2\times\boxed{❶}}=12\sqrt{10}$

(3) $\sqrt{56}\div\sqrt{8}=\sqrt{\dfrac{56}{8}}=\boxed{❷}$

(4) $4\sqrt{18}\div2\sqrt{3}=\dfrac{4\sqrt{18}}{2\sqrt{3}}=\dfrac{4}{2}\sqrt{\dfrac{18}{3}}=2\sqrt{6}$

❶ 5 ❷ $\sqrt{7}$ / 답 (1) $\sqrt{42}$ (2) $12\sqrt{10}$ (3) $\sqrt{7}$ (4) $2\sqrt{6}$

4-2 다음 보기에서 옳은 것을 모두 고르시오.

보기

ㄱ $\sqrt{5}\times\sqrt{3}=3\sqrt{5}$

ㄴ $\sqrt{125}\div\sqrt{5}=5$

ㄷ $-6\sqrt{2}\times4\sqrt{3}=-24\sqrt{6}$

ㄹ $\sqrt{150}=5\sqrt{2}$

5-1 다음 수의 분모를 유리화하시오.

(1) $\dfrac{\sqrt{2}}{\sqrt{3}}$　　(2) $\dfrac{5}{3\sqrt{5}}$

풀이 | (1) $\dfrac{\sqrt{2}}{\sqrt{3}}=\dfrac{\sqrt{2}\times\sqrt{3}}{\sqrt{3}\times\boxed{❶}}=\dfrac{\sqrt{6}}{3}$

(2) $\dfrac{5}{3\sqrt{5}}=\dfrac{5\times\sqrt{5}}{3\sqrt{5}\times\sqrt{5}}=\dfrac{5\sqrt{5}}{\boxed{❷}}=\dfrac{\sqrt{5}}{3}$

❶ $\sqrt{3}$ ❷ 15 / 답 (1) $\dfrac{\sqrt{6}}{3}$ (2) $\dfrac{\sqrt{5}}{3}$

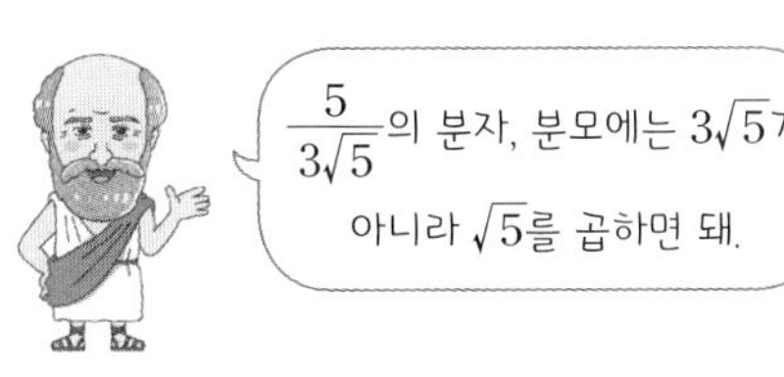

5-2 다음 중 분모를 바르게 유리화하지 못한 학생을 찾으시오.

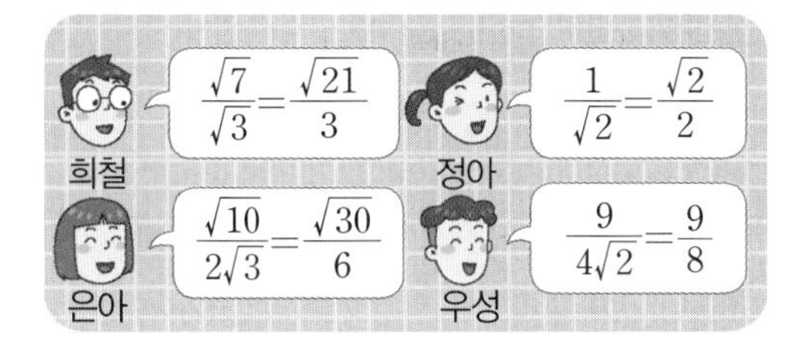

6-1 다음 식을 간단히 하시오.

(1) $2\sqrt{5}+3\sqrt{5}$

(2) $12\sqrt{3}-9\sqrt{3}$

(3) $\sqrt{5}(\sqrt{20}-1)$

풀이 | (1) $2\sqrt{5}+3\sqrt{5}=(2+\boxed{❶})\sqrt{5}=5\sqrt{5}$

(2) $12\sqrt{3}-9\sqrt{3}=(12-9)\sqrt{3}=3\sqrt{3}$

(3) $\sqrt{5}(\sqrt{20}-1)=\sqrt{5}\times\sqrt{20}-\sqrt{5}\times1$

$=\sqrt{\boxed{❷}}-\sqrt{5}$

$=10-\sqrt{5}$

❶ 3 ❷ 100 / 답 (1) $5\sqrt{5}$ (2) $3\sqrt{3}$ (3) $10-\sqrt{5}$

6-2 다음 중 옳은 것은?

① $\sqrt{3}+4\sqrt{3}=5\sqrt{6}$

② $12\sqrt{3}+2\sqrt{2}=14\sqrt{5}$

③ $4\sqrt{5}-3\sqrt{5}=1$

④ $7\sqrt{6}-13\sqrt{6}=-6\sqrt{6}$

⑤ $\sqrt{2}(\sqrt{3}+\sqrt{2})=\sqrt{6}+\sqrt{2}$

1주 1일 개념 돌파 전략 ❷

바탕 문제

다음 보기에서 제곱근 5를 고르시오.

> 보기
> ㉠ $\sqrt{5}$　　㉡ $\sqrt{25}$　　㉢ $\pm\sqrt{5}$

풀이 ㉡ $\sqrt{25}=$ ❶ ☐

㉢ $\pm\sqrt{5}$는 5의 ❷ ☐ 이다.

따라서 제곱근 5는 ㉠이다.

❶ 5 ❷ 제곱근

1 다음 중 그 값이 나머지 넷과 다른 하나는?

① ±4　② $\pm\sqrt{16}$　③ 제곱근 16
④ 16의 제곱근　⑤ $x^2=16$을 만족하는 x의 값

바탕 문제

$(-3)^2$의 양의 제곱근을 구하시오.

풀이 $(-3)^2=$ ❶ ☐ 이므로 9의 양의 제곱근은 ❷ ☐ 이다.

❶ 9 ❷ 3

2 다음 중 옳은 것은?

① $-\sqrt{4}=4$　② $\sqrt{25}=\pm5$　③ $\sqrt{(-3)^2}=3$
④ $\sqrt{6^2}=\pm6$　⑤ $(-\sqrt{12})^2=-12$

바탕 문제

다음 보기에서 무리수를 구하시오.

> 보기
> ㉠ $2.\dot{4}$　　㉡ $\sqrt{81}$　　㉢ $-\sqrt{\frac{1}{2}}$

풀이 ㉡ $\sqrt{81}=\sqrt{9^2}=$ ❶ ☐ 이므로 유리수이다.

따라서 무리수는 ❷ ☐ 이다.

❶ 9 ❷ ㉢

3 다음 두 학생의 대화에서 ㈎에 해당하는 수는?

① $0.\dot{1}$　② $\sqrt{13}$　③ $\sqrt{169}$
④ $\sqrt{0.04}$　⑤ 3.14

바탕 문제

다음 식을 간단히 하시오.

(1) $\sqrt{3}\times\sqrt{7}$ (2) $\sqrt{30}\div\sqrt{3}$

풀이 (1) $\sqrt{3}\times\sqrt{7}=\sqrt{\boxed{❶\quad}\times 7}=\sqrt{21}$

(2) $\sqrt{30}\div\sqrt{3}=\sqrt{\dfrac{30}{3}}=\sqrt{\boxed{❷\quad}}$

❶ 3 ❷ 10

4 다음 중 옳지 <u>않은</u> 것은?

① $\sqrt{2}\sqrt{3}=\sqrt{6}$
② $-3\sqrt{5}\times\sqrt{2}=-3\sqrt{10}$
③ $\sqrt{35}\div\sqrt{5}=\sqrt{7}$
④ $4\sqrt{18}\div 2\sqrt{6}=6$
⑤ $6\sqrt{15}\div(-2\sqrt{3})=-3\sqrt{5}$

바탕 문제

$\dfrac{5\sqrt{2}}{\sqrt{7}}$의 분모를 유리화하시오.

풀이 $\dfrac{5\sqrt{2}}{\sqrt{7}}=\dfrac{5\sqrt{2}\times\boxed{❶\quad}}{\sqrt{7}\times\sqrt{7}}=\boxed{❷\quad}$

❶ $\sqrt{7}$ ❷ $\dfrac{5\sqrt{14}}{7}$

5 다음 중 옳은 것은?

① $\dfrac{1}{\sqrt{21}}=\dfrac{1}{21}$
② $\dfrac{\sqrt{3}}{\sqrt{5}}=\dfrac{9}{5}$
③ $\dfrac{\sqrt{6}}{\sqrt{7}}=\dfrac{\sqrt{42}}{6}$
④ $\dfrac{3}{2\sqrt{3}}=\dfrac{\sqrt{3}}{2}$
⑤ $\dfrac{\sqrt{3}}{\sqrt{20}}=\dfrac{3\sqrt{5}}{10}$

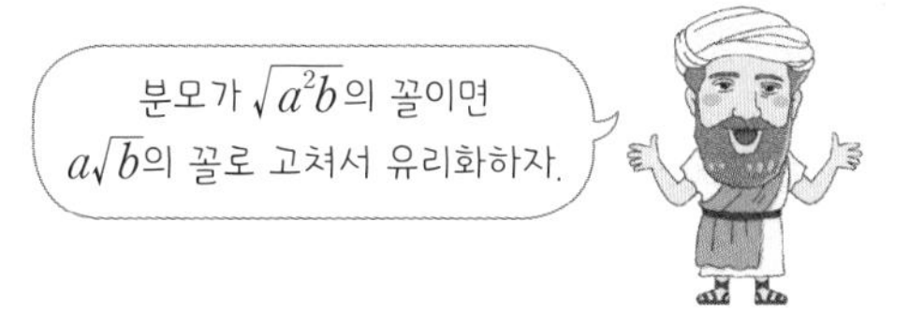

바탕 문제

$\sqrt{2}+2\sqrt{2}+4\sqrt{2}$를 간단히 하시오.

풀이 $\sqrt{2}+2\sqrt{2}+4\sqrt{2}$

$=(\boxed{❶\quad}+2+4)\sqrt{2}$

$=\boxed{❷\quad}$

❶ 1 ❷ $7\sqrt{2}$

6 다음 중 바르게 계산한 학생을 찾으시오.

1주 2일 필수 체크 전략 ❶

전략 1 제곱근의 성질

(1) $a>0$일 때

① $(\sqrt{a})^2=a$, $(-\sqrt{a})^2=a$

② $\sqrt{a^2}=$ ❶ ______, $\sqrt{(-a)^2}=a$

(2) 제곱근의 성질을 이용한 식의 계산

제곱근의 성질을 이용하여 근호를 없앤 후 계산한다.

예 $\sqrt{4^2}+\sqrt{(-5)^2}=4+$ ❷ ______ $=9$

❶ a ❷ 5

필수 예제

1-1 다음 중 그 값이 나머지 넷과 다른 하나는?

① $-(\sqrt{8})^2$　② $-\sqrt{(-8)^2}$　③ $-\sqrt{8^2}$

④ $\sqrt{(-8)^2}$　⑤ $-(-\sqrt{8})^2$

1-2 $\sqrt{81}+\sqrt{(-5)^2}-(-\sqrt{3})^2$을 계산하시오.

풀이 |

1-1 ① $-(\sqrt{8})^2=-8$　② $-\sqrt{(-8)^2}=-8$

③ $-\sqrt{8^2}=-8$　④ $\sqrt{(-8)^2}=8$

⑤ $-(-\sqrt{8})^2=-8$

따라서 나머지 넷과 다른 하나는 ④이다.

답 ④

1-2 $\sqrt{81}+\sqrt{(-5)^2}-(-\sqrt{3})^2$

$=9+5-3$

$=11$

답 11

확인 문제 1-1

다음 중 옳지 않은 것은?

① $(\sqrt{3})^2=3$　② $(-\sqrt{12})^2=12$

③ $\sqrt{\left(-\frac{8}{3}\right)^2}=\frac{8}{3}$　④ $-\sqrt{(-0.09)^2}=0.09$

⑤ $-(\sqrt{36})^2=-36$

확인 문제 1-2

$\sqrt{\frac{25}{36}}\times\sqrt{(-6)^2}-\sqrt{4^2}$을 계산하시오.

$\frac{25}{36}=\left(\frac{5}{6}\right)^2$이므로 $\sqrt{\frac{25}{36}}$에서 근호를 없앨 수 있어.

전략 2 $\sqrt{Ax}$, $\sqrt{\frac{A}{x}}$의 꼴을 자연수로 만들기

(1) $\sqrt{Ax}$(A는 자연수)의 꼴을 자연수로 만들기 ➡ $\sqrt{Ax}$가 자연수가 되려면 Ax가 제곱수이어야 한다.

1 A를 소인수 ❶ ______ 한다.

2 소인수의 지수가 모두 짝수가 되도록 하는 자연수 x의 값을 구한다.

(2) $\sqrt{\frac{A}{x}}$(A는 자연수)의 꼴을 자연수로 만들기 ➡ $\sqrt{\frac{A}{x}}$가 자연수가 되려면 ❷ ______ 가 제곱수이어야 한다.

1 A를 소인수분해한다.

2 A의 약수이면서 소인수의 지수가 모두 짝수가 되도록 하는 자연수 x의 값을 구한다.

❶ 분해 ❷ $\frac{A}{x}$

필수 예제

2-1 $\sqrt{48x}$가 자연수가 되도록 하는 가장 작은 자연수 x의 값은?

① 2 ② 3 ③ 6 ④ 8 ⑤ 12

2-2 $\sqrt{\frac{75}{x}}$가 자연수가 되도록 하는 가장 작은 자연수 x의 값을 구하시오.

풀이

2-1 $48=2^4\times3$이므로 $x=3\times(\text{자연수})^2$의 꼴이어야 한다.
즉 $x=3\times1^2, 3\times2^2, 3\times3^2, \cdots$
따라서 가장 작은 자연수 x의 값은 $3\times1^2=3$

답 ②

2-2 $75=3\times5^2$이므로 x는 75의 약수이면서 $x=3\times(\text{자연수})^2$의 꼴이어야 한다.
즉 $x=3, 3\times5^2$
따라서 가장 작은 자연수 x의 값은 3이다.

답 3

확인 문제 2-1

$\sqrt{24x}$가 자연수가 되도록 하는 가장 작은 두 자리의 자연수 x의 값은?

① 12 ② 16 ③ 20
④ 24 ⑤ 28

확인 문제 2-2

$\sqrt{\frac{54}{x}}$가 자연수가 되도록 하는 자연수 x는 모두 몇 개인지 구하시오.

전략 3 제곱근의 대소 관계

(1) $a>0$, $b>0$일 때

① $a<b$이면 $\sqrt{a}<\sqrt{b}$

② $\sqrt{a}<\sqrt{b}$이면 $a<b$, $-\sqrt{a}$ ❶ $-\sqrt{b}$

(2) a와 $\sqrt{b}$의 대소 비교 (단, $a>0$, $b>0$)

방법1 근호가 없는 수를 근호가 있는 수로 바꾸어 비교한다.

➡ $\sqrt{a^2}$과 $\sqrt{b}$의 대소를 비교

방법2 각 수를 ❷ 하여 비교한다.

➡ a^2과 b의 대소를 비교

❶ > ❷ 제곱

필수 예제

3-1 다음 중 두 수의 대소 관계가 옳은 것은?

① $\sqrt{10}>8$ ② $\sqrt{35}<5$ ③ $\sqrt{\frac{1}{6}}<\sqrt{\frac{1}{7}}$

④ $0.3>\sqrt{0.3}$ ⑤ $-\sqrt{42}>-7$

풀이 |

3-1 ① $\sqrt{10}<\sqrt{64}$이므로 $\sqrt{10}<8$

② $\sqrt{35}>\sqrt{25}$이므로 $\sqrt{35}>5$

③ $\frac{1}{6}>\frac{1}{7}$이므로 $\sqrt{\frac{1}{6}}>\sqrt{\frac{1}{7}}$

④ $\sqrt{0.09}<\sqrt{0.3}$이므로 $0.3<\sqrt{0.3}$

⑤ $\sqrt{42}<\sqrt{49}$에서 $\sqrt{42}<7$이므로 $-\sqrt{42}>-7$

답 ⑤

참고 | 세 실수 a, b, c에 대하여 $a<b$이고 $b<c$이면 $a<b<c$이다.

확인 문제 3-1

다음 중 두 수의 대소 관계가 옳지 않은 것은?

① $\sqrt{12}>3$ ② $\sqrt{45}<5$

③ $0.1<\sqrt{0.1}$ ④ $-\sqrt{11}<-\sqrt{10}$

⑤ $-\sqrt{98}<-9$

확인 문제 3-2

다음 수를 작은 수부터 차례대로 나열하였을 때, 세 번째에 오는 수를 구하시오.

$\sqrt{8}$, 3, $-\frac{1}{2}$, $-\sqrt{\frac{1}{3}}$, $\sqrt{12}$

전략 4 무리수를 수직선 위에 나타내기

직각삼각형의 빗변의 길이가 $\sqrt{a}$일 때, 기준점을 중심으로 하고 반지름의 길이가 ❶ [ ]인 원을 그려 수직선과 만나는 점을 찾으면 그 점에 대응하는 수는 다음과 같다.

(1) 대응하는 수가 기준점의 오른쪽에 있으면 (기준점의 좌표)$+\sqrt{a}$

(2) 대응하는 수가 기준점의 왼쪽에 있으면 (기준점의 좌표) ❷ [ ] $\sqrt{a}$

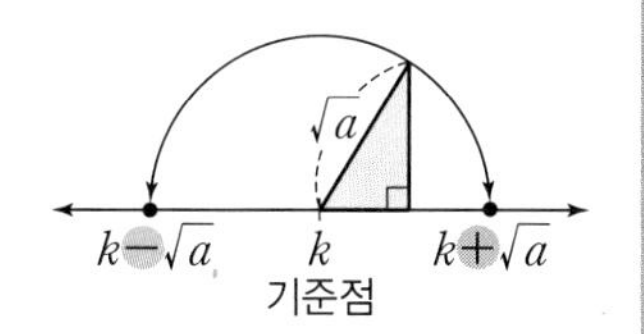

❶ $\sqrt{a}$ ❷ $-$

필수 예제

4-1 오른쪽 그림은 한 눈금의 길이가 1인 모눈종이 위에 직각삼각형 OAB와 수직선을 그린 것이다. 점 O를 중심으로 하고 $\overline{OB}$를 반지름으로 하는 원을 그려 수직선과 만나는 두 점을 각각 P, Q라 할 때, 두 점 P, Q에 대응하는 수를 각각 구하시오.

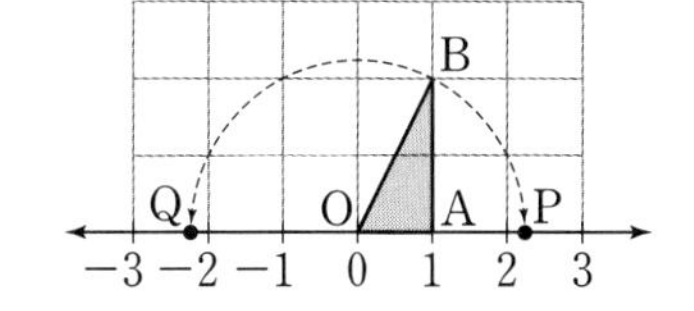

풀이 |

4-1 $\triangle OAB$에서 $\overline{OB}=\sqrt{1^2+2^2}=\sqrt{5}$

이때 점 O에 대응하는 수는 0이고 $\overline{OP}=\overline{OQ}=\overline{OB}=\sqrt{5}$

이므로 점 P에 대응하는 수는 $0+\sqrt{5}=\sqrt{5}$,

점 Q에 대응하는 수는 $0-\sqrt{5}=-\sqrt{5}$이다.

답 점 P에 대응하는 수 : $\sqrt{5}$,

점 Q에 대응하는 수 : $-\sqrt{5}$

다음은 실수와 수직선 사이의 관계야. 반드시 알아두자!

① 수직선은 실수에 대응하는 점들로 완전히 메울 수 있다.
② 모든 실수는 각각 수직선 위의 한 점에 대응한다.
③ 서로 다른 두 실수 사이에는 무수히 많은 실수가 있다.

확인 문제 4-1

다음 그림에서 □ABCD는 한 변의 길이가 1인 정사각형이고 $\overline{BD}=\overline{BP}$, $\overline{AC}=\overline{AQ}$일 때, 아래 보기에서 옳은 것을 모두 고르시오.

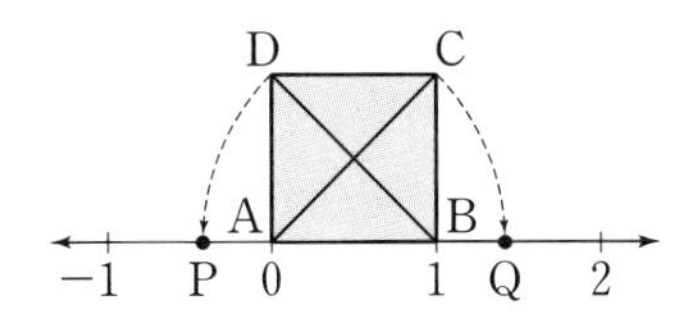

보기

ㄱ. $\overline{AC}$의 길이는 $\sqrt{2}$이다.
ㄴ. $\overline{BD}$의 길이는 2이다.
ㄷ. 점 P에 대응하는 수는 $-\sqrt{2}$이다.
ㄹ. 점 Q에 대응하는 수는 $\sqrt{2}$이다.

확인 문제 4-2

다음 중 옳은 것은?

① 수직선은 유리수에 대응하는 점들로 완전히 메울 수 있다.
② 한 실수는 수직선 위의 한 점에 대응한다.
③ 서로 다른 두 유리수 사이에는 무리수가 없다.
④ 서로 다른 두 무리수 사이에는 유리수가 없다.
⑤ 서로 다른 두 정수 사이에는 유리수만 있다.

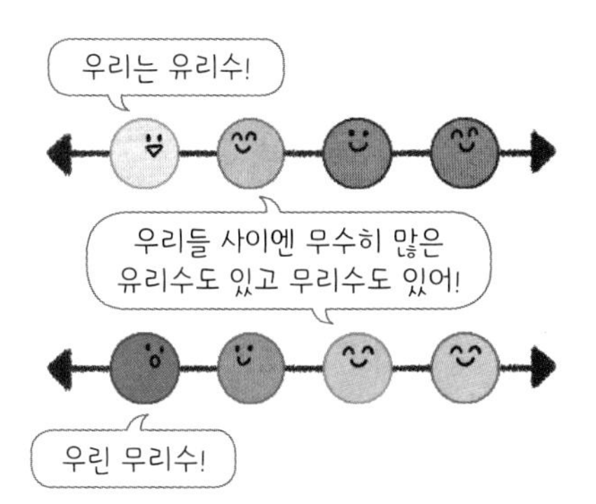

1주 2일 필수 체크 전략 ❷

1 $a>0$일 때, 다음 중 옳지 않은 것은?

① $\sqrt{a^2}=a$ ② $\sqrt{4a^2}=2a$ ③ $\sqrt{(-3a)^2}=3a$
④ $-\sqrt{(2a)^2}=2a$ ⑤ $-\sqrt{(-5a)^2}=-5a$

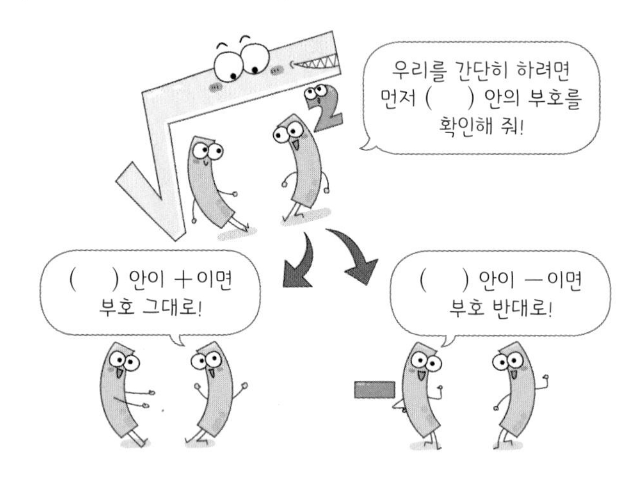

문제 해결 전략

$\sqrt{a^2}=|a|=\begin{cases} a & (a\ge 0) \\ ❶\square & (a<0) \end{cases}$

➡ $\sqrt{(\text{양수})^2}=(\text{양수})$,
$\sqrt{(\text{음수})^2}=$ ❷☐ (음수)

❶ $-a$ ❷ $-$

2 다음 중 $\sqrt{300x}$가 자연수가 되도록 하는 자연수 x의 값이 될 수 없는 것은?

① 3 ② 12 ③ 27
④ 48 ⑤ 70

문제 해결 전략

$300=2^2\times3\times$ ❶☐ 이므로
$x=$ ❷☐ $\times(\text{자연수})^2$의 꼴이어야 한다.

❶ 5^2 ❷ 3

3 $\sqrt{\dfrac{240}{x}}$이 자연수가 되도록 하는 가장 작은 자연수 x의 값을 구하시오.

문제 해결 전략

$240=2^4\times3\times$ ❶☐ 이므로 x는 240의 약수이면서 $x=$ ❷☐ $\times5\times(\text{자연수})^2$의 꼴이어야 한다.

❶ 5 ❷ 3

4 다음 수 중 가장 큰 수를 a, 가장 작은 수를 b라 할 때, a^2+b^2의 값을 구하시오.

$$-\sqrt{2},\quad 4,\quad -2,\quad -\sqrt{\frac{1}{2}},\quad \sqrt{17}$$

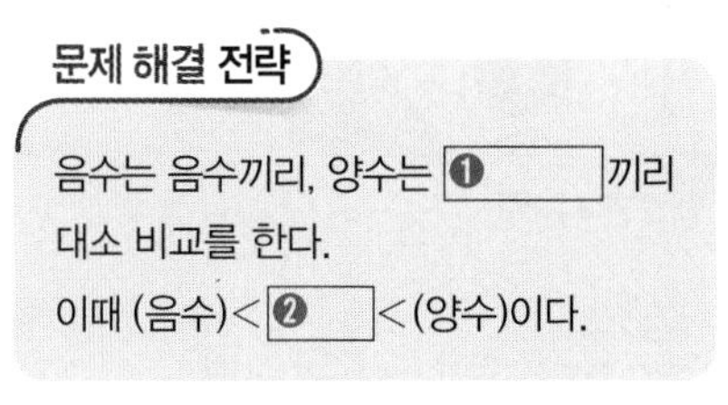

❶ 양수 ❷ 0

5 다음 중 옳지 않은 말을 한 학생을 찾으시오.

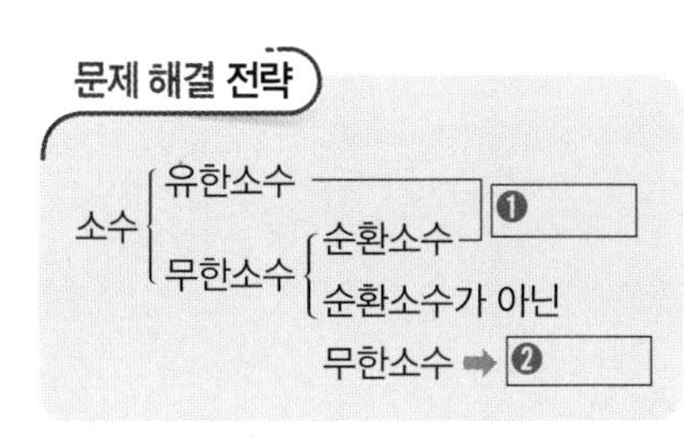

❶ 유리수 ❷ 무리수

6 오른쪽 그림은 한 눈금의 길이가 1인 모눈종이 위에 직각삼각형 ABC와 수직선을 그린 것이다. 점 A를 중심으로 하고 $\overline{AB}$를 반지름으로 하는 원을 그려 수직선과 만나는 두 점을 각각 P, Q라 할 때, 다음 중 옳지 않은 것은?

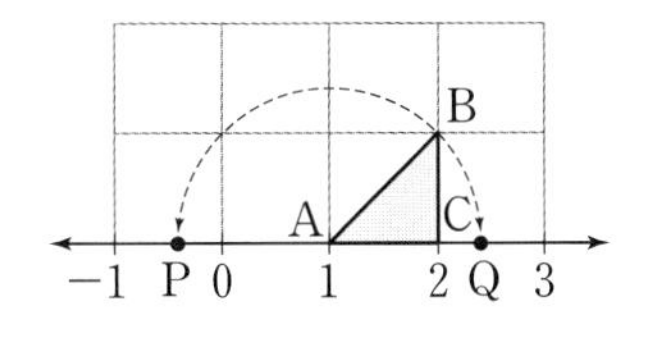

① $\overline{AB}=\sqrt{2}$ ② $\overline{AP}=\sqrt{2}$ ③ $P(1-\sqrt{2})$
④ $Q(2+\sqrt{2})$ ⑤ $\overline{CQ}=\sqrt{2}-1$

문제 해결 전략

직각삼각형 ABC에서 피타고라스 정리를 이용하여 ❶ 의 길이를 구한다. 이때 $\overline{AP}$=❷ $=\overline{AB}$임을 이용한다.

❶ $\overline{AB}$ ❷ $\overline{AQ}$

1주 3일

필수 체크 전략 ❶

전략 1 분모의 유리화

분모에 근호를 포함한 무리수가 있을 때, 분모와 분자에 0이 아닌 같은 ❶ ☐를 곱하여 분모를 유리수로 고치는 것을 분모의 유리화라 한다.

$$\frac{b}{\sqrt{a}}=\frac{b\times\sqrt{a}}{\sqrt{a}\times\sqrt{a}}=\frac{b\sqrt{a}}{a}\ (a>0)$$

무리수 → 유리수 (유리화)

$\frac{2}{\sqrt{3}}=\frac{2\times\sqrt{3}}{\sqrt{3}\times\sqrt{3}}=\frac{2\sqrt{3}}{3}$

$\frac{\sqrt{2}}{\sqrt{3}}=\frac{\sqrt{2}\times ❷\ \square}{\sqrt{3}\times\sqrt{3}}=\frac{\sqrt{6}}{3}$

$\frac{\sqrt{2}}{2\sqrt{3}}=\frac{\sqrt{2}\times\sqrt{3}}{2\sqrt{3}\times\sqrt{3}}=\frac{\sqrt{6}}{6}$

└ 분모의 근호 부분만 분모, 분자에 각각 곱한다.

참고 | 분모가 $\sqrt{a^2b}$의 꼴이면 $a\sqrt{b}$의 꼴로 바꾼 후 분모를 유리화한다.

❶ 수 ❷ $\sqrt{3}$

필수 예제

1-1 $\frac{10}{\sqrt{5}}=a\sqrt{5}$, $\frac{5}{\sqrt{28}}=b\sqrt{7}$일 때, ab의 값은? (단, a, b는 유리수)

① $\frac{5}{14}$　② $\frac{5}{7}$　③ 2　④ 5　⑤ 6

풀이 |

1-1 $\frac{10}{\sqrt{5}}=\frac{10\times\sqrt{5}}{\sqrt{5}\times\sqrt{5}}=\frac{10\sqrt{5}}{5}=2\sqrt{5}$이므로 $a=2$

$\frac{5}{\sqrt{28}}=\frac{5}{2\sqrt{7}}=\frac{5\times\sqrt{7}}{2\sqrt{7}\times\sqrt{7}}=\frac{5\sqrt{7}}{14}$이므로 $b=\frac{5}{14}$

$\therefore ab=2\times\frac{5}{14}=\frac{5}{7}$

분모가 $\sqrt{a^2b}$의 꼴이면 $a\sqrt{b}$의 꼴로 고친 후 분모를 유리화하자.

답 ②

확인 문제 1-1

다음 중 분모를 유리화한 것으로 옳은 것은?

① $\frac{2}{\sqrt{5}}=\frac{\sqrt{10}}{5}$　② $-\frac{\sqrt{3}}{\sqrt{7}}=\frac{\sqrt{-21}}{7}$　③ $\sqrt{\frac{2}{3}}=\frac{\sqrt{2}}{3}$

④ $\frac{\sqrt{5}}{3\sqrt{6}}=\frac{\sqrt{30}}{18}$　⑤ $\frac{4}{\sqrt{175}}=\frac{4\sqrt{7}}{5}$

확인 문제 1-2

$\frac{\sqrt{a}}{\sqrt{48}}$의 분모를 유리화하면 $\frac{\sqrt{6}}{12}$이 될 때, 유리수 a의 값을 구하시오.

전략 2 제곱근의 곱셈과 나눗셈의 혼합 계산

1 나눗셈은 역수의 ❶ [ ] 으로 고친다.
2 앞에서부터 차례대로 계산한다.
3 제곱근의 성질과 분모의 유리화를 이용한다.

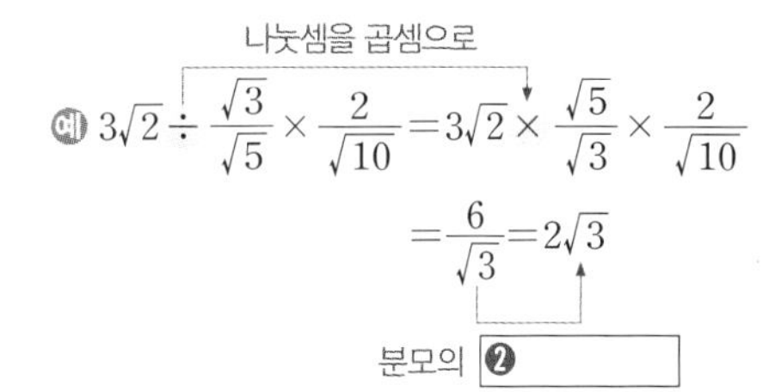

❶ 곱셈 ❷ 유리화

필수 예제

2-1 $\sqrt{\frac{2}{15}}\times\sqrt{\frac{5}{6}}\div\frac{\sqrt{8}}{12}=a\sqrt{2}$일 때, 유리수 a의 값은?

① 1 ② 2 ③ 3 ④ 4 ⑤ 5

2-2 오른쪽 그림과 같이 밑면의 가로의 길이가 $\sqrt{6}$ cm, 세로의 길이가 $2\sqrt{2}$ cm이고 높이가 $\sqrt{10}$ cm인 직육면체의 부피를 구하시오.

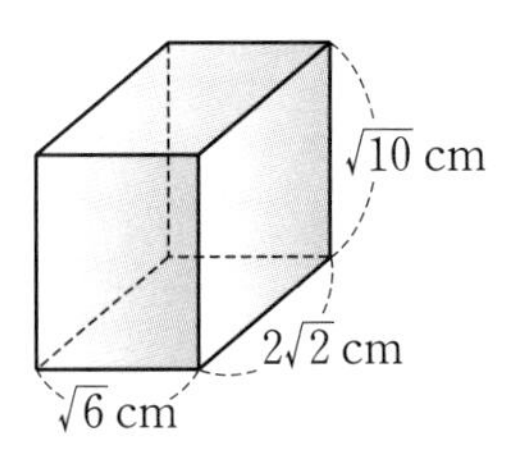

풀이 |

2-1 $\sqrt{\frac{2}{15}}\times\sqrt{\frac{5}{6}}\div\frac{\sqrt{8}}{12}=\frac{\sqrt{2}}{\sqrt{15}}\times\frac{\sqrt{5}}{\sqrt{6}}\times\frac{12}{\sqrt{8}}$

$=\frac{\sqrt{2}}{\sqrt{15}}\times\frac{\sqrt{5}}{\sqrt{6}}\times\frac{12}{2\sqrt{2}}$

$=\frac{6}{\sqrt{18}}=\frac{6}{3\sqrt{2}}=\sqrt{2}$

$\therefore a=1$

답 ①

2-2 (직육면체의 부피)

$=\sqrt{6}\times2\sqrt{2}\times\sqrt{10}$

$=2\times\sqrt{6\times2\times10}$

$=2\sqrt{120}=4\sqrt{30}$ (cm³)

답 $4\sqrt{30}$ cm³

확인 문제 2-1

다음 중 옳은 것을 모두 고르면? (정답 2개)

① $\sqrt{3}\times\sqrt{7}=\sqrt{10}$

② $\sqrt{45}\div\sqrt{15}=\sqrt{3}$

③ $\frac{\sqrt{6}}{\sqrt{2}}\times\frac{3}{\sqrt{24}}=\sqrt{2}$

④ $6\sqrt{28}\div2\sqrt{7}\times3\sqrt{3}=18\sqrt{3}$

⑤ $\sqrt{\frac{3}{2}}\times\frac{\sqrt{12}}{5}\div\sqrt{2}=\frac{\sqrt{3}}{5}$

확인 문제 2-2

다음 그림과 같은 삼각형의 넓이를 구하시오.

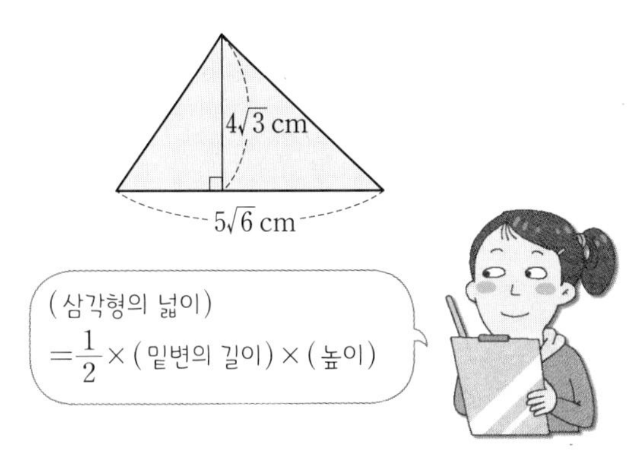

전략 3 제곱근의 덧셈과 뺄셈

(1) 제곱근의 덧셈과 뺄셈은 근호 안의 수가 같은 것끼리 묶어서 계산한다.

예 $3\sqrt{2}+2\sqrt{3}+2\sqrt{2}-3\sqrt{3}=(3+2)\sqrt{2}+(2-3)\sqrt{3}=$ ❶ $\boxed{}\sqrt{2}-\sqrt{3}$

(2) 근호 안에 제곱인 인수가 있으면 제곱인 인수를 근호 밖으로 꺼낸 후 계산한다.

예 $3\sqrt{8}+\sqrt{32}=3\times2\sqrt{2}+4\sqrt{2}=6\sqrt{2}+4\sqrt{2}=$ ❷ $\boxed{}\sqrt{2}$

(3) 분모가 무리수이면 분모를 유리화한다.

❶ 5 ❷ 10

필수 예제

3-1 $\sqrt{3}+3\sqrt{5}-4\sqrt{3}+7\sqrt{5}=a\sqrt{3}+b\sqrt{5}$일 때, $a+b$의 값은? (단, a, b는 유리수)

① 5 ② 6 ③ 7 ④ 8 ⑤ 9

3-2 $3\sqrt{96}-\dfrac{4\sqrt{3}}{\sqrt{2}}+\sqrt{54}$를 간단히 하시오.

풀이 |

3-1 $\sqrt{3}+3\sqrt{5}-4\sqrt{3}+7\sqrt{5}$

$=(1-4)\sqrt{3}+(3+7)\sqrt{5}$

$=-3\sqrt{3}+10\sqrt{5}$

따라서 $a=-3$, $b=10$이므로

$a+b=-3+10=7$

답 ③

3-2 $3\sqrt{96}-\dfrac{4\sqrt{3}}{\sqrt{2}}+\sqrt{54}$

$=3\times4\sqrt{6}-\dfrac{4\sqrt{6}}{2}+3\sqrt{6}$

$=12\sqrt{6}-2\sqrt{6}+3\sqrt{6}$

$=13\sqrt{6}$

답 $13\sqrt{6}$

확인 문제 3-1

$-2\sqrt{6}-2\sqrt{7}+3\sqrt{6}+5\sqrt{7}$을 간단히 하시오.

확인 문제 3-2

다음 중 계산 결과가 옳은 것은?

① $2\sqrt{3}+5\sqrt{2}=7\sqrt{5}$

② $4\sqrt{5}-9\sqrt{5}=-5$

③ $-\sqrt{12}+8\sqrt{3}=2\sqrt{3}$

④ $-\dfrac{3\sqrt{10}}{\sqrt{2}}-2\sqrt{20}+\dfrac{15}{\sqrt{5}}=4\sqrt{5}$

⑤ $\sqrt{18}+\sqrt{12}-\dfrac{2}{\sqrt{2}}=2\sqrt{2}+2\sqrt{3}$

전략 4 분배법칙과 분모의 유리화를 이용한 제곱근의 덧셈과 뺄셈

(1) 괄호가 있으면 분배법칙을 이용하여 괄호를 푼다.

$a>0$, $b>0$, $c>0$일 때

① $\sqrt{a}(\sqrt{b}\pm\sqrt{c})=\sqrt{ab}\pm$ ❶ (복호동순)　② $(\sqrt{a}\pm\sqrt{b})\sqrt{c}=\sqrt{ac}\pm$ ❷ (복호동순)

(2) 분모가 무리수이면 분모를 유리화한다.

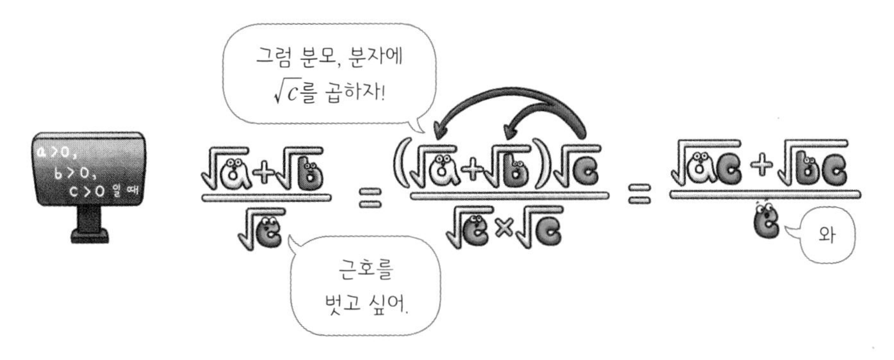

❶ $\sqrt{ac}$ ❷ $\sqrt{bc}$

필수 예제

4-1 $\sqrt{2}(2\sqrt{2}-5\sqrt{3})-\sqrt{3}(-\sqrt{2}+3\sqrt{3})=a+b\sqrt{6}$일 때, $a+b$의 값은? (단, a, b는 유리수)

① -9 ② -8 ③ -7 ④ -6 ⑤ -5

4-2 $\frac{\sqrt{8}-\sqrt{6}}{\sqrt{3}}$의 분모를 유리화하시오.

풀이

4-1 $\sqrt{2}(2\sqrt{2}-5\sqrt{3})-\sqrt{3}(-\sqrt{2}+3\sqrt{3})$
$=4-5\sqrt{6}+\sqrt{6}-9$
$=-5-4\sqrt{6}$
따라서 $a=-5$, $b=-4$이므로
$a+b=-5+(-4)=-9$

답 ①

4-2 $\frac{\sqrt{8}-\sqrt{6}}{\sqrt{3}}=\frac{(\sqrt{8}-\sqrt{6})\times\sqrt{3}}{\sqrt{3}\times\sqrt{3}}=\frac{\sqrt{24}-\sqrt{18}}{3}$
$=\frac{2\sqrt{6}-3\sqrt{2}}{3}$

답 $\frac{2\sqrt{6}-3\sqrt{2}}{3}$

확인 문제 4-1

$\sqrt{3}(\sqrt{12}-\sqrt{15})-\sqrt{2}(\sqrt{10}+\sqrt{8})=a+b\sqrt{5}$일 때, $a-b$의 값은? (단, a, b는 유리수)

① 6 ② 7 ③ 8
④ -3 ⑤ -7

확인 문제 4-2

$\frac{\sqrt{10}-2\sqrt{15}}{\sqrt{5}}=a\sqrt{2}+b\sqrt{3}$일 때, 유리수 a, b에 대하여 ab의 값은?

① -2 ② -1 ③ 1
④ 2 ⑤ 3

1주 3일 필수 체크 전략 ❷

1 $\dfrac{7}{\sqrt{21}}=a\sqrt{21}$, $\dfrac{4\sqrt{3}}{\sqrt{8}}=b\sqrt{6}$일 때, $3ab$의 값을 구하시오. (단, a, b는 유리수)

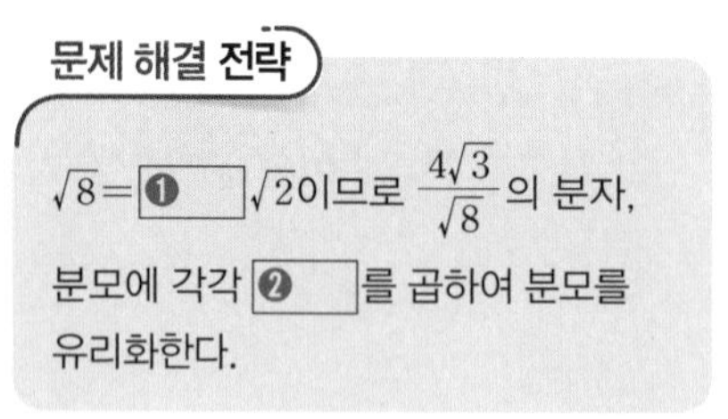

❶ 2 ❷ $\sqrt{2}$

2 다음 중 계산 결과가 옳지 않은 학생을 찾으시오.

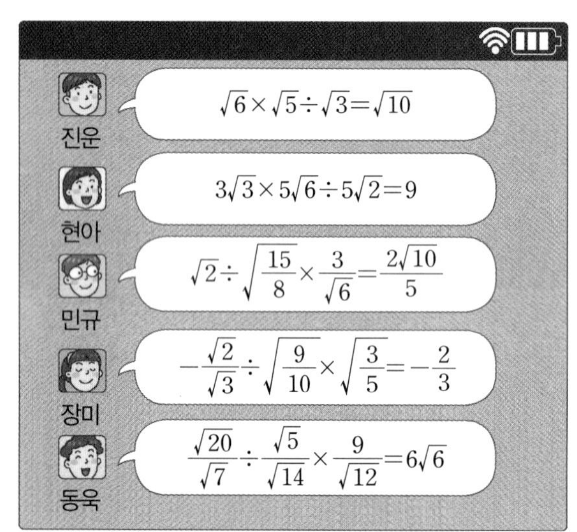

문제 해결 전략

1 나눗셈은 ❶ 의 곱셈으로 고친다.
2 앞에서부터 차례대로 계산한다.
3 제곱근의 성질과 분모의 ❷ 를 이용한다.

❶ 역수 ❷ 유리화

3 오른쪽 그림과 같이 밑면의 가로, 세로의 길이가 각각 $4\sqrt{2}$ cm, $3\sqrt{3}$ cm인 직육면체의 부피가 $36\sqrt{6}$ cm^{3}일 때, 이 직육면체의 높이를 구하시오.

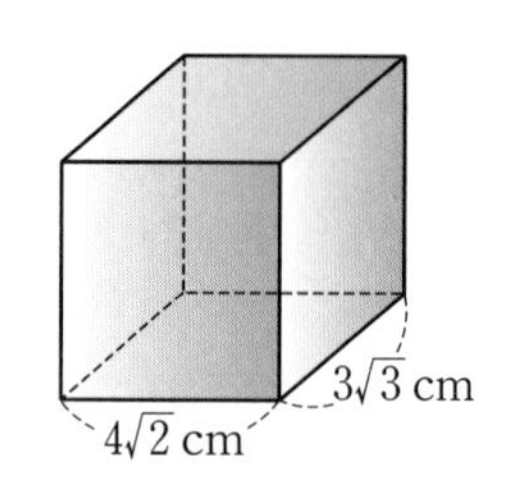

문제 해결 전략

직육면체의 높이를 x cm라 하면
$4\sqrt{2}\times$ ❶ $\times x=$ ❷ (cm^3)

❶ $3\sqrt{3}$ ❷ $36\sqrt{6}$

4 다음은 미혜네 반 학생들이 온라인 수업 시간에 제곱근의 덧셈과 뺄셈을 하는 모습이다. 바르게 계산한 학생을 찾으시오.

문제 해결 전략

$\sqrt{a^2b}=a\sqrt{b}$임을 이용하여 근호 안의 수를 가장 ❶ [ ] 자연수로 만든 후 근호 안의 수가 ❷ [ ]은 것끼리 계산한다.

❶ 작은 ❷ 같

5 오른쪽 그림과 같은 사다리꼴 ABCD의 넓이는?

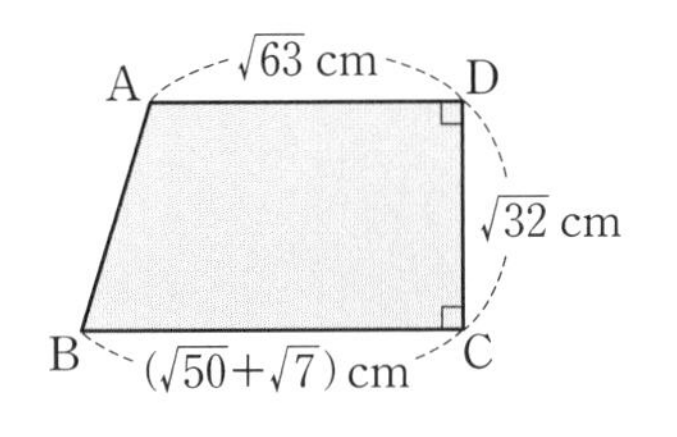

① $(6\sqrt{14}+20)\ \text{cm}^2$
② $(8\sqrt{14}+20)\ \text{cm}^2$
③ $(10\sqrt{14}+20)\ \text{cm}^2$
④ $(8\sqrt{14}+10\sqrt{6})\ \text{cm}^2$
⑤ $(10\sqrt{14}+10\sqrt{6})\ \text{cm}^2$

문제 해결 전략

(사다리꼴의 넓이)

$=\frac{1}{2}\times$ {(❶ [ ]의 길이)

+(아랫변의 길이)} × (❷ [ ])

임을 이용한다.

❶ 윗변 ❷ 높이

6 $\frac{\sqrt{48}-\sqrt{72}}{\sqrt{3}}+\frac{8\sqrt{3}}{\sqrt{2}}=4+a\sqrt{6}$일 때, 유리수 a의 값은?

① 2　② 3　③ 4
④ -2　⑤ -4

문제 해결 전략

분모를 유리화한 후 계산한다.

$a>0,\ b>0,\ c>0$일 때

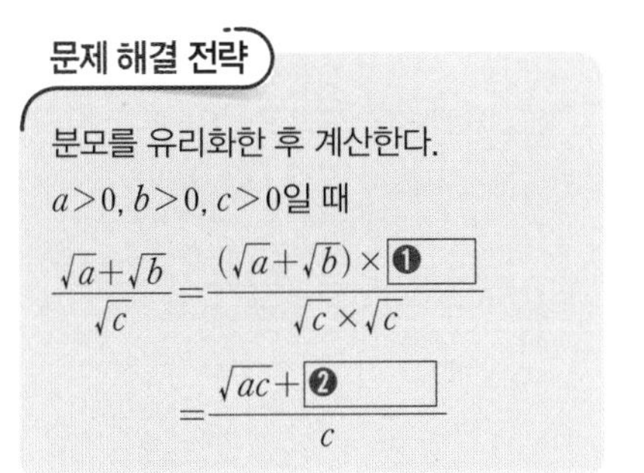

❶ $\sqrt{c}$ ❷ $\sqrt{bc}$

1주 4일 교과서 대표 전략 ❶

대표 예제 1

다음 중 옳은 것은?

① 1의 제곱근은 1이다.
② $\sqrt{16}$의 제곱근은 2와 -2이다.
③ -6의 제곱근은 $-\sqrt{6}$이다.
④ 제곱근 64는 ±8이다.
⑤ 2의 음의 제곱근은 -2이다.

개념 가이드

(1) $a>0$일 때
① a의 양의 제곱근 ➡ $\sqrt{a}$, a의 음의 제곱근 ➡ $-\sqrt{a}$
② a의 제곱근 ➡ ❶ [　　], 제곱근 a ➡ $\sqrt{a}$
(2) 어떤 수의 제곱으로 표현된 수 또는 근호를 포함한 수의 제곱근을 구할 때에는 먼저 주어진 수를 ❷ [　　] 한다.

❶ $\pm\sqrt{a}$ ❷ 간단히

대표 예제 2

다음 중 옳은 것은?

① $(-\sqrt{14})^2=-14$　② $-(-\sqrt{47})^2=47$
③ $\sqrt{\left(\frac{15}{4}\right)^2}=\frac{15}{2}$　④ $-\sqrt{(-0.01)^2}=-0.01$
⑤ $-(\sqrt{25})^2=-5$

개념 가이드

$a>0$일 때
(1) $(\sqrt{a})^2=a$, $(-\sqrt{a})^2=$ ❶ [　　]
(2) $\sqrt{a^2}=$ ❷ [　　], $\sqrt{(-a)^2}=a$

❶ a ❷ a

대표 예제 3

$a<0$일 때, 다음 중 옳지 않은 것을 들고 있는 학생을 찾으시오.

개념 가이드

$\sqrt{(\quad)^2}$의 꼴이 나오면 (　) 안의 ❶ [　　]를 조사한다.
(1) (　) 안이 $+$이면 ➡ (　)
(2) (　) 안이 ❷ [　　]이면 ➡ $-$(　)

❶ 부호 ❷ $-$

대표 예제 4

$\sqrt{\frac{56}{x}}$이 자연수가 되도록 하는 모든 자연수 x의 값의 합을 구하시오.

개념 가이드

$\sqrt{\frac{A}{x}}$ (A는 자연수)가 자연수가 되려면 $\frac{A}{x}$가 제곱수이어야 한다.
(1) A를 ❶ [　　]한다.
(2) 소인수의 지수가 모두 ❷ [　　]가 되도록 하는 x의 값을 구한다. 이때 x는 A의 약수이다.

❶ 소인수분해 ❷ 짝수

대표 예제 5

$\sqrt{13+x}$가 자연수가 되도록 하는 가장 작은 자연수 x의 값을 구하시오.

개념 가이드

(1) $\sqrt{A+x}$ (A는 자연수)의 꼴이 자연수가 되도록 하는 자연수 x의 값 구하기
➡ A보다 큰 ❶ [ ] 를 찾아 x의 값을 구한다.

(2) $\sqrt{A-x}$ (A는 자연수)의 꼴이 자연수가 되도록 하는 자연수 x의 값 구하기
➡ A보다 ❷ [ ] 제곱수를 찾아 x의 값을 구한다.

❶ 제곱수 ❷ 작은

대표 예제 6

다음 중 두 수의 대소 관계가 옳은 것은?

① $-\sqrt{15}<-4$ ② $\sqrt{2}<1.5$

③ $\frac{1}{3}>\sqrt{\frac{1}{3}}$ ④ $-\sqrt{24}<-5$

⑤ $\frac{1}{4}>\frac{1}{\sqrt{2}}$

근호가 없는 수를 근호가 있는 수로 바꿔서 비교해.

개념 가이드

$a>0$, $b>0$일 때

(1) $a<b$이면 $\sqrt{a}<$ ❶ [ ]

(2) $\sqrt{a}<\sqrt{b}$이면 $a<b$, $-\sqrt{a}$ ❷ [ ] $-\sqrt{b}$

❶ $\sqrt{b}$ ❷ >

대표 예제 7

다음 중 $\sqrt{5}$에 대한 설명으로 옳지 않은 것을 모두 고르면? (정답 2개)

① 5의 양의 제곱근이다.
② 유리수가 아닌 수이다.
③ 무한소수 중 순환소수이다.
④ $(-\sqrt{5})^2$과 같다.
⑤ 기약분수로 나타낼 수 없다.

개념 가이드

(1) 유리수는 분수 꼴로 나타낼 수 있지만 ❶ [ ] 는 분수 꼴로 나타낼 수 없다.

(2) 유리수이면서 무리수인 수는 ❷ [ ].

❶ 무리수 ❷ 없다

대표 예제 8

다음 그림은 한 눈금의 길이가 1인 모눈종이 위에 직각삼각형 ABC와 수직선을 그린 것이다. 점 A를 중심으로 하고 $\overline{AB}$를 반지름으로 하는 원을 그려 수직선과 만나는 두 점을 각각 P, Q라 할 때, 두 점 P, Q의 좌표를 각각 구하시오.

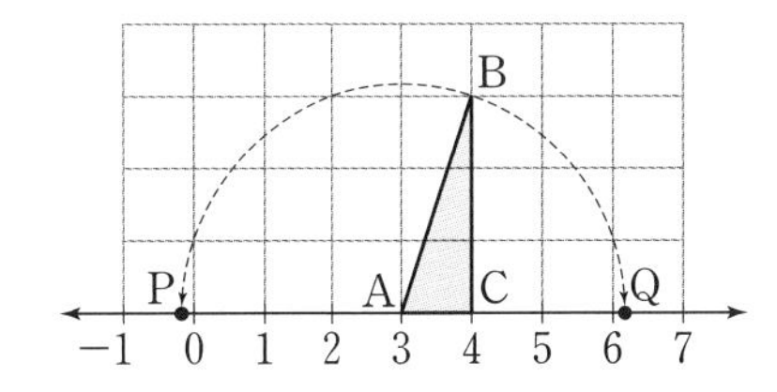

개념 가이드

$\overline{AB}=\sqrt{a}$일 때, 기준점의 좌표 k를 찾아 점의 좌표를 구한다.

➡ 점이 기준점의 오른쪽에 있으면 k ❶ [ ] $\sqrt{a}$, 왼쪽에 있으면 k ❷ [ ] $\sqrt{a}$

❶ + ❷ −

대표 예제 9

$\sqrt{90}=a\sqrt{10}$, $3\sqrt{6}=\sqrt{b}$를 만족하는 두 유리수 a, b에 대하여 $b-a$의 값을 구하시오.

개념 가이드

$a>0$, $b>0$일 때

(1) $\sqrt{a^2b}=\sqrt{a^2}\times\sqrt{b}=a$ ❶ ☐
근호 밖으로

(2) $a\sqrt{b}=\sqrt{a^2}\times\sqrt{b}=\sqrt{❷ ☐ \, b}$
근호 안으로

❶ $\sqrt{b}$ ❷ a^2

대표 예제 10

$\sqrt{5}=2.236$, $\sqrt{50}=7.071$일 때, 다음 중 옳지 않은 것은?

① $\sqrt{500}=22.36$ ② $\sqrt{5000}=70.71$
③ $\sqrt{50000}=223.6$ ④ $\sqrt{0.5}=0.7071$
⑤ $\sqrt{0.05}=0.02236$

개념 가이드

근호 안의 수를 $5\times\left(❶ ☐ \text{ 또는 } \frac{1}{10^n}\right)$ 또는 ❷ ☐ $\times\left(10^n \text{ 또는 } \frac{1}{10^n}\right)$의 꼴로 변형한다. (단, n은 짝수)

❶ 10^n ❷ 50

대표 예제 11

다음 중 분모를 유리화한 것으로 옳은 것은?

① $\frac{3}{\sqrt{5}}=\frac{\sqrt{15}}{5}$ ② $\frac{\sqrt{6}}{3\sqrt{7}}=\frac{\sqrt{42}}{21}$
③ $\sqrt{\frac{3}{13}}=\frac{\sqrt{3}}{13}$ ④ $\frac{\sqrt{5}}{\sqrt{8}}=\frac{\sqrt{10}}{2}$
⑤ $\frac{4}{5\sqrt{2}}=\frac{4\sqrt{2}}{5}$

개념 가이드

$a>0$, $b>0$일 때

$\frac{\sqrt{b}}{\sqrt{a}}=\frac{\sqrt{b}\times ❶ ☐}{\sqrt{a}\times\sqrt{a}}=\frac{\sqrt{ab}}{a}$

참고 | 분모가 $\sqrt{a^2b}$의 꼴이면 $a\sqrt{b}$의 꼴로 바꾼 후, 분모와 분자에 ❷ ☐를 곱하여 분모를 유리화하는 것이 더 편리하다.

❶ $\sqrt{a}$ ❷ $\sqrt{b}$

대표 예제 12

$\frac{\sqrt{2}}{\sqrt{3}}\div\frac{\sqrt{10}}{5}\times(-2\sqrt{5})$를 간단히 하면?

① $-\sqrt{10}$ ② $-\frac{10\sqrt{3}}{3}$ ③ $-\frac{5\sqrt{3}}{3}$
④ $-\sqrt{3}$ ⑤ $-\sqrt{2}$

개념 가이드

곱셈과 나눗셈이 섞여 있을 때에는 나눗셈을 ❶ ☐의 곱셈으로 바꾼 후 앞에서부터 ❷ ☐대로 계산한다.

❶ 역수 ❷ 차례

>> 정답과 풀이 6쪽

대표 예제 13

$\sqrt{5}(\sqrt{3}+\sqrt{2})-\sqrt{10}(\sqrt{8}+1)$을 간단히 하면?

① $\sqrt{15}-4\sqrt{5}$
② $\sqrt{15}+4\sqrt{5}$
③ $\sqrt{15}+\sqrt{10}$
④ $\sqrt{15}-4$
⑤ $\sqrt{15}-\sqrt{5}$

개념 가이드

분배법칙을 이용하여 ❶ [   ]를 풀고, $\sqrt{\ }$ 안의 수가 같은 것을 ❷ [   ]항으로 생각하고 계산한다.

❶ 괄호 ❷ 동류

대표 예제 14

다음 식을 간단히 하면?

$$\frac{\sqrt{5}-5\sqrt{3}}{\sqrt{5}}+\frac{3\sqrt{3}+3\sqrt{5}}{\sqrt{3}}$$

① 4
② $4-\sqrt{15}$
③ $14-2\sqrt{15}$
④ $14+2\sqrt{15}$
⑤ $14+3\sqrt{15}$

개념 가이드

$a>0$, $b>0$, $c>0$일 때

$$\frac{\sqrt{a}\pm\sqrt{b}}{\sqrt{c}}=\frac{(\sqrt{a}\pm\sqrt{b})\times ❶[\ \ ]}{\sqrt{c}\times\sqrt{c}}=\frac{\sqrt{ac}\pm\sqrt{bc}}{❷[\ \ ]}$$ (복호동순)

❶ $\sqrt{c}$ ❷ c

대표 예제 15

다음 중 두 실수의 대소 관계가 옳은 것은?

① $\sqrt{2}<3\sqrt{2}-3$
② $4-2\sqrt{2}<5-3\sqrt{2}$
③ $6-\sqrt{3}>1+2\sqrt{3}$
④ $2\sqrt{5}+1<3\sqrt{5}-1$
⑤ $2-\sqrt{7}>5-2\sqrt{7}$

개념 가이드

두 실수 a, b의 대소 비교는 $a-b$의 ❶ [   ]로 판단한다.

❶ 부호

대표 예제 16

$3-\sqrt{2}$의 정수 부분을 a, 소수 부분을 b라 할 때, $a-b$의 값을 구하시오.

개념 가이드

무리수 $\sqrt{a}$에 대하여 $n<\sqrt{a}<n+1$ ($n\geq0$인 정수)이면

(1) $\sqrt{a}$의 정수 부분 ➡ ❶ [   ]

(2) $\sqrt{a}$의 소수 부분 ➡ $\sqrt{a}-$❷ [   ]

❶ n ❷ n

1주 4일 교과서 대표 전략 ❷

1 다음 중 옳지 않은 것은?

① $\sqrt{16}-\sqrt{9}+\sqrt{36}=7$

② $\sqrt{(-7)^2}+\sqrt{64}-(-\sqrt{5})^2=10$

③ $(\sqrt{4})^2-\sqrt{(-6)^2}+\sqrt{121}=9$

④ $(-\sqrt{3})^2-\sqrt{(-2)^2}-\sqrt{9}=-2$

⑤ $(\sqrt{5})^2+(-\sqrt{14})^2-\sqrt{(-2)^2}=21$

Tip

$a>0$일 때

(1) $(\sqrt{a})^2=a$, $(-\sqrt{a})^2=$ ❶

(2) $\sqrt{a^2}=a$, $\sqrt{(-a)^2}=$ ❷

❶ a ❷ a

2 $a<0$일 때, $\sqrt{(-a)^2}+\sqrt{(3a)^2}-\sqrt{(5a)^2}$을 간단히 하시오.

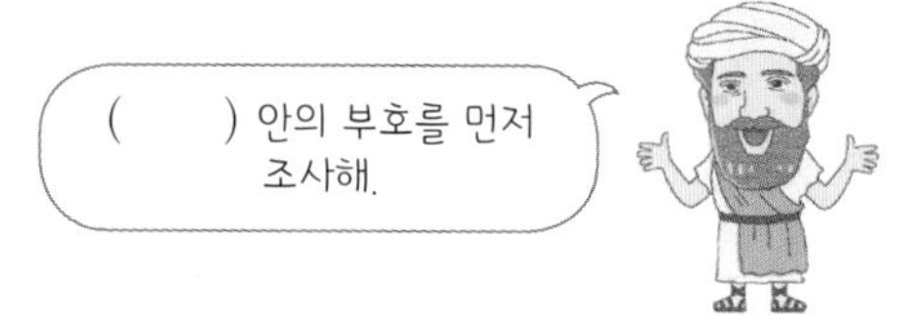

Tip

$\sqrt{a^2}$의 꼴을 간단히 할 때에는 먼저 a의 부호를 조사한다.

(1) $a>0$이면 ➡ $\sqrt{a^2}=$ ❶ ➡ (부호 그대로)

(2) $a<0$이면 ➡ $\sqrt{a^2}=-a$ ➡ (부호 ❷ 로)

❶ a ❷ 반대

3 $\sqrt{21-a}$가 자연수가 되도록 하는 모든 자연수 a의 값의 합을 구하시오.

Tip

$\sqrt{21-a}$가 자연수가 되려면 $21-a$가 21보다 작은 ❶ 이어야 한다. 즉 1, 4, 9, ❷ 이다.

❶ 제곱수 ❷ 16

4 오른쪽 그림은 한 눈금의 길이가 1인 모눈종이 위에 정사각형 ABCD와 수직선을 그린 것이다. $\overline{AB}=\overline{BE}$, $\overline{BC}=\overline{BF}$일 때, 다음 중 옳지 않은 말을 한 학생을 찾으시오.

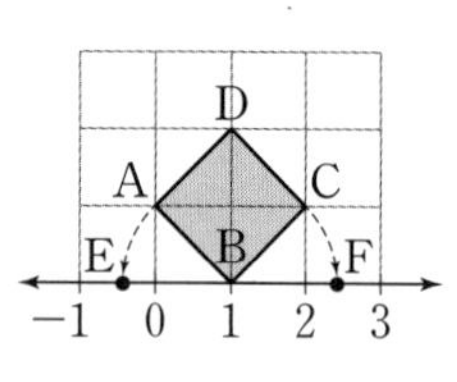

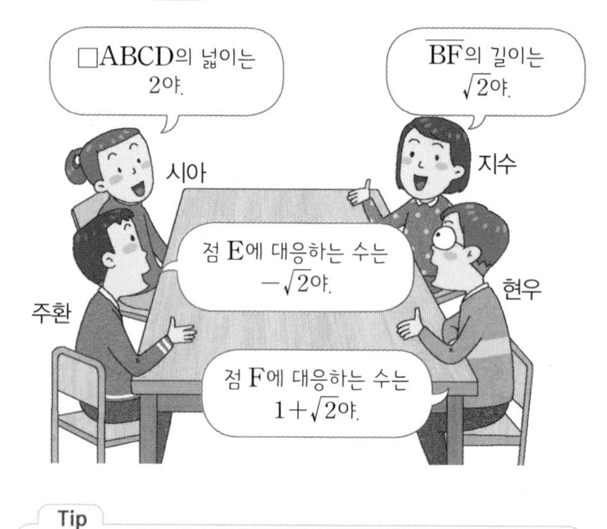

Tip

$\overline{AB}=\overline{BC}=\sqrt{a}$이고 기준점의 좌표가 k이면

➡ 점이 기준점의 오른쪽에 있으면 k ❶ $\sqrt{a}$, 왼쪽에 있으면 k ❷ $\sqrt{a}$

❶ + ❷ −

5 다음 중 옳은 것은?

① $\frac{3}{\sqrt{7}} \div \frac{\sqrt{2}}{\sqrt{21}} \times \frac{2}{\sqrt{6}} = 3\sqrt{2}$

② $\sqrt{3} \times \frac{\sqrt{5}}{\sqrt{2}} \div \frac{1}{\sqrt{8}} = 2\sqrt{15}$

③ $\sqrt{39} \div \sqrt{13} + \sqrt{3} \times \sqrt{5} = \sqrt{18}$

④ $\sqrt{8}(2-\sqrt{3}) + \sqrt{3}(3\sqrt{2}-\sqrt{24}) = 4\sqrt{2}-\sqrt{6}$

⑤ $\frac{8-4\sqrt{3}}{\sqrt{2}} + \sqrt{30} \div \sqrt{5} = 4-\sqrt{6}$

Tip

① 괄호가 있으면 ❶ [ ] 법칙을 이용하여 괄호를 푼다.
② 분모에 무리수가 있으면 분모를 ❷ [ ] 한다.
③ 곱셈, 나눗셈을 먼저 계산한 후 근호 안의 수가 같은 것끼리 덧셈, 뺄셈을 계산한다.

❶ 분배 ❷ 유리화

6 다음 중 주어진 제곱근표를 이용하여 그 값을 구할 수 없는 것은?

수	0	1	2	3	4
3.1	1.761	1.764	1.766	1.769	1.772
3.2	1.789	1.792	1.794	1.797	1.800
3.3	1.817	1.819	1.822	1.825	1.828

① $\sqrt{3.24}$　② $\sqrt{32300}$　③ $\sqrt{310000}$
④ $\sqrt{0.0311}$　⑤ $\sqrt{0.033}$

Tip

근호 안의 수를 10^2, $100^{❶}$, … 또는 $\frac{1}{10^2}$, $\frac{1}{100^2}$, …과의 ❷ [ ] 으로 나타낸다.

❶ 2 ❷ 곱

7 $a=\sqrt{2}+\sqrt{20}$, $b=\sqrt{5}+3\sqrt{2}$, $c=2\sqrt{2}$ 일 때, 세 실수 a, b, c의 대소 관계를 바르게 나타낸 것은?

① $a<c<b$　② $b<a<c$　③ $b<c<a$
④ $c<a<b$　⑤ $c<b<a$

Tip

세 실수 a, b, c에 대하여 $a<b$이고 $b<c$이면
$a<$ ❶ [ ] $<$ ❷ [ ] 임을 이용한다.

❶ b ❷ c

8 다음은 퀴즈 프로그램 도전! 황금벨이 열리고 있는 천재 중학교 강당이다. 다음 단계로 넘어가기 위하여 지현이가 적어야 하는 답을 구하시오.

Tip

$2\sqrt{3}=\sqrt{12}$이고 $3<\sqrt{12}<$ ❶ [ ] 이므로
❷ [ ] $<5+2\sqrt{3}<9$

❶ 4 ❷ 8

1주 누구나 합격 전략

01 다음 중 옳은 것은?

① 13의 제곱근은 $\sqrt{13}$이다.
② $\sqrt{121}$의 제곱근은 ± 11이다.
③ 0.9의 제곱근은 ± 0.3이다.
④ 25의 제곱근은 ± 5이다.
⑤ 1의 제곱근은 없다.

02 $a>0$일 때, 다음 중 옳지 않은 것은?

① $\sqrt{a^2}=a$　② $\sqrt{(-a)^2}=a$
③ $(-\sqrt{a})^2=a$　④ $-(-\sqrt{a^2})=-a$
⑤ $(\sqrt{a})^2=a$

03 다음 중 무리수가 아닌 것은?

① $-\sqrt{7}$　② $3\sqrt{2}$　③ $\sqrt{196}$
④ $\sqrt{24}$　⑤ $\sqrt{4}$의 음의 제곱근

04 오른쪽 그림은 한 눈금의 길이가 1인 모눈종이 위에 수직선과 직각삼각형 ABC를 그린 것이다. $\overline{AB}=\overline{AP}$일 때, 점 P에 대응하는 수를 구하시오.

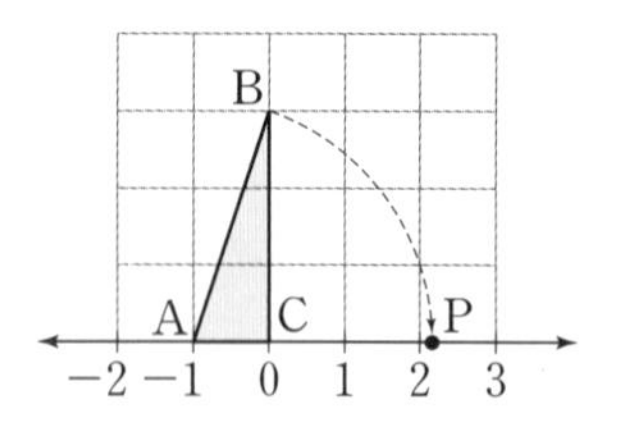

05 성훈이가 실수와 수직선에 대하여 학교 게시판에 질문을 올렸더니 다음과 같이 댓글이 달렸다. 댓글 내용이 옳은 학생을 찾으시오.

성훈 : 으아, 역시 3학년이 되니 수학이 어렵군. 실수와 수직선에 대해 누가 설명 좀 해 줘.

광현 : 유리수가 아닌 수는 수직선 위의 점에 대응시킬 수 없어.

유정 : 서로 다른 두 무리수 사이에는 유리수가 없어.

우현 : 서로 다른 두 유리수 사이에는 무리수가 없어.

보혜 : 0과 1 사이에는 무수히 많은 무리수가 있어.

민재 : 유리수에 대응하는 점들로 수직선을 완전히 메울 수 있어.

>> 정답과 풀이 9쪽

06 다음 중 분모를 유리화한 것으로 옳지 않은 것은?

① $\frac{1}{\sqrt{11}}=\frac{\sqrt{11}}{11}$　② $\frac{8}{\sqrt{5}}=\frac{8\sqrt{5}}{5}$

③ $\frac{12}{\sqrt{6}}=\frac{\sqrt{6}}{2}$　④ $\frac{7}{3\sqrt{2}}=\frac{7\sqrt{2}}{6}$

⑤ $\frac{\sqrt{6}}{\sqrt{2}\sqrt{5}}=\frac{\sqrt{15}}{5}$

07 다음 중 옳지 않은 것은?

① $\sqrt{2}\times\sqrt{18}=6$

② $\sqrt{38}\div\sqrt{2}=\sqrt{19}$

③ $\sqrt{5}\div\sqrt{7}\times\sqrt{14}=\sqrt{10}$

④ $\sqrt{27}\div\frac{\sqrt{8}}{\sqrt{3}}\times\sqrt{72}=27$

⑤ $\sqrt{12}\times\sqrt{2}\div\frac{\sqrt{5}}{\sqrt{2}}=2\sqrt{15}$

08 다음 중 옳은 것은?

① $\sqrt{13}+\sqrt{26}=\sqrt{39}$

② $3\sqrt{5}+4\sqrt{5}=12\sqrt{5}$

③ $\sqrt{7}-7\sqrt{7}=-6$

④ $4\sqrt{2}-2\sqrt{2}+5\sqrt{3}-2\sqrt{3}=2\sqrt{2}+3\sqrt{3}$

⑤ $\sqrt{5}-\sqrt{28}+\sqrt{45}+4\sqrt{7}=4\sqrt{5}-2\sqrt{7}$

09 $\sqrt{5}\left(\frac{1}{5}-2\sqrt{5}\right)-\frac{\sqrt{2}}{\sqrt{10}}+\sqrt{45}$를 간단히 하면?

① $-\sqrt{5}$　② $3\sqrt{5}$　③ $10+3\sqrt{5}$

④ $10-3\sqrt{5}$　⑤ $-10+3\sqrt{5}$

10 다음 중 두 실수의 대소 관계가 옳은 것을 들고 있는 학생을 찾으시오.

1 다음 그림에서 삼각형 모양의 우리를 넓이가 같은 한 개의 정사각형 모양의 우리로 만들 때, 새로 만들 정사각형 모양의 우리의 한 변의 길이를 구하시오.

Tip

(삼각형의 넓이)$=\frac{1}{2}\times$(밑변의 길이)$\times$(❶ ______)임을 이용하여 삼각형 모양의 우리의 넓이를 구한다. 이때 새로 만들 정사각형 모양의 우리의 한 변의 길이를 x m라 하면
❷ ______$^2=$(삼각형 모양의 우리의 넓이)

❶ 높이 ❷ x

2 다음 그림과 같이 $\overline{OA}$를 지름으로 하고 반지름의 길이가 2인 원이 수직선 위의 원점 O에 접한다. 이 원을 수직선을 따라 오른쪽으로 반 바퀴 굴렸을 때, 물음에 답하시오.

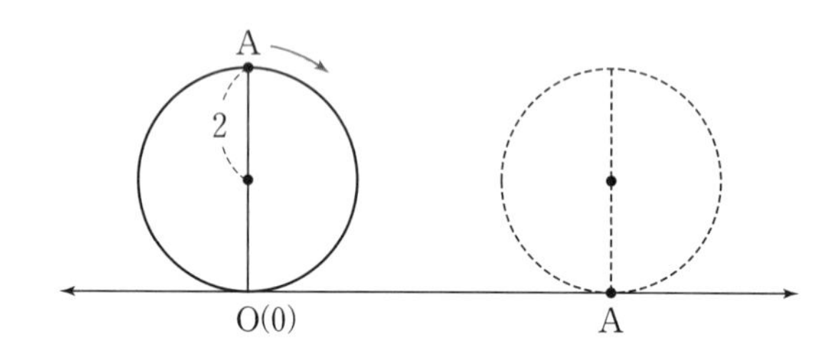

(1) 호 OA의 길이를 구하시오.

(2) 수직선 위의 점 A에 대응하는 수를 구하시오.

Tip

반지름의 길이가 2인 원의 둘레의 길이는 ❶ ______이고 원이 굴러간 부분의 길이와 호 ❷ ______의 길이가 같음을 이용한다.

❶ 4π ❷ OA

>> 정답과 풀이 10쪽

3 다음을 읽고 지면으로부터 높이가 20 m인 곳에서 내려오는 롤러코스터 차량의 최대 속력을 구하시오.

(단, $\sqrt{3.92}=1.98$, $\sqrt{39.2}=6.26$)

Tip

$\sqrt{19.6h}$에 $h=$ ❶ [ ] 을 대입하여 최대 속력을 구한다.
이때 $\sqrt{3.92}$의 값 또는 $\sqrt{39.2}$의 값을 사용할 수 있도록 식을 ❷ [ ] 한다.

❶ 20 ❷ 변형

4 다음 그림과 같이 원 모양의 우리에 토끼 11마리가 있다. 같은 수끼리 선분으로 연결하여 울타리를 만들면 토끼를 한 마리씩 가둘 수 있다고 한다. 같은 수끼리 선분으로 연결하여 울타리를 만드시오.

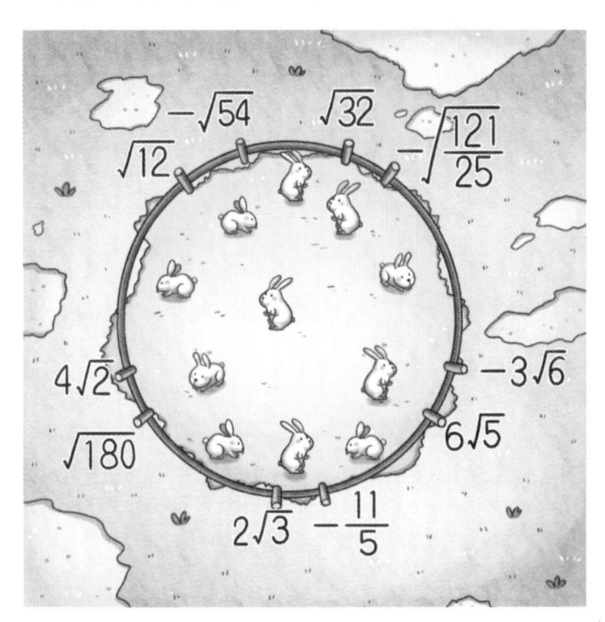

Tip

$a>0$, $b>0$일 때

$\sqrt{a^2b}=$ ❶ [ ] $\sqrt{b}$, $\sqrt{\frac{a}{b^2}}=\frac{\sqrt{a}}{❷ [\ ]}$

임을 이용한다.

❶ a ❷ b

5 다음 그림과 같이 컨베이어 벨트에 수를 올려 놓으면 터널에 적힌 조건에 따라 계산 결과가 나오는 기계가 있다.

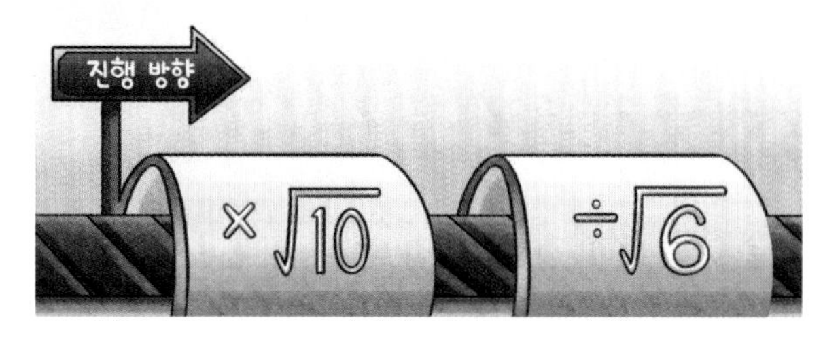

예를 들어 $\sqrt{3}$을 올려 놓으면 $\sqrt{3}\times\sqrt{10}\div\sqrt{6}=\sqrt{5}$이므로 $\sqrt{5}$가 나온다. 물음에 답하시오.

(1) $2\sqrt{15}$를 올려 놓았을 때 나오는 수를 구하시오.

(2) $\sqrt{\frac{2}{5}}$를 올려 놓았을 때 나오는 수를 구하시오.

Tip

(1) 나눗셈은 역수의 ❶ ______ 으로 고친다.

(2) 계산 결과가 분수 꼴이면서 그 분모에 근호를 포함한 무리수가 있을 때에는 분모를 ❷ ______ 한다.

❶ 곱셈 ❷ 유리화

6 다음 그림은 자연수 A에 대하여 눈금 0에서부터 거리가 $\sqrt{A}$인 곳에 눈금 A를 표시하여 만든 자이다. 예를 들어 눈금 0에서부터 눈금 2까지의 거리는 $\sqrt{2}$가 된다.

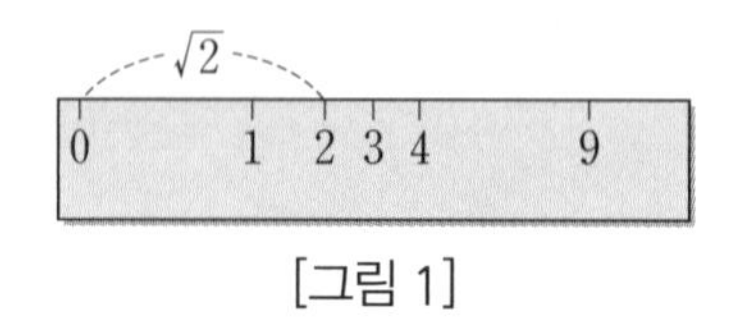

[그림 1]

이렇게 만든 두 개의 자를 아래 그림과 같이 붙여 놓았을 때, x의 값을 구하시오.

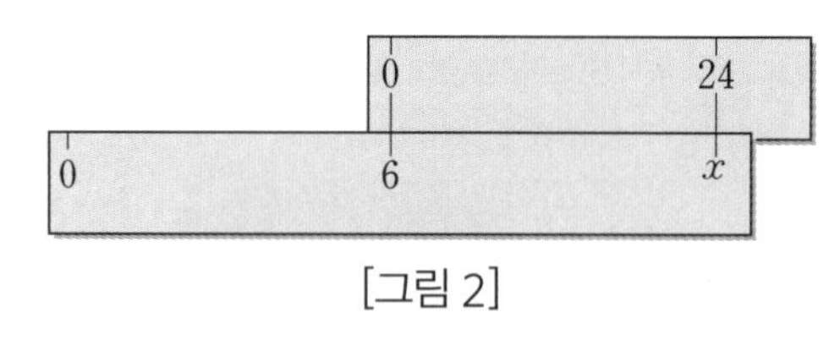

[그림 2]

Tip

[그림 2]에서 눈금 6에서부터 눈금 x까지의 거리는 눈금 0에서부터 눈금 24까지의 거리와 같다.

즉 $\sqrt{x}-$ ❶ ______ $=$ ❷ ______

❶ $\sqrt{6}$ ❷ $\sqrt{24}$

>> 정답과 풀이 10쪽

7 다음 그림은 직사각형 모양의 땅에 텃밭을 꾸미기 위해 구역을 나누어 놓은 것이다. B, C 구역은 넓이가 각각 $50\ \text{m}^2$, $128\ \text{m}^2$인 정사각형 모양이고, 주차장은 가로의 길이가 $5\ \text{m}$인 직사각형 모양일 때, 물음에 답하시오.

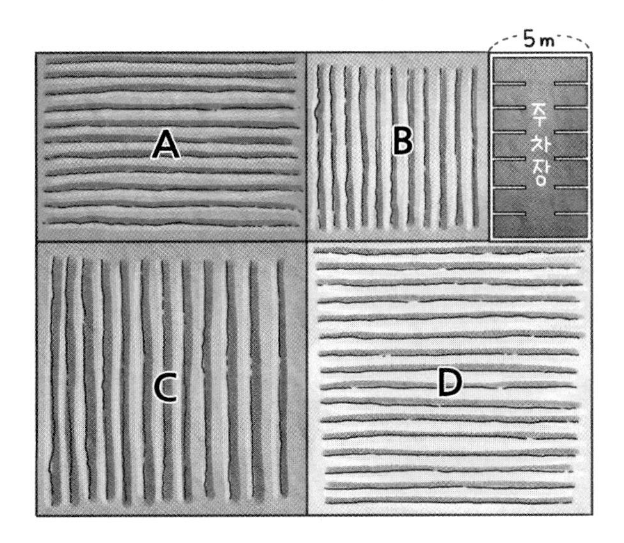

(1) B 구역의 한 변의 길이를 구하시오.

(2) C 구역의 한 변의 길이를 구하시오.

(3) D 구역의 넓이를 구하시오.

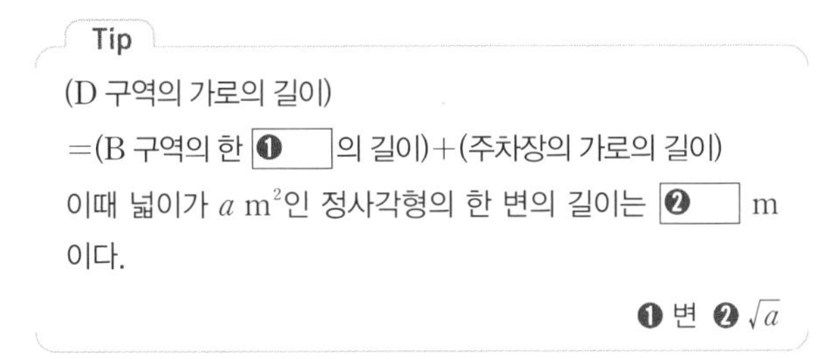

Tip

(D 구역의 가로의 길이)

=(B 구역의 한 ❶ ☐ 의 길이)+(주차장의 가로의 길이)

이때 넓이가 $a\ \text{m}^2$인 정사각형의 한 변의 길이는 ❷ ☐ m이다.

❶ 변 ❷ $\sqrt{a}$

8 큰 수가 이기는 규칙에 따라 다음과 같이 네 학생이 토너먼트 경기를 치렀다. 물음에 답하시오.

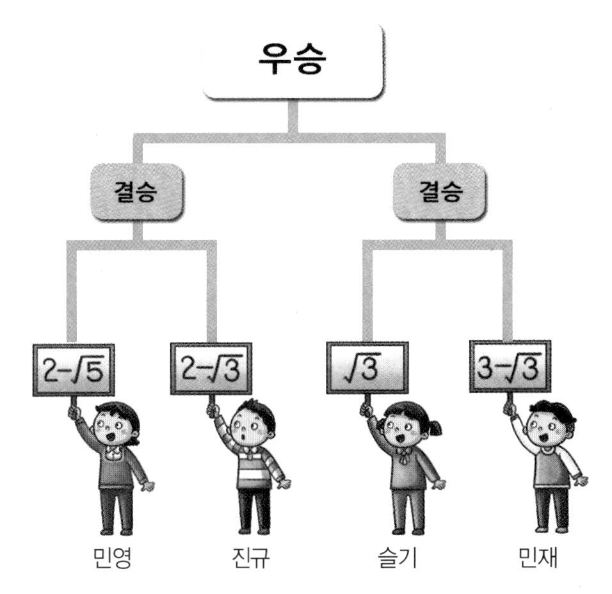

(1) 결승에 올라가는 두 학생을 구하시오.

(2) 우승한 학생을 구하시오.

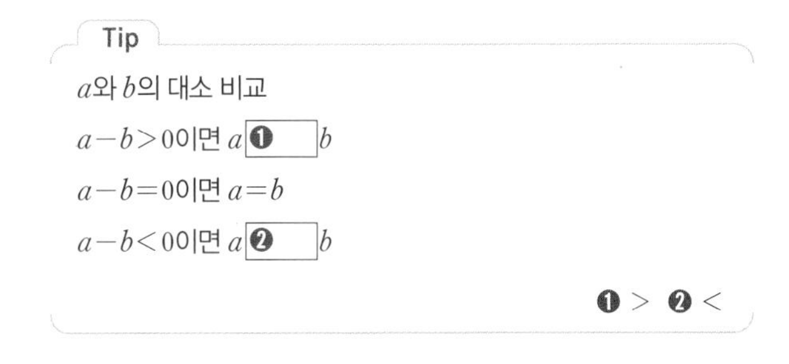

Tip

a와 b의 대소 비교

$a-b>0$이면 a ❶ ☐ b

$a-b=0$이면 $a=b$

$a-b<0$이면 a ❷ ☐ b

❶ $>$ ❷ $<$

다항식의 곱셈과 인수분해

공부할 내용

❶ 곱셈 공식
❷ 곱셈 공식의 활용
❸ 인수분해 공식
❹ 인수분해 공식의 활용

2주 1일 개념 돌파 전략 ❶

개념 1 다항식과 다항식의 곱셈

분배법칙을 이용하여 전개한 후 ❶[　　　]이 있으면 간단히 정리한다.

➡ $(a+b)(c+d)=\underset{①}{ac}+\underset{②}{ad}+\underset{③}{\boxed{❷\quad}}+\underset{④}{bd}$

예 $(5x-1)(y+2)=5x\times y+5x\times 2+(-1)\times y+(-1)\times 2$

$=5xy+10x-y-2$

❶ 동류항 ❷ bc

개념 돌파 Quiz

① $(x-3)(y+1)$

$=xy+$❶[　　]$-3y-3$

② $(x+4y)(2x+y)$

$=2x^2+xy+$❷[　　]$xy+4y^2$

$=2x^2+9xy+4y^2$

❶ x ❷ 8

개념 2 곱셈 공식

(1) $(a+b)^2=a^2+2ab+b^2$

(2) $(a-b)^2=a^2-2ab+$❶[　　]

(3) $(a+b)(a-b)=a^2-b^2$

(4) $(x+a)(x+b)=x^2+(a+b)x+ab$

(5) $(ax+b)(cx+d)=acx^2+($❷[　　　]$)x+bd$

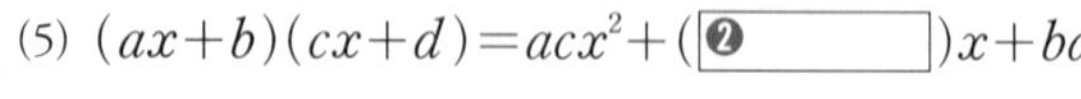

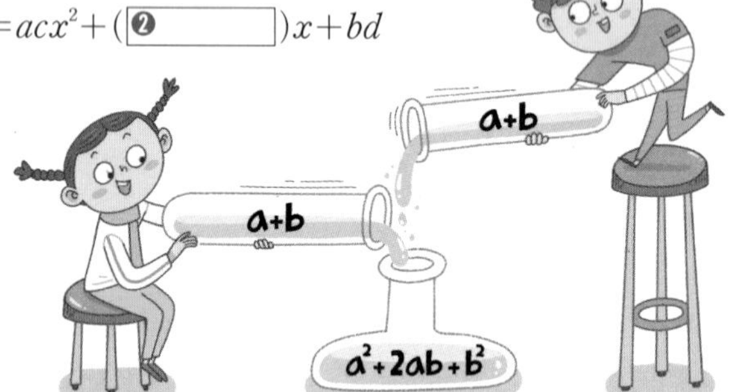

❶ b^2 ❷ $ad+bc$

개념 돌파 Quiz

① $(a-3)^2=a^2-2\times a\times 3+3^2$

$=a^2-6a+9$

② $(a+4)(a-4)=a^2-$❶[　　]^2

$=a^2-16$

③ $(x+1)(x-4)$

$=x^2+\{1+(-4)\}x+1\times(-4)$

$=x^2-3x-4$

④ $(3x-2)(5x+4)$

$=(3\times 5)x^2+\{3\times 4+(-2)\times 5\}x+(-2)\times 4$

$=15x^2+$❷[　　]$x-8$

❶ 4 ❷ 2

개념 3 곱셈 공식을 이용한 분모의 유리화

분모가 2개의 항으로 되어 있는 무리수일 때, 곱셈 공식 $(a+b)(a-b)=$❶[　　　]을 이용하여 분모를 유리화한다.

➡ $a>0$, $b>0$, $a\neq b$일 때

$$\frac{c}{\sqrt{a}+\sqrt{b}}=\frac{c(\sqrt{a}-\sqrt{b})}{(\sqrt{a}+\sqrt{b})(\sqrt{a}-\sqrt{b})}=\frac{c\sqrt{a}-c\sqrt{b}}{a-b}$$

부호 반대

예 $\dfrac{\sqrt{2}}{\sqrt{3}+\sqrt{2}}=\dfrac{\sqrt{2}(\sqrt{3}-\sqrt{2})}{(\sqrt{3}+\sqrt{2})(\boxed{❷\quad})}=\dfrac{\sqrt{6}-2}{3-2}=\sqrt{6}-2$

❶ a^2-b^2 ❷ $\sqrt{3}-\sqrt{2}$

개념 돌파 Quiz

① $\dfrac{1}{\sqrt{3}-1}$의 분모를 유리화하려면 분모, 분자에 각각 ❶[　　　]을 곱한다.

② $\dfrac{1}{\sqrt{5}+\sqrt{3}}$의 분모를 유리화하려면 분모, 분자에 각각 ❷[　　　]을 곱한다.

❶ $\sqrt{3}+1$ ❷ $\sqrt{5}-\sqrt{3}$

1-1 다음 식을 전개하시오.

(1) $(a+3)(b+2)$

(2) $(x-2y)(3x+y)$

풀이 | (1) $(a+3)(b+2)=ab+$ ❶ $+3b+6$

(2) $(x-2y)(3x+y)=3x^2+xy-$ ❷ $-2y^2$

$=3x^2-5xy-2y^2$

❶ $2a$ ❷ $6xy$ / 답 (1) $ab+2a+3b+6$ (2) $3x^2-5xy-2y^2$

1-2 $(x-1)(2y-3)$의 전개식에서 y의 계수는?

① -1 ② -2 ③ -3
④ -4 ⑤ -5

2-1 다음 식을 전개하시오.

(1) $(a+5)^2$ (2) $(b-2)(b+2)$

(3) $(x+2)(x+3)$ (4) $(3x+1)(4x-3)$

풀이 | (1) $(a+5)^2=a^2+2\times a\times 5+5^2=a^2+10a+$ ❶

(2) $(b-2)(b+2)=b^2-2^2=b^2-4$

(3) $(x+2)(x+3)=x^2+(2+3)x+2\times 3=x^2+5x+6$

(4) $(3x+1)(4x-3)$

$=(3\times 4)x^2+\{3\times(-3)+1\times 4\}x+1\times(-3)$

$=12x^2-$ ❷ $x-3$

❶ 25 ❷ 5 / 답 (1) $a^2+10a+25$ (2) b^2-4 (3) x^2+5x+6 (4) $12x^2-5x-3$

2-2 다음 중 옳은 것은?

① $(3x+1)^2=9x^2+1$

② $(x-3)^2=x^2-3x+9$

③ $(y+1)(y-1)=y^2+1$

④ $(x-2)(x+4)=x^2+2x-8$

⑤ $(2x-3)(3x+1)=6x^2-3x-3$

3-1 $\dfrac{1}{2+\sqrt{3}}$의 분모를 유리화하시오.

풀이 | $\dfrac{1}{2+\sqrt{3}}=\dfrac{❶}{(2+\sqrt{3})(2-\sqrt{3})}=\dfrac{2-\sqrt{3}}{4-3}=$ ❷

❶ $2-\sqrt{3}$ ❷ $2-\sqrt{3}$ / 답 $2-\sqrt{3}$

3-2 다음 그림에서 $\dfrac{2}{\sqrt{6}-\sqrt{5}}$의 분모를 유리화하는 과정 중 틀린 곳을 바르게 고치시오.

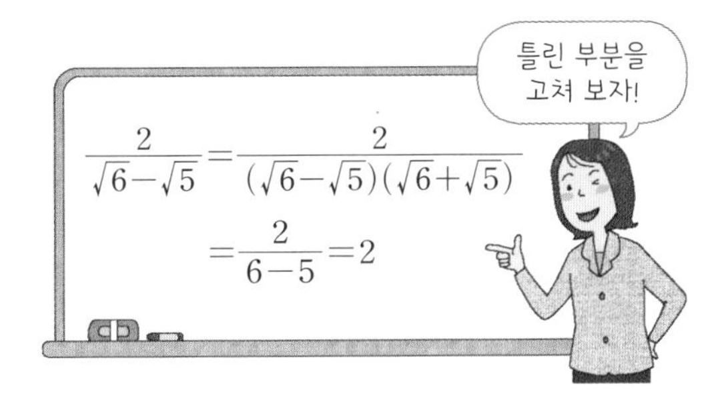

2주 1일 개념 돌파 전략 ❶

개념 4 다항식의 인수분해

(1) 인수 : 하나의 다항식을 두 개 이상의 다항식의 곱으로 나타낼 때, 곱해진 각각의 다항식

참고 | 모든 다항식에서 1과 자기 자신은 그 다항식의 인수이다.

(2) 인수분해 : 하나의 다항식을 두 개 이상의 ❶ [ ]의 곱으로 나타내는 것

x^2+5x (하나의 다항식) —인수분해→ / ←전개— $x(x+5)$ (두 개 이상의 인수의 곱)

(3) 공통인 인수를 이용한 인수분해 : 분배법칙을 이용하여 공통인 인수로 묶어 내어 인수분해한다. ➡ $ma+mb=$ ❷ [ ] $(a+b)$

❶ 인수 ❷ m

개념 돌파 Quiz

① $x(x-y)$의 인수는 1, x, $x-y$, ❶ [ ] $(x-y)$이다.

② $x^2+8x+12$ —❷ [ ] 분해→ $(x+2)(x+6)$ (인수)

③ $4ab-6a^2$을 인수분해하면 ❸ [ ]이다.

❶ x ❷ 인수 ❸ $2a(2b-3a)$

개념 5 인수분해 공식

(1) 인수분해 공식

① $a^2+2ab+b^2=(a+b)^2$, $a^2-2ab+b^2=(a-b)^2$

② $a^2-b^2=(a+b)(a-b)$

③ $x^2+(a+b)x+ab=(x+a)($❶ [ ]$)$

④ $acx^2+(ad+bc)x+bd=(ax+b)(cx+d)$

(2) 완전제곱식이 되는 조건

① x^2+ax+b가 완전제곱식이 되기 위한 b의 조건 ➡ $b=\left(\frac{a}{2}\right)^2$

② x^2+ax+b^2이 완전제곱식이 되기 위한 a의 조건 ➡ $a=\pm 2b$

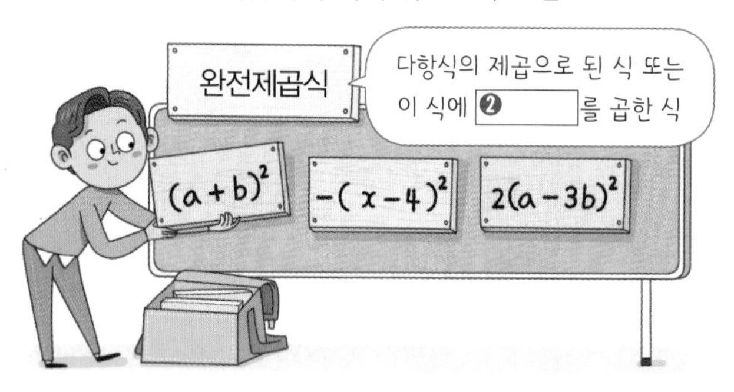

❶ $x+b$ ❷ 상수

개념 돌파 Quiz

(1) 다음은 다항식을 인수분해한 것이다. □ 안에 알맞은 수를 써넣으시오.

① $x^2+2x+1=(x+1)^2$

② $x^2-10x+25=(x-$❶ [ ]$)^2$

③ $4y^2-x^2=(2y+x)(2y-x)$

④ $x^2+4x+3=(x+1)(x+3)$

⑤ $3x^2-2x-8=(3x+$❷ [ ]$)(x-2)$

(2) 다음은 $x^2+8x+16$이 완전제곱식이 되는지 판단하는 과정이다. □ 안에 알맞은 것을 써넣으시오.

$x^2+8x+16=(x+$❸ [ ]$)^2$이므로 완전제곱식 ❹ [ ].

❶ 5 ❷ 4 ❸ 4 ❹ 이다

개념 6 인수분해 공식의 활용

(1) 수의 계산 : 인수분해 공식을 이용할 수 있도록 수의 모양을 바꾸어 계산한다.

예 $99^2-1=99^2-1^2=($❶ [ ]$+1)(99-1)=100\times 98=$❷ [ ]

(2) 식의 값 : 주어진 식을 인수분해한 후 문자의 값을 대입하여 식의 값을 구한다.

❶ 99 ❷ 9800

개념 돌파 Quiz

$18\times 2.5-18\times 1.5$

$=$❶ [ ]$\times(2.5-1.5)$

$=$❷ [ ]

❶ 18 ❷ 18

4-1 다음 식을 인수분해하시오.

(1) $ax+3ay$　　　　(2) x^2y-6xy^2

풀이 | (1) $ax+3ay=a\times x+a\times 3y=$ ❶ $\square$ $(x+3y)$

(2) $x^2y-6xy^2=xy\times x+xy\times($ ❷ $\square$ $)=xy(x-6y)$

❶ a ❷ $-6y$ / 답 (1) $a(x+3y)$ (2) $xy(x-6y)$

5-1 다음 식을 인수분해하시오.

(1) x^2-5x+4　　　　(2) $3x^2-11x+6$

풀이 | (1) $x^2-5x+4=(x-1)(x-4)$

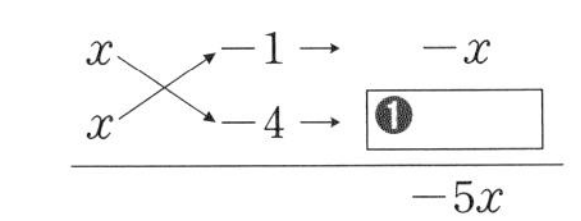

(2) $3x^2-11x+6=(3x-2)(x-3)$

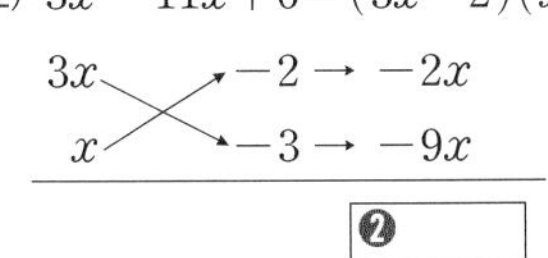

❶ $-4x$ ❷ $-11x$ / 답 (1) $(x-1)(x-4)$ (2) $(3x-2)(x-3)$

6-1 $x=96$일 때, $x^2+8x+16$의 값을 구하시오.

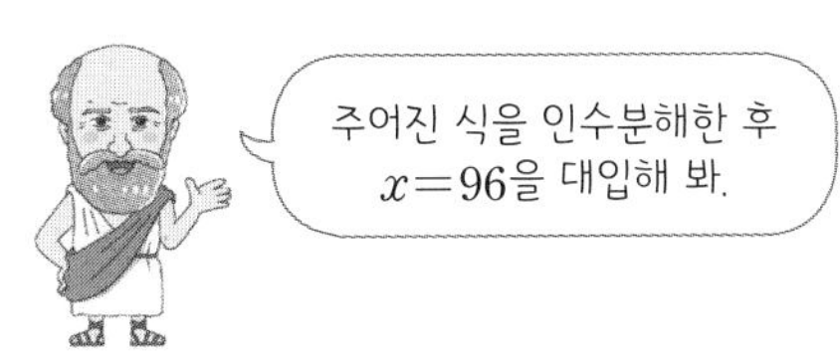

풀이 | $x^2+8x+16=(x+$ ❶ $\square$ $)^2$

$=(96+$ ❷ $\square$ $)^2$

$=10000$

❶ 4 ❷ 4 / 답 10000

4-2 다음 중 인수분해를 바르게 하지 <u>않은</u> 학생을 모두 찾으시오.

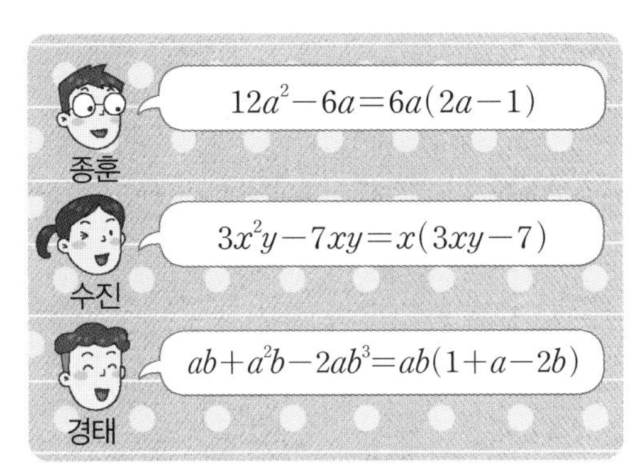

5-2 다음 중 옳지 <u>않은</u> 것은?

① $a^2+4a+4=(a+2)^2$

② $16a^2-8a+1=(4a-1)^2$

③ $a^2-49=(a+7)(a-7)$

④ $x^2-9x+14=(x-2)(x+7)$

⑤ $6x^2+11x+4=(3x+4)(2x+1)$

6-2 $x=998$일 때, x^2-4의 값을 구하려고 한다. 다음 $\square$ 안에 알맞은 수를 써넣으시오.

$x^2-4=(x+2)(x-\square)$

$=(\square+2)(998-\square)$

$=1000\times\square$

$=\square$

2주 1일 개념 돌파 전략 ❷

바탕 문제

$x(2x-1)$을 전개하시오.

풀이 $x(2x-1)$

$=x\times 2x+$ ❶ $\times(-1)$

$=$ ❷ $-x$

❶ x ❷ $2x^2$

1 $(4x-1)(2x+3)=ax^2+bx+c$일 때, 상수 a, b, c에 대하여 $a+b+c$의 값은?

① 15 ② 18 ③ 21
④ 24 ⑤ 27

바탕 문제

$(a+3)(5b-1)$을 전개하시오.

풀이 $(a+3)(5b-1)$

$=a\times 5b+a\times(-1)+3\times 5b$

$+$ ❶ $\times(-1)$

$=$ ❷ $-a+15b-3$

❶ 3 ❷ $5ab$

2 $(x-3y)(2x-4y-5)$의 전개식에서 xy의 계수는?

① -10 ② -5 ③ 10
④ 15 ⑤ 20

바탕 문제

다음 보기의 식 중 전개식이 x^2+3x+2인 것을 고르시오.

보기
㉠ $(x+1)(x-2)$ ㉡ $(x+1)(x+2)$

풀이 ㉠ $(x+1)(x-2)=x^2-x-$ ❶

㉡ $(x+1)(x+2)=x^2+$ ❷ $x+2$

따라서 전개식이 x^2+3x+2인 것은 ㉡이다.

❶ 2 ❷ 3

3 다음 중 옳지 않은 것은?

① $(a+b)^2=a^2+2ab+b^2$
② $(a-6b)^2=a^2-12ab+36b^2$
③ $(5x+3y)(5x-3y)=25x^2-9y^2$
④ $(x+1)(x-4)=x^2-3x-4$
⑤ $(2x-3)(3x+5)=6x^2+x+15$

바탕 문제

다음 보기에서 완전제곱식이 되는 것을 모두 고르시오.

보기
㉠ $(a+2b)^2$ ㉡ a^2+b^2
㉢ $x^2+6xy+9y^2$ ㉣ $4x^2+4x+1$

풀이 ㉢ $x^2+6xy+9y^2=(x+$ ❶ $)^2$
㉣ $4x^2+4x+1=($ ❷ $)^2$
따라서 완전제곱식이 되는 것은 ㉠, ㉢, ㉣이다.

❶ $3y$ ❷ $2x+1$

4

$x^2+ax+36$이 완전제곱식이 되도록 하는 양수 a의 값은?

① 6 ② 12 ③ 18
④ 24 ⑤ 30

x^2+ax+b^2이 완전제곱식이 되려면 $a=\pm2b$이어야 해.

바탕 문제

다음 중 $x+1$을 인수로 갖지 않는 것은?

① $x+1$ ② $2(x+1)$
③ $(x+1)(x-1)$ ④ $(x+1)-1$
⑤ $(x+1)^2$

풀이 ④ $(x+1)-1=$ ❶ 이므로 $x+1$을 ❷ 로 갖지 않는다.

❶ x ❷ 인수

5

다음 중 $5x(x+2y)$의 인수가 아닌 것을 들고 있는 학생을 찾으시오.

바탕 문제

다음 보기의 다항식 중 $(x-1)(x-5)$로 인수분해되는 것을 고르시오.

보기
㉠ x^2+6x+5 ㉡ x^2-6x+5

풀이 ㉠ $x^2+6x+5=(x+1)(x+$ ❶ $)$
㉡ $x^2-6x+5=(x-1)($ ❷ $)$
따라서 $(x-1)(x-5)$로 인수분해되는 것은 ㉡이다.

❶ 5 ❷ $x-5$

6

다음 중 옳지 않은 것은?

① $x^2-x=x(x-1)$
② $9x^2+12x+4=(3x+2)^2$
③ $25x^2-16=(5x+4)(5x-4)$
④ $x^2+3x-10=(x+2)(x-5)$
⑤ $6x^2+17x-14=(3x-2)(2x+7)$

2주 2일 필수 체크 전략 ❶

전략 1 곱셈 공식

곱셈 공식

(1) $(a+b)^2=a^2+2ab+b^2$

$(a-b)^2=a^2-2ab+b^2$

(2) $(a+b)(a-b)=a^2$ ❶ b^2

(3) $(x+a)(x+b)=x^2+(a+b)x+$ ❷

(4) $(ax+b)(cx+d)=acx^2+(ad+bc)x+bd$

곱셈 공식을 이용하면 쉽게 전개할 수 있어.

❶ $-$ ❷ ab

필수 예제

1-1 $(x-5)(x+A)=x^2-Bx+20$일 때, 상수 A, B에 대하여 $A+B$의 값을 구하시오.

1-2 다음 중 옳은 것을 모두 고르면? (정답 2개)

① $(2x+3y)^2=4x^2+6xy+9y^2$

② $(-3x+5y)(-3x-5y)=9x^2-25y^2$

③ $(x-2)(x+6)=x^2-4x-12$

④ $(7x+8)(3x-1)=21x^2-17x-8$

⑤ $\left(x+\frac{1}{2}\right)\left(3x-\frac{5}{2}\right)=3x^2-x-\frac{5}{4}$

풀이 |

1-1 $(x-5)(x+A)=x^2+(A-5)x-5A$이므로

$A-5=-B$, $-5A=20$

따라서 $A=-4$, $B=9$이므로 $A+B=-4+9=5$

답 5

1-2 ① $(2x+3y)^2=4x^2+12xy+9y^2$

③ $(x-2)(x+6)=x^2+4x-12$

④ $(7x+8)(3x-1)=21x^2+17x-8$

답 ②, ⑤

확인 문제 1-1

$(-5x+3)^2=ax^2+bx+9$일 때, 상수 a, b에 대하여 $a+b$의 값은?

① -5 ② 0 ③ 5 ④ 10 ⑤ 15

확인 문제 1-2

다음 중 $(a+b)(a-b)$와 전개식이 같은 것은?

① $(a+b)(-a-b)$

② $(b+a)(b-a)$

③ $(-a+b)(a+b)$

④ $(-a+b)(-a-b)$

⑤ $(b-a)(-b+a)$

≫ 정답과 풀이 12쪽

전략 2 곱셈 공식을 이용한 수의 계산

(1) 수의 제곱 ➡ $(a+b)^2=a^2+2ab+b^2$ 또는 $(a-b)^2=a^2-$ ❶ $+b^2$을 이용한다.
(2) 두 수의 곱 ➡ $(a+b)(a-b)=$ ❷ 또는
$(x+a)(x+b)=x^2+(a+b)x+ab$를 이용한다.
(3) 제곱근을 포함한 수의 계산 ➡ 제곱근을 문자로 생각하고 곱셈 공식을 이용한다.
예 $(\sqrt{2}+1)(\sqrt{2}-1)=(\sqrt{2})^2-1^2=2-1=1$

❶ $2ab$ ❷ a^2-b^2

필수 예제

2-1 곱셈 공식을 이용하여 102×98을 계산하려고 할 때, 가장 편리한 곱셈 공식은?

① $(a+b)^2=a^2+2ab+b^2$
② $(a-b)^2=a^2-2ab+b^2$
③ $(a+b)(a-b)=a^2-b^2$
④ $(x+a)(x+b)=x^2+(a+b)x+ab$
⑤ $(ax+b)(cx+d)=acx^2+(ad+bc)x+bd$

2-2 $(3\sqrt{2}-5)^2=a+b\sqrt{2}$일 때, 유리수 a, b에 대하여 $a+b$의 값을 구하시오.

풀이 |

2-1 $102\times98=(100+2)(100-2)$이므로
$(a+b)(a-b)=a^2-b^2$을 이용하는 것이 가장 편리하다.

답 ③

2-2 $(3\sqrt{2}-5)^2=(3\sqrt{2})^2-2\times3\sqrt{2}\times5+5^2$
$=18-30\sqrt{2}+25$
$=43-30\sqrt{2}$
따라서 $a=43$, $b=-30$이므로
$a+b=43+(-30)=13$

답 13

확인 문제 2-1

다음 중 곱셈 공식 $(a+b)^2=a^2+2ab+b^2$을 이용하여 계산하면 편리한 것은?

① 101×96
② 103^2
③ 103×97
④ 5.1×5.2
⑤ 31×29

확인 문제 2-2

$(\sqrt{5}+2)^2$을 계산하시오.

전략 3 곱셈 공식을 이용한 분모의 유리화

분모가 2개의 항으로 되어 있는 무리수일 때, 곱셈 공식
$(a+b)(a-b)=a^2$ ❶ b^2을 이용하여 분모를 유리화한다.
➡ $a>0$, $b>0$, $a\neq b$일 때

$$\frac{c}{\sqrt{a}+\sqrt{b}}=\frac{c(\sqrt{a}-\sqrt{b})}{(\sqrt{a}+\sqrt{b})(\sqrt{a}-\sqrt{b})}=\frac{c\sqrt{a}-c\sqrt{b}}{❷}$$

부호 반대

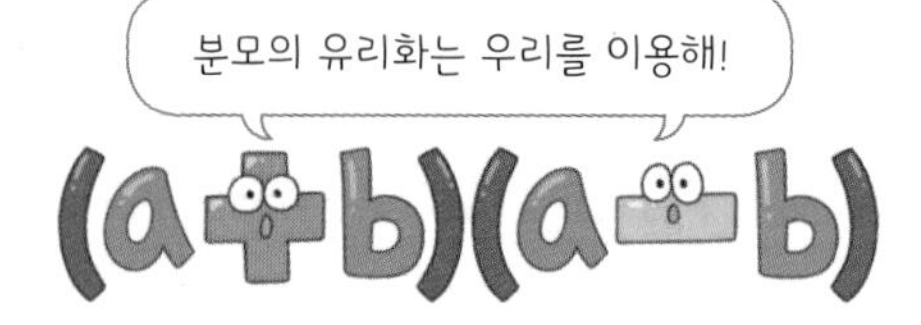

❶ − ❷ $a-b$

필수 예제

3-1 다음 중 분모를 유리화한 것으로 옳은 것은?

① $\frac{1}{\sqrt{5}-1}=\sqrt{5}+1$　② $\frac{3}{2+\sqrt{3}}=2-\sqrt{3}$　③ $\frac{1}{\sqrt{6}+\sqrt{2}}=\frac{\sqrt{6}-\sqrt{2}}{4}$

④ $\frac{4\sqrt{2}}{\sqrt{7}-\sqrt{3}}=\sqrt{2}$　⑤ $\frac{6}{3-\sqrt{7}}=12+6\sqrt{7}$

풀이 |

3-1 ① $\frac{1}{\sqrt{5}-1}=\frac{\sqrt{5}+1}{(\sqrt{5}-1)(\sqrt{5}+1)}=\frac{\sqrt{5}+1}{4}$

② $\frac{3}{2+\sqrt{3}}=\frac{3(2-\sqrt{3})}{(2+\sqrt{3})(2-\sqrt{3})}=6-3\sqrt{3}$

③ $\frac{1}{\sqrt{6}+\sqrt{2}}=\frac{\sqrt{6}-\sqrt{2}}{(\sqrt{6}+\sqrt{2})(\sqrt{6}-\sqrt{2})}=\frac{\sqrt{6}-\sqrt{2}}{4}$

④ $\frac{4\sqrt{2}}{\sqrt{7}-\sqrt{3}}=\frac{4\sqrt{2}(\sqrt{7}+\sqrt{3})}{(\sqrt{7}-\sqrt{3})(\sqrt{7}+\sqrt{3})}=\frac{4\sqrt{14}+4\sqrt{6}}{4}=\sqrt{14}+\sqrt{6}$

⑤ $\frac{6}{3-\sqrt{7}}=\frac{6(3+\sqrt{7})}{(3-\sqrt{7})(3+\sqrt{7})}=\frac{18+6\sqrt{7}}{2}=9+3\sqrt{7}$

답 ③

참고 |

분모	분모, 분자에 곱하는 수
$a+\sqrt{b}$	$a-\sqrt{b}$
$a-\sqrt{b}$	$a+\sqrt{b}$
$\sqrt{a}+\sqrt{b}$	$\sqrt{a}-\sqrt{b}$
$\sqrt{a}-\sqrt{b}$	$\sqrt{a}+\sqrt{b}$

부호 반대

확인 문제 3-1

$\frac{12}{3-\sqrt{6}}=a+b\sqrt{6}$일 때, $a-b$의 값은? (단, a, b는 유리수)

① -8　② -4　③ 0
④ 4　⑤ 8

확인 문제 3-2

$\frac{5\sqrt{6}}{2\sqrt{2}-\sqrt{3}}=a\sqrt{3}+b\sqrt{2}$일 때, ab의 값은? (단, a, b는 유리수)

① 6　② 8　③ 12
④ 24　⑤ 30

전략 4 곱셈 공식의 변형

(1) 곱셈 공식의 변형

① $a^2+b^2=(a+b)^2-2ab$ ② $a^2+b^2=(a-b)^2+2ab$

③ $(a+b)^2=(a-b)^2+4ab$ ④ $(a-b)^2=(a+b)^2-$ ❶ ☐

(2) 두 수의 곱이 1인 식의 변형

① $a^2+\frac{1}{a^2}=\left(a+\frac{1}{a}\right)^2-2$ ② $a^2+\frac{1}{a^2}=\left(a-\frac{1}{a}\right)^2+$ ❷ ☐

③ $\left(a+\frac{1}{a}\right)^2=\left(a-\frac{1}{a}\right)^2+4$ ④ $\left(a-\frac{1}{a}\right)^2=\left(a+\frac{1}{a}\right)^2-4$

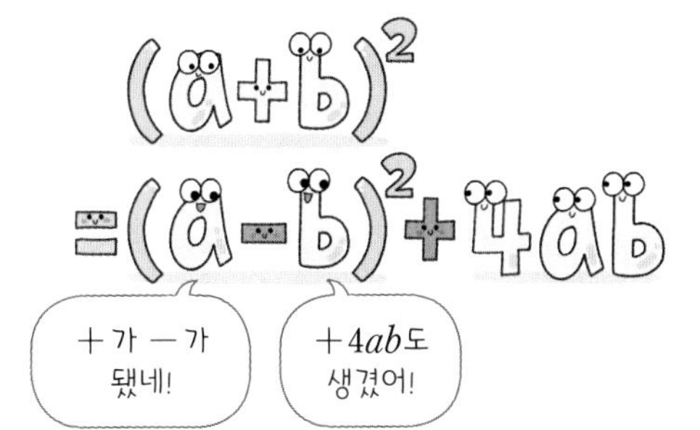

❶ $4ab$ ❷ 2

필수 예제

4-1

$x+y=3\sqrt{2}$, $xy=5$일 때 x^2+y^2의 값을 구하시오.

① 2 ② 4 ③ 6 ④ 8 ⑤ 10

4-2

$x+\frac{1}{x}=4$일 때, $x^2+\frac{1}{x^2}$의 값은?

① 13 ② 14 ③ 15 ④ 16 ⑤ 17

풀이 |

4-1 $x^2+y^2=(x+y)^2-2xy$
$=(3\sqrt{2})^2-2\times5$
$=18-10$
$=8$

답 ④

4-2 $x^2+\frac{1}{x^2}=\left(x+\frac{1}{x}\right)^2-2$
$=4^2-2$
$=16-2$
$=14$

답 ②

확인 문제 4-1

$x-y=5$, $xy=2$일 때, 다음 식의 값을 구하시오.

(1) x^2+y^2 (2) $(x+y)^2$

확인 문제 4-2

$x-\frac{1}{x}=3$일 때, 다음 식의 값을 구하시오.

(1) $x^2+\frac{1}{x^2}$ (2) $\left(x+\frac{1}{x}\right)^2$

2주 2일 필수 체크 전략 ❷

1 $2(x+3)(x-3)-(3x-5)(x+1)$을 간단히 하면?

① $x^2-2x+13$ ② $x^2-2x-13$
③ $-x^2+2x+13$ ④ $-x^2+2x-13$
⑤ $-x^2+2x-23$

문제 해결 전략

$(a+b)(a-b)=a^2-$ ❶ ,
$(ax+b)(cx+d)$
$=acx^2+(ad+bc)x+$ ❷
임을 이용하여 식을 전개한다.

❶ b^2 ❷ bd

2 $(x+y+3)(x+y-3)$을 전개하면?

① $x^2+2xy+y^2-9$ ② $x^2+2xy+y^2+9$
③ $x^2-2xy+y^2-9$ ④ $x^2-2xy+y^2+9$
⑤ $x^2+6xy+9y^2$

문제 해결 전략

공통부분이 있는 식의 전개
1 공통부분을 A로 놓는다.
2 곱셈 공식을 이용하여 식을 ❶ 한다.
3 A에 원래의 식을 ❷ 하여 정리한다.

❶ 전개 ❷ 대입

3 곱셈 공식을 이용하여 $205\times195+25$를 계산하면?

① 20000 ② 39975 ③ 40000
④ 40025 ⑤ 40050

문제 해결 전략

$205\times195+25$
$=($ ❶ $+5)(200-$ ❷ $)+25$

❶ 200 ❷ 5

>> 정답과 풀이 13쪽

4 $\dfrac{\sqrt{5}+\sqrt{3}}{\sqrt{5}-\sqrt{3}}=a+b\sqrt{15}$일 때, ab의 값은? (단, a, b는 유리수)

① 2　　② 4　　③ 6
④ 8　　⑤ 10

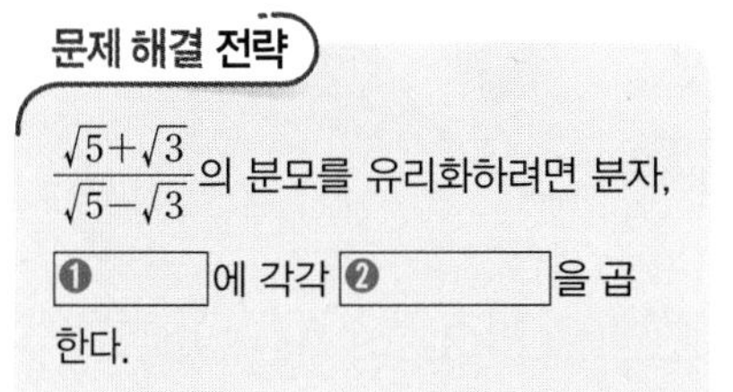

❶ 분모 ❷ $\sqrt{5}+\sqrt{3}$

5 다음 그림에 주어진 문제의 답을 구하시오.

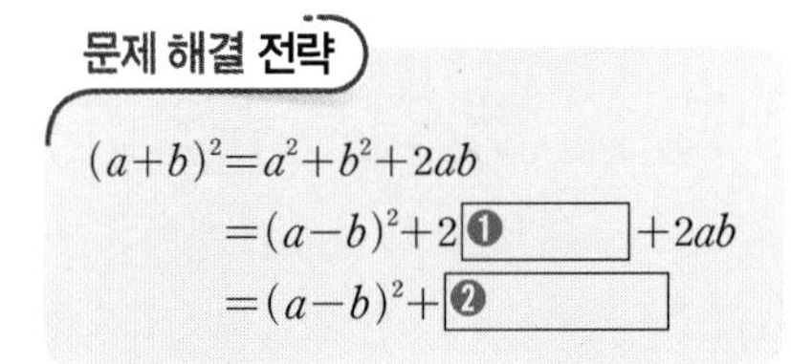

❶ ab ❷ $4ab$

6 $x=2-\sqrt{2}$, $y=2+\sqrt{2}$일 때, x^2+y^2의 값은?

① 10　　② 12　　③ 14
④ 16　　⑤ 18

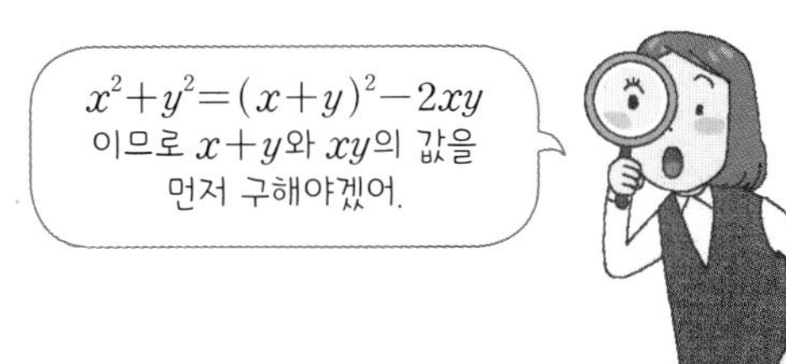

문제 해결 전략

$x^2+y^2=(x+y)^2-$❶
이므로 $x+y$와 ❷ 의 값을 먼저
구한다.

❶ $2xy$ ❷ xy

2주 3일 필수 체크 전략 ❶

전략 1 인수와 인수분해

(1) 인수 : 하나의 다항식을 두 개 이상의 다항식의 ❶ ___ 으로 나타낼 때, 곱해진 각각의 다항식

예 $x^2+5x=x(x+5)$이므로 x, $x+5$는 x^2+5x의 인수이다.
또 1, x^2+5x도 인수이다.

(2) 공통인 인수를 이용한 인수분해

분배법칙을 이용하여 공통인 인수로 묶어 내어 인수분해한다.

➡ $ma+mb+mc=$ ❷ ___ $(a+b+c)$

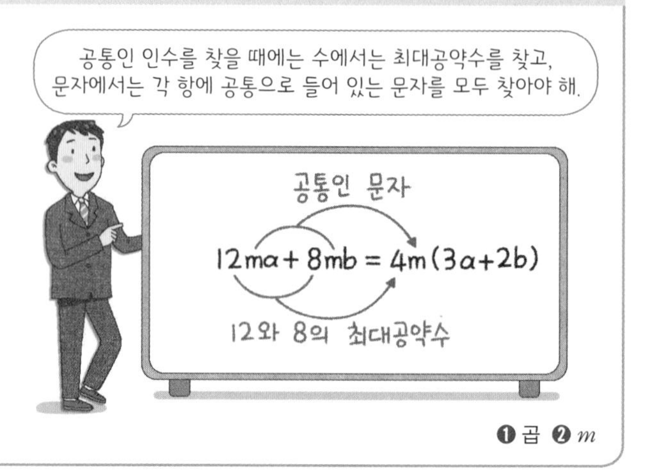

❶ 곱 ❷ m

필수 예제

1-1 다음 중 $a(a+1)(a-1)$의 인수가 아닌 것은?

① a　② $a+1$　③ $a(a-1)$　④ a^2-1　⑤ a^2+1

1-2 다음 중 $3xy^2-12xy$의 인수가 아닌 것은?

① x　② $3y$　③ $y-4$　④ $x-4$　⑤ $x(y-4)$

풀이 |

1-1 $a(a+1)(a-1)$의 인수는 1, a, $a+1$, $a-1$,
$a(a+1)=a^2+a$, $a(a-1)=a^2-a$,
$(a+1)(a-1)=a^2-1$, $a(a+1)(a-1)=a^3-a$
따라서 $a(a+1)(a-1)$의 인수가 아닌 것은 ⑤이다.

답 ⑤

1-2 $3xy^2-12xy=3xy(y-4)$
따라서 $3xy^2-12xy$의 인수가 아닌 것은 ④이다.

답 ④

확인 문제 1-1

다음 중 $2b(a+b)$의 인수가 아닌 것은?

① b　② $2b$　③ $a+b$
④ $2ab$　⑤ $b(a+b)$

확인 문제 1-2

다음 중 인수분해한 것이 옳은 것은?

① $2a^3-4a^2b=a(2a^2-4ab)$
② $ma+mb-mc=-m(a+b+c)$
③ $5xy^2+xy=xy(5x+1)$
④ $10ab+15ab^2=5ab(2+3b)$
⑤ $4a^2-4ab=4a(1-b)$

전략 2 인수분해 공식

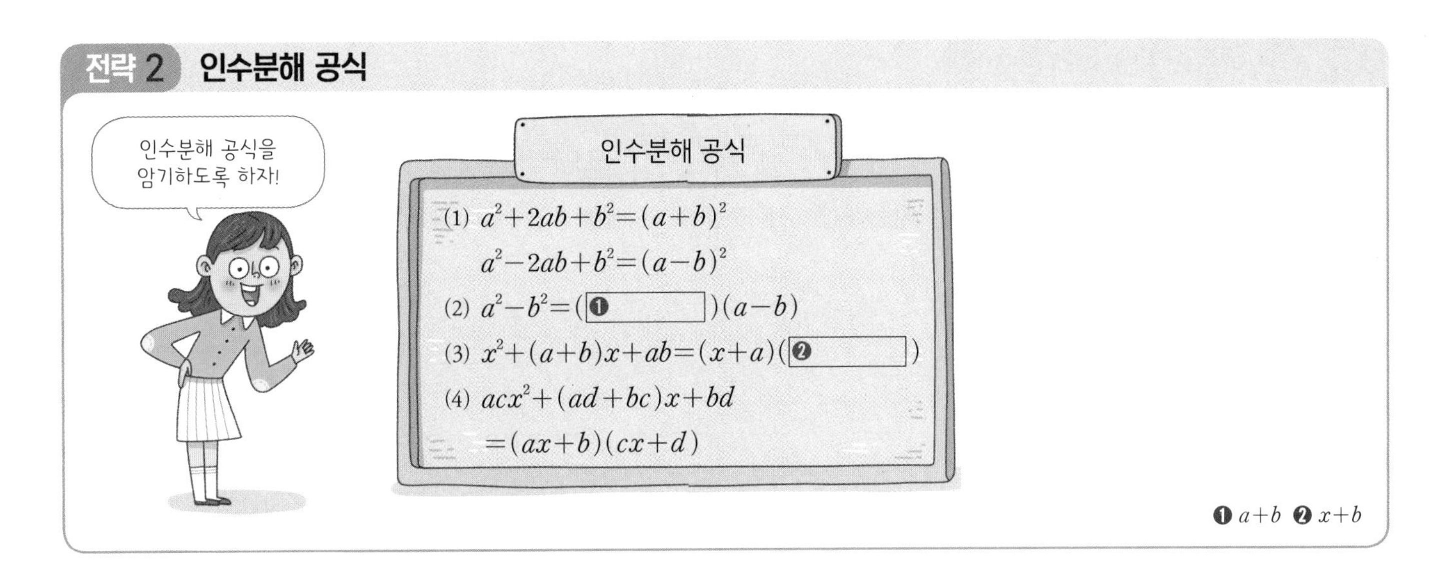

❶ $a+b$ ❷ $x+b$

필수 예제

2-1 $2x^2+13x+15=(x+a)(2x+b)$일 때, 정수 a, b에 대하여 $a-b$의 값은?

① 1 ② 2 ③ 3 ④ 4 ⑤ 5

2-2 다음 중 $x-5$를 인수로 갖는 것을 모두 고르면? (정답 2개)

① x^2-25 ② $x^2+10x+25$ ③ $x^2-2x-15$
④ $2x^2+3x-35$ ⑤ $3x^2+13x-10$

풀이 |

2-1 $2x^2+13x+15=(x+5)(2x+3)$이므로
$a=5$, $b=3$
$\therefore a-b=5-3=2$

답 ②

2-2 ① $x^2-25=(x+5)(x-5)$
② $x^2+10x+25=(x+5)^2$
③ $x^2-2x-15=(x+3)(x-5)$
④ $2x^2+3x-35=(2x-7)(x+5)$
⑤ $3x^2+13x-10=(x+5)(3x-2)$
따라서 $x-5$를 인수로 갖는 것은 ①, ③이다.

답 ①, ③

확인 문제 2-1

$6x^2-11x-10=(ax-5)(3x+b)$일 때, 정수 a, b에 대하여 $a+b$의 값은?

① -4 ② -2 ③ 0
④ 2 ⑤ 4

확인 문제 2-2

다음 중 인수분해한 것이 옳은 것은?

① $\frac{1}{4}x^2+x+1=\left(\frac{1}{4}x+1\right)^2$
② $3x^2-12xy+12y^2=3(2x-y)^2$
③ $-36x^2+y^2=(6x+y)(6x-y)$
④ $8x^2+14xy+3y^2=(2x+3)(4x+1)$
⑤ $2x^2+4x-30=2(x-3)(x+5)$

전략 3 복잡한 다항식의 인수분해

(1) 공통인 인수로 묶어 인수분해하기

1 공통인 ❶ ______ 를 찾는다.

2 분배법칙을 이용하여 공통인 인수로 묶은 후, 인수분해 공식을 이용하여 인수분해한다.

(2) 공통부분이 있는 식의 인수분해

1 공통부분을 한 ❷ ______ 로 놓고 인수분해한다.

2 원래의 식을 대입하여 정리한다.

❶ 인수 ❷ 문자

필수 예제

3-1 $x(a-b)+xy(a-b)$를 인수분해하면?

① $x(a-b)(1+y)$ ② $x(a-b)(1-y)$ ③ $x(a+b)(1+y)$
④ $x(a+b)(y-1)$ ⑤ $y(a+b)(1-x)$

3-2 $(x+2)^2-5(x+2)-6$을 인수분해하시오.

풀이 |

3-1 $x(a-b)+xy(a-b)$
$=x(a-b)(1+y)$

답 ①

3-2 $x+2=A$로 놓으면

$(x+2)^2-5(x+2)-6=A^2-5A-6$
$=(A+1)(A-6)$
$=\{(x+2)+1\}\{(x+2)-6\}$
$=(x+3)(x-4)$

답 $(x+3)(x-4)$

확인 문제 3-1

$a^2(a-1)-(a-1)$을 인수분해하면?

① $(a+1)(a-1)^2$ ② $(a+1)^2(a-1)$
③ $(a-1)^3$ ④ $(a+1)^3$
⑤ $a(a+1)(a-1)$

확인 문제 3-2

$4(x-2)^2-4(x-2)+1$을 인수분해하시오.

전략 4 인수분해 공식을 이용한 수의 계산과 식의 값

(1) 복잡한 수를 계산할 때, 직접 계산하는 것보다 인수분해 공식을 이용하여 계산하면 편리하다.

예 $0.75^2-0.25^2=(0.75+0.25)(0.75-$ ❶ $)=1\times0.5=0.5$

(2) 인수분해 공식을 이용하여 식의 값 구하기

1 주어진 식을 인수분해한다.

2 1의 결과에 문자의 값을 바로 대입하거나 변형하여 대입한다. 이때 문자의 값의 분모에 무리수가 있으면 분모를 ❷ 한 후 대입한다.

❶ 0.25 ❷ 유리화

필수 예제

4-1 $2020^2-2\times2020\times2019+2019^2$의 값은?

① 1 ② 4 ③ 2019 ④ 4040 ⑤ 2020^2

4-2 $x=\sqrt{2}+1$일 때, x^2-4x+3의 값을 구하시오.

풀이

4-1 $2020^2-2\times2020\times2019+2019^2$
$=(2020-2019)^2$
$=1^2=1$

답 ①

2020$=a$, 2019$=b$로 생각하면
$2020^2-2\times2020\times2019+2019^2$
$=a^2-2ab+b^2$
$=(a-b)^2$

4-2 $x^2-4x+3=(x-1)(x-3)$
$=\{(\sqrt{2}+1)-1\}\{(\sqrt{2}+1)-3\}$
$=\sqrt{2}(\sqrt{2}-2)$
$=2-2\sqrt{2}$

답 $2-2\sqrt{2}$

확인 문제 4-1

99^2-1을 계산하려고 할 때, 가장 편리한 인수분해 공식은?

① $a^2+2ab+b^2=(a+b)^2$
② $a^2-2ab+b^2=(a-b)^2$
③ $a^2-b^2=(a+b)(a-b)$
④ $x^2+(a+b)x+ab=(x+a)(x+b)$
⑤ $acx^2+(ad+bc)x+bd=(ax+b)(cx+d)$

확인 문제 4-2

$x=1+\sqrt{3}$일 때, x^2-2x-3의 값은?

① 2 ② 1 ③ -1
④ -2 ⑤ -3

주어진 식에 $x=1+\sqrt{3}$을 바로 대입해도 되지 않아?

그래도 돼. 하지만 인수분해를 이용하는 게 더 편리해.

2주 3일 필수 체크 전략 ❷

1 다음 중 $2a^2-6ab^2-4a^2b^2$의 인수인 것은?

① $2a$ ② $2b^2$ ③ ab^2
④ $a^2-3b+ab$ ⑤ $a-3b-2ab$

문제 해결 전략

$2a^2$, $-6ab^2$, $-4a^2b^2$의 공통인 인수를 찾아 ❶ 법칙을 이용하여 공통인 인수로 묶어 낸다. 이때 수는 ❷ 공약수로, 문자는 차수가 낮은 것으로 묶는다.

❶ 분배 ❷ 최대

2 다항식 $(x+3)(x-5)-2x-17$이 x의 계수가 1인 두 일차식의 곱으로 인수분해될 때, 이 두 일차식의 합은?

① $2x-4$ ② $2x-2$ ③ $2x$
④ $2x+2$ ⑤ $2x+4$

문제 해결 전략

먼저 곱셈 공식
$(x+a)(x+b)$
$=x^2+(a+b)x+$ ❶
를 이용하여 전개한 후 ❷ 끼리 모아서 간단히 한다.

❶ ab ❷ 동류항

3 다음 등식을 만족하는 상수 a, b, c에 대하여 $a+b+c$의 값을 구하시오.

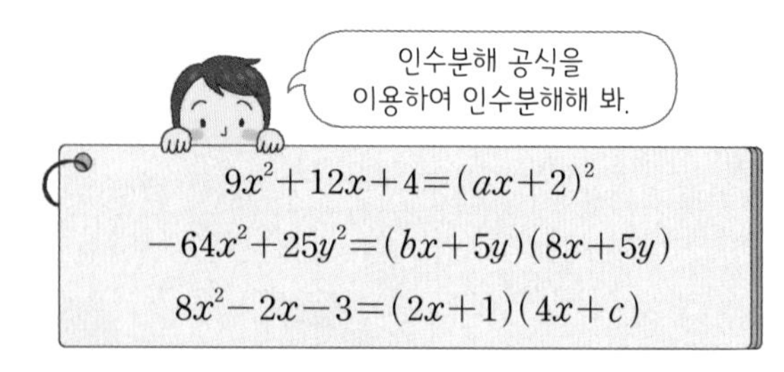

$$9x^2+12x+4=(ax+2)^2$$
$$-64x^2+25y^2=(bx+5y)(8x+5y)$$
$$8x^2-2x-3=(2x+1)(4x+c)$$

문제 해결 전략

$a^2+2ab+b^2=(a+b)^2$,
$a^2-b^2=(a+b)(a$ ❶ $b)$,
$acx^2+(ad+bc)x+bd$
$=(ax+b)(cx+$ ❷ $)$
임을 이용하여 인수분해한다.

❶ $-$ ❷ d

4 다음 중 $(a-b)(a-b+7)-18$을 인수분해한 식을 들고 있는 학생을 찾으시오.

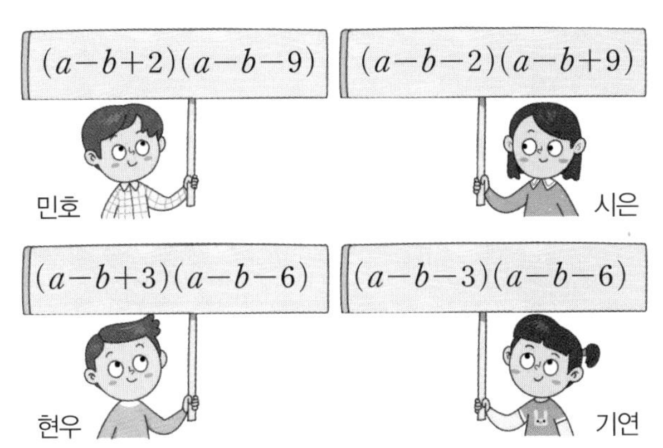

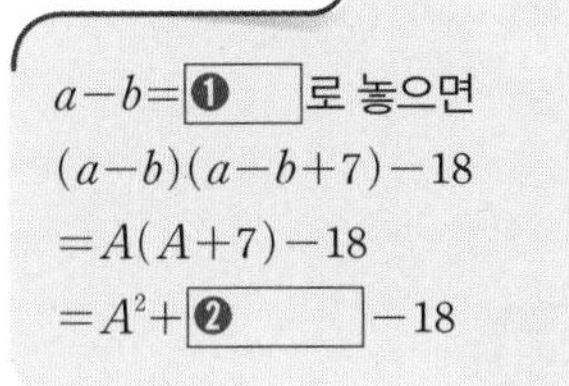

문제 해결 전략

$a-b=$ ❶ ☐ 로 놓으면

$(a-b)(a-b+7)-18$

$=A(A+7)-18$

$=A^2+$ ❷ ☐ -18

❶ A ❷ $7A$

5 두 수 A, B가 다음과 같을 때, AB의 값을 구하시오.

$$A=111^2-22\times111+121,\ B=2.6^2-1.4^2$$

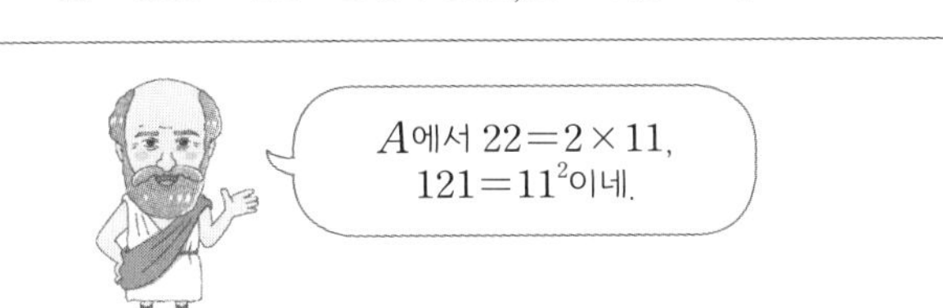

문제 해결 전략

$A=111^2-22\times111+121$

$=111^2-2\times111\times$ ❶ ☐ $+$ ❷ ☐ ^{2}

❶ 11 ❷ 11

6 $x=\sqrt{5}+2$, $y=\sqrt{5}-2$일 때, x^2-y^2의 값은?

① $8\sqrt{5}$ ② $4\sqrt{5}$ ③ $2\sqrt{5}$
④ $-3\sqrt{5}$ ⑤ $-6\sqrt{5}$

문제 해결 전략

x^2-y^2을 인수분해한 후 문자의 값을 ❶ ☐ 한다.

이때 $x^2-y^2=(x+y)($❷ ☐$)$

❶ 대입 ❷ $x-y$

2주 4일 교과서 대표 전략 ❶

대표 예제 1

$(ax+3)(x^2-4x+b)$의 전개식에서 x^2의 계수가 -5, 상수항이 6일 때, 상수 a, b에 대하여 $a+b$의 값을 구하시오.

개념 가이드

(다항식)×(다항식)의 계산에서 특정한 항의 ❶ ☐ 를 구할 때에는 필요한 항이 나오는 ❷ ☐ 만 전개한다.

❶ 계수 ❷ 부분

대표 예제 2

다음 중 옳은 것은?

① $\left(\frac{2}{3}x+3\right)^2=\frac{4}{9}x^2+2x+9$

② $(3x-4y)^2=9x^2-24x+16y^2$

③ $(-2-a)(-2+a)=-4+a^2$

④ $(x+6)(x-3)=x^2-3x+18$

⑤ $(3x-5)(4x-1)=12x^2-23x+5$

개념 가이드

- $(a+b)^2=a^2+2ab+b^2$, $(a-b)^2=a^2-2ab+b^2$
- $(a+b)(a-b)=a^2-b^2$
- $(x+a)(x+b)=x^2+(a+b)x+$ ❶ ☐
- $(ax+b)(cx+d)=acx^2+($ ❷ ☐ $)x+bd$

❶ ab ❷ $ad+bc$

대표 예제 3

다음은 곱셈 공식을 이용하여 두 다항식을 전개한 것이다. 이때 $a+b$의 값은? (단, a, b는 상수)

$(x+a)^2=x^2-8x+16$
$(3x-2)(x+b)=3x^2+19x-14$

① 2　② 3　③ 4　④ 5　⑤ 6

개념 가이드

곱셈 공식을 이용하여 좌변을 전개한 후, 좌변과 우변의 각 항의 ❶ ☐ 와 ❷ ☐ 항을 각각 비교한다.

❶ 계수 ❷ 상수

대표 예제 4

오른쪽 그림과 같이 가로의 길이와 세로의 길이가 각각 $5a$ m, $3a$ m인 직사각형 모양의 땅에 폭이 2 m로 일정한 길을 만들었을 때, 길을 제외한 땅의 넓이는 (pa^2+qa+r) m²이다. 이때 상수 p, q, r에 대하여 $p+q+r$의 값을 구하시오.

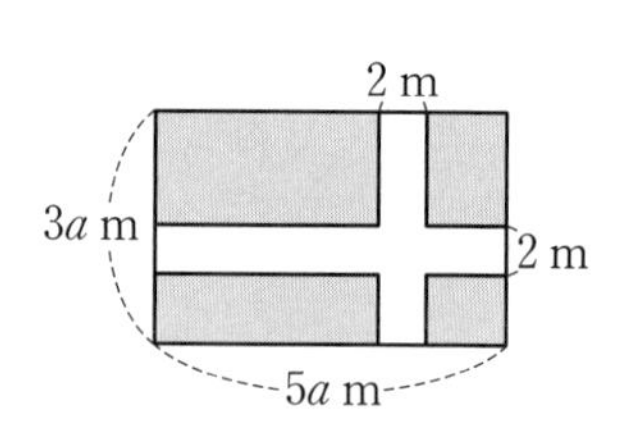

개념 가이드

일정한 간격만큼 떨어져 있는 도형의 넓이는 떨어져 있는 도형을 이동하여 ❶ ☐ 여서 생각한다.

예

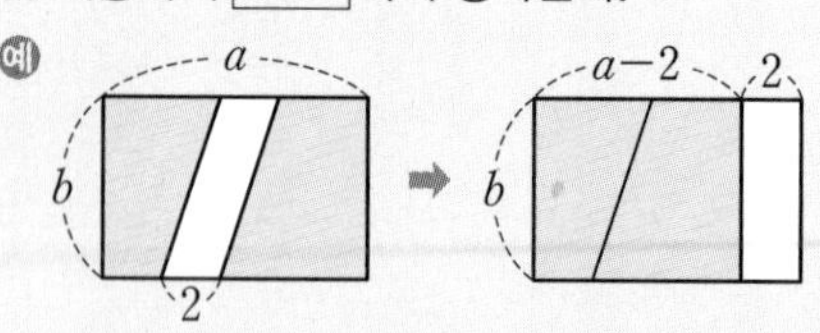

(색칠한 부분의 넓이)$=(a-$ ❷ ☐ $)\times b$

❶ 붙 ❷ 2

대표 예제 5

다음 중 주어진 수의 계산을 가장 편리하게 하기 위하여 이용되는 곱셈 공식의 연결이 옳지 않은 것은?

① 201^2 ➡ $(a+b)^2=a^2+2ab+b^2$
② 497^2 ➡ $(a-b)^2=a^2-2ab+b^2$
③ 102×98 ➡ $(a+b)(a-b)=a^2-b^2$
④ 104×102 ➡ $(x+a)(x+b)=x^2+(a+b)x+ab$
⑤ 6.1×6.8 ➡ $(a+b)(a-b)=a^2-b^2$

개념 가이드

- 수의 제곱의 계산
➡ $(a+b)^2=a^2+2ab+b^2$ 또는
$(a-b)^2=a^2$ ❶ ☐ $2ab+b^2$을 이용
- 두 수의 곱의 계산
➡ $(a+b)(a-b)=a^2-$ ❷ ☐ 또는
$(x+a)(x+b)=x^2+(a+b)x+ab$를 이용

❶ $-$ ❷ b^2

대표 예제 7

$\frac{8}{\sqrt{7}-\sqrt{3}}=a\sqrt{7}+2\sqrt{b}$일 때, 유리수 a, b에 대하여 ab의 값은?

① 2 ② 4 ③ 6
④ 8 ⑤ 10

개념 가이드

분모가 2개의 항으로 되어 있는 무리수일 때
➡ $(a+b)(a-b)=a^2-b^2$을 이용하여 분모를 유리화한다.

분모	분자, 분모에 곱하는 수
$a+\sqrt{b}$	$a-\sqrt{b}$
$a-\sqrt{b}$	a ❶ ☐ $\sqrt{b}$
$\sqrt{a}+\sqrt{b}$	$\sqrt{a}$ ❷ ☐ $\sqrt{b}$
$\sqrt{a}-\sqrt{b}$	$\sqrt{a}+\sqrt{b}$

❶ $+$ ❷ $-$

대표 예제 6

$(2\sqrt{3}+\sqrt{5})^2=p+q\sqrt{15}$일 때, 유리수 p, q에 대하여 $p+q$의 값은?

① 17 ② 19 ③ 21
④ 23 ⑤ 25

개념 가이드

제곱근을 포함한 수의 계산
➡ 제곱근을 ❶ ☐ 로 생각하고 곱셈 공식을 이용한다.
예 $(\sqrt{3}+1)^2=(\sqrt{3})^2+2\times\sqrt{3}\times1+1^2=$ ❷ ☐

❶ 문자 ❷ $4+2\sqrt{3}$

대표 예제 8

$a-b=4$, $ab=3$일 때, $(a+b)^2$의 값은?

① 16 ② 20 ③ 24
④ 28 ⑤ 32

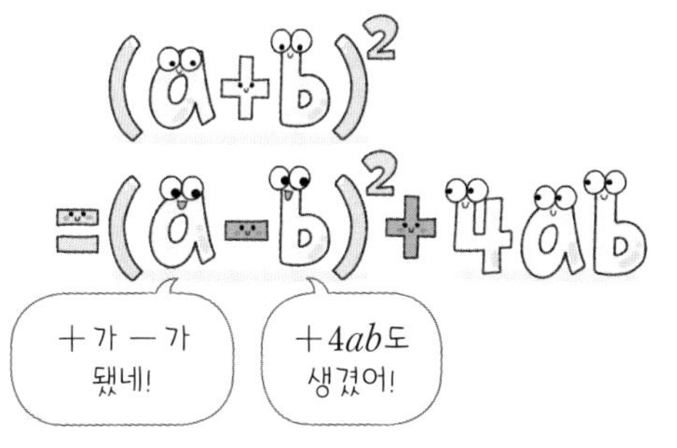

개념 가이드

$a-b$와 ab의 값이 주어진 경우
(1) $a^2+b^2=(a-b)^2+$ ❶ ☐
(2) $(a+b)^2=(a-b)^2+$ ❷ ☐

❶ $2ab$ ❷ $4ab$

교과서 대표 전략 ❶

대표 예제 9

다음 중 $x-1$을 인수로 갖지 않는 것은?

① $x(x-1)$ ② $xy(x-1)$ ③ $3x^2(x-1)$
④ x^2-1 ⑤ x^2+2x+1

개념 가이드

하나의 다항식을 두 개 이상의 다항식의 ❶ [ ] 으로 나타낼 때, 곱해진 각각의 다항식을 ❷ [ ] 라 한다.

❶ 곱 ❷ 인수

대표 예제 10

다음 식이 모두 완전제곱식이 될 때, □ 안에 알맞은 양수 중 가장 큰 것은?

① $a^2+4a+\square$ ② $x^2+\square x+25$
③ $\square x^2+16x+4$ ④ $9x^2+\square x+\frac{1}{4}$
⑤ $36x^2+\square xy+\frac{1}{9}y^2$

개념 가이드

(1) $x^2+ax+\blacksquare$가 완전제곱식이 되려면 ➡ $\blacksquare=\left(\text{❶}\square\right)^2$

(2) $x^2+\blacksquare x+b^2$이 완전제곱식이 되려면 ➡ $\blacksquare=\pm 2b$

(3) $(ax)^2+\blacksquare x+b^2$이 완전제곱식이 되려면 ➡ $\blacksquare=\pm$ ❷ [ ]

❶ $\frac{a}{2}$ ❷ $2ab$

대표 예제 11

다음 중 두 다항식 x^2-4x-5, $4x^2+x-3$의 공통인 인수는?

① $x-5$ ② $x-1$ ③ $x+1$
④ $x+5$ ⑤ $4x-3$

개념 가이드

두 다항식의 공통인 인수 구하기

1 각 다항식을 인수 ❶ [ ] 한다.

2 공통으로 들어 있는 ❷ [ ] 를 찾는다.

❶ 분해 ❷ 인수

대표 예제 12

$3x^2-7x+2a$가 $x-4$를 인수로 가질 때, 상수 a의 값은?

① -20 ② -10 ③ -5
④ 5 ⑤ 10

개념 가이드

이차식 ax^2+bx+c가 $mx+n$을 인수로 가진다.

➡ $ax^2+bx+c=(mx+$ ❶ [ ] $)(\bullet x+\blacktriangle)$ (주어진 인수)

❶ n

대표 예제 13

$x(y-2)-4y+8$을 인수분해하면?

① $(x-2)(y-4)$　② $(x-4)(y-2)$
③ $(x-2)(y-2)$　④ $(x+2)(y+4)$
⑤ $(x+4)(y+2)$

개념 가이드

주어진 식에 공통인 인수가 있으면 ❶ ☐ 인 인수로 묶어 인수분해한다.

예 $4a^2b-9b^3=$ ❷ ☐ $(4a^2-9b^2)$
$=b(2a+3b)(2a-3b)$

❶ 공통 ❷ b

대표 예제 14

다음 중 $(x+2)^2-7(x+2)+12$의 인수인 것은?

① $x-1$　② $x-3$　③ $x-4$
④ $x+1$　⑤ $x+2$

개념 가이드

공통부분이 있는 식의 인수분해

➡ 주어진 식에 공통부분이 있으면 공통부분을 한 ❶ ☐ 로 놓고 인수분해한 후 원래의 식을 ❷ ☐ 하여 정리한다.

❶ 문자 ❷ 대입

대표 예제 15

$x=104$일 때, $x^2-8x+16$의 값은?

① 100　② 104　③ 10000
④ 10404　⑤ 10816

개념 가이드

인수분해 공식을 이용하여 식의 값 구하기

1 주어진 식을 ❶ ☐ 분해한다.
2 문자의 값을 ❷ ☐ 한다.

❶ 인수 ❷ 대입

대표 예제 16

오른쪽 그림과 같이 가로의 길이가 $x+2$인 직사각형의 넓이가 $3x^2+11x+10$일 때, 세로의 길이는?

$3x^2+11x+10$

$x+2$

① $3x+1$　② $3x+2$　③ $3x+4$
④ $3x+5$　⑤ $2x+3$

개념 가이드

예 넓이가 x^2+5x+6이고 가로의 길이가 $x+2$인 직사각형의 세로의 길이 구하기

➡ $x^2+5x+6=(x+2)($❶ ☐$)$이므로 세로의 길이는 ❷ ☐ 이다.

❶ $x+3$ ❷ $x+3$

2주 4일 교과서 대표 전략 ❷

1 $(4x+1)(x-3)-(x+5)(x-2)$를 간단히 하면?

① $3x^2-14x+7$　② $3x^2-14x-7$
③ $3x^2+14x+13$　④ $3x^2+14x-13$
⑤ $3x^2-8x-7$

Tip

• $(x+a)(x+b)=x^2+($❶ $\square)x+ab$
• $(ax+b)(cx+d)=acx^2+(ad+bc)x+$❷ $\square$

❶ $a+b$ ❷ bd

2 $(3x-y+4)(3x+y-4)$를 전개하시오.

Tip

공통부분을 A로 놓고 ❶ $\square$ 한 후, ❷ $\square$ 에 다시 원래의 식을 대입한다.

❶ 전개 ❷ A

3 $997\times1003=10^a-b$일 때, 두 자연수 a, b에 대하여 $a+b$의 값은?

① -3　② 3　③ 6
④ 9　⑤ 15

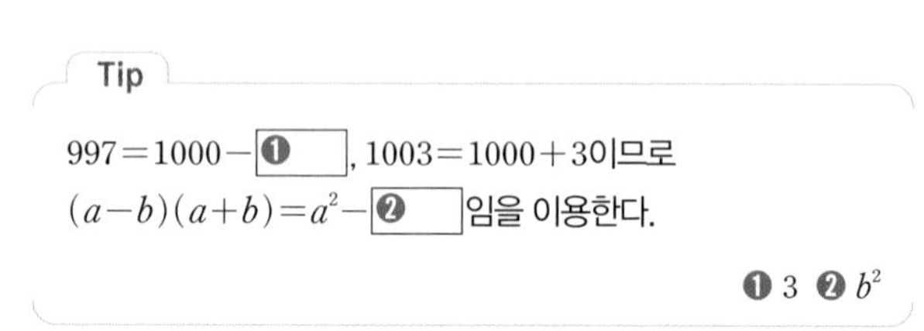

Tip

$997=1000-$❶ $\square$, $1003=1000+3$이므로
$(a-b)(a+b)=a^2-$❷ $\square$ 임을 이용한다.

❶ 3 ❷ b^2

4 $x=\dfrac{1}{3+2\sqrt{2}}$, $y=\dfrac{1}{3-2\sqrt{2}}$일 때, $\dfrac{x+y}{xy}$의 값을 구하시오.

Tip

$(a+b)(a-b)=a^2$❶ $\square$ b^2임을 이용하여 먼저 분모를 ❷ $\square$ 화한다.

❶ $-$ ❷ 유리

5 $(x-1)(x+3)+a$가 완전제곱식이 되도록 하는 상수 a의 값은?

① 1 ② 2 ③ 3
④ 4 ⑤ 5

Tip

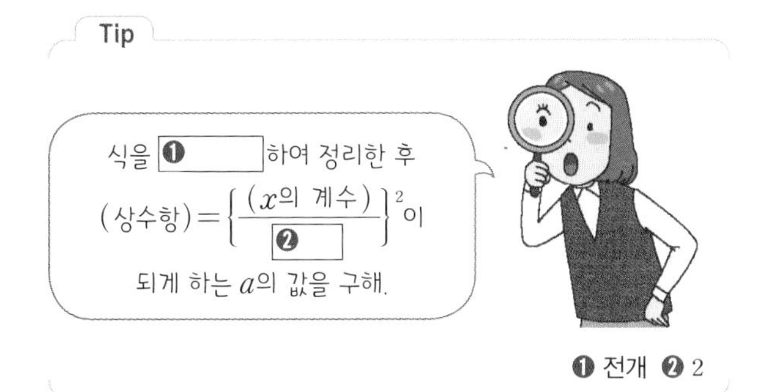

❶ 전개 ❷ 2

6 두 다항식 x^2+ax+9, $x^2-bx-12$의 공통인 인수가 $x+3$일 때, 상수 a, b에 대하여 $a-b$의 값을 구하시오.

Tip

$x^2+ax+9=(x+$ ❶ $)(x+m)$(m은 상수),
$x^2-bx-12=($ ❷ $)(x+n)$(n은 상수)
으로 놓고 상수 a, b의 값을 각각 구한다.

❶ 3 ❷ $x+3$

7 $(4x-5)^2-(3x-2)^2=a(x+b)(x-3)$일 때, $a-b$의 값을 구하시오. (단, a, b는 상수)

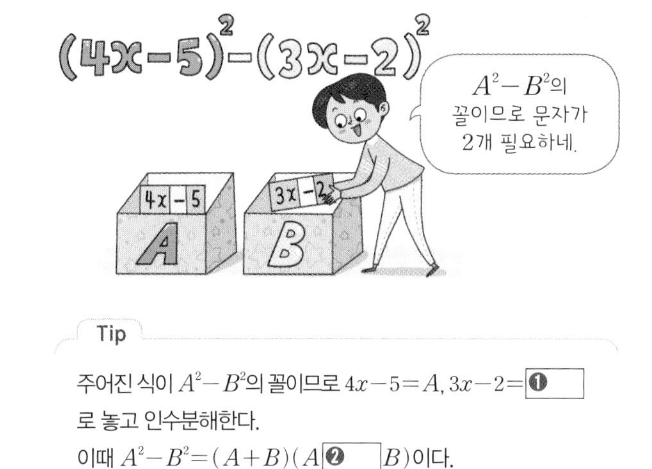

Tip

주어진 식이 A^2-B^2의 꼴이므로 $4x-5=A$, $3x-2=$ ❶
로 놓고 인수분해한다.
이때 $A^2-B^2=(A+B)(A$ ❷ $B)$이다.

❶ B ❷ $-$

8 다음 그림과 같이 넓이가 각각 x^2, x, 1인 세 종류의 직사각형 10개를 모두 사용하여 하나의 직사각형을 만들 때, 새로 만든 직사각형의 둘레의 길이를 구하시오.

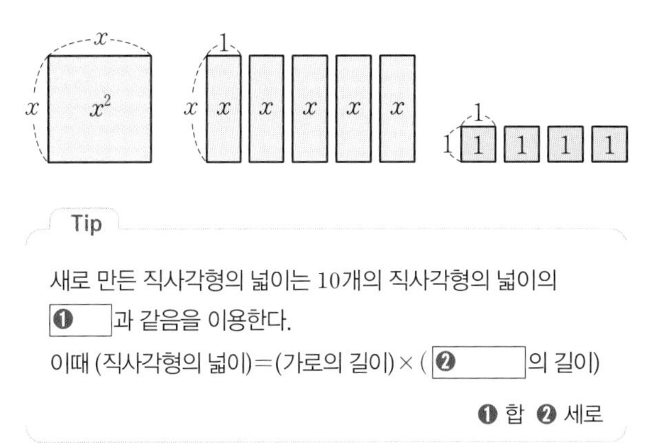

Tip

새로 만든 직사각형의 넓이는 10개의 직사각형의 넓이의
❶ 과 같음을 이용한다.
이때 (직사각형의 넓이)=(가로의 길이)×(❷ 의 길이)

❶ 합 ❷ 세로

2주 누구나 합격 전략

01 다음 중 옳은 것은?

① $(x-1)^2=x^2-2x-1$
② $(2x+1)^2=4x^2+1$
③ $(x+4)(x-4)=x^2-4$
④ $(x+8)(x-5)=x^2-3x+40$
⑤ $(3x+7)(5x-3)=15x^2+26x-21$

02 다음 중 $(x+y)^2$과 전개식이 같은 것은?

① $(x-y)^2$　② $(-x+y)^2$
③ $-(x+y)^2$　④ $(-x-y)^2$
⑤ $(x+y)(x-y)$

03 $(x+4)(x+8)=x^2+Ax+B$일 때, 상수 A, B에 대하여 $B-A$의 값은?

① 20　② 22　③ 24
④ 28　⑤ 30

04 곱셈 공식을 이용하여 1001^2을 계산하려고 할 때, 다음 중 가장 편리한 곱셈 공식을 말한 학생을 찾으시오.

하나  $(a+b)^2=a^2+2ab+b^2$

고은 $(a+b)(a-b)=a^2-b^2$

우식 $(x+a)(x+b)=x^2+(a+b)x+ab$

지우 $(ax+b)(cx+d)=acx^2+(ad+bc)x+bd$

05 $(\sqrt{3}+1)(\sqrt{3}-2)=a+b\sqrt{3}$일 때, 유리수 a, b에 대하여 ab의 값은?

① -3　② -1　③ 0
④ 1　⑤ 3

>> 정답과 풀이 17쪽

06 다음 중 아래의 식에 대한 설명으로 옳지 않은 말을 한 학생을 찾으시오.

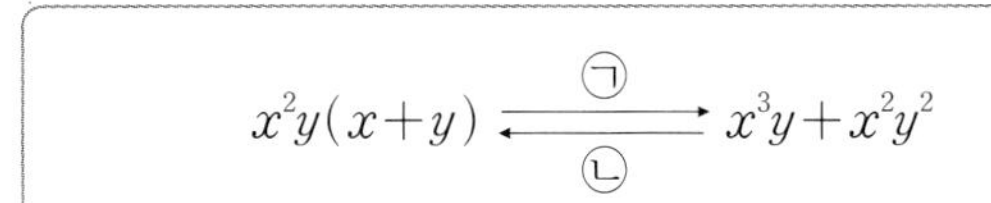

$x^2y(x+y) \underset{㉡}{\overset{㉠}{\rightleftarrows}} x^3y+x^2y^2$

07 다음 중 $ab-ab^2$의 인수가 아닌 것은?

① a　② b　③ ab　④ $1-b$　⑤ $b^2(1-b)$

08 다음 중 옳지 않은 것은?

① $x^2-x=x(x-1)$
② $4x^2-4x+1=(2x-1)^2$
③ $16x^2-25=(4x+5)(4x-5)$
④ $x^2+xy-12y^2=(x-4y)(x+3y)$
⑤ $3x^2-10x-8=(3x+2)(x-4)$

09 다항식 $x^2-10x+24+k$가 완전제곱식이 될 때, 상수 k의 값은?

① -2　② -1　③ 1　④ 2　⑤ 3

10 인수분해 공식을 이용하여 $6.5^2-3.5^2$을 계산하면?

① 3　② 10　③ 15　④ 20　⑤ 30

2주 창의·융합·코딩 전략 1

1 수아와 친구들이 현장학습을 가려고 한다. 갈림길에 쓰인 식에서 a의 값이 음수이면 파란색 화살표를 따라가고, a의 값이 양수이면 빨간색 화살표를 따라간다고 할 때, 수아와 친구들은 어느 장소로 현장학습을 가게 되는지 구하시오. (단, a는 상수)

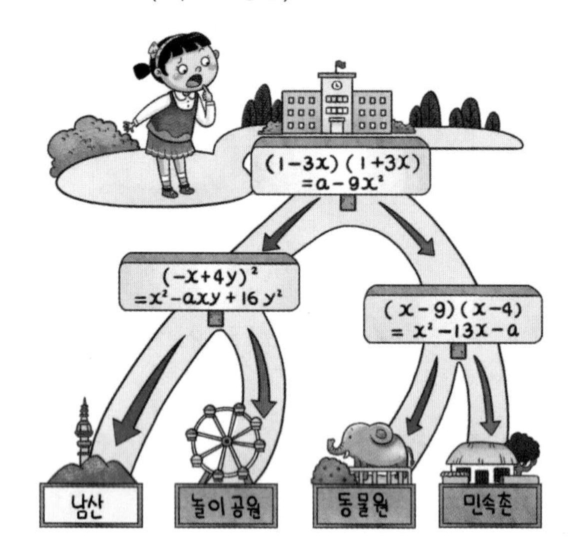

Tip

곱셈 공식을 이용하여 좌변의 식을 ❶ ______ 하고 좌변과 우변을 ❷ ______ 한다.

❶ 전개 ❷ 비교

2 다음을 읽고 물음에 답하시오.

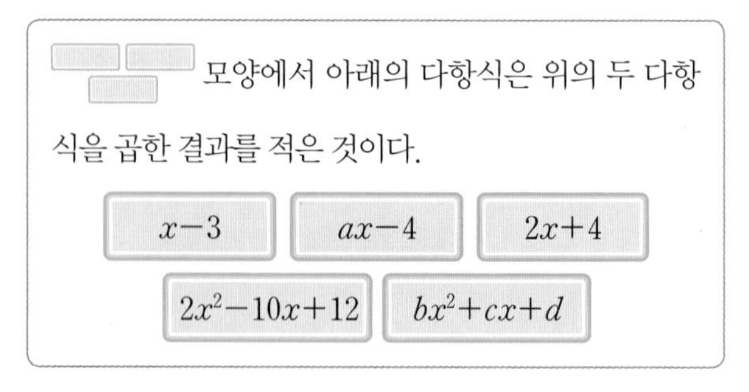

모양에서 아래의 다항식은 위의 두 다항식을 곱한 결과를 적은 것이다.

$x-3$	$ax-4$	$2x+4$
$2x^2-10x+12$	bx^2+cx+d	

(1) 상수 a의 값을 구하시오.

(2) 상수 b, c, d의 값을 각각 구하시오.

Tip

$(x-3)($❶ ______$)=2x^2-10x+12$,
$(ax-4)($❷ ______$)=bx^2+cx+d$
임을 이용하여 상수 a, b, c d의 값을 각각 구한다.

❶ $ax-4$ ❷ $2x+4$

>> 정답과 풀이 18쪽

3 다음 두 학생의 대화를 읽고 상수 A의 값을 구하시오.

Tip

$(x+A)(x-5)$를 ❶ ☐ 하면 $x^2-2x-15$와 ❷ ☐ 다.

❶ 전개 ❷ 같

4 다음 그림을 보고 물음에 답하시오.

(1) 새로 만들어진 수박밭의 넓이를 두 다항식의 곱으로 나타내시오.

(단, 새로 만들어진 수박밭도 직사각형이다.)

(2) (1)의 식을 전개하시오.

Tip

(새로 만들어진 수박밭의 가로의 길이)$=3x+$ ❶ ☐

(새로 만들어진 수박밭의 세로의 길이)$=$ ❷ ☐

❶ y ❷ $2x-y$

5 다음의 출발 지점에서 시작하여 각각의 문장이 옳으면 ⬇을 따라가고 옳지 않으면 ➡을 따라갈 때, 도착하는 지점을 말하시오.

Tip

공통인 인수를 찾을 때에는 수에서는 ❶ ______ 공약수를 찾고, 문자에서는 각 항에 ❷ ______ 으로 들어 있는 문자를 모두 찾아야 한다.

❶ 최대 ❷ 공통

6 다음 그림에서 하나의 큰 정사각형을 만들기 위해 넓이가 b^2인 정사각형을 몇 개 더 추가해야 하는지 구하시오.

Tip

주어진 직사각형의 넓이의 ❶ ______ 을 a, b의 식으로 나타내고 이 식이 ❷ ______ 제곱식이 되려면 넓이가 b^2인 정사각형이 몇 개 더 필요한지 생각해 본다.

❶ 합 ❷ 완전

>> 정답과 풀이 18쪽

7 다음은 다항식의 인수분해를 그림으로 나타낸 것이다.

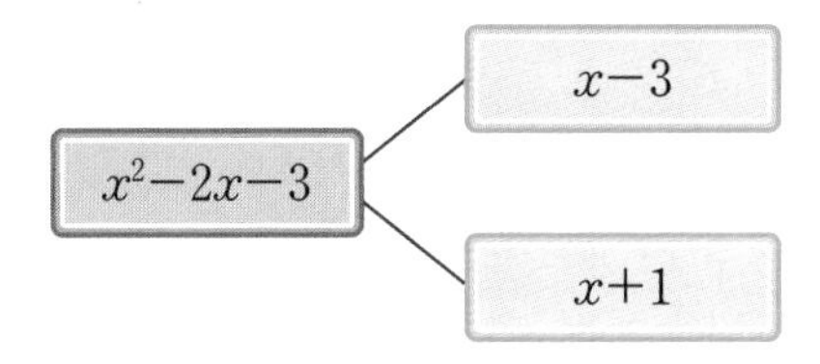

이와 같은 과정으로 $10ax^2-11ax-6a$를 인수분해하였더니 아래와 같을 때, (가), (나)에 각각 알맞은 식을 구하시오.

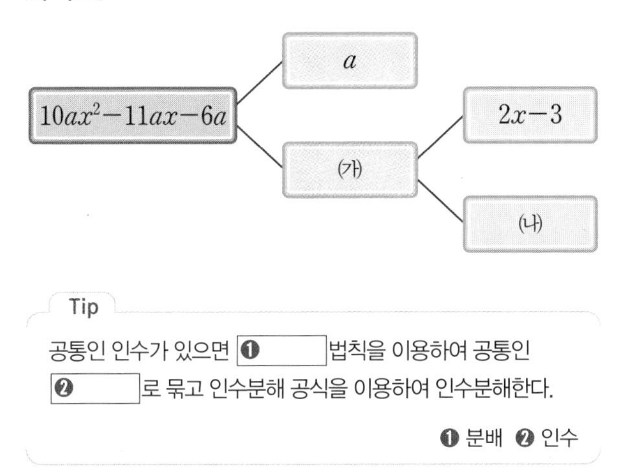

Tip

공통인 인수가 있으면 ❶ [ ] 법칙을 이용하여 공통인 ❷ [ ] 로 묶고 인수분해 공식을 이용하여 인수분해한다.

❶ 분배 ❷ 인수

8 다음 그림을 보고 분수대를 제외한 잔디밭의 넓이를 인수분해 공식을 이용하여 구하시오.

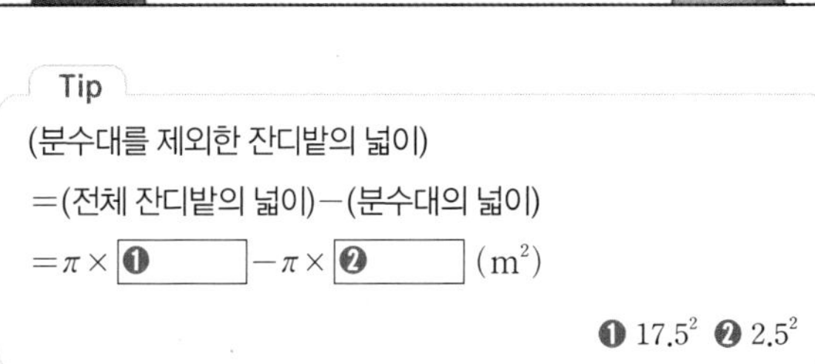

Tip

(분수대를 제외한 잔디밭의 넓이)

=(전체 잔디밭의 넓이)−(분수대의 넓이)

$=\pi\times$ ❶ [ ] $-\pi\times$ ❷ [ ] (m^2)

❶ 17.5^2 ❷ 2.5^2

중간고사 마무리 전략

제곱근

제곱근의 뜻과 표현

$\sqrt{a}$, $-\sqrt{a}$ —제곱→ a
a —제곱근→ $\sqrt{a}$, $-\sqrt{a}$

제곱근의 성질

$a>0$일 때

① $(\sqrt{a})^2=a$, $(-\sqrt{a})^2=a$

② $\sqrt{a^2}=a$, $\sqrt{(-a)^2}=a$

실수의 분류

- 실수
  - 유리수
    - 정수
      - 양의 정수 (자연수)
      - 0
      - 음의 정수
    - 정수가 아닌 유리수
  - 무리수

$\sqrt{\ }$를 포함한 식의 계산

제곱근의 곱셈과 나눗셈

$a>0$, $b>0$일 때

(1) $\sqrt{a}\times\sqrt{b}=\sqrt{ab}$

(2) $\sqrt{a}\div\sqrt{b}=\dfrac{\sqrt{a}}{\sqrt{b}}=\sqrt{\dfrac{a}{b}}$

제곱근의 덧셈과 뺄셈

(1) $m\sqrt{a}+n\sqrt{a}=(m+n)\sqrt{a}$

(2) $m\sqrt{a}-n\sqrt{a}=(m-n)\sqrt{a}$

다항식의 곱셈

(다항식)×(다항식)

$(a+b)(c+d)$
$=ac+ad+bc+bd$

곱셈 공식

① $(a+b)^2=a^2+2ab+b^2$
② $(a-b)^2=a^2-2ab+b^2$
③ $(a+b)(a-b)=a^2-b^2$
④ $(x+a)(x+b)=x^2+(a+b)x+ab$
⑤ $(ax+b)(cx+d)$
$=acx^2+(ad+bc)x+bd$

다항식의 인수분해

인수분해 공식(1)

① $a^2+2ab+b^2=(a+b)^2$
② $a^2-2ab+b^2=(a-b)^2$

인수분해 공식(2)

③ $a^2-b^2=(a+b)(a-b)$
④ $x^2+(a+b)x+ab=(x+a)(x+b)$
⑤ $acx^2+(ad+bc)x+bd=(ax+b)(cx+d)$

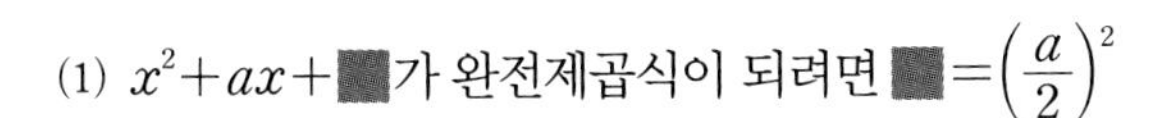

완전제곱식이 될 조건

(1) $x^2+ax+■$가 완전제곱식이 되려면 $■=\left(\frac{a}{2}\right)^2$
(2) $x^2+■x+b^2$이 완전제곱식이 되려면 $■=\pm 2b$
(3) $(ax)^2+■x+b^2$이 완전제곱식이 되려면 $■=\pm 2ab$

신유형·신경향·서술형 전략

1 다음 표에 주어진 수를 보고 각 수가 해당하는 곳에 모두 ○표를 하고, 무리수의 개수를 구하시오.

	자연수	정수	유리수	무리수	실수
π					
$-\sqrt{16}$					
$1.\dot{4}$					
$\sqrt{7}$					
5					
$2+\sqrt{2}$					

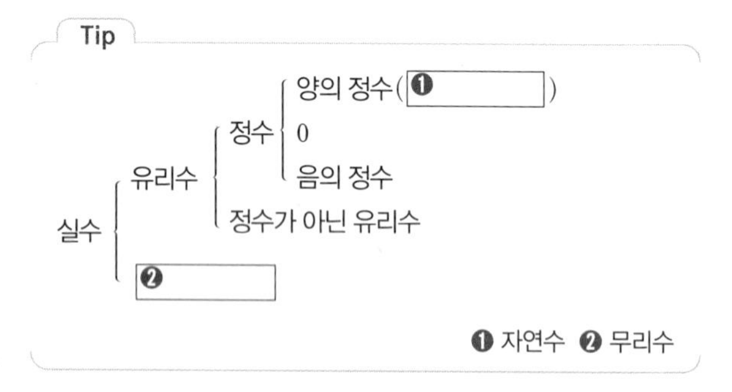

2 다음 부등식의 □ 안에 들어갈 수 <u>없는</u> 수를 아래 보기에서 모두 고르시오.

3 다음 그림은 한 눈금의 길이가 1인 모눈종이 위에 정사각형 ABCD와 수직선을 그리고, $\overline{AB}=\overline{BE}$가 되도록 수직선 위에 점 E를 정한 것이다.

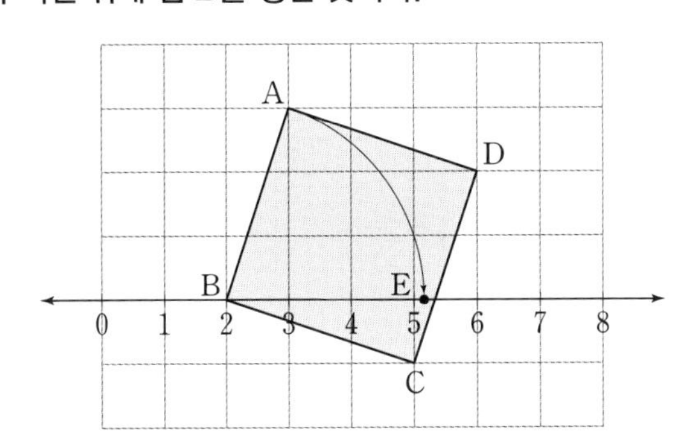

화영이와 친구들은 위의 그림을 보고 아래와 같이 이야기를 나누었다. 밑줄 친 부분이 틀린 학생을 찾고 바르게 고치시오.

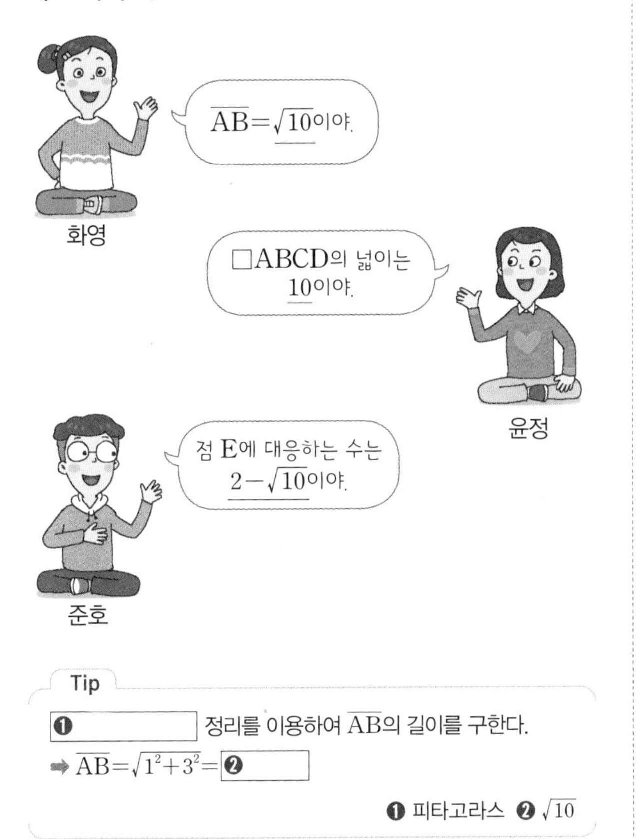

Tip

❶ [   ] 정리를 이용하여 $\overline{AB}$의 길이를 구한다.

➡ $\overline{AB}=\sqrt{1^2+3^2}=$ ❷ [   ]

❶ 피타고라스 ❷ $\sqrt{10}$

4 다음 그림은 세 종류의 조각 타일 A, B, C를 빈틈없이 이어 붙인 벽면의 일부이다. 조각 타일 A는 넓이가 5인 정사각형, 조각 타일 B는 넓이가 $\sqrt{30}$인 직사각형, 조각 타일 C는 정사각형이다. 물음에 답하시오.

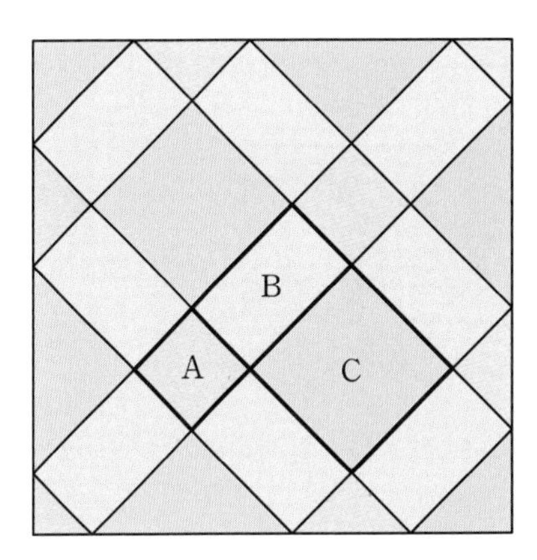

(1) 조각 타일 A의 한 변의 길이를 x라 할 때, x의 값을 구하시오.

(2) 조각 타일 B의 긴 변의 길이를 y라 할 때, y의 값을 구하시오.

(3) 조각 타일 C의 넓이를 구하시오.

Tip

조각 타일 A는 넓이가 ❶ [   ]인 정사각형이므로 한 변의 길이가 ❷ [   ]이다.

❶ 5 ❷ $\sqrt{5}$

5 다음 두 학생의 대화를 읽고 물음에 답하시오. (단, k는 상수)

(1) 주어진 식을 전개하여 ax^2+bx+c의 꼴로 나타내시오.

(2) 상수 k의 값을 구하는 식을 쓰고, k의 값을 구하시오.

(3) 상수항을 구하시오.

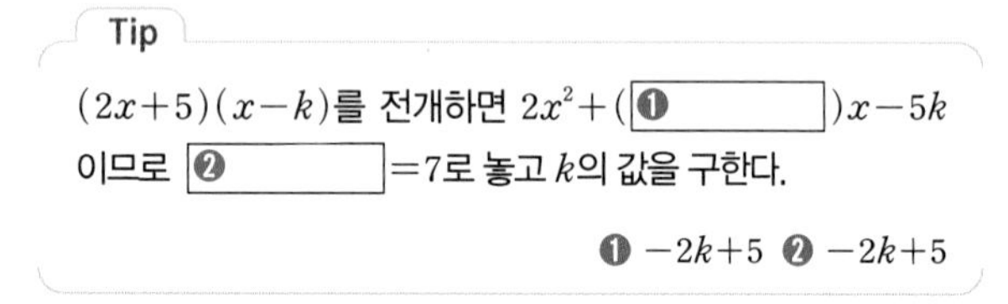

Tip

$(2x+5)(x-k)$를 전개하면 $2x^2+($❶ $)x-5k$ 이므로 ❷ $=7$로 놓고 k의 값을 구한다.

❶ $-2k+5$ ❷ $-2k+5$

6 다음 그림과 같이 한 변의 길이가 $\frac{8}{\sqrt{3}-1}$ cm인 정사각형에서 가로의 길이와 세로의 길이를 각각 5 cm만큼 줄인 도형의 넓이를 구하시오.

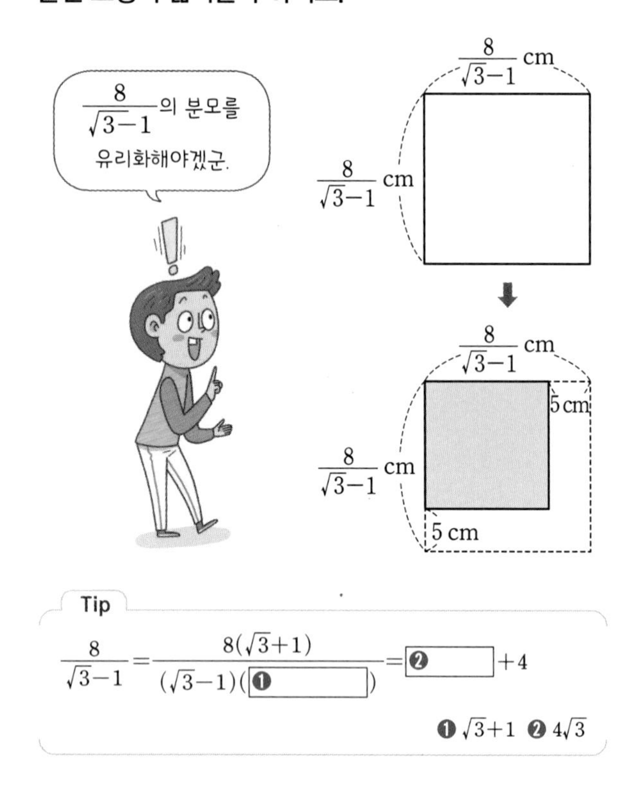

Tip

$\frac{8}{\sqrt{3}-1}=\frac{8(\sqrt{3}+1)}{(\sqrt{3}-1)(❶\ )}=❷\ +4$

❶ $\sqrt{3}+1$ ❷ $4\sqrt{3}$

7 **현수는 넓이가 다음 그림과 같은 직사각형 8개를 겹치지 않게 이어 붙여 하나의 큰 직사각형을 만들었다. 물음에 답하시오.**

(1) 현수가 만든 하나의 큰 직사각형의 넓이를 x의 식으로 나타내시오.

(2) 현수가 만든 하나의 큰 직사각형의 가로의 길이와 세로의 길이의 합을 구하시오.

Tip

하나의 큰 직사각형의 넓이는 8개의 직사각형의 넓이의 합과 ❶ [ ] 음을 이용한다. 이때 그 넓이를 ❷ [ ] 하면 하나의 큰 직사각형의 가로의 길이와 세로의 길이를 구할 수 있다.

❶ 같 ❷ 인수분해

8 **다음 그림과 같은 직사각형 A와 도형 B의 넓이가 같을 때, 물음에 답하시오.**

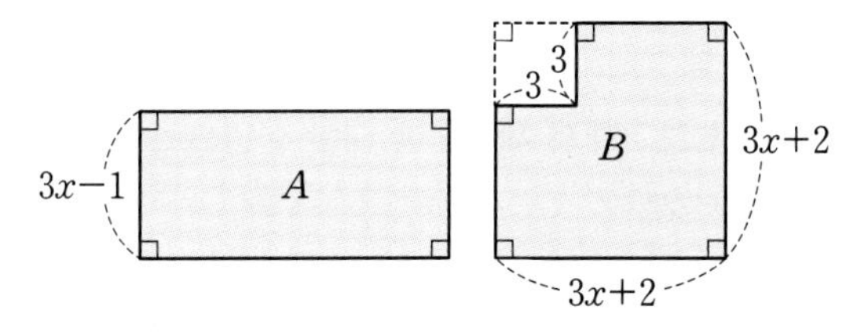

(1) 도형 B의 넓이를 x의 계수가 자연수인 두 일차식의 곱으로 나타내시오.

(2) 직사각형 A의 가로의 길이를 구하시오.

(3) 직사각형 A의 둘레의 길이를 구하시오.

Tip

(도형 B의 넓이)$=(3x+2)^2-$ ❶ [ ]^2

이때 (직사각형 A의 넓이)=(도형 B의 넓이)임을 이용하여 직사각형 A의 ❷ [ ] 의 길이를 구할 수 있다.

❶ 3 ❷ 가로

적중 예상 전략 | 1회

01 다음 보기에서 제곱근에 대한 설명으로 옳은 것을 모두 고른 것은?

> 보기
> ㉠ $\sqrt{16}$의 제곱근은 2이다.
> ㉡ $\sqrt{81}$의 음의 제곱근은 -3이다.
> ㉢ $\sqrt{121}$의 양의 제곱근은 11이다.
> ㉣ 제곱근 3^2은 3이다.

① ㉠, ㉡　② ㉠, ㉢　③ ㉡, ㉢
④ ㉡, ㉣　⑤ ㉢, ㉣

02 어떤 정사각형의 넓이가 오른쪽 그림과 같이 밑변의 길이가 3, 높이가 7인 삼각형의 넓이의 2배일 때, 이 정사각형의 한 변의 길이는?

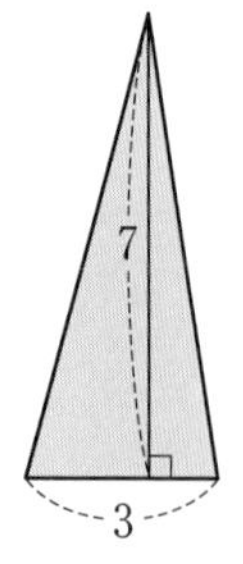

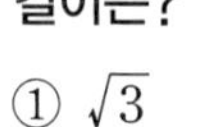

① $\sqrt{3}$　② $\sqrt{7}$
③ $\sqrt{11}$　④ $\sqrt{21}$
⑤ $\sqrt{42}$

03 $\sqrt{6^2}\div(-\sqrt{3})^2+\sqrt{(-10)^2}\times\left(-\sqrt{\frac{1}{2}}\right)^2$을 계산하면?

① -7　② -3　③ 1
④ 3　⑤ 7

04 $a>0$일 때, $\sqrt{(-a)^2}-\sqrt{(4a)^2}+\sqrt{(6a)^2}$을 간단히 하면?

① a　② $3a$　③ $5a$
④ $7a$　⑤ $9a$

05 $\sqrt{\dfrac{180}{x}}$이 자연수가 되도록 하는 가장 작은 자연수 x의 값은?

① 5 ② 9 ③ 10
④ 15 ⑤ 20

06 $\sqrt{28-A}$가 정수가 되도록 하는 자연수 A의 값 중 가장 큰 수와 가장 작은 수의 합은?

① 29 ② 31 ③ 33
④ 35 ⑤ 37

28－A는 0 또는 28보다 작은 제곱수이어야 해.

07 다음 수를 작은 것부터 차례대로 나열하였을 때, 세 번째에 오는 수를 구하시오.

3	$\sqrt{13}$	-1	$2\sqrt{2}$	$-\sqrt{10}$

08 다음 중 옳지 않은 설명을 한 학생을 찾으시오.

09 다음 그림과 같이 한 눈금의 길이가 1인 모눈종이 위에 수직선과 직각삼각형 ABC를 그리고, $\overline{AC}=\overline{AP}$가 되도록 수직선 위에 점 P를 정했다. 점 P에 대응하는 수가 $a+b\sqrt{2}$일 때, 유리수 a, b에 대하여 ab의 값을 구하시오.

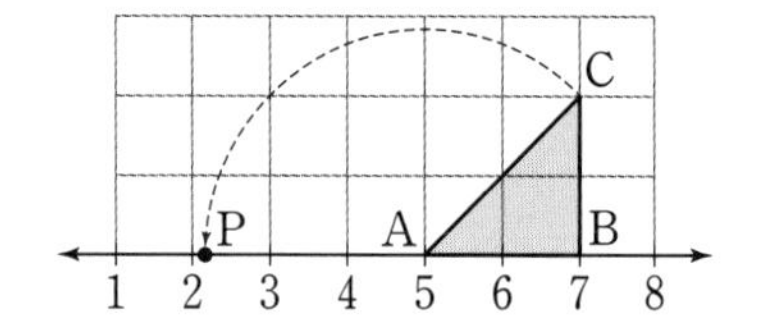

10 다음 중 옳은 설명을 한 학생을 찾으시오.

11 $\sqrt{3.51}=1.873$, $\sqrt{35.1}=5.925$일 때, 다음 보기에서 옳은 것을 모두 고른 것은?

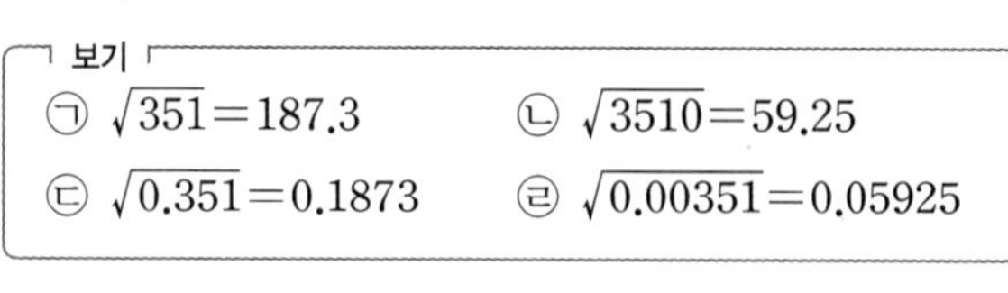
보기

ㄱ. $\sqrt{351}=187.3$　　ㄴ. $\sqrt{3510}=59.25$

ㄷ. $\sqrt{0.351}=0.1873$　　ㄹ. $\sqrt{0.00351}=0.05925$

① ㄱ, ㄴ　　② ㄱ, ㄷ　　③ ㄴ, ㄷ
④ ㄴ, ㄹ　　⑤ ㄷ, ㄹ

12 $2\sqrt{24}-3\sqrt{28}-\sqrt{54}+\sqrt{7}=a\sqrt{6}+b\sqrt{7}$일 때, $a+b$의 값은? (단, a, b는 유리수)

① -4　　② -1　　③ 3
④ 6　　⑤ 10

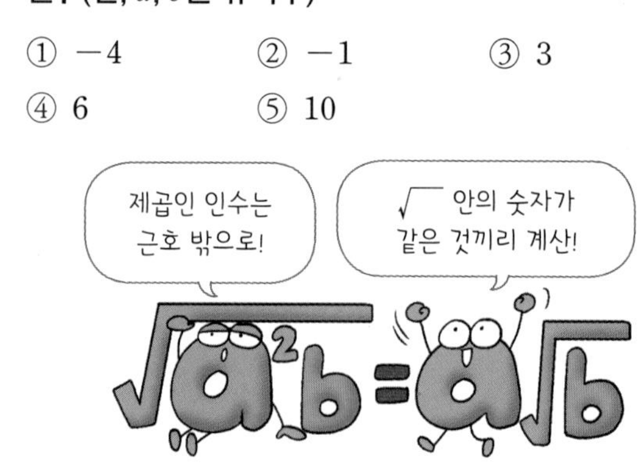

13 $\frac{9}{\sqrt{3}}(\sqrt{3}-\sqrt{8})-\frac{\sqrt{8}-4\sqrt{3}}{\sqrt{2}}=a+b\sqrt{6}$일 때, $a-b$의 값은? (단, a, b는 유리수)

① 3 ② 5 ③ 7
④ 9 ⑤ 11

14 다음 그림은 한 눈금의 길이가 1인 모눈종이 위에 수직선과 직각삼각형 ABC를 그린 것이다. 점 A를 중심으로 하고 $\overline{AB}$를 반지름으로 하는 원을 그려 수직선과 만나는 점을 각각 P, Q라 하자. 두 점 P, Q에 대응하는 수를 각각 p, q라 할 때, $3p-2q$의 값은?

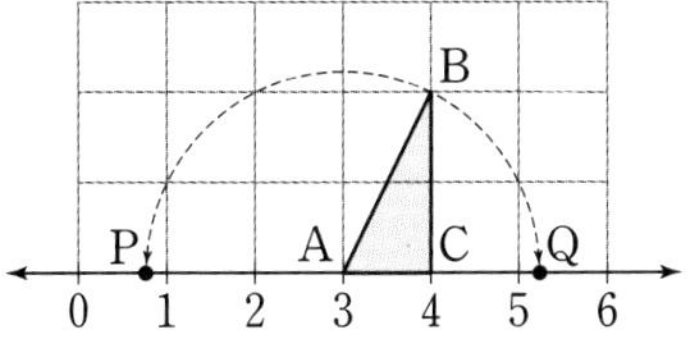
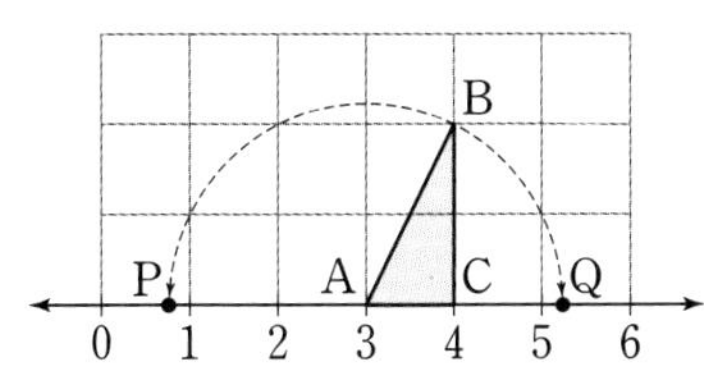

① $-3-5\sqrt{5}$ ② $1-7\sqrt{5}$ ③ $3-5\sqrt{5}$
④ $-2\sqrt{5}$ ⑤ $-3+5\sqrt{5}$

15 다음 세 수 A, B, C의 대소 관계를 바르게 나타낸 것은?

① $A<B<C$ ② $A<C<B$
③ $B<A<C$ ④ $B<C<A$
⑤ $C<A<B$

16 $6+\sqrt{5}$의 정수 부분을 a, 소수 부분을 b라 할 때, $a-b$의 값은?

① $6-\sqrt{5}$ ② $7-\sqrt{5}$
③ $8-\sqrt{5}$ ④ $9-\sqrt{5}$
⑤ $10-\sqrt{5}$

적중 예상 전략 | 2회

01 $(x+4)(5x-ay)=5x^2+bxy+20x-12y$일 때, ab의 값은? (단, a, b는 상수)

① -3 ② -5 ③ -7
④ -9 ⑤ -11

02 다음 중 $(x-y)^2$과 전개식이 같은 것을 들고 있는 학생을 찾으시오.

03 $(2x-a)(3x+5)=6x^2+bx-15$일 때, $a+b$의 값은? (단, a, b는 상수)

① -2 ② 0 ③ 2
④ 3 ⑤ 4

04 다음 중 옳지 않은 것은?

① $(2x-5)^2=4x^2-20x+25$
② $(3a+2b)(3a-2b)=9a^2-4b^2$
③ $(x-3)(x+6)=x^2+3x-18$
④ $(-x-4y)^2=x^2-8xy+16y^2$
⑤ $(2x-3)(4x+1)=8x^2-10x-3$

05 오른쪽 그림과 같은 직육면체의 겉넓이를 ax^2+bx+c라 할 때, $2a-b+c$의 값을 구하시오.
(단, a, b, c는 상수)

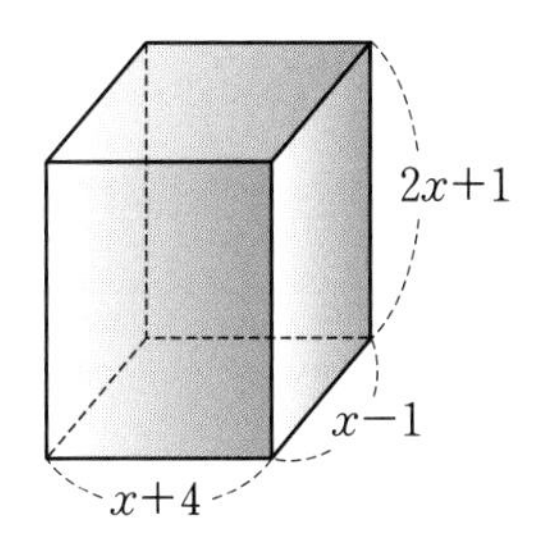

06 다음은 42×38을 곱셈 공식을 이용하여 계산하는 과정이다. ①~⑤에 들어갈 수로 알맞지 않은 것은?

① 40 ② 40 ③ 2
④ 160 ⑤ 1596

07 다음 중 옳은 것은?

① $(\sqrt{2}+3)^2=5$
② $(\sqrt{5}-1)^2=4-2\sqrt{5}$
③ $(-\sqrt{6}+\sqrt{5})(-\sqrt{6}-\sqrt{5})=1$
④ $(3+2\sqrt{2})(3-2\sqrt{2})=-5$
⑤ $(\sqrt{7}+\sqrt{2})(3\sqrt{7}-2\sqrt{2})=17-\sqrt{14}$

08 $\dfrac{\sqrt{13}-\sqrt{11}}{\sqrt{13}+\sqrt{11}}$을 간단히 하면?

① $11-\sqrt{143}$ ② $12-\sqrt{143}$
③ $13+\sqrt{143}$ ④ $24-2\sqrt{143}$
⑤ $24+2\sqrt{143}$

09 다음 중 $2x+1$을 인수로 갖지 <u>않는</u> 것은?

① $x(2x+1)$ ② $(x-1)(2x+1)$
③ $(2x+1)^2$ ④ $2xy^2+y$
⑤ $6ax^3+3ax^2$

10 다음 중 두 다항식 $x^2-11x+18$, x^2-4의 공통인 인수는?

① $x-2$ ② $x+2$ ③ $x-9$
④ $x+9$ ⑤ x^2

11 다음 중 물감이 쏟아진 부분에 들어갈 수가 가장 큰 것은?

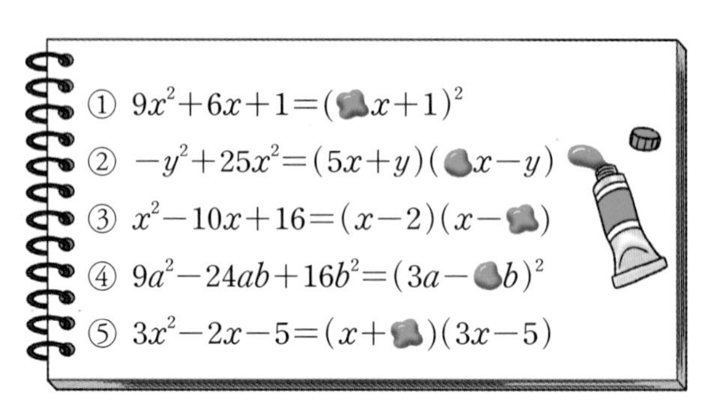

12 $16x^2+(7a-2)x+25$가 완전제곱식이 되기 위한 상수 a의 값은? (단, $a>0$)

① 2 ② 4 ③ 6
④ 8 ⑤ 10

>> 정답과 풀이 22쪽

13 $(x-y)(x-z)+(y-x)(y-z)$를 인수분해하면?

① $(x-y)^2$ ② $(x-z)^2$
③ $(x-y)(y-z)$ ④ $(x-z)(y-z)$
⑤ $(x-y)(y+2z)$

14 다음 중 $(x-3)^2-12(x-3)+36$의 인수인 것은?

① $x-3$ ② $x-6$ ③ $x-9$
④ $x+6$ ⑤ $x+9$

15 $x=2+\sqrt{2}$, $y=2-\sqrt{2}$일 때, $x^2-2xy+y^2$의 값은?

① 2 ② 6 ③ 8
④ 10 ⑤ 16

16 넓이가 $3x^2-10x-8$이고 가로의 길이가 $x-4$인 직사각형이 있다. 이 직사각형의 세로의 길이를 한 변으로 하는 정사각형을 만들려고 할 때, 이 정사각형의 둘레의 길이를 구하시오.

memo

중간고사 기말고사
고득점을 예약하자!

시험비법

수학전략

중학 3-1

BOOK 2

천재교육

수학전략

수학전략

중학 3-1

기말고사

이 책의 구성과 활용

주 도입

이번 주에 배울 내용이 무엇인지 보여 주는 부분입니다. 재미있는 만화를 통해 앞으로 배울 학습 요소를 미리 떠올려 봅니다.

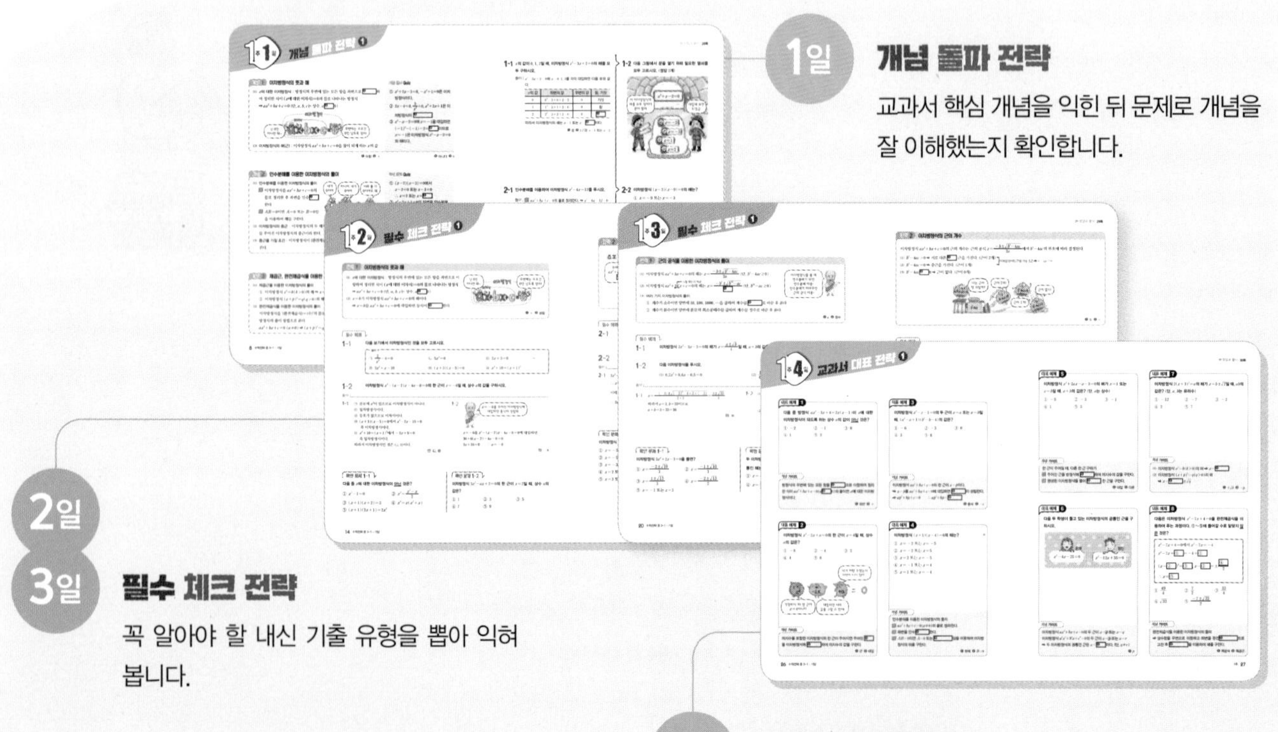

1일 개념 돌파 전략

교과서 핵심 개념을 익힌 뒤 문제로 개념을 잘 이해했는지 확인합니다.

2일 3일 필수 체크 전략

꼭 알아야 할 내신 기출 유형을 뽑아 익혀 봅니다.

4일 교과서 대표 전략

내신 기출에 자주 등장하는 대표 유형의 문제를 풀어 볼 수 있습니다.

부록 시험에 잘 나오는 개념 BOOK

부록은 뜯으면 미니북으로 활용할 수 있습니다.
시험 전에 개념을 확실하게 짚어 주세요.

주 마무리와 권 마무리의 특별 코너들로
수학 실력이 더 탄탄해질 거야!

주 마무리 코너

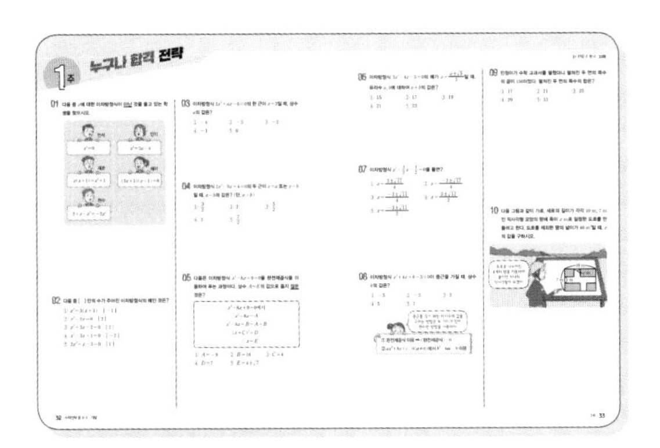

누구나 합격 전략

난이도 낮은 종합 문제로 학습 자신감을 고취할 수 있습니다.

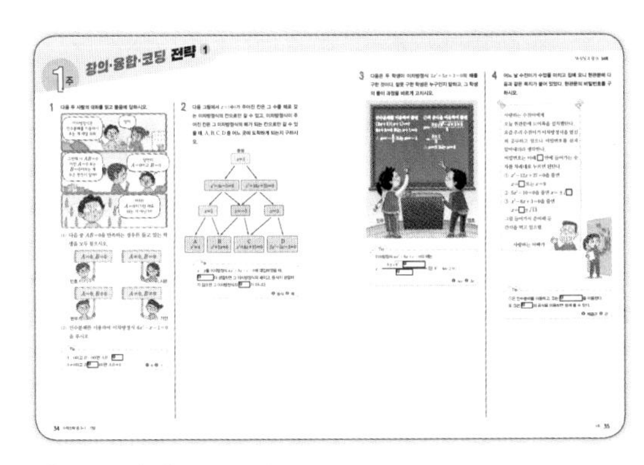

창의·융합·코딩 전략

융복합적 사고력을 길러 주는 문제로 문제해결력을 기를 수 있습니다.

권 마무리 코너

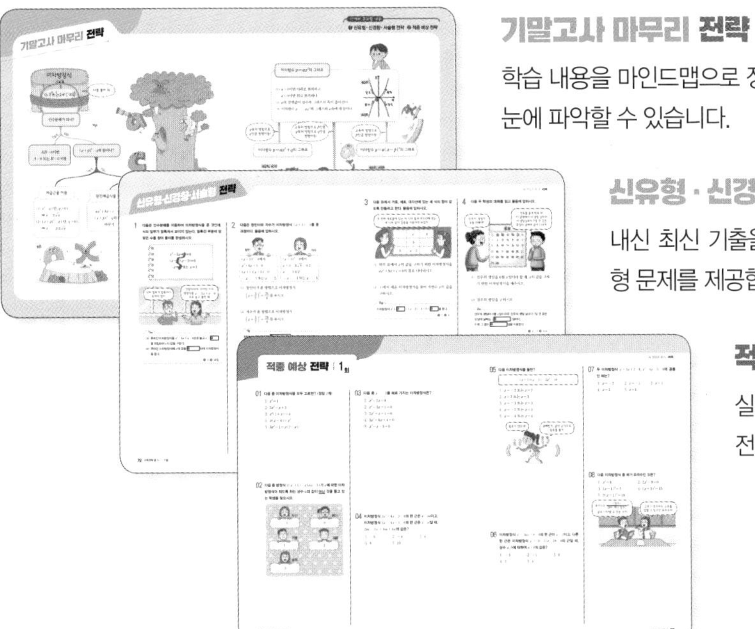

기말고사 마무리 전략

학습 내용을 마인드맵으로 정리해서 2주 동안 배운 내용을 한눈에 파악할 수 있습니다.

신유형·신경향·서술형 전략

내신 최신 기출을 바탕으로 신유형·신경향·서술형 문제를 제공합니다.

적중 예상 전략

실제 시험에 대비할 수 있는 모의 실전 문제를 2회로 구성하였습니다.

이 책의 차례

기말고사

1주 이차방정식

이차방정식
이차식
ax²+bx+c=0
난 0만 아니면 돼.
우변에는 무조건 0만 남도록 정리!
b, c는 0이 될 수도 있어.

이차방정식이네.
등호가 없으니 이차식이야.
3x²-2x+1
이것은 이차방정식?
식을 정리하면 x−2=0이므로 일차방정식!
x(1-x)=2-x²

나 좀 풀어 줘.
x = (-b±√(b²-4ac))/2a
인수분해 공식을 이용하여 풀어 주지.
ax²+bx+c=0
저리 비켜. 근의 공식을 이용해 주마.

공부할 내용

❶ 이차방정식의 뜻과 해
❷ 이차방정식의 풀이
❸ 이차방정식의 근의 공식
❹ 이차방정식의 활용

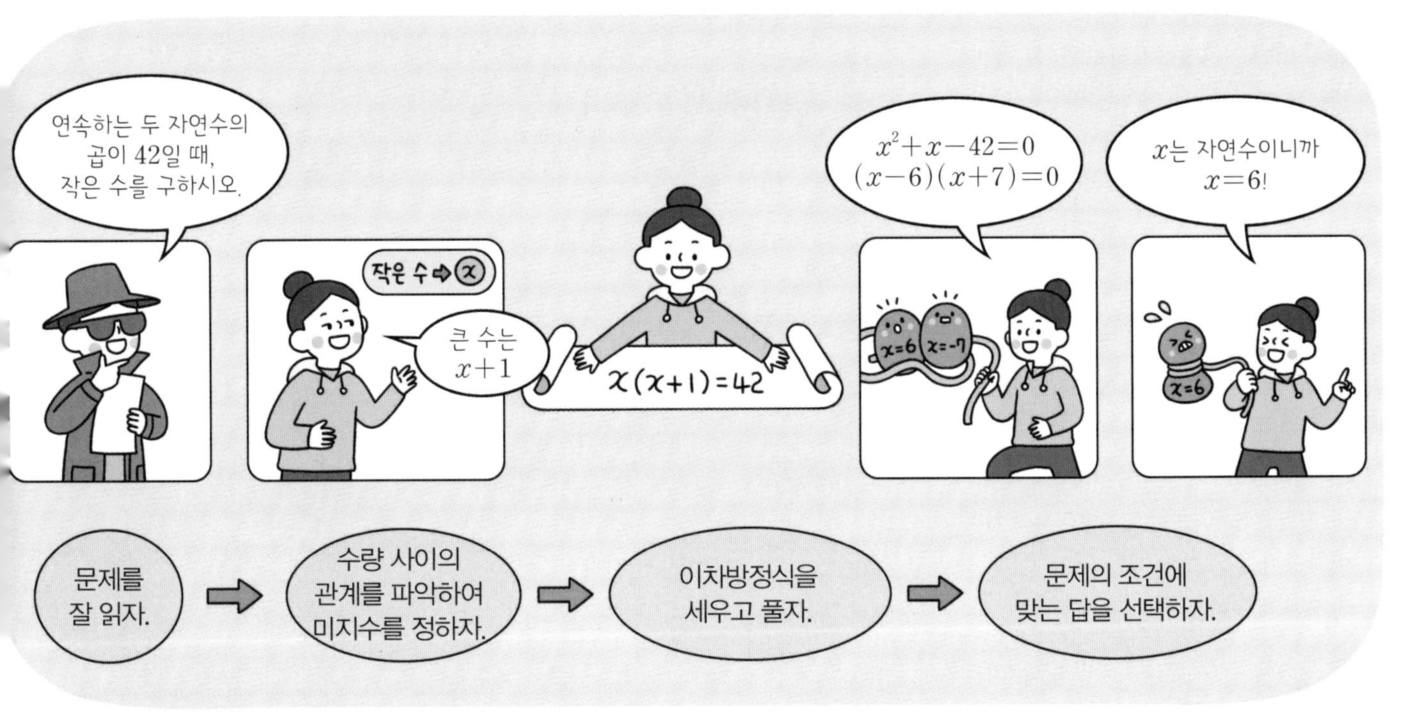

1주 1일 개념 돌파 전략 ❶

개념 1 이차방정식의 뜻과 해

(1) x에 대한 이차방정식 : 방정식의 우변에 있는 모든 항을 좌변으로 ❶ ______ 하여 정리한 식이 (x에 대한 이차식)=0의 꼴로 나타나는 방정식

➡ $ax^2+bx+c=0$ (단, a, b, c는 상수, a ❷ ___ 0)

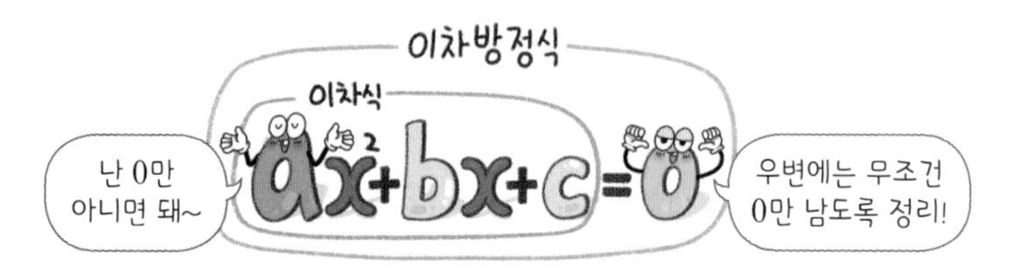

(2) 이차방정식의 해(근) : 이차방정식 $ax^2+bx+c=0$을 참이 되게 하는 x의 값

❶ 이항 ❷ $\neq$

개념 돌파 Quiz

① $x^2+2x-3=0$, $-x^2+1=0$은 이차방정식이다.

② $2x-4=0$, $\dfrac{3}{x^2}=0$, x^2+2x+1은 이차방정식이 ❶ ______.

③ $x^2-x-2=0$에 $x=-1$을 대입하면 $(-1)^2-(-1)-2=$ ❷ ___ 이므로 $x=-1$은 이차방정식 $x^2-x-2=0$의 해이다.

❶ 아니다 ❷ 0

개념 2 인수분해를 이용한 이차방정식의 풀이

(1) 인수분해를 이용한 이차방정식의 풀이

1 이차방정식을 $ax^2+bx+c=0$의 꼴로 정리한 후 좌변을 인수 ❶ ___ 한다.

2 $AB=0$이면 $A=0$ 또는 $B=0$임을 이용하여 해를 구한다.

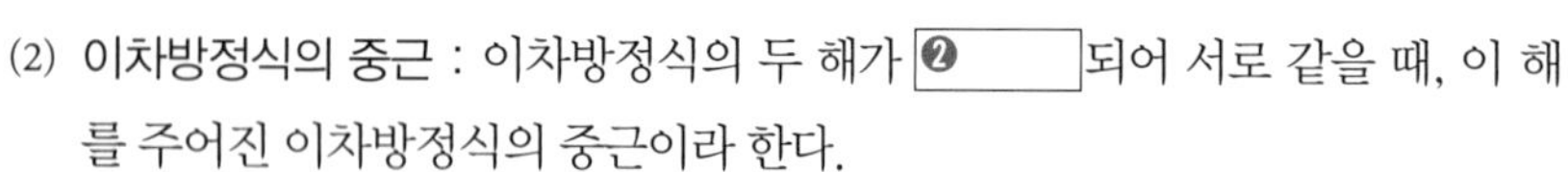

(2) 이차방정식의 중근 : 이차방정식의 두 해가 ❷ ______ 되어 서로 같을 때, 이 해를 주어진 이차방정식의 중근이라 한다.

(3) 중근을 가질 조건 : 이차방정식이 (완전제곱식)=0의 꼴로 나타나면 중근을 가진다.

❶ 분해 ❷ 중복

개념 돌파 Quiz

① $(x-2)(x-3)=0$에서
$x-2=0$ 또는 $x-3=0$
$\therefore x=2$ 또는 $x=$ ❶ ___

② $x^2-2x+1=0$의 좌변을 인수분해하면 $(x-1)^2=0$
$x-1=0$ $\quad\therefore x=$ ❷ ___

③ 이차방정식 $x^2+ax+b=0$에서 $b=\left(\dfrac{a}{2}\right)^2$이면 ❸ ______ 을 가진다.

❶ 3 ❷ 1 ❸ 중근

개념 3 제곱근, 완전제곱식을 이용한 이차방정식의 풀이

(1) 제곱근을 이용한 이차방정식의 풀이

① 이차방정식 $x^2=k(k>0)$의 해 ➡ $x=$ ❶ ______

② 이차방정식 $(x+p)^2=q(q>0)$의 해 ➡ $x=-p\pm\sqrt{q}$

(2) 완전제곱식을 이용한 이차방정식의 풀이

이차방정식을 '(완전제곱식)=(수)'의 꼴로 고친 후 ❷ ______ 을 이용한 이차방정식의 풀이 방법으로 푼다.

$ax^2+bx+c=0\ (a\neq0)$ ➡ $(x+p)^2=q$ ➡ $x=-p\pm\sqrt{q}$

❶ $\pm\sqrt{k}$ ❷ 제곱근

개념 돌파 Quiz

① $(x-1)^2=3$에서 $x-1=\pm\sqrt{3}$
$\therefore x=$ ❶ ______

② 이차방정식 $x^2+6x-3=0$을 $(x+a)^2=b$의 꼴로 나타내면
$x^2+6x-3=0$에서 $x^2+6x=3$
$x^2+6x+9=3+$ ❷ ___
$\therefore (x+3)^2=$ ❸ ___

❶ $1\pm\sqrt{3}$ ❷ 9 ❸ 12

1-1 x의 값이 0, 1, 2일 때, 이차방정식 $x^2-3x+2=0$의 해를 모두 구하시오.

풀이 | $x^2-3x+2=0$에 $x=0$, 1, 2를 각각 대입하면 다음 표와 같다.

x의 값	좌변의 값	우변의 값	참, 거짓
0	$0^2-3\times0+2=2$	0	거짓
1	$1^2-3\times1+2=0$	0	참
2	$2^2-3\times2+2=0$	0	❶

따라서 이차방정식의 해는 $x=1$ 또는 $x=$ ❷ 이다.

❶ 참 ❷ 2 / 답 $x=1$ 또는 $x=2$

1-2 다음 그림에서 문을 열기 위해 필요한 열쇠를 모두 고르시오. (정답 2개)

2-1 인수분해를 이용하여 이차방정식 $x^2-4x=12$를 푸시오.

풀이 | 1 $ax^2+bx+c=0$의 꼴로 정리한다. ➡ $x^2-4x-12=0$

2 좌변을 인수분해한다. ➡ $(x+2)(x-$ ❶ $)=0$

3 $AB=0$이면 $A=0$ 또는 $B=0$임을 이용하여 해를 구한다.

➡ $x+2=0$ 또는 ❷ $=0$

$\therefore x=-2$ 또는 $x=$ ❸

❶ 6 ❷ $x-6$ ❸ 6 / 답 $x=-2$ 또는 $x=6$

2-2 이차방정식 $(x-3)(x-9)=0$의 해는?

① $x=-9$ 또는 $x=-3$
② $x=-3$ 또는 $x=6$
③ $x=-2$ 또는 $x=6$
④ $x=2$ 또는 $x=4$
⑤ $x=3$ 또는 $x=9$

3-1 완전제곱식을 이용하여 이차방정식 $2x^2+4x-4=0$을 푸시오.

풀이 | 1 양변을 x^2의 계수로 나눈다. ➡ $x^2+2x-2=0$

2 상수항을 우변으로 이항한다. ➡ $x^2+2x=2$

3 양변에 $\left\{\frac{(x\text{의 계수})}{2}\right\}^2$을 더한다.

➡ x^2+2x+ ❶ $=2+$ ❶

4 좌변을 완전제곱식으로 고친다. ➡ $(x+$ ❷ $)^2=3$

5 제곱근을 이용하여 해를 구한다.

➡ $x+$ ❷ $=\pm\sqrt{3}$ $\therefore x=$ ❸

❶ 1 ❷ 1 ❸ $-1\pm\sqrt{3}$ / 답 $x=-1\pm\sqrt{3}$

3-2 이차방정식 $x^2+8x=4$를 $(x+a)^2=b$의 꼴로 나타내었을 때, $a+b$의 값은? (단, a, b는 상수)

① 8 ② 12 ③ 16
④ 20 ⑤ 24

1주 1일 개념 돌파 전략 ❶

개념 4 이차방정식의 근의 공식

이차방정식 $ax^2+bx+c=0(a\neq0)$의 해는

$$x=\frac{-b\pm\sqrt{❶\ \boxed{\quad}}}{2a}\ (\text{단, } b^2-4ac\geq0)$$

참고 | x의 계수가 짝수인 이차방정식 $ax^2+2b'x+c=0$의 해는

$$x=\frac{-b'\pm\sqrt{b'^2-ac}}{❷\ \boxed{\quad}}\ (\text{단, } b'^2-ac\geq0)$$

❶ b^2-4ac ❷ a

개념 돌파 Quiz

이차방정식 $x^2-3x-2=0$에서

$a=1, b=-3, c=-2$이므로

$$x=\frac{-(-3)\pm\sqrt{(-3)^2-4\times1\times(-2)}}{❶\ \boxed{\quad}\times1}$$

$$=\frac{3\pm\sqrt{❷\ \boxed{\quad}}}{2}$$

❶ 2 ❷ 17

개념 5 복잡한 이차방정식의 풀이

(1) 괄호가 있는 경우 : 괄호를 풀어 $ax^2+bx+c=0$의 꼴로 정리한다.

(2) 계수가 소수인 경우 : 양변에 10, 100, 1000, …을 곱하여 계수를 ❶ ☐ 로 바꾼 후 푼다.

(3) 계수가 분수인 경우 : 양변에 분모의 최소 ❷ ☐ 를 곱하여 계수를 정수로 바꾼 후 푼다.

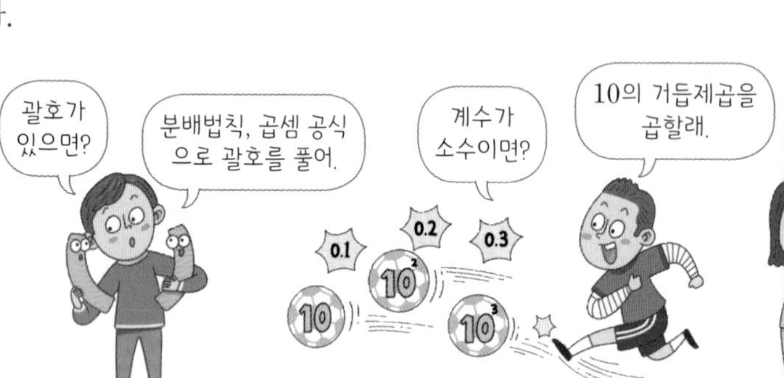

❶ 정수 ❷ 공배수

개념 돌파 Quiz

다음 이차방정식의 계수를 정수로 고치시오.

(1) $0.1x^2-0.2x-1.5=0$ ⟶ (양변)×10

❶ ☐ $=0$

(2) $\frac{1}{3}x^2+\frac{1}{2}x+\frac{1}{6}=0$ ⟶ (양변)× ❷ ☐

❸ ☐ $=0$

❶ $x^2-2x-15$ ❷ 6 ❸ $2x^2+3x+1$

개념 6 이차방정식의 활용 문제를 푸는 순서

1 미지수 정하기 : 문제의 뜻을 파악하고 구하려는 것을 미지수 x로 놓는다.

2 이차방정식 세우기 : 문제의 뜻에 맞게 x에 대한 이차 ❶ ☐ 을 세운다.

3 이차방정식 풀기 : 이차방정식을 풀어 해를 구한다.

4 답 구하기 : 구한 해 중에서 문제의 ❷ ☐ 에 맞는 것을 답으로 택한다.

❶ 방정식 ❷ 뜻

개념 돌파 Quiz

① 연속하는 두 자연수 중 작은 수를 x라 하면 큰 수는 ❶ ☐ 이다.

② 나이의 차가 2세인 형제가 있다. 형의 나이를 x세라 하면 동생의 나이는 (❷ ☐)세이다.

❶ $x+1$ ❷ $x-2$

4-1 근의 공식을 이용하여 이차방정식 $x^2+3x+1=0$을 푸시오.

풀이 | 근의 공식에 $a=1$, $b=3$, $c=1$을 각각 대입하면

$$x=\frac{-\boxed{❶}\pm\sqrt{3^2-4\times1\times1}}{2\times1}=\frac{-3\pm\sqrt{\boxed{❷}}}{2}$$

❶ 3 ❷ 5 / 답 $x=\dfrac{-3\pm\sqrt{5}}{2}$

4-2 이차방정식 $x^2+2x-1=0$을 풀면?

① $x=-1$

② $x=1\pm\sqrt{2}$

③ $x=-1\pm\sqrt{2}$

④ $x=\dfrac{-1\pm\sqrt{2}}{2}$

⑤ $x=\dfrac{-2\pm\sqrt{2}}{2}$

5-1 다음 이차방정식을 푸시오.

(1) $(x-1)(x-4)=-1$

(2) $0.1x^2-0.3x+0.2=0$

(3) $\dfrac{1}{2}x^2-\dfrac{5}{6}x+\dfrac{1}{3}=0$

풀이 | (1) 괄호를 풀어 정리하면 $x^2-5x+5=0$

$\therefore x=\dfrac{-(-5)\pm\sqrt{(-5)^2-4\times1\times5}}{2\times1}=\dfrac{5\pm\sqrt{5}}{2}$

(2) 양변에 10을 곱하면

$x^2-3x+2=0$

$(x-1)(x-2)=0$

$\therefore x=1$ 또는 $x=\boxed{❶}$

양변에 같은 수를 곱할 때에는 모든 항에 빠짐없이 곱해야 돼.

(3) 양변에 6을 곱하면 $3x^2-5x+\boxed{❷}=0$

$(x-1)(3x-2)=0$ $\quad\therefore x=1$ 또는 $x=\dfrac{2}{3}$

❶ 2 ❷ 2 / 답 (1) $x=\dfrac{5\pm\sqrt{5}}{2}$ (2) $x=1$ 또는 $x=2$ (3) $x=1$ 또는 $x=\dfrac{2}{3}$

5-2 다음 이차방정식을 푸시오.

(1) $(x+3)(2x+1)=-2$

(2) $0.3x^2+0.4x-0.5=0$

(3) $\dfrac{1}{6}x^2-\dfrac{2}{3}x+\dfrac{1}{4}=0$

6-1 가로의 길이보다 세로의 길이가 5만큼 더 긴 직사각형의 넓이가 84일 때, 이 직사각형의 가로의 길이를 구하시오.

풀이 | 가로의 길이를 x라 하면 세로의 길이는 $x+5$이다.

이 직사각형의 넓이가 84이므로 $x(x+\boxed{❶})=84$

$x^2+\boxed{❷}x-84=0$, $(x-7)(x+\boxed{❸})=0$

$\therefore x=7$ 또는 $x=-12$

그런데 $x>0$이므로 $x=7$

따라서 이 직사각형의 가로의 길이는 7이다.

❶ 5 ❷ 5 ❸ 12 / 답 7

6-2 n각형의 대각선의 개수가 $\dfrac{n(n-3)}{2}$일 때, 대각선의 개수가 27인 다각형을 구하려고 한다. 다음 물음에 답하시오.

(1) 조건을 만족하는 이차방정식을 세우시오.

(2) (1)에서 세운 방정식을 풀어 대각선의 개수가 27인 다각형을 구하시오.

개념 돌파 전략 ❷

바탕 문제

$3+2x^2=x^2+1$을 $ax^2+bx+c=0$의 꼴로 나타내고, x에 대한 이차방정식인지 판단하시오.

풀이 모든 항을 좌변으로 이항하여 정리하면

❶ $\square=0$

즉 (x^2의 계수)❷ $\square$ 0이므로 이차방정식이다.

❶ x^2+2 ❷ $\neq$

1 다음 중 x에 대한 이차방정식인 것을 모두 고르면? (정답 2개)

① $3x+6=0$
② x^2+2
③ $x^2=3x-4$
④ $x(x+1)=0$
⑤ $2x^2+3x=2x^2+1$

눈으로만 보고 섣부르게 판단하지 말자. 반드시 모든 항을 좌변으로 이항하여 (이차식)=0의 꼴인지 확인해야 돼.

바탕 문제

$x=2$가 이차방정식 $x(x-2)=1$의 해인지 판단하시오.

풀이 $x=2$를 $x(x-2)=1$에 대입하면

$2\times(2-2)=$ ❶ $\square\neq1$

즉 등식이 성립하지 않으므로 $x=2$는 주어진 이차방정식의 ❷ $\square$가 아니다.

❶ 0 ❷ 해

2 다음 중 [ ] 안의 수가 주어진 이차방정식의 해가 아닌 것은?

① $x(x-2)=0$ [0]
② $(x+3)^2=0$ [−3]
③ $(x+3)(x-2)=0$ [2]
④ $x^2+4x-5=0$ [−1]
⑤ $x^2+x-12=0$ [3]

주어진 수를 각 이차방정식에 대입해 봐.

이차방정식 $ax^2+bx+c=0$의 해가 $x=●$

↓ $x=●$을 $ax^2+bx+c=0$에 대입

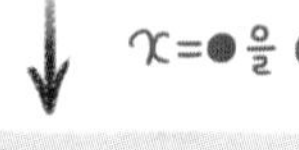

$a●^2+b●+c=0$이 성립

바탕 문제

$x^2-3x-18$을 인수분해하시오.

풀이 $x^2-3x-18=(x+$❶ $\square)(x-6)$

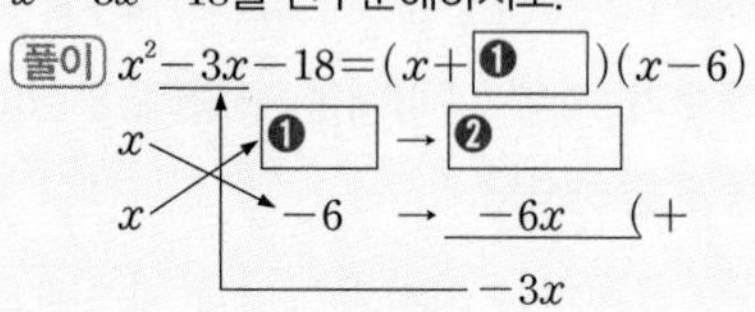

x ╲╱ ❶ $\square$ → ❷ $\square$
x ╱╲ -6 → $-6x$ (+
$-3x$

❶ 3 ❷ $3x$

3 이차방정식 $3x^2-5x-2=0$을 풀면?

① $x=-\frac{2}{3}$ 또는 $x=1$
② $x=-\frac{1}{3}$ 또는 $x=-2$
③ $x=-\frac{1}{3}$ 또는 $x=2$
④ $x=\frac{1}{3}$ 또는 $x=-2$
⑤ $x=\frac{1}{3}$ 또는 $x=2$

바탕 문제

제곱근을 이용하여 다음 이차방정식을 푸시오.

(1) $3x^2=6$ (2) $4x^2-7=0$

풀이 (1) $3x^2=6$에서 $x^2=2$ $\therefore x=$ ❶

(2) $4x^2-7=0$에서 $4x^2=7$

$x^2=\frac{7}{4}$ $\therefore x=\pm\frac{❷}{2}$

❶ $\pm\sqrt{2}$ ❷ $\sqrt{7}$

4

이차방정식 $(x+3)^2-10=0$을 풀면?

① $x=-3\pm\sqrt{5}$ ② $x=3\pm\sqrt{5}$

③ $x=-3\pm\sqrt{10}$ ④ $x=3\pm\sqrt{10}$

⑤ $x=-3\pm2\sqrt{5}$

바탕 문제

이차방정식 $x^2+8x+6=0$을 $(x+p)^2=q$의 꼴로 나타내시오.

풀이 $x^2+8x+6=0$

$x^2+8x=-6$

x^2+8x+ ❶ $=-6+$ ❶

$\therefore (x+4)^2=$ ❷

❶ 16 ❷ 10

5

다음은 이차방정식 $x^2-6x-2=0$의 해를 완전제곱식을 이용하여 푸는 과정이다. ①~⑤에 들어갈 수로 알맞지 않은 것은?

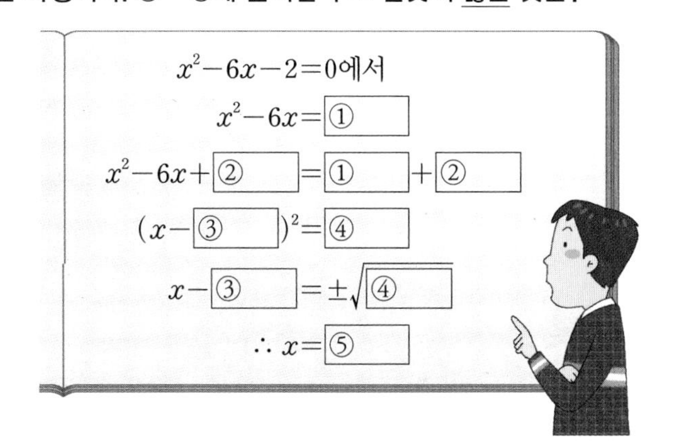

① 2 ② 9 ③ 6

④ 11 ⑤ $3\pm\sqrt{11}$

바탕 문제

다음 두 수의 차를 구하시오.

(1) 1, 5

(2) -2, -4

풀이 (1) $5-1=4$

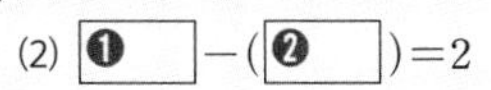

❶ -2 ❷ -4

6

차가 4인 두 자연수의 곱이 60일 때, 두 수 중 작은 수는?

① 3 ② 6 ③ 9

④ 12 ⑤ 15

필수 체크 전략 1

전략 1 이차방정식의 뜻과 해

(1) x에 대한 이차방정식 : 방정식의 우변에 있는 모든 항을 좌변으로 이항하여 정리한 식이 (x에 대한 이차식)=0의 꼴로 나타나는 방정식

➡ $ax^2+bx+c=0$ (단, a, b, c는 상수, a ❶ ☐ 0)

(2) $x=k$가 이차방정식 $ax^2+bx+c=0$의 해이다.

➡ $x=k$를 $ax^2+bx+c=0$에 대입하면 등식이 ❷ ☐ 한다.

❶ ≠ ❷ 성립

필수 예제

1-1 다음 보기에서 이차방정식인 것을 모두 고르시오.

보기

㉠ $\frac{2}{x^2}-4=0$　㉡ $5x^2=0$　㉢ $2x+3=0$

㉣ $3x^2+x-10$　㉤ $(x+3)(x-5)=0$　㉥ $x^2+10=(x+1)^2$

1-2 이차방정식 $x^2-(a-2)x-4a-8=0$의 한 근이 $x=-6$일 때, 상수 a의 값을 구하시오.

풀이

1-1 ㉠ 분모에 x^2이 있으므로 이차방정식이 아니다.
㉢ 일차방정식이다.
㉣ 등호가 없으므로 이차식이다.
㉤ $(x+3)(x-5)=0$에서 $x^2-2x-15=0$
즉 이차방정식이다.
㉥ $x^2+10=(x+1)^2$에서 $-2x+9=0$
즉 일차방정식이다.
따라서 이차방정식인 것은 ㉡, ㉤이다.

답 ㉡, ㉤

1-2

$x=-6$을 $x^2-(a-2)x-4a-8=0$에 대입하면
$36+6(a-2)-4a-8=0$
$2a+16=0$　$\therefore a=-8$

답 -8

확인 문제 1-1

다음 중 x에 대한 이차방정식이 아닌 것은?

① $x^2-1=0$　② $x^2=\frac{x^2-x}{2}$
③ $(x+1)(x+2)=3$　④ $x^3=x(x^2+x)$
⑤ $(x+1)(2x+1)=2x^2$

확인 문제 1-2

이차방정식 $3x^2-ax+2=0$의 한 근이 $x=2$일 때, 상수 a의 값은?

① 1　② 3　③ 5
④ 7　⑤ 9

>> 정답과 풀이 27쪽

전략 2 인수분해를 이용한 이차방정식의 풀이

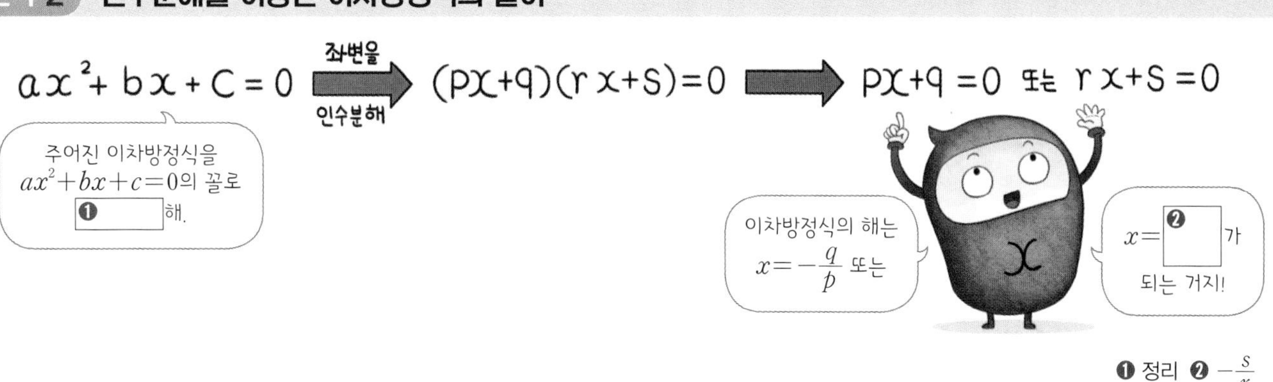

❶ 정리 ❷ $-\frac{s}{r}$

필수 예제

2-1 이차방정식 $2x^2-3x-2=0$의 해가 $x=a$ 또는 $x=b$일 때, $2a-b$의 값은? (단, $a<b$)

① -3 ② -1 ③ 0 ④ 1 ⑤ 3

2-2 이차방정식 $x^2-2ax+3a=0$의 한 근이 $x=-3$일 때, 다른 한 근을 구하시오. (단, a는 상수)

풀이 |

2-1 $2x^2-3x-2=0$에서 $(x-2)(2x+1)=0$

$\therefore x=2$ 또는 $x=-\frac{1}{2}$

이때 $a<b$이므로 $a=-\frac{1}{2}, b=2$

$\therefore 2a-b=2\times\left(-\frac{1}{2}\right)-2=-3$

답 ①

2-2 $x=-3$을 $x^2-2ax+3a=0$에 대입하면

$9+6a+3a=0, 9a=-9$ $\therefore a=-1$

$a=-1$을 $x^2-2ax+3a=0$에 대입하면

$x^2+2x-3=0, (x-1)(x+3)=0$

$\therefore x=1$ 또는 $x=-3$

따라서 다른 한 근은 $x=1$이다.

답 $x=1$

확인 문제 2-1

이차방정식 $x^2-x-2=-3x+13$을 풀면?

① $x=-5$ 또는 $x=-3$
② $x=-5$ 또는 $x=3$
③ $x=-3$ 또는 $x=5$
④ $x=2$ 또는 $x=3$
⑤ $x=3$ 또는 $x=5$

확인 문제 2-2

이차방정식 $x^2-ax+8=0$의 한 근이 $x=2$일 때, 다른 한 근을 구하시오. (단, a는 상수)

전략 3 이차방정식의 중근

(1) 이차방정식이 $a(x-p)^2=0$(a, p는 상수, $a\neq0$)의 꼴로 나타나면 이 이차방정식은 중근 $x=$ ❶ ☐ 를 가진다.

(2) 이차방정식이 중근을 가질 조건

이차방정식 $x^2+ax+b=0$이 중근을 가지려면 $b=\left(\dfrac{a}{❷\ ☐}\right)^2$이어야 한다.

참고 | x^2의 계수가 1이 아닌 경우에는 x^2의 계수로 양변을 나누어 x^2의 계수를 1로 만든 후 위의 조건을 이용한다.

❶ p ❷ 2

필수 예제

3-1 다음 중 중근을 갖는 이차방정식을 들고 있는 학생을 찾으시오.

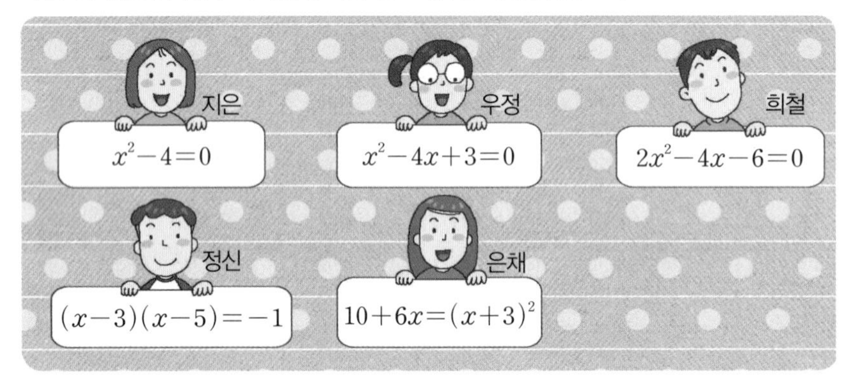

3-2 이차방정식 $x^2+ax+a+3=0$이 중근을 가질 때, 상수 a의 값을 모두 구하시오.

풀이 |

3-1 지은 : $(x+2)(x-2)=0$이므로 $x=-2$ 또는 $x=2$

우정 : $(x-1)(x-3)=0$이므로 $x=1$ 또는 $x=3$

희철 : $2(x^2-2x-3)=0$이므로 $2(x+1)(x-3)=0$

$\therefore x=-1$ 또는 $x=3$

정신 : $x^2-8x+16=0$이므로 $(x-4)^2=0$ $\quad\therefore x=4$

은채 : $x^2-1=0$이므로 $(x+1)(x-1)=0$

$\therefore x=-1$ 또는 $x=1$

따라서 중근을 갖는 이차방정식을 들고 있는 학생은 정신이다.

답 정신

3-2 $x^2+ax+a+3=0$이 중근을 가지므로

$a+3=\left(\dfrac{a}{2}\right)^2$, $a+3=\dfrac{a^2}{4}$

$a^2-4a-12=0$, $(a+2)(a-6)=0$

$\therefore a=-2$ 또는 $a=6$

답 -2, 6

확인 문제 3-1

다음 이차방정식 중 중근을 갖지 않는 것은?

① $x^2-6x+9=0$ ② $x^2=0$

③ $16x^2+8x+1=0$ ④ $x^2+2x-3=0$

⑤ $3x^2+24x+48=0$

확인 문제 3-2

이차방정식 $x^2-4x+m-3=0$이 중근을 가질 때, 상수 m의 값을 구하시오.

전략 4 제곱근, 완전제곱식을 이용한 이차방정식의 풀이

(1) 제곱근을 이용한 이차방정식의 풀이 : $(x+p)^2=q(q>0)$ ➡ $x+p=\pm\sqrt{q}$ ➡ $x=$ ❶ ____

(2) 완전제곱식을 이용한 이차방정식의 풀이 : 이차방정식 $ax^2+bx+c=0$의 좌변을 인수분해하기 어려울 때

❶ $-p\pm\sqrt{q}$ ❷ 제곱식

필수 예제

4-1 이차방정식 $5(x+a)^2=b$의 해가 $x=3\pm\sqrt{5}$일 때, $a+b$의 값을 구하시오. (단, a, b는 유리수)

① 16 ② 18 ③ 20 ④ 22 ⑤ 25

4-2 이차방정식 $3x^2-12x-a=0$을 완전제곱식을 이용하여 풀었더니 해가 $x=2\pm\sqrt{6}$일 때, 유리수 a의 값은?

① 2 ② 4 ③ 6 ④ 8 ⑤ 10

풀이

4-1 $5(x+a)^2=b$에서 $(x+a)^2=\frac{b}{5}$

$x+a=\pm\sqrt{\frac{b}{5}}$ $\quad\therefore x=-a\pm\sqrt{\frac{b}{5}}$

이것이 $x=3\pm\sqrt{5}$와 같으므로 $-a=3$, $\frac{b}{5}=5$

따라서 $a=-3$, $b=25$이므로

$a+b=-3+25=22$

답 ④

4-2 $3x^2-12x-a=0$에서 $x^2-4x-\frac{a}{3}=0$

$x^2-4x=\frac{a}{3}$, $x^2-4x+4=\frac{a}{3}+4$

$(x-2)^2=\frac{a+12}{3}$ $\quad\therefore x=2\pm\sqrt{\frac{a+12}{3}}$

이것이 $x=2\pm\sqrt{6}$과 같으므로 $\frac{a+12}{3}=6$

$a+12=18$ $\quad\therefore a=6$

답 ③

확인 문제 4-1

이차방정식 $2(x+1)^2=14$의 해가 $x=p\pm\sqrt{q}$일 때, $q-p$의 값은? (단, p, q는 유리수)

① -8 ② -4 ③ 0
④ 4 ⑤ 8

확인 문제 4-2

이차방정식 $x^2+2ax-3=0$을 완전제곱식을 이용하여 풀었더니 해가 $x=-2\pm\sqrt{b}$이었다. 이때 유리수 a, b의 값을 각각 구하시오.

1주 2일 필수 체크 전략 ❷

1 이차방정식 $3x^2+ax-6=0$의 한 근이 $x=1$, 이차방정식 $x^2-5x+b=0$의 한 근이 $x=-2$일 때, $a-b$의 값은? (단, a, b는 상수)

① -11　② -5　③ 5　④ 11　⑤ 17

문제 해결 전략

$x=1$이 이차방정식 $3x^2+ax-6=0$의 한 근이다.

➡ $x=$ ❶ ☐을 $3x^2+ax-6=0$에 대입하면 ❷ ☐이 성립한다.

❶ 1 ❷ 등식

2 이차방정식 $x^2+3x-9=0$의 한 근이 $x=a$일 때, a^2+3a+1의 값은?

① 9　② 10　③ 11　④ 12　⑤ 13

문제 해결 전략

이차방정식 $x^2+3x-9=0$에 $x=$ ❶ ☐를 대입한다.

➡ $a^2+3a-9=$ ❷ ☐

❶ a ❷ 0

3 이차방정식 $(x+5)(x-3)=-4x+1$의 두 근이 $x=m$ 또는 $x=n$일 때, $m-n$의 값은? (단, $m>n$)

① 2　② 4　③ 6　④ 8　⑤ 10

문제 해결 전략

1 괄호를 풀어 $ax^2+bx+c=0$의 꼴로 정리한다.

2 좌변을 ❶ ☐ 분해한다.

3 $AB=0$이면 $A=$ ❷ ☐ 또는 $B=0$임을 이용하여 이차방정식의 해를 구한다.

❶ 인수 ❷ 0

4 다음 보기의 이차방정식 중 중근을 갖는 것은 모두 몇 개인지 구하시오.

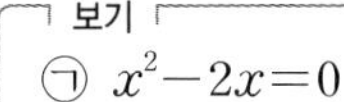

보기

㉠ $x^2-2x=0$　　㉡ $x^2+4x-5=0$

㉢ $6x^2-12x+6=0$　　㉣ $\frac{1}{4}x^2+x+1=0$

㉤ $(x-3)^2=9$　　㉥ $(x-2)^2=2x^2+8$

(이차식)$=0$의 꼴로 정리한 후 이차식이 완전제곱식의 꼴로 인수분해되는 것을 찾아도 되겠어.

문제 해결 전략

중근을 갖는 이차방정식은
$a(x-m)^2=$ ❶ $(a\neq0)$
의 꼴이고, 이때 중근은 $x=$ ❷ 이다.

❶ 0 ❷ m

5 이차방정식 $x^2-8x+2-k=0$이 중근 $x=a$를 가질 때, $a+k$의 값은? (단, k는 상수)

① -14　② -10　③ -6　④ 6　⑤ 10

문제 해결 전략

주어진 이차방정식에서
(상수항)$=\left\{\frac{(x\text{의 계수})}{❶}\right\}^2$임을 이용하여
❷ 의 값을 먼저 구한다.

❶ 2 ❷ k

6 이차방정식 $2x^2+4x+a=0$을 $(x+b)^2=\frac{5}{2}$의 꼴로 고친 후 해를 구하였더니 $x=\frac{c\pm\sqrt{10}}{2}$이었다. 유리수 a, b, c에 대하여 $a+b-c$의 값은?

① -4　② -2　③ 0　④ 2　⑤ 4

문제 해결 전략

먼저 x^2의 계수를 1로 만든 후
(완전제곱식)$=$(❶)의 꼴로 나타낸다.
이때 $(x+p)^2=q$의 해는
$x=$ ❷ $\pm\sqrt{q}$이다.

❶ 상수 ❷ $-p$

1주 3일 필수 체크 전략 ❶

전략 1 근의 공식을 이용한 이차방정식의 풀이

(1) 이차방정식 $ax^2+bx+c=0$의 해는 $x=\dfrac{-b\pm\sqrt{b^2-4ac}}{2a}$ (단, $b^2-4ac\geq 0$)

(2) 이차방정식 $ax^2+2b'x+c=0$의 해는 $x=\dfrac{-b'\pm\sqrt{b'^2-ac}}{❶\ \ }$ (단, $b'^2-ac\geq 0$)
(→ x의 계수가 짝수)

(3) 여러 가지 이차방정식의 풀이

① 계수가 소수이면 양변에 10, 100, 1000, …을 곱하여 계수를 ❷ 로 바꾼 후 푼다.

② 계수가 분수이면 양변에 분모의 최소공배수를 곱하여 계수를 정수로 바꾼 후 푼다.

이차방정식을 풀 때
인수분해가 되면
인수분해 이용!
인수분해가 어려우면
근의 공식 이용!

❶ a ❷ 정수

필수 예제

1-1 이차방정식 $2x^2-3x-3=0$의 해가 $x=\dfrac{a\pm\sqrt{b}}{4}$일 때, $a+b$의 값을 구하시오. (단, a, b는 유리수)

1-2 다음 이차방정식을 푸시오.

(1) $0.2x^2+0.6x-0.5=0$

(2) $\dfrac{1}{6}x^2-x+\dfrac{3}{2}=0$

풀이

1-1 $x=\dfrac{-(-3)\pm\sqrt{(-3)^2-4\times2\times(-3)}}{2\times2}=\dfrac{3\pm\sqrt{33}}{4}$

따라서 $a=3$, $b=33$이므로

$a+b=3+33=36$

답 36

1-2 (1) 양변에 10을 곱하면 $2x^2+6x-5=0$

$\therefore x=\dfrac{-6\pm\sqrt{6^2-4\times2\times(-5)}}{2\times2}=\dfrac{-3\pm\sqrt{19}}{2}$

(2) 양변에 6을 곱하면 $x^2-6x+9=0$

$(x-3)^2=0$ $\quad\therefore x=3$

답 (1) $x=\dfrac{-3\pm\sqrt{19}}{2}$ (2) $x=3$

확인 문제 1-1

이차방정식 $3x^2+2x-3=0$을 풀면?

① $x=\dfrac{-2\pm\sqrt{10}}{3}$

② $x=\dfrac{-1\pm\sqrt{10}}{3}$

③ $x=\dfrac{1\pm\sqrt{13}}{3}$

④ $x=\dfrac{-2\pm\sqrt{13}}{2}$

⑤ $x=-1$ 또는 $x=3$

확인 문제 1-2

두 이차방정식 $0.3x^2+0.1x-1=0$, $\dfrac{1}{2}x^2-\dfrac{1}{3}x-\dfrac{5}{6}=0$의 공통인 해는?

① $x=-2$

② $x=-1$

③ $x=1$

④ $x=\dfrac{5}{3}$

⑤ $x=\dfrac{7}{3}$

전략 2 이차방정식의 근의 개수

이차방정식 $ax^2+bx+c=0$의 근의 개수는 근의 공식 $x=\frac{-b\pm\sqrt{b^2-4ac}}{2a}$에서 b^2-4ac의 부호에 따라 결정된다.

(1) $b^2-4ac>0$ ➡ 서로 다른 ❶ [ ] 근을 가진다. (근이 2개)

(2) $b^2-4ac=0$ ➡ 중근을 가진다. (근이 1개)

이차방정식이 근을 가질 조건 ➡ $b^2-4ac\geq0$

(3) b^2-4ac ❷ [ ] 0 ➡ 근이 없다. (근이 0개)

❶ 두 ❷ <

필수 예제

2-1 다음 이차방정식 중 근의 개수가 나머지 넷과 다른 하나는?

① $x^2-4x=0$ ② $x^2+x-1=0$ ③ $x^2+4x-3=0$

④ $x^2-4x+4=0$ ⑤ $x^2+3x+2=0$

2-2 이차방정식 $3x^2-12x+4m+8=0$이 중근 $x=a$를 가질 때, $m+a$의 값을 구하시오. (단, m은 상수)

풀이 |

2-1 ① $(-4)^2-4\times1\times0=16>0$ ➡ 근이 2개

② $1^2-4\times1\times(-1)=5>0$ ➡ 근이 2개

③ $4^2-4\times1\times(-3)=28>0$ ➡ 근이 2개

④ $(-4)^2-4\times1\times4=0$ ➡ 근이 1개

⑤ $3^2-4\times1\times2=1>0$ ➡ 근이 2개

따라서 근의 개수가 나머지 넷과 다른 하나는 ④이다.

답 ④

2-2 $3x^2-12x+4m+8=0$이 중근을 가지므로

$(-12)^2-4\times3\times(4m+8)=0$

$-48m+48=0$ $\therefore m=1$

$m=1$을 $3x^2-12x+4m+8=0$에 대입하면

$3x^2-12x+12=0$, $x^2-4x+4=0$

$(x-2)^2=0$ $\therefore x=2$, 즉 $a=2$

$\therefore m+a=1+2=3$

답 3

확인 문제 2-1

다음 이차방정식 중 근이 없는 것은?

① $x^2-5x+3=0$ ② $x^2=2x-1$

③ $3x^2-6x-5=0$ ④ $x^2+x+1=0$

⑤ $2x^2-x-3=0$

확인 문제 2-2

이차방정식 $x^2-2x+k-1=0$이 서로 다른 두 근을 가질 때, 상수 k의 값의 범위는?

① $k>-2$ ② $k>0$ ③ $k>2$

④ $k<2$ ⑤ $k<3$

전략 3 이차방정식의 활용 - 수와 식

(1) 연속하는 수는 다음과 같이 한 미지수로 나타낸다.

① 연속하는 두 자연수 ➡ $x-1$, x 또는 x, $x+1$

② 연속하는 세 자연수 ➡ $x-1$, x, $x+1$

③ 연속하는 두 홀수(짝수) ➡ x, $x+$ ❶

(2) 쏘아 올린 물체 : 시간 t에 따른 물체의 높이가 (at^2+bt+c) m로 주어졌을 때 높이가 h m일 때의 시간 t를 구하려면 이차방정식 $h=at^2+bt+c$의 해를 구한다. 이때 $t\geq 0$임에 주의한다.

참고 | 쏘아 올린 물체의 높이가 h m인 경우는 물체가 올라갈 때와 내려올 때 ❷ 번 생긴다. (단, 최고 높이는 제외)

❶ 2 ❷ 두

필수 예제

3-1 연속하는 두 자연수가 있다. 작은 수를 제곱한 것의 3배가 큰 수를 제곱한 것의 2배보다 10만큼 클 때, 이 두 자연수 중 큰 수를 구하시오.

3-2 지면으로부터 5 m 높이의 건물 옥상에서 똑바로 위로 쏘아 올린 물체의 t초 후의 지면으로부터 높이는 $(5+30t-5t^2)$ m이다. 지면으로부터 이 물체의 높이가 처음으로 45 m가 되는 것은 쏘아 올린 지 몇 초 후인가?

① 1초　② 2초　③ 3초　④ 4초　⑤ 5초

풀이 |

3-1 연속하는 두 자연수를 $x-1$, x라 하면
$3(x-1)^2=2x^2+10$, $x^2-6x-7=0$
$(x+1)(x-7)=0$　　$\therefore x=-1$ 또는 $x=7$
그런데 x는 $x>1$인 자연수이므로 $x=7$
따라서 연속하는 두 자연수 중 큰 수는 7이다.

답 7

3-2 $5+30t-5t^2=45$에서 $5t^2-30t+40=0$, $t^2-6t+8=0$
$(t-2)(t-4)=0$　　$\therefore t=2$ 또는 $t=4$
따라서 물체의 높이가 처음으로 45 m가 되는 것은 쏘아 올린 지 2초 후이다.

답 ②

확인 문제 3-1

연속하는 두 자연수의 제곱의 합이 265일 때, 두 자연수 중 작은 수는?

① 11　② 12　③ 13
④ 14　⑤ 15

확인 문제 3-2

지면에서 초속 45 m로 수직으로 쏘아 올린 폭죽의 t초 후의 높이는 $(45t-5t^2)$ m이다. 이 폭죽이 처음으로 지면으로부터 높이가 90 m인 지점에서 터지도록 하려면 몇 초 후에 터지도록 해야 하는지 구하시오.

전략 4 이차방정식의 활용 - 도형

(1) (삼각형의 넓이)$=\frac{1}{2}\times$(밑변의 길이)$\times$(높이)

(2) (직사각형의 넓이)$=$(가로의 길이)$\times$(❶ ______의 길이)

(3) (원의 넓이)$=\pi\times$(❷ ______의 길이)^2

❶ 세로 ❷ 반지름

필수 예제

4-1 오른쪽 그림과 같이 한 변의 길이가 x cm인 정사각형에서 가로의 길이를 6 cm만큼 줄이고, 세로의 길이를 3 cm만큼 늘였더니 넓이가 52 cm^{2}인 직사각형이 되었다. 이때 x의 값은?

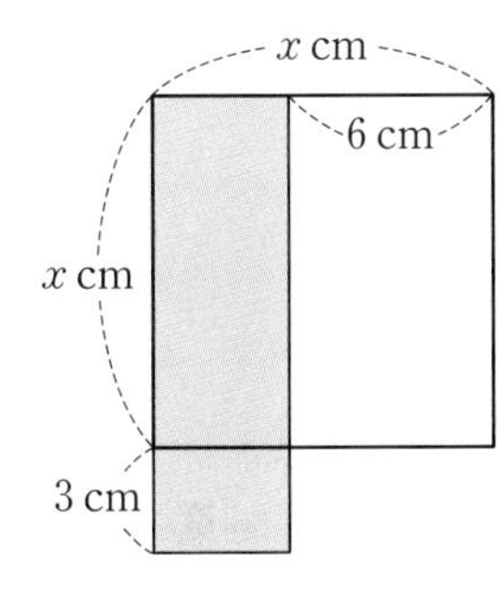

① 6 ② 7 ③ 8
④ 9 ⑤ 10

풀이 |

4-1 새로운 직사각형의 가로의 길이는 $(x-6)$ cm, 세로의 길이는 $(x+3)$ cm이므로 그 넓이는
$(x-6)(x+3)=52$
$x^2-3x-70=0$, $(x+7)(x-10)=0$
$\therefore x=-7$ 또는 $x=10$
그런데 $x>6$이므로 $x=10$

답 ⑤

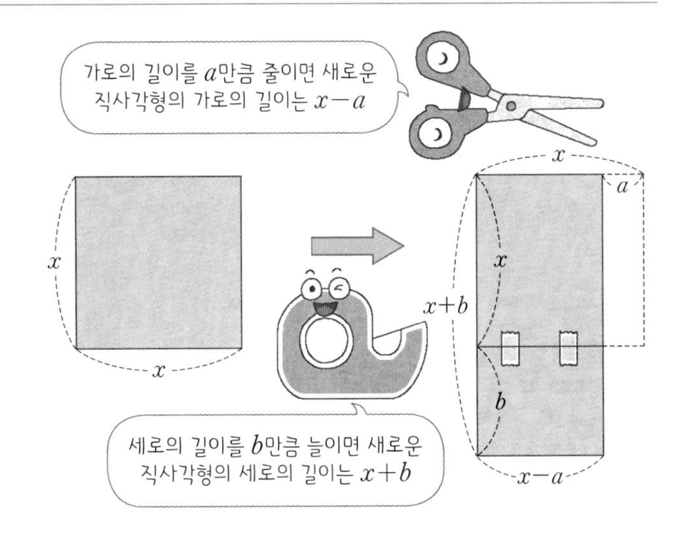

확인 문제 4-1

밑변의 길이가 높이보다 3 cm만큼 더 짧고 넓이가 5 cm^{2}인 삼각형이 있다. 이 삼각형의 밑변의 길이는?

① 2 cm ② 3 cm ③ 4 cm
④ 5 cm ⑤ 6 cm

확인 문제 4-2

오른쪽 그림과 같이 세로의 길이가 x cm이고 가로의 길이가 $(x+5)$ cm인 직사각형이 있다. 이 직사각형의 세로의 길이를 2 cm만큼 더 늘였더니 넓이가 40 cm^{2}인 직사각형이 되었을 때, 처음 직사각형의 가로의 길이를 구하시오.

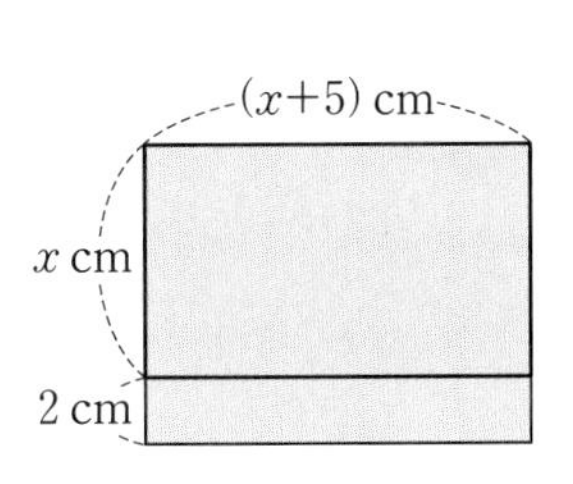

필수 체크 전략 ❷

1 이차방정식 $2x^2-4x+a=0$의 근이 $x=\dfrac{b\pm\sqrt{6}}{2}$일 때, 유리수 a, b에 대하여 $a-b$의 값은?

① -5　　② -3　　③ -1
④ 1　　⑤ 2

문제 해결 전략

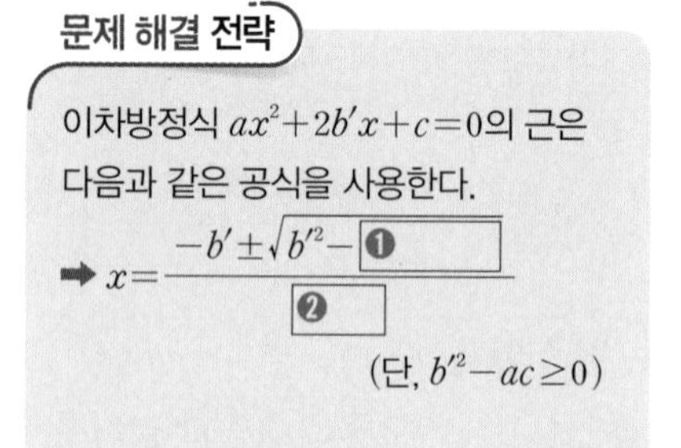
이차방정식 $ax^2+2b'x+c=0$의 근은 다음과 같은 공식을 사용한다.

➡ $x=\dfrac{-b'\pm\sqrt{b'^2-\boxed{❶}}}{\boxed{❷}}$ (단, $b'^2-ac\geq0$)

❶ ac ❷ a

2 이차방정식 $0.3x^2=-x-\dfrac{1}{4}$의 근이 $x=\dfrac{-10\pm\sqrt{B}}{A}$일 때, 유리수 A, B에 대하여 $A+B$의 값은?

① 72　　② 73　　③ 74
④ 75　　⑤ 76

문제 해결 전략

$0.3=\dfrac{3}{10}$이므로 이차방정식의 양변에 ❶ ☐과 4의 최소공배수를 곱하여 계수를 ❷ ☐로 고친다.

❶ 10 ❷ 정수

3 이차방정식 $x^2+2x-k=0$이 중근을 가질 때의 상수 k의 값이 이차방정식 $3x^2-ax+a+1=0$의 한 근일 때, 상수 a의 값은?

① -3　　② -2　　③ -1
④ 1　　⑤ 2

문제 해결 전략

중근을 갖기 위한 미지수의 값을 구하는 방법은 다음 중 한 가지를 이용하면 된다.

① $x^2+ax+b=0$에서 $b=\left(\boxed{❶}\right)^2$ 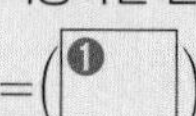

② $ax^2+bx+c=0$에서 $b^2-4ac=\boxed{❷}$

❶ $\dfrac{a}{2}$ ❷ 0

4 연속하는 세 짝수가 있다. 가장 큰 수의 제곱이 다른 두 수의 제곱의 합과 같을 때, 이 세 짝수의 합은?

① 16 ② 20 ③ 24
④ 28 ⑤ 32

문제 해결 전략

연속하는 세 짝수를 $x-2$, x, $x+$ ❶ [ ] 로 놓고, 이차 ❷ [ ] 을 세운다.

❶ 2 ❷ 방정식

5 지면에서 초속 40 m로 똑바로 위로 던진 공의 t초 후의 높이는 $(40t-5t^2)$ m이다. 공을 던진 지 몇 초 후에 지면에 떨어지는가?

① 5초 ② 6초
③ 7초 ④ 8초
⑤ 9초

문제 해결 전략

공이 지면에 떨어질 때의 높이는 ❶ [ ] m이다. 즉 $40t-5t^2=$ ❷ [ ] 을 만족하는 t의 값을 구한다.

❶ 0 ❷ 0

6 오른쪽 그림과 같이 반지름의 길이가 8 cm인 원에서 반지름의 길이를 x cm만큼 늘였더니 원의 넓이가 57π cm^{2}만큼 넓어졌다. 이때 x의 값은?

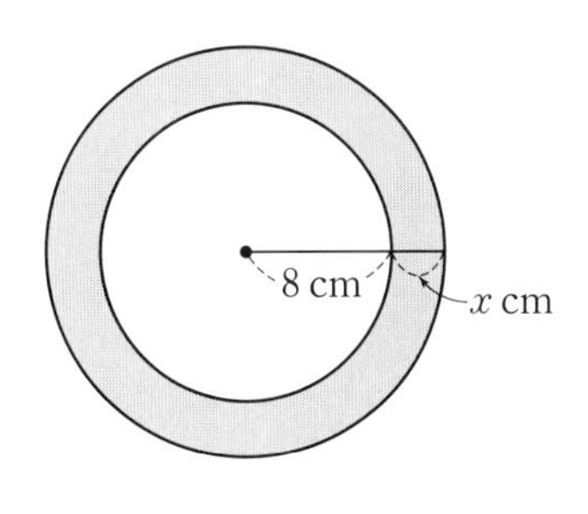

① 1 ② 2 ③ 3
④ 4 ⑤ 5

문제 해결 전략

반지름의 길이가 8 cm인 원에서 반지름의 길이를 x cm만큼 늘인 원의 반지름의 길이는 (❶ [ ]) cm이다.
이때
(원의 넓이)$=\pi\times$(❷ [ ] 의 길이)^2
이다.

❶ $8+x$ ❷ 반지름

1주 4일 교과서 대표 전략 ❶

대표 예제 1

다음 중 방정식 $ax^2-3x+4=2x(x-1)$이 x에 대한 이차방정식이 되도록 하는 상수 a의 값이 아닌 것은?

① -2 ② -1 ③ 0
④ 1 ⑤ 2

개념 가이드

방정식의 우변에 있는 모든 항을 ❶ ____ 으로 이항하여 정리한 식이 $ax^2+bx+c=0(a$ ❷ ____ $0)$의 꼴이면 x에 대한 이차방정식이다.

❶ 좌변 ❷ $\neq$

대표 예제 2

이차방정식 $x^2-2x+a=0$의 한 근이 $x=4$일 때, 상수 a의 값은?

① -8 ② -4 ③ 2
④ 4 ⑤ 8

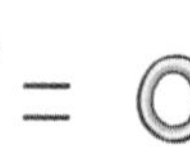

$= 0$

내가 어떤 수였는지 기억이 나지 않아…

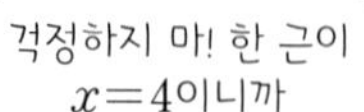

걱정하지 마! 한 근이 $x=4$이니까

대입하면 너의 값을 구할 수 있어!

개념 가이드

미지수를 포함한 이차방정식의 한 근이 주어지면 주어진 ❶ ____ 을 이차방정식에 ❷ ____ 하여 미지수의 값을 구한다.

❶ 근 ❷ 대입

대표 예제 3

이차방정식 $x^2-x-1=0$의 두 근이 $x=a$ 또는 $x=b$일 때, $(a^2-a+1)(b^2-b-4)$의 값은?

① -6 ② -3 ③ 0
④ 3 ⑤ 6

개념 가이드

이차방정식 $ax^2+bx+c=0$의 한 근이 $x=p$이다.
➡ $x=p$를 $ax^2+bx+c=0$에 대입하면 ❶ ____ 이 성립한다.
➡ $ap^2+bp+c=0$ $\quad\therefore ap^2+bp=$ ❷ ____

❶ 등식 ❷ $-c$

대표 예제 4

이차방정식 $(x+1)(x-4)=6$의 해는?

① $x=-2$ 또는 $x=-5$
② $x=-2$ 또는 $x=5$
③ $x=2$ 또는 $x=-5$
④ $x=-1$ 또는 $x=4$
⑤ $x=1$ 또는 $x=-4$

개념 가이드

인수분해를 이용한 이차방정식의 풀이
1. $ax^2+bx+c=0(a\neq0)$의 꼴로 정리한다.
2. 좌변을 인수 ❶ ____ 한다.
3. $AB=0$이면 $A=0$ 또는 ❷ ____ 임을 이용하여 이차방정식의 해를 구한다.

❶ 분해 ❷ $B=0$

대표 예제 5

이차방정식 $x^2+2ax-a-3=0$의 해가 $x=1$ 또는 $x=b$일 때, $a+b$의 값은? (단, a는 상수)

① -5　② -3　③ -1
④ 1　⑤ 3

개념 가이드

한 근이 주어질 때, 다른 한 근 구하기
1 주어진 근을 방정식에 ❶ [　] 하여 미지수의 값을 구한다.
2 완성된 이차방정식을 풀어 ❷ [　] 한 근을 구한다.

❶ 대입 ❷ 다른

대표 예제 6

다음 두 학생이 들고 있는 이차방정식의 공통인 근을 구하시오.

개념 가이드

이차방정식 $ax^2+bx+c=0$의 두 근이 $x=p$ 또는 $x=q$
이차방정식 $a'x^2+b'x+c'=0$의 두 근이 $x=p$ 또는 $x=r$
➡ 두 이차방정식의 공통인 근은 $x=$ ❶ [　] 이다. (단, $q\neq r$)

❶ p

대표 예제 7

이차방정식 $2(x+3)^2=a$의 해가 $x=b\pm\sqrt{2}$일 때, ab의 값은? (단, a, b는 유리수)

① -12　② -7　③ -2
④ 2　⑤ 7

개념 가이드

(1) 이차방정식 $x^2=k(k>0)$의 해 ➡ $x=$ ❶ [　]
(2) 이차방정식 $(x+p)^2=q(q>0)$의 해
➡ $x=$ ❷ [　] $\pm\sqrt{q}$

❶ $\pm\sqrt{k}$ ❷ $-p$

대표 예제 8

다음은 이차방정식 $x^2-7x+4=0$을 완전제곱식을 이용하여 푸는 과정이다. ①~⑤에 들어갈 수로 알맞지 않은 것은?

> $x^2-7x+4=0$에서 $x^2-7x=-4$
> x^2-7x+ [①] $=-4+$ [①]
> $(x-$ [②] $)^2=$ [③], $x-$ [②] $=\pm\dfrac{[④]}{2}$
> $\therefore x=$ [⑤]

① $\dfrac{49}{4}$　② $\dfrac{7}{2}$　③ $\dfrac{33}{4}$
④ $\sqrt{33}$　⑤ $\dfrac{-7\pm\sqrt{33}}{2}$

개념 가이드

완전제곱식을 이용한 이차방정식의 풀이
➡ 상수항을 우변으로 이항하고 좌변을 완전 ❶ [　] 으로 고친 후 ❷ [　] 을 이용하여 해를 구한다.

❶ 제곱식 ❷ 제곱근

대표 예제 9

이차방정식 $3x^2+7x+3=0$의 근이 $x=\frac{A\pm\sqrt{B}}{6}$일 때, 유리수 A, B에 대하여 $A+B$의 값은?

① -7　② -3　③ 1
④ 6　⑤ 13

개념 가이드

이차방정식 $ax^2+bx+c=0$의 근은
$x=\frac{-b\pm\sqrt{b^2-\text{❶}\square}}{\text{❷}\square}$ (단, $b^2-4ac\geq0$)

❶ $4ac$ ❷ $2a$

대표 예제 10

이차방정식 $\frac{1}{6}(x-1)^2-\frac{1}{2}=1$의 두 근이 $x=\alpha$ 또는 $x=\beta$일 때, $3\alpha+\beta$의 값은? (단, $\alpha>\beta$)

① -10　② -2　③ 0
④ 2　⑤ 10

개념 가이드

이차방정식의 계수가 분수인 경우에는 양변에 분모의 ❶☐ 공배수를 곱하여 계수를 ❷☐로 고친 후 푼다.

❶ 최소 ❷ 정수

대표 예제 11

다음 이차방정식 중 서로 다른 두 근을 갖는 것은?

① $x^2+x+5=0$　② $4x^2-12x+9=0$
③ $x^2-7x=-12$　④ $x^2-18x=-81$
⑤ $9x^2=3x-2$

개념 가이드

이차방정식 $ax^2+bx+c=0$의 근의 개수는 b^2-4ac의 ❶☐로 판단한다.

❶ 부호 ❷ 2

대표 예제 12

이차방정식 $3x^2-18x+7a-8=0$이 중근을 가질 때, 상수 a의 값은?

① -4　② -2　③ 5
④ 7　⑤ 14

개념 가이드

이차방정식 $ax^2+bx+c=0$이 중근을 가질 조건
➡ b^2-4ac ❶☐ 0

참고 | x의 계수가 짝수인 이차방정식 $ax^2+2b'x+c=0$에서는 b^2-4ac 대신 b'^2-❷☐를 이용해도 된다.

❶ $=$ ❷ ac

대표 예제 13

두 근이 -2, 3이고 x^2의 계수가 2인 이차방정식은?

① $2x^2-2x-12=0$
② $2x^2-2x-6=0$
③ $2x^2+2x+12=0$
④ $2x^2-6x-2=0$
⑤ $2x^2+12x-2=0$

개념 가이드

(1) 두 근이 α, β이고 x^2의 계수가 a인 이차방정식
➡ $a(x-\alpha)(x-$ ❶ $)=0$
(2) 중근이 α이고 x^2의 계수가 a인 이차방정식
➡ ❷ $(x-\alpha)^2=0$

❶ β ❷ a

대표 예제 15

다음 만화를 보고 나람이네 가족은 몇 명인지 구하시오.

개념 가이드

(전체 사과의 개수)=(가족 수)×(한 사람이 먹은 ❶ 의 개수)
임을 이용하여 방정식을 세운다.
이때 가족 수와 사과의 개수는 ❷ 수이므로 방정식을 풀어 조건에 맞는 답을 고른다.

❶ 사과 ❷ 자연

대표 예제 14

연속하는 두 홀수의 제곱의 합이 두 홀수의 곱보다 39만큼 클 때, 이 두 홀수의 곱은?

① 15 ② 35 ③ 63
④ 99 ⑤ 143

개념 가이드

연속하는 수는 다음과 같이 한 ❶ 로 나타낸다.

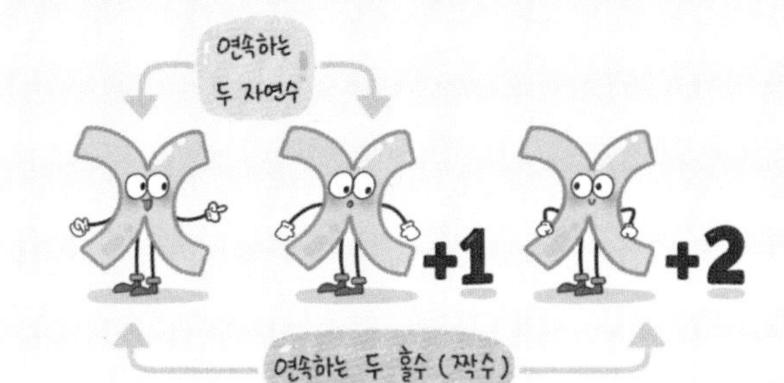

❶ 미지수

대표 예제 16

오른쪽 그림과 같이 가로의 길이가 50 m, 세로의 길이가 30 m인 직사각형 모양의 밭에 폭이 일정한 길을 만들었다. 길을 제외한 밭의 넓이가 989 m^2일 때, 길의 폭을 구하시오.

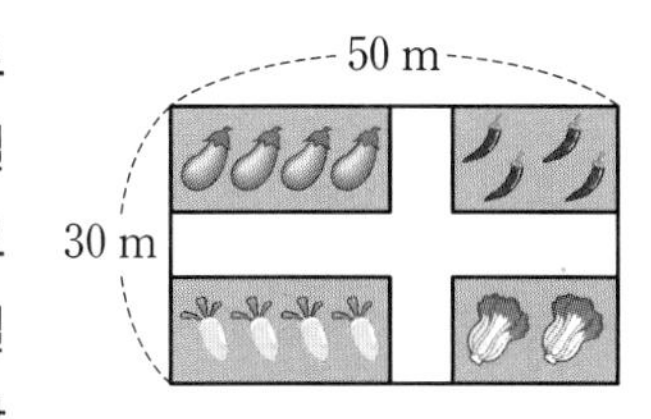

개념 가이드

다음 그림과 같이 길을 한쪽으로 ❶ 시킨 후 생각한다.
이때 색칠한 부분의 넓이는 모두 ❷ .

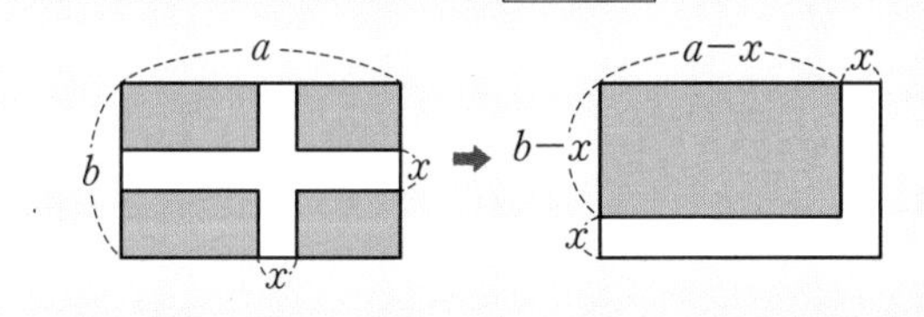

❶ 이동 ❷ 같다

교과서 대표 전략 ❷

1 이차방정식 $x^2+ax+b=0$의 해가 $x=-5$ 또는 $x=2$일 때, $a+b$의 값은? (단, a, b는 상수)

① -7 ② -3 ③ 0
④ 3 ⑤ 7

Tip
$x=-5$, $x=$ ❶ 를 $x^2+ax+b=0$에 각각 대입하여 a, b에 대한 ❷ 방정식을 만들어 푼다.

❶ 2 ❷ 연립

2 다음 그림을 보고 선생님의 물음에 답하시오.

Tip
(가) $2x^2-4x-1=0$의 한 근이 $x=a$이므로
$2a^2-4a-1=$ ❶
(나) $x^2-3x-3=0$의 한 근이 $x=$ ❷ 이므로
$b^2-3b-3=0$

❶ 0 ❷ b

3 이차방정식 $x^2+6x-16=0$의 두 근 중 큰 근이 이차방정식 $x^2-ax+6a=0$의 한 근일 때, 상수 a의 값은?

① -3 ② -1 ③ 0
④ 1 ⑤ 3

Tip
인수 ❶ 를 이용하여 이차방정식 $x^2+6x-16=0$의 두 근을 구하고 그중 큰 근을 이차방정식 $x^2-ax+6a=0$에 ❷ 한다.

❶ 분해 ❷ 대입

4 이차방정식 $x^2-x-5=0$의 두 근 중 큰 근을 $x=k$라 할 때, $2k-1$의 값은?

① $-\sqrt{21}$ ② $1-\sqrt{21}$ ③ $\sqrt{21}$
④ $1+\sqrt{21}$ ⑤ $1+2\sqrt{21}$

Tip
이차방정식 $ax^2+bx+c=0$에서 좌변을 ❶ 하기 어려울 때는 ❷ 의 공식을 이용하여 이차방정식의 해를 구한다.

❶ 인수분해 ❷ 근

5 이차방정식 $0.2x^2+0.1x=\frac{3}{2}$의 두 근을 α, β라 할 때, $2\alpha+\beta$의 값은? (단, $\alpha>\beta$)

① -2 ② $-\frac{1}{2}$ ③ $\frac{1}{2}$
④ 1 ⑤ 2

Tip
주어진 이차방정식의 양변에 적당한 ❶ ☐ 를 곱하여 계수를 ❷ ☐ 로 바꾼 후 푼다.

❶ 수 ❷ 정수

6 두 근이 -1, $\frac{3}{4}$이고 x^2의 계수가 4인 이차방정식은?

① $4x^2-x-3=0$ ② $4x^2+x-3=0$
③ $4x^2+x+3=0$ ④ $4x^2-3x-1=0$
⑤ $4x^2+3x-1=0$

Tip
두 근이 α, β이고 x^2의 계수가 a인 이차방정식은 $a(x-\alpha)(x-$❶ ☐$)=$❷ ☐ 임을 이용한다.

❶ β ❷ 0

7 다음 두 학생의 대화를 읽고, 한 사람이 갖게 되는 공책은 몇 권인지 구하시오.

Tip
나눠 가진 사람 수를 ❶ ☐ 명으로 놓고
(전체 공책의 수)=(나눠 가진 ❷ ☐ 의 수)×(한 사람이 갖게 되는 공책의 수)
임을 이용하여 이차방정식을 세운다.

❶ x ❷ 사람

8 오른쪽 그림과 같이 길이가 20 cm인 선분 AB 위에 점 P를 잡아 $\overline{AP}$와 $\overline{BP}$를 각각 한 변으로 하는 정사각형을 만들었다. 두 정사각형의 넓이의 합이 250 cm^{2}일 때, $\overline{AP}$의 길이를 구하시오.
(단, $\overline{AP}>\overline{BP}$)

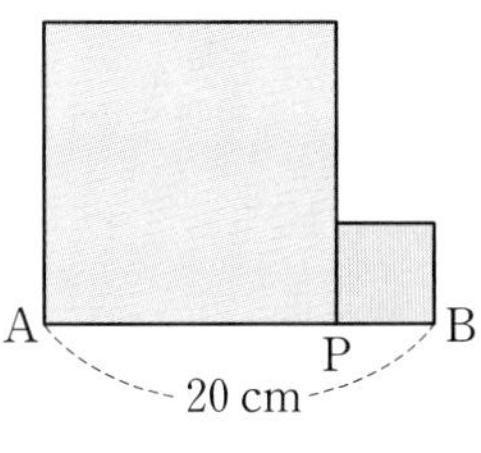

Tip
$\overline{AP}=x$ cm라 하면 $\overline{AP}+$❶ ☐ $=\overline{AB}$이므로 $\overline{BP}=($❷ ☐$)$ cm이다.

❶ $\overline{BP}$ ❷ $20-x$

1주 누구나 합격 전략

01 다음 중 x에 대한 이차방정식이 아닌 것을 들고 있는 학생을 찾으시오.

02 다음 중 [ ] 안의 수가 주어진 이차방정식의 해인 것은?

① $x^2=3(x+1)$ [-1]
② $x^2-2x=0$ [3]
③ $x^2+3x-2=0$ [2]
④ $x^2-3x+1=0$ [-2]
⑤ $2x^2+x-3=0$ [1]

03 이차방정식 $2x^2+ax-6=0$의 한 근이 $x=3$일 때, 상수 a의 값은?

① -4　② -3　③ -2
④ -1　⑤ 0

04 이차방정식 $2x^2-9x+4=0$의 두 근이 $x=a$ 또는 $x=b$일 때, $a-b$의 값은? (단, $a>b$)

① $\frac{3}{2}$　② 2　③ $\frac{5}{2}$
④ 3　⑤ $\frac{7}{2}$

05 다음은 이차방정식 $x^2-8x+9=0$을 완전제곱식을 이용하여 푸는 과정이다. 상수 $A\sim E$의 값으로 옳지 않은 것은?

$x^2-8x+9=0$에서
$$x^2-8x=A$$
$$x^2-8x+B=A+B$$
$$(x+C)^2=D$$
$$\therefore x=E$$

① $A=-9$　② $B=16$　③ $C=4$
④ $D=7$　⑤ $E=4\pm\sqrt{7}$

06 이차방정식 $3x^2-4x-5=0$의 해가 $x=\frac{a\pm\sqrt{b}}{3}$일 때, 유리수 a, b에 대하여 $a+b$의 값은?

① 15 ② 17 ③ 19
④ 21 ⑤ 23

07 이차방정식 $x^2-\frac{3}{2}x-\frac{1}{2}=0$을 풀면?

① $x=\frac{3\pm\sqrt{17}}{4}$ ② $x=\frac{-3\pm\sqrt{17}}{4}$
③ $x=\frac{-3\pm\sqrt{11}}{4}$ ④ $x=\frac{3\pm\sqrt{11}}{2}$
⑤ $x=\frac{-3\pm\sqrt{11}}{2}$

08 이차방정식 $x^2+4x+k-3=0$이 중근을 가질 때, 상수 k의 값은?

① -5 ② -3 ③ 3
④ 5 ⑤ 7

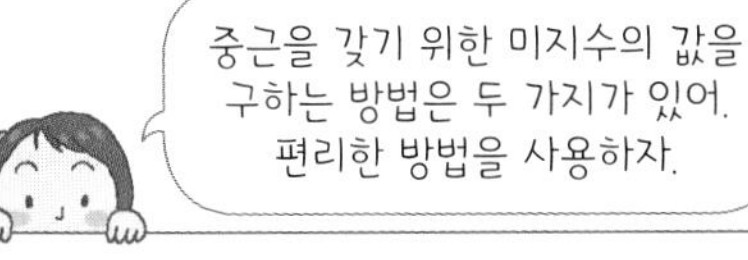

① 완전제곱식 이용 ➡ (완전제곱식)$=0$
② $ax^2+bx+c=0(a\neq0)$에서 $b^2-4ac=0$ 이용

09 민정이가 수학 교과서를 펼쳤더니 펼쳐진 두 면의 쪽수의 곱이 156이었다. 펼쳐진 두 면의 쪽수의 합은?

① 17 ② 21 ③ 25
④ 29 ⑤ 33

10 다음 그림과 같이 가로, 세로의 길이가 각각 10 m, 7 m인 직사각형 모양의 땅에 폭이 x m로 일정한 도로를 만들려고 한다. 도로를 제외한 땅의 넓이가 40 m^2일 때, x의 값을 구하시오.

1주 창의·융합·코딩 전략 1

1 다음 두 사람의 대화를 읽고 물음에 답하시오.

(1) 다음 중 $AB=0$을 만족하는 경우를 들고 있는 학생을 모두 찾으시오.

(2) 인수분해를 이용하여 이차방정식 $6x^2-x-1=0$을 푸시오.

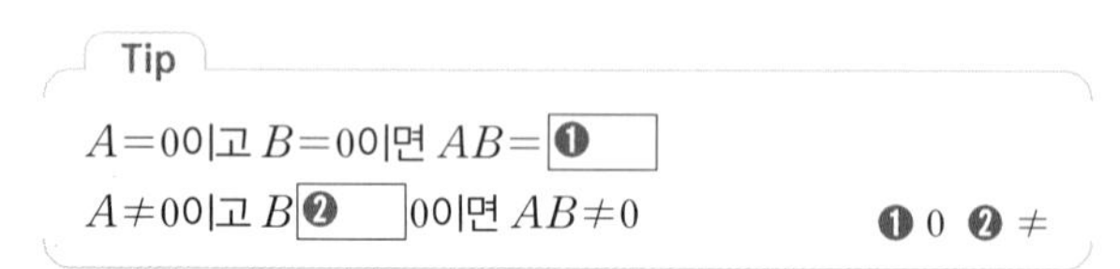

2 다음 그림에서 $x=$(수)가 주어진 칸은 그 수를 해로 갖는 이차방정식의 칸으로만 갈 수 있고, 이차방정식이 주어진 칸은 그 이차방정식의 해가 되는 칸으로만 갈 수 있을 때, A, B, C, D 중 어느 곳에 도착하게 되는지 구하시오.

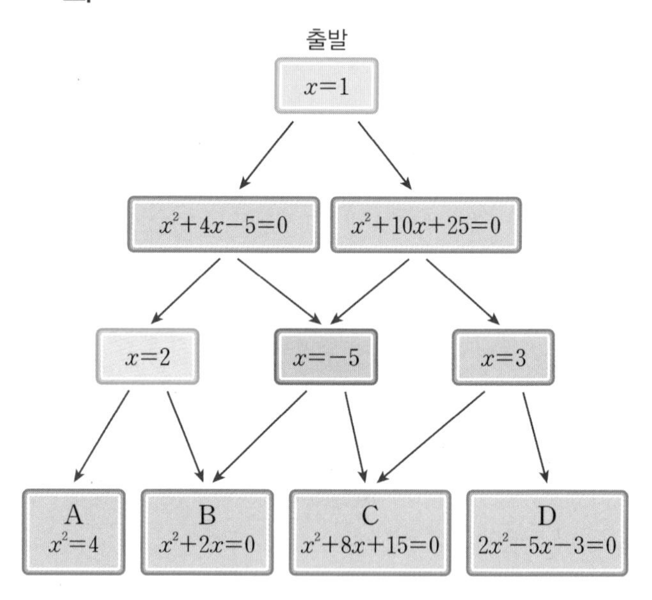

Tip

$x=p$를 이차방정식 $ax^2+bx+c=0$에 대입하였을 때, ❶ [ ] 이 성립하면 그 이차방정식의 해이고, 등식이 성립하지 않으면 그 이차방정식의 ❷ [ ] 가 아니다.

❶ 등식 ❷ 해

3 다음은 두 학생이 이차방정식 $2x^2+5x+3=0$의 해를 구한 것이다. 잘못 구한 학생은 누구인지 말하고, 그 학생의 풀이 과정을 바르게 고치시오.

Tip

이차방정식 $ax^2+bx+c=0$의 해는

$$x=\frac{-b\pm\sqrt{b^2-\boxed{❶\quad}}}{\boxed{❷\quad}}\ (\text{단, } b^2-4ac\geq0)$$

❶ $4ac$ ❷ $2a$

4 어느 날 수진이가 수업을 마치고 집에 오니 현관문에 다음과 같은 쪽지가 붙어 있었다. 현관문의 비밀번호를 구하시오.

사랑하는 수진이에게

오늘 현관문에 도어록을 설치했단다.

요즘 우리 수진이가 이차방정식을 열심히 공부하고 있으니 비밀번호를 쉽게 알아내리라 생각한다.

비밀번호는 아래 □ 안에 들어가는 숫자를 차례대로 누르면 된단다.

① $x^2-12x+27=0$을 풀면
$x=\square$ 또는 $x=9$

② $5x^2-10=0$을 풀면 $x=\pm\sqrt{\square}$

③ $x^2-8x+3=0$을 풀면
$x=\square\pm\sqrt{13}$

그럼 들어가서 준비해 둔 간식을 먹고 있으렴.

사랑하는 아빠가

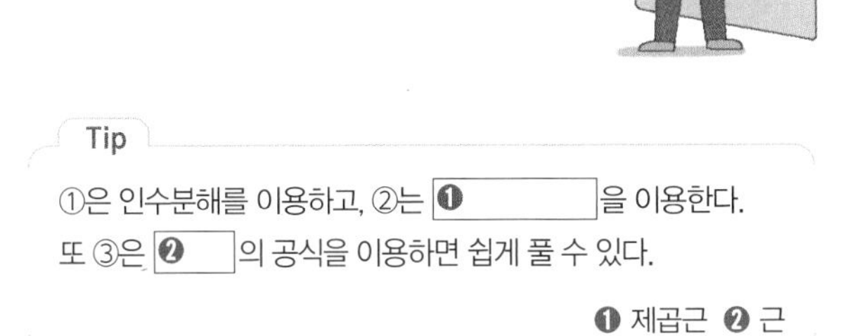

Tip

①은 인수분해를 이용하고, ②는 ❶ ______을 이용한다. 또 ③은 ❷ ______의 공식을 이용하면 쉽게 풀 수 있다.

❶ 제곱근 ❷ 근

1주 창의·융합·코딩 전략 2

5 다음 그림과 같이 이차방정식의 근의 개수를 판단하는 기계가 있다. 각 단계에서는 주어진 조건을 만족하는 이차방정식만 통과한다고 할 때, 아래 보기에서 A, B, C에 도착하는 이차방정식을 각각 구하시오.

보기

㉠ $x^2+3x+5=0$	㉡ $x^2-6x+9=0$
㉢ $x^2+5x-24=0$	㉣ $2x^2-3x+4=0$
㉤ $3x^2-4x-5=0$	㉥ $4x^2+4x+1=0$

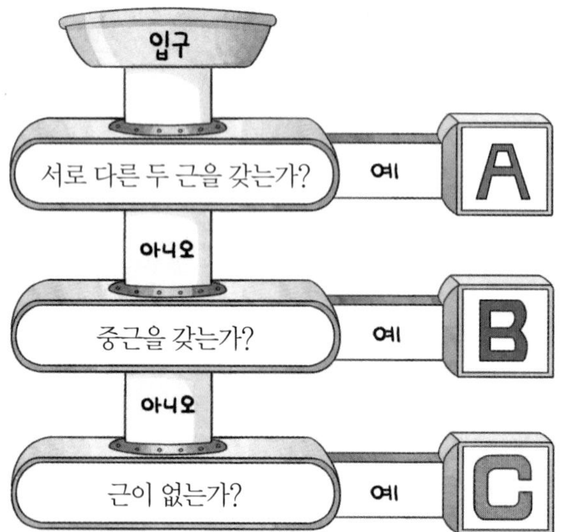

Tip

이차방정식 $ax^2+bx+c=0$에서

① $b^2-4ac>0$이면 서로 다른 ❶ ☐ 근을 가진다.

② $b^2-4ac=0$이면 한 근(중근)을 가진다

③ b^2-4ac ❷ ☐ 0이면 근이 없다.

❶ 두 ❷ $<$

6 준수는 수학 시간에 그리스의 수학자 디오판토스가 쓴 책에 있는 이차방정식과 관련된 문제를 읽고, 다음과 같이 숫자를 바꾸어 새로운 문제를 만들었다. 물음에 답하시오.

(1) 차가 4인 두 자연수 중 작은 수를 x라 할 때, 큰 수를 x를 사용하여 나타내시오.

(2) 위 문제의 답을 구하시오.

Tip

작은 수를 x라 하면 큰 수는 $x+$ ❶ ☐ 이므로

$x^2+($ ❷ ☐ $)^2=170$으로 놓을 수 있다.

❶ 4 ❷ $x+4$

7 다음 그림을 보고 물음에 답하시오.

(1) 물 로켓이 15 m의 높이에 있을 때는 쏘아 올린 지 몇 초 후인지 구하시오.

(2) 물 로켓을 쏘아 올린 후 20 m의 높이에 있는 표적을 맞히는 데 몇 초가 걸리는지 구하시오. (단, 물 로켓이 해당 높이를 지나면 표적을 무조건 맞힐 수 있다.)

(3) 이 물 로켓으로 25 m의 높이에 있는 표적을 맞힐 수 있는지 없는지 말하시오. (단, 물 로켓이 해당 높이를 지나면 표적을 무조건 맞힐 수 있다.)

Tip

높이가 h m일 때, 이차방정식 $20x-5x^2=h$의 해가 있으면 표적을 맞힐 수 있고, 해가 없으면 표적을 맞힐 수 ❶ ☐ 다.

❶ 없

8 다음은 종이접기반 선생님이 유진이에게 보낸 편지이다. 물음에 답하시오.

유진아!
우리가 종이접기반을 한 지도 벌써 한 학기가 지났구나. 2학기 첫 동아리 활동으로는 장미를 접을 거란다. 너희 조가 4명이지!
조원 각자가 가져올 색종이의 장수의 제곱이 조원 전체가 가져올 색종이의 장수보다 12장이 많게 준비해 오렴.
유진아! 넌 수학을 좋아하니까 이 말이 무슨 뜻인지 알지?
그럼, 동아리 활동 시간에 보자꾸나. 잘 지내렴.

추신. 각 조원이 가져올 색종이의 장수는 모두 같단다.

(1) 유진이가 동아리 활동 시간에 가져가야 할 색종이의 장수를 x장이라 할 때, 조건을 만족하는 이차방정식을 세우시오.

(2) 유진이가 가져가야 할 색종이의 장수를 구하시오.

Tip

조원 각자가 가져올 색종이의 장수가 x장이고 조원이 ❶ ☐ 명이므로 조원 전체가 가져올 색종이의 장수는 ❷ ☐ 장이다.

❶ 4 ❷ $4x$

2주 이차함수

x에 대한 이차식!
$a\neq0$일 때 ax^2+bx+c
x에 대한 이차방정식!
$a\neq0$일 때 $ax^2+bx+c=0$
내가 0이어도 되겠지?
x에 대한 이차함수
y=ax²+bx+c
안 돼. 네가 0이면 내가 사라진다고! 내가 없으면 우리는 이차함수가 아니야.
x^2이 없어요.
y=-2x+1
x^2이 분모에 있어.
y=4/x²
y=(x-1)²-x²
우변을 정리하면 $y=-2x+1$ 즉 일차함수야.

나는 결정할 일이 너무 많아.
y=ax²
a>0
감소
증가
a<0
맞아. 넌 그래프의 모양과 폭을 결정하지.
내가 +이면 아래로 볼록.
내가 −이면 위로 볼록.
a>0 a<0
나의 절댓값이 클수록 폭이 좁아.
나의 절댓값이 작을수록 폭이 넓어.

공부할 내용

❶ 이차함수의 뜻

❷ 이차함수 $y=a(x-p)^2+q$의 그래프

❸ 이차함수 $y=ax^2+bx+c$의 그래프

❹ 이차함수의 식 구하기

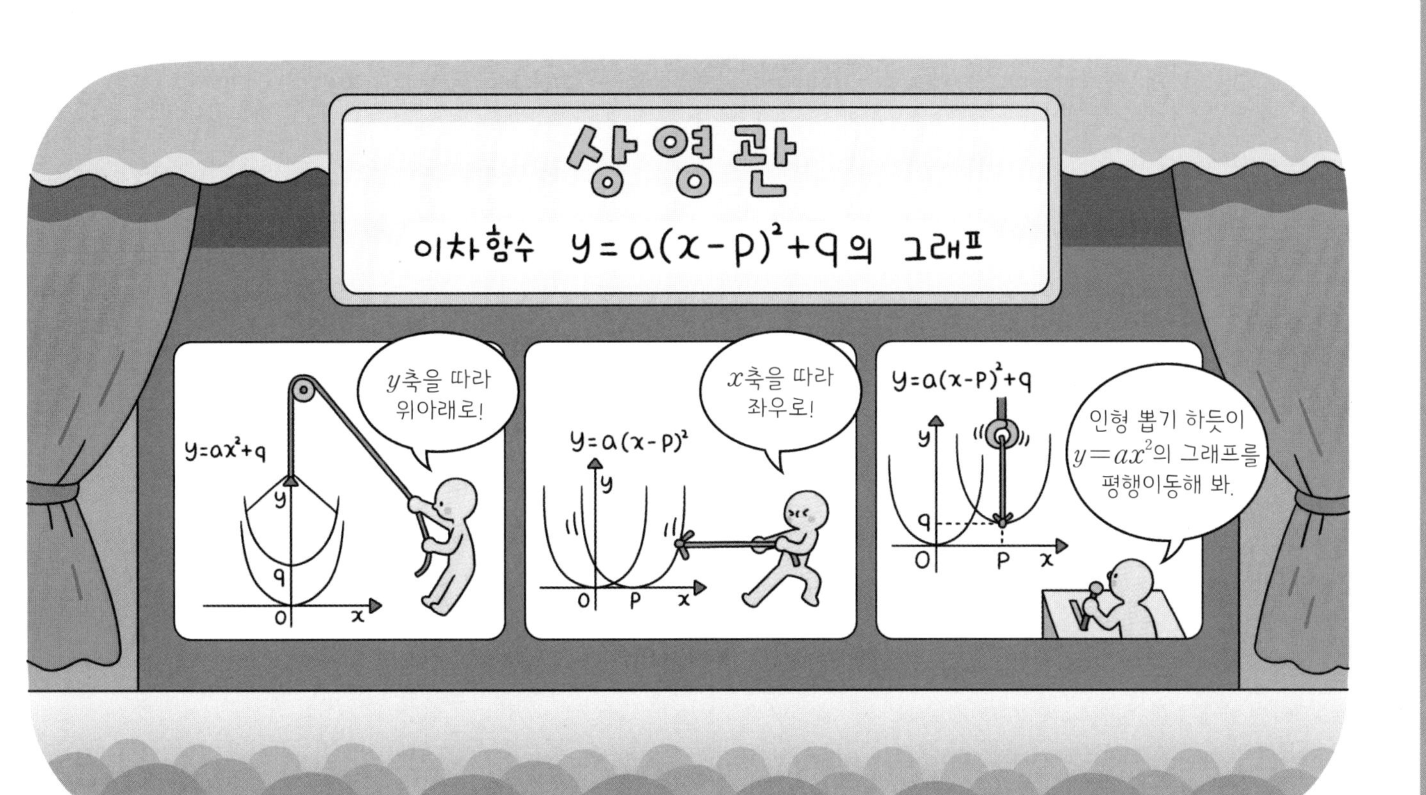

2주 1일 개념 돌파 전략 ❶

개념 1 이차함수

함수 $f(x)$에서 y가 x에 대한 ❶ [   ]식,
즉 $y=ax^2+bx+c$ (a, b, c는 상수, $a\neq0$)
로 나타날 때, 이 함수를 x에 대한 이차함수라 한다.

예 $y=x^2-x-1$, $y=2x^2+x$ ➡ 이차함수이다.

$y=3x-1$, $y=\dfrac{1}{x^2}$ ➡ 이차함수가 ❷ [   ].

내가 0이어도 되겠지?

$y=ax^2+bx+c$

안 돼! 네가 0이면 내가 없어져.
그러면 우리는 이차함수가
될 수 없어!

❶ 이차 ❷ 아니다

개념 돌파 Quiz

$a\neq0$일 때

① ax^2+bx+c ➡ 이차식

② $ax^2+bx+c=0$ ➡ 이차 ❶ [   ]

③ $y=ax^2+bx+c$ ➡ 이차 ❷ [   ]

❶ 방정식 ❷ 함수

개념 2 이차함수 $y=ax^2$의 그래프

(1) 원점을 꼭짓점으로 하고, y축을 축으로 하는 포물선이다.

① 꼭짓점의 좌표 : (0, ❶ [   ])

② 축의 방정식 : $x=0$(y축)

(2) $a>0$이면 아래로 볼록하고 $a<0$이면 위로 볼록하다.

(3) a의 절댓값이 클수록 그래프의 폭이 좁아진다.

(4) 이차함수 $y=-ax^2$의 그래프와 x축에 ❷ [   ]이다.

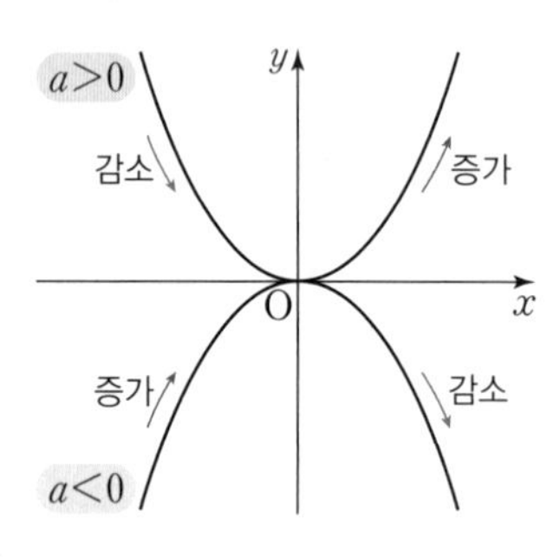

❶ 0 ❷ 대칭

개념 돌파 Quiz

① $y=2x^2$의 그래프는 ❶ [   ]로 볼록하다.

② $y=-3x^2$의 그래프는 ❷ [   ]로 볼록하다.

③ $y=-3x^2$의 그래프는 $y=2x^2$의 그래프보다 폭이 ❸ [   ]다.

❶ 아래 ❷ 위 ❸ 좁

개념 3 이차함수 $y=ax^2+q$, $y=a(x-p)^2$의 그래프

(1) **이차함수 $y=ax^2+q$의 그래프**

이차함수 $y=ax^2$의 그래프를 y축의 방향으로 q만큼 평행이동한 것이다.

① 꼭짓점의 좌표 : $(0, q)$

② 축의 방정식 : $x=$ ❶ [   ](y축)

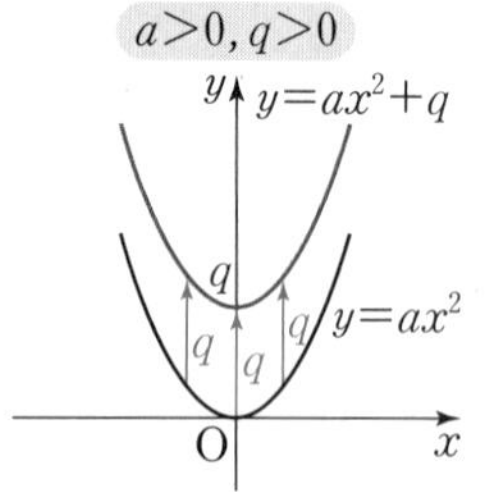

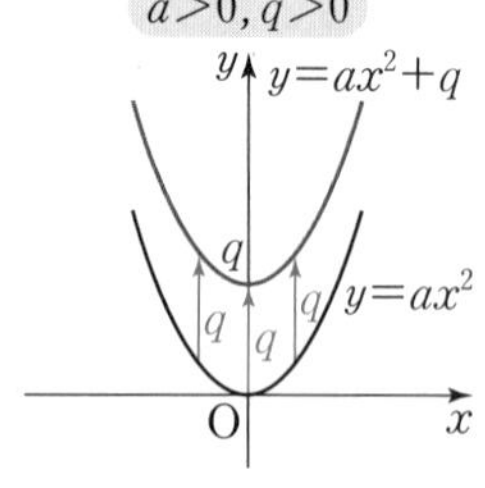

(2) **이차함수 $y=a(x-p)^2$의 그래프**

이차함수 $y=ax^2$의 그래프를 x축의 방향으로 p만큼 평행이동한 것이다.

① 꼭짓점의 좌표 : $(p, 0)$

② 축의 방정식 : $x=$ ❷ [   ]

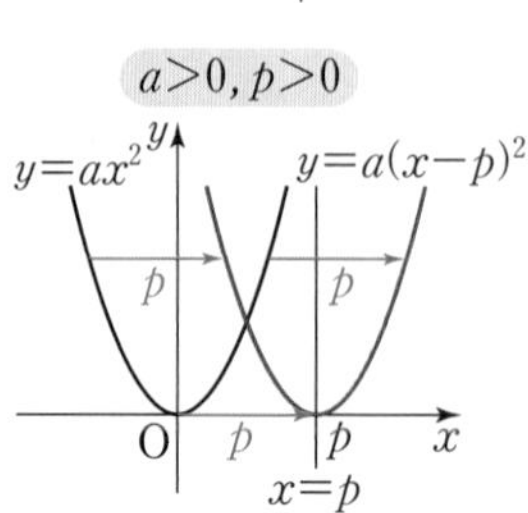

❶ 0 ❷ p

개념 돌파 Quiz

① 이차함수 $y=2x^2+1$의 그래프는 이차함수 $y=2x^2$의 그래프를 y축의 방향으로 ❶ [   ]만큼 평행이동한 것이다.

② 이차함수 $y=2(x-3)^2$의 그래프는 이차함수 $y=2x^2$의 그래프를 ❷ [   ]축의 방향으로 3만큼 평행이동한 것이다.

❶ 1 ❷ x

1-1 다음 보기에서 y가 x에 대한 이차함수인 것을 고르시오.

보기
㉠ $x^2+x+1=0$　　㉡ $y=-3x^2+1$
㉢ $y=x^2-(x+x^2)$　　㉣ $y=\frac{1}{x^2}+\frac{2}{x}+3$

풀이 | ㉠ 이차방정식이다.
㉡ y는 x에 대한 ❶ ___ 차함수이다.
㉢ $y=x^2-(x+x^2)=-x$ ➡ y는 x에 대한 ❷ ___ 차함수이다.
㉣ 분모에 x^2이 있으므로 이차함수가 아니다.
따라서 y가 x에 대한 이차함수인 것은 ❸ ___ 이다.

❶ 이 ❷ 일 ❸ ㉡ / 답 ㉡

1-2 다음 중 y가 x에 대한 이차함수인 것은?

① $y=x+5$
② x^2+2x+1
③ $y=\frac{2}{x^2}$
④ $y=x(x-1)+x$
⑤ $y=2x^3-4x^2$

2-1 다음 보기의 이차함수에 대하여 물음에 답하시오.

보기
㉠ $y=-x^2$　　㉡ $y=\frac{4}{3}x^2$　　㉢ $y=-5x^2$

(1) 그래프가 아래로 볼록한 것을 고르시오.
(2) 그래프의 폭이 가장 넓은 것을 고르시오.

풀이 | (1) $y=ax^2$에서 $a>0$이면 그래프가 아래로 볼록하므로 ❶ ___ 이다.
(2) $y=ax^2$에서 a의 절댓값이 ❷ ___ 수록 그래프의 폭이 넓어진다.
이때 $|-1|<\left|\frac{4}{3}\right|<|-5|$이므로 그래프의 폭이 가장 넓은 것은 ㉠이다.

❶ ㉡ ❷ 작을 / 답 (1) ㉡ (2) ㉠

2-2 다음 이차함수의 그래프 중 위로 볼록한 것을 모두 고르면? (정답 2개)

① $y=-\frac{1}{2}x^2$　　② $y=\frac{1}{4}x^2$
③ $y=-3x^2$　　④ $y=x^2$
⑤ $y=2x^2$

3-1 다음 이차함수의 그래프의 꼭짓점의 좌표와 축의 방정식을 각각 구하시오.

(1) $y=\frac{1}{4}x^2+2$　　(2) $y=-2(x-1)^2$

풀이 | (1) 꼭짓점의 좌표 : $(0,$ ❶ ___ $)$, 축의 방정식 : $x=0$
(2) 꼭짓점의 좌표 : $(1, 0)$, 축의 방정식 : $x=$ ❷ ___

❶ 2 ❷ 1 / 답 풀이 참조

3-2 이차함수 $y=-\frac{1}{3}x^2$의 그래프를 y축의 방향으로 -6만큼 평행이동한 그래프의 식은?

① $y=-\frac{1}{3}x^2-6$
② $y=-\frac{1}{3}x^2+6$
③ $y=-\frac{1}{3}(x-6)^2$
④ $y=-\frac{1}{3}(x+6)^2$
⑤ $y=\frac{1}{3}(x-6)^2$

2주 1일 개념 돌파 전략 ❶

개념 4 이차함수 $y=a(x-p)^2+q$의 그래프

이차함수 $y=ax^2$의 그래프를 x축의 방향으로 p만큼, y축의 방향으로 ❶ 만큼 평행이동한 것이다.

① 꼭짓점의 좌표 : (p, q)

② 축의 방정식 : $x=$ ❷

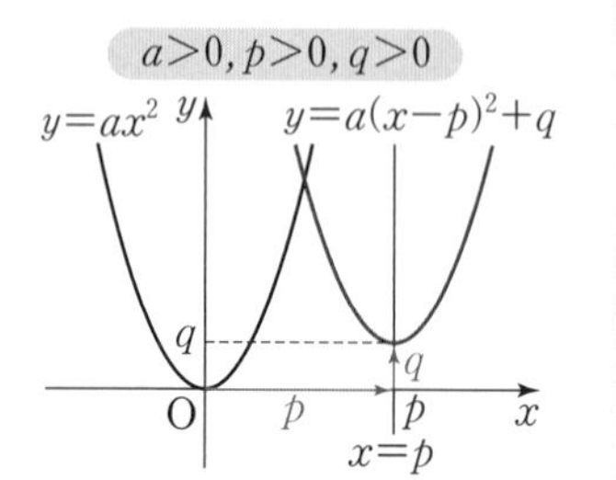

❶ q ❷ p

개념 돌파 Quiz

① 이차함수 $y=2(x-3)^2+1$의 그래프는 이차함수 $y=$ ❶ 의 그래프를 x축의 방향으로 3만큼, y축의 방향으로 1만큼 평행이동한 것이다.

② 이차함수 $y=2(x-3)^2+1$의 그래프의 꼭짓점의 좌표는 (❷, 1), 축의 방정식은 $x=3$이다.

❶ $2x^2$ ❷ 3

개념 5 이차함수 $y=ax^2+bx+c$의 그래프

이차함수 $y=ax^2+bx+c$의 그래프는 $y=a(x-p)^2+q$의 꼴로 고쳐서 그린다.

$$y=ax^2+bx+c \Rightarrow y=a\left(x+\frac{b}{2a}\right)^2-\frac{b^2-4ac}{4a}$$

① 꼭짓점의 좌표 : $\left(-\frac{b}{2a}, -\frac{b^2-4ac}{4a}\right)$

② 축의 방정식 : $x=$ ❶

③ y축과의 교점의 좌표 : $(0,$ ❷ $)$

❶ $-\frac{b}{2a}$ ❷ c

개념 돌파 Quiz

이차함수 $y=x^2-6x+1$의 그래프에서

$y=x^2-6x+1$

$=(x^2-6x+9-9)+1$

$=(x-3)^2-$ ❶

이므로

꼭짓점의 좌표 : $(3,$ ❷ $)$

축의 방정식 : $x=$ ❸

❶ 8 ❷ -8 ❸ 3

개념 6 이차함수의 식 구하기

(1) **꼭짓점 (p, q)와 그래프 위의 다른 한 점을 알 때**

1 이차함수의 식을 $y=a(x-p)^2+q$로 놓는다.

2 1의 식에 주어진 한 점의 좌표를 ❶ 하여 상수 a의 값을 구한다.

(2) **축의 방정식 $x=p$와 그래프 위의 두 점을 알 때**

1 이차함수의 식을 $y=a(x-p)^2+q$로 놓는다.

2 1의 식에 주어진 두 점의 좌표를 각각 대입하여 상수 a, ❷ 의 값을 구한다.

❶ 대입 ❷ q

개념 돌파 Quiz

꼭짓점의 좌표가 $(1, 2)$이고 점 $(2, 5)$를 지나는 포물선을 그래프로 하는 이차함수의 식을 구하시오.

1 이차함수의 식을
$y=a(x-1)^2+$ ❶ 로 놓는다.

2 1의 식에 $x=2$, $y=5$를 대입하면
$a=$ ❷

3 구하는 이차함수의 식은
$y=$ ❷ $(x-1)^2+$ ❶

❶ 2 ❷ 3

4-1 이차함수 $y=\frac{3}{2}(x-1)^2+2$의 그래프는 이차함수 $y=ax^2$의 그래프를 x축의 방향으로 p만큼, y축의 방향으로 q만큼 평행이동한 것이다. 이때 $2a+p+q$의 값을 구하시오.

(단, a, p, q는 상수)

풀이 | 이차함수 $y=\frac{3}{2}(x-1)^2+2$의 그래프는 이차함수 $y=\frac{3}{2}x^2$의 그래프를 x축의 방향으로 ❶ ___ 만큼, y축의 방향으로 2만큼 평행이동한 것이므로

$a=\frac{3}{2}$, $p=$ ❷ ___ , $q=2$

$\therefore 2a+p+q=$ ❸ ___

❶ 1 ❷ 1 ❸ 6 / 답 6

4-2 다음 중 이차함수 $y=5(x-3)^2-2$의 그래프의 꼭짓점의 좌표와 축의 방정식을 차례대로 구한 것은?

① $(3, 2)$, $x=-3$
② $(3, -2)$, $x=-3$
③ $(3, 2)$, $x=3$
④ $(3, -2)$, $x=3$
⑤ $(-3, -2)$, $x=3$

5-1 이차함수 $y=2x^2+8x+9$를 $y=a(x-p)^2+q$의 꼴로 나타내고, 그 그래프의 꼭짓점의 좌표와 축의 방정식을 구하시오.

풀이 | $y=2x^2+8x+9$
$=2(x^2+4x)+9$
$=2(x^2+4x+$ ❶ ___ $-$ ❶ ___ $)+9$
$=2(x+2)^2+1$

➡ 꼭짓점의 좌표 : (❷ ___ , 1)
축의 방정식 : $x=$ ❸ ___

❶ 4 ❷ −2 ❸ −2 / 답 풀이 참조

5-2 이차함수 $y=-x^2+2x-5$를 $y=a(x-p)^2+q$의 꼴로 나타낼 때, 상수 a, p, q에 대하여 $a+p+q$의 값은?

① -4 ② -2 ③ 0
④ 2 ⑤ 4

6-1 축의 방정식이 $x=-1$이고 두 점 $(1, 2)$, $(-2, -1)$을 지나는 포물선을 그래프로 하는 이차함수의 식을 $y=a(x-p)^2+q$의 꼴로 나타내시오.

풀이 | 1 이차함수의 식을 $y=a(x+$ ❶ ___ $)^2+q$로 놓는다.
2 1의 식에 두 점 $(1, 2)$, $(-2, -1)$의 좌표를 각각 대입하면 $2=4a+q$, $-1=a+q$ $\therefore a=1$, $q=$ ❷ ___
3 구하는 이차함수의 식은
$y=(x+1)^2$ ❷ ___

❶ 1 ❷ −2 / 답 $y=(x+1)^2-2$

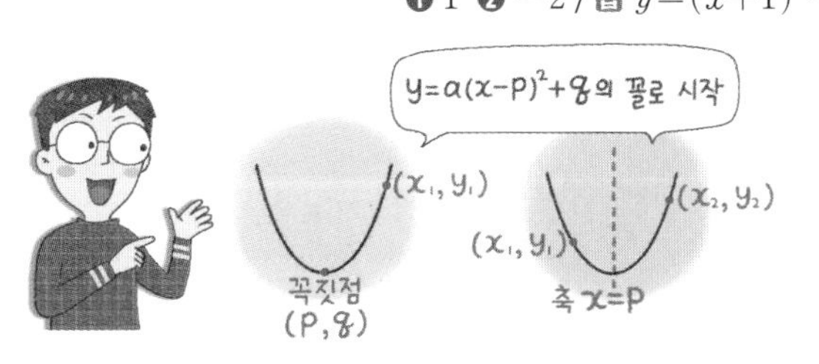

6-2 꼭짓점의 좌표가 $(3, -1)$이고 점 $(4, -2)$를 지나는 포물선을 그래프로 하는 이차함수의 식은?

① $y=-(x+3)^2$
② $y=-(x+3)^2-1$
③ $y=-(x-3)^2-1$
④ $y=-\frac{1}{2}(x-3)^2-1$
⑤ $y=2(x-3)^2-2$

2주 1일 개념 돌파 전략 ❷

바탕 문제

함수 $f(x)=x^2+2$에 대하여 $x=1$일 때의 함숫값을 구하시오.

풀이 $f(x)$에 x 대신 1을 대입하면

$f(1)=$ ❶ $^2+2=$ ❷

❶ 1 ❷ 3

1 이차함수 $f(x)=3x^2-2x+1$에 대하여 $f(0)+f(-1)$의 값은?

① 2 ② 3 ③ 5
④ 6 ⑤ 7

바탕 문제

이차함수 $y=x^2$의 그래프가 지나는 점을 다음 보기에서 고르시오.

보기
㉠ $(-3, -9)$ ㉡ $(-1, 1)$

풀이 ㉠ $-9\neq(-3)^2$ ㉡ 1 ❶ $(-1)^2$
따라서 이차함수 $y=x^2$의 그래프가 지나는 점은 ❷ 이다.

❶ = ❷ ㉡

2 이차함수 $y=ax^2$의 그래프가 점 $(4, -32)$를 지날 때, 상수 a의 값은?

① -4 ② -2 ③ 2
④ 4 ⑤ 6

바탕 문제

이차함수 $y=3x^2$의 그래프와 x축에 대칭인 그래프를 나타내는 이차함수의 식을 구하시오.

풀이 이차함수 $y=ax^2$의 그래프와 x축에 대칭인 그래프는 $y=-ax^2$의 그래프이므로
$y=$ ❶ x^2이다.

❶ -3

3 다음 중 보기에 주어진 이차함수의 그래프에 대하여 잘못 설명한 학생을 찾으시오.

보기
㉠ $y=-2x^2$ ㉡ $y=-\frac{1}{2}x^2$ ㉢ $y=\frac{4}{5}x^2$
㉣ $y=-\frac{5}{4}x^2$ ㉤ $y=3x^2$ ㉥ $y=\frac{5}{4}x^2$

바탕 문제

다음 그래프의 식을 구하시오.

(1) $y=x^2$의 그래프를 y축의 방향으로 -1만큼 평행이동한 그래프

(2) $y=4x^2$의 그래프를 x축의 방향으로 3만큼 평행이동한 그래프

풀이 (1) $y=x^2-$ ❶

(2) $y=$ ❷ $(x-3)^2$

❶ 1 ❷ 4

4 다음 이차함수의 그래프 중 이차함수 $y=-\frac{2}{3}x^2$의 그래프를 평행이동하여 완전히 포갤 수 있는 것은?

① $y=-3x^2$ ② $y=-\frac{2}{3}x^2+5$

③ $y=\frac{2}{3}x^2-5$ ④ $y=2x^2-\frac{2}{3}$

⑤ $y=3x^2-5$

바탕 문제

이차함수 $y=a(x+p)^2+q$의 그래프의 꼭짓점의 좌표와 축의 방정식을 각각 구하시오.

풀이 꼭짓점의 좌표 : $(-p,$ ❶ $)$

축의 방정식 : $x=$ ❷

❶ q ❷ $-p$

5 다음 중 이차함수와 그 그래프의 축의 방정식을 잘못 연결한 것은?

	이차함수	축의 방정식
①	$y=x^2$	$x=0$
②	$y=(x-1)^2$	$x=1$
③	$y=2x^2+3$	$x=0$
④	$y=-(x+1)^2$	$x=-1$
⑤	$y=(x-1)^2-1$	$x=-1$

바탕 문제

이차함수 $y=x^2+4x-1$을 $y=a(x-p)^2+q$의 꼴로 나타내시오.

풀이 $y=x^2+4x-1$

$=(x^2+4x+$ ❶ $-$ ❶ $)-1$

$=(x+$ ❷ $)^2-$ ❸

❶ 4 ❷ 2 ❸ 5

6 이차함수 $y=2x^2+4x+3$의 그래프에 대하여 다음 물음에 답하시오.

(1) 꼭짓점의 좌표를 구하시오.

(2) 축의 방정식을 구하시오.

(3) y축과의 교점의 좌표를 구하시오.

(4) 이차함수 $y=2x^2+4x+3$의 그래프를 오른쪽 좌표평면 위에 그리시오.

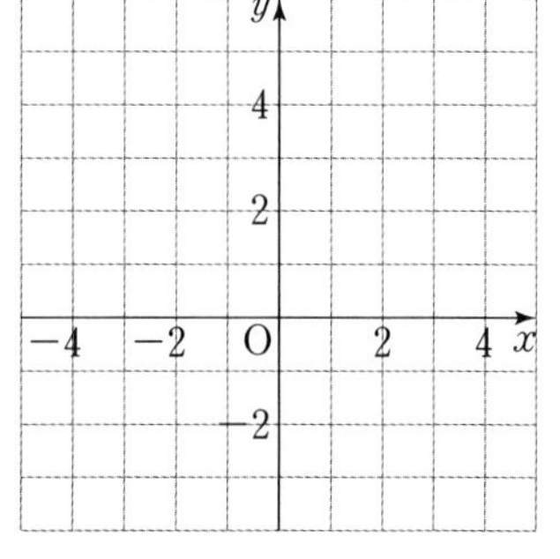

2주 2일 필수 체크 전략 ❶

전략 1 이차함수의 뜻과 이차함수의 함숫값

(1) 이차함수 : $y=$(x에 대한 이차식)

➡ $y=ax^2+bx+c$(a, b, c는 상수, a ❶ ___ 0)

(2) 이차함수의 함숫값 : 이차함수 $f(x)=ax^2+bx+c$에 대하여

$f(k)$ ➡ $x=k$일 때의 함숫값

➡ x 대신 ❷ ___ 를 대입했을 때의 $f(x)$의 값

➡ $f(k)=ak^2+bk+c$

❶ $\neq$ ❷ k

필수 예제

1-1 $y=a(x^2-1)+x-3x^2$이 x에 대한 이차함수일 때, 다음 중 상수 a의 값이 될 수 없는 것은?

① -3 ② -1 ③ 0 ④ 1 ⑤ 3

1-2 이차함수 $f(x)=-3x^2-ax+6$에 대하여 $f(-2)=-10$, $f(1)=b$일 때, ab의 값을 구하시오. (단, a는 상수)

풀이

1-1 $y=a(x^2-1)+x-3x^2$
$=ax^2-a+x-3x^2$
$=(a-3)x^2+x-a$
이 함수가 x에 대한 이차함수가 되려면
$a-3\neq0$이어야 한다. $\therefore a\neq3$

답 ⑤

1-2 $f(-2)=-3\times(-2)^2-a\times(-2)+6=-10$이므로
$2a-6=-10$, $2a=-4$ $\therefore a=-2$
즉 $f(x)=-3x^2+2x+6$이므로
$b=f(1)=-3\times1^2+2\times1+6=5$
$\therefore ab=-2\times5=-10$

답 -10

확인 문제 1-1

다음 보기에서 y가 x에 대한 이차함수인 것의 개수를 구하시오.

보기
ㄱ $y=\frac{1}{x^2}-1$
ㄴ $y=\frac{2}{3}x^2+2$
ㄷ $y=3x-2$
ㄹ $y=3x^2-2x(x+3)$
ㅁ $y=(x+2)(x-1)-x^2$

확인 문제 1-2

이차함수 $f(x)=x^2-4x-9$에 대하여 $f(a)=-4$일 때, 자연수 a의 값은?

① 1 ② 2 ③ 3
④ 4 ⑤ 5

전략 2 이차함수 $y=ax^2$의 그래프의 성질

(1) 꼭짓점의 좌표는 $(0, 0)$이다.
(2) y축에 대칭이다. (축의 방정식은 $x=$ ❶ 이다.)
(3) $a>0$이면 아래로 볼록하고, $a<0$이면 위로 볼록하다.
(4) a의 절댓값이 클수록 그래프의 폭은 좁아진다.
(5) 이차함수 $y=-ax^2$의 그래프와 ❷ 축에 대칭이다.

❶ 0 ❷ x

필수 예제

2-1 이차함수 $y=-4x^2$의 그래프에 대한 설명으로 옳지 않은 것은?

① 원점을 꼭짓점으로 한다.
② 위로 볼록한 포물선이다.
③ 점 $(1, -4)$를 지난다.
④ 이차함수 $y=4x^2$의 그래프와 x축에 대칭이다.
⑤ 이차함수 $y=\frac{1}{4}x^2$의 그래프보다 폭이 넓다.

풀이

2-1 ③ $x=1$을 $y=-4x^2$에 대입하면 $y=-4\times1^2=-4$
즉 점 $(1, -4)$를 지난다.
⑤ $\left|\frac{1}{4}\right|<|-4|$이므로 $y=-4x^2$의 그래프는 $y=\frac{1}{4}x^2$의 그래프보다 폭이 좁다.
따라서 옳지 않은 것은 ⑤이다.

답 ⑤

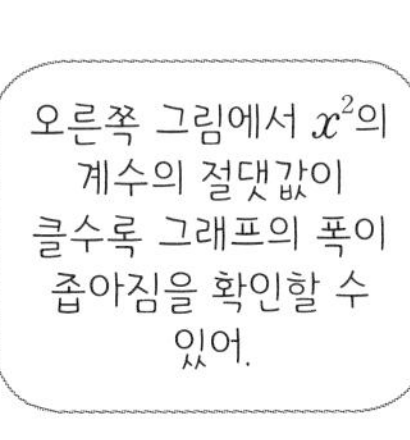

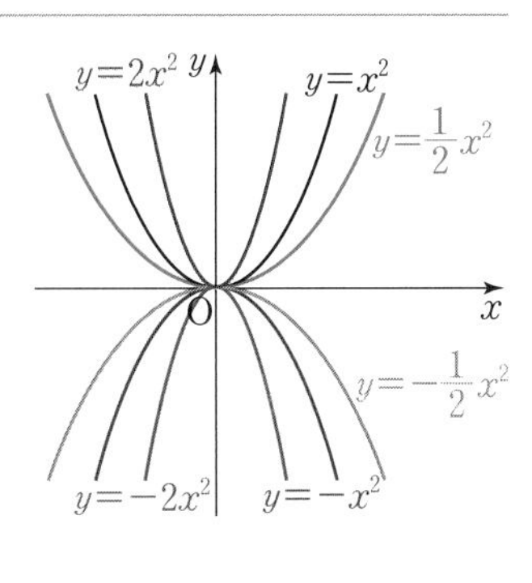

확인 문제 2-1

다음 중 이차함수 $y=-\frac{1}{5}x^2$의 그래프에 대한 설명으로 옳은 것을 보기에서 모두 고른 것은?

보기
ㄱ. y축에 대칭이다.
ㄴ. 제1사분면과 제2사분면을 지난다.
ㄷ. 원점을 지나며 아래로 볼록한 포물선이다.
ㄹ. $x<0$일 때, x의 값이 증가하면 y의 값도 증가한다.

① ㄱ, ㄴ ② ㄱ, ㄹ ③ ㄴ, ㄷ
④ ㄴ, ㄹ ⑤ ㄷ, ㄹ

확인 문제 2-2

세 이차함수 $y=ax^2$, $y=-\frac{1}{2}x^2$, $y=-2x^2$의 그래프가 오른쪽 그림과 같을 때, 다음 중 상수 a의 값이 될 수 있는 것은?

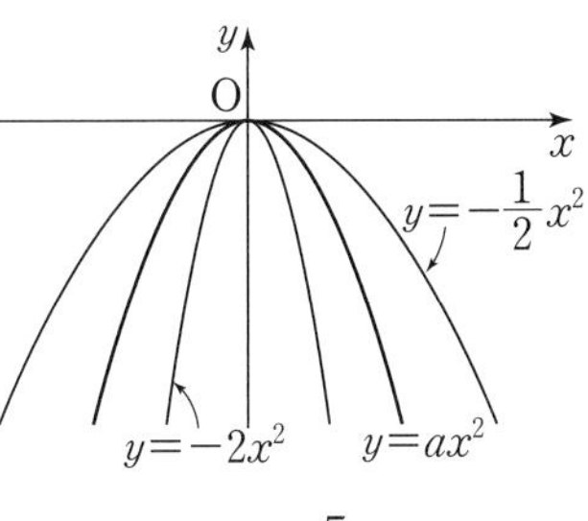

① $-\frac{1}{4}$ ② -1 ③ $-\frac{5}{2}$
④ -3 ⑤ -5

전략 3 이차함수 $y=ax^2+q$, $y=a(x-p)^2$의 그래프

(1) 이차함수 $y=ax^2+q$의 그래프

이차함수 $y=ax^2$의 그래프를 y축의 방향으로 ❶ [ ] 만큼 평행이동한 것이다.

➡ 꼭짓점의 좌표 : $(0, q)$, 축의 방정식 : $x=0$

(2) 이차함수 $y=a(x-p)^2$의 그래프

이차함수 $y=ax^2$의 그래프를 ❷ [ ] 축의 방향으로 p만큼 평행이동한 것이다.

➡ 꼭짓점의 좌표 : $(p, 0)$, 축의 방정식 : $x=p$

❶ q ❷ x

필수 예제

3-1 이차함수 $y=-\frac{1}{3}x^2$의 그래프를 y축의 방향으로 a만큼 평행이동한 그래프가 점 $(3, 2)$를 지날 때, a의 값은?

① -5 ② -3 ③ 1 ④ 3 ⑤ 5

3-2 이차함수 $y=3x^2$의 그래프를 x축의 방향으로 2만큼 평행이동한 그래프가 점 $(1, a)$를 지날 때, a의 값은?

① -6 ② -3 ③ 0 ④ 3 ⑤ 6

풀이

3-1 이차함수 $y=-\frac{1}{3}x^2$의 그래프를 y축의 방향으로 a만큼 평행이동한 그래프의 식은 $y=-\frac{1}{3}x^2+a$

이 그래프가 점 $(3, 2)$를 지나므로 $2=-\frac{1}{3}\times 3^2+a$

$a-3=2$ $\therefore a=5$

답 ⑤

3-2 이차함수 $y=3x^2$의 그래프를 x축의 방향으로 2만큼 평행이동한 그래프의 식은 $y=3(x-2)^2$

이 그래프가 점 $(1, a)$를 지나므로

$a=3\times(1-2)^2=3$

답 ④

확인 문제 3-1

이차함수 $y=ax^2$의 그래프를 y축의 방향으로 -5만큼 평행이동한 그래프를 나타내는 이차함수의 식이 $y=\frac{2}{5}x^2+b$일 때, ab의 값은? (단, a, b는 상수)

① -2 ② -1 ③ $\frac{2}{5}$

④ 1 ⑤ 2

확인 문제 3-2

이차함수 $y=\frac{2}{3}x^2$의 그래프를 x축의 방향으로 -2만큼 평행이동하면 점 $(-5, k)$를 지난다. 이때 k의 값을 구하시오.

그래프가 점 $(-5, k)$를 지나므로 평행이동한 식에 $x=-5$, $y=k$를 대입하면 등식이 성립해.

전략 4 이차함수 $y=a(x-p)^2+q$의 그래프

이차함수 $y=a(x-p)^2+q$의 그래프는 이차함수 $y=ax^2$의 그래프를 x축의 방향으로 ❶ ___ 만큼, y축의 방향으로 q만큼 평행이동한 것이다.

➡ 꼭짓점의 좌표 : (p, ❷ ___), 축의 방정식 : $x=p$

❶ p ❷ q

필수 예제

4-1 이차함수 $y=(x+2)^2-4$의 그래프는 이차함수 $y=x^2$의 그래프를 x축의 방향으로 p만큼, y축의 방향으로 q만큼 평행이동한 것이다. 이때 $p+q$의 값은?

① -6 ② -4 ③ -2 ④ 2 ⑤ 4

4-2 이차함수 $y=\frac{1}{4}x^2$의 그래프를 x축의 방향으로 -2만큼, y축의 방향으로 3만큼 평행이동한 그래프가 점 $(-8, a)$를 지날 때, a의 값은?

① 6 ② 12 ③ 18 ④ 22 ⑤ 28

풀이 |

4-1 이차함수 $y=(x+2)^2-4$의 그래프는 이차함수 $y=x^2$의 그래프를 x축의 방향으로 -2만큼, y축의 방향으로 -4만큼 평행이동한 것이므로

$p=-2,\ q=-4$

$\therefore p+q=-2+(-4)=-6$

답 ①

4-2 이차함수 $y=\frac{1}{4}x^2$의 그래프를 x축의 방향으로 -2만큼, y축의 방향으로 3만큼 평행이동한 그래프의 식은

$y=\frac{1}{4}(x+2)^2+3$

이 그래프가 점 $(-8, a)$를 지나므로

$a=\frac{1}{4}\times(-8+2)^2+3=12$

답 ②

확인 문제 4-1

다음 중 이차함수 $y=-\frac{1}{2}(x+2)^2+2$의 그래프는?

①
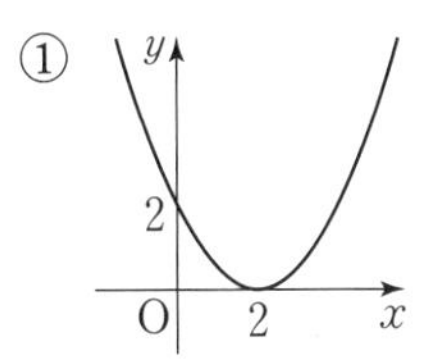

②
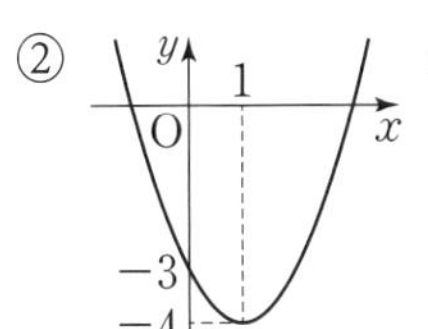

③
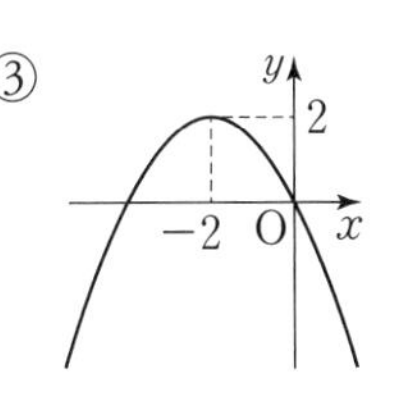

④
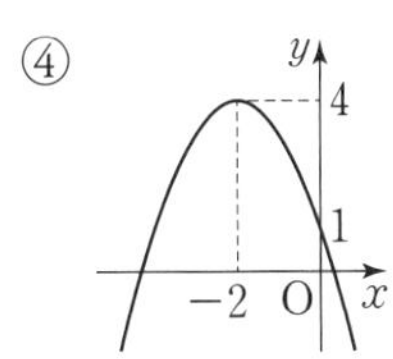

⑤
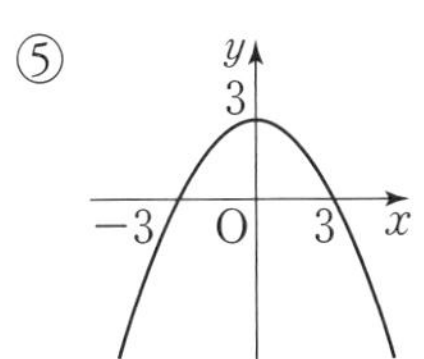

확인 문제 4-2

이차함수 $y=4x^2$의 그래프를 x축의 방향으로 2만큼, y축의 방향으로 5만큼 평행이동한 그래프가 점 $(3, a)$를 지날 때, a의 값은?

① 1 ② 3 ③ 5

④ 7 ⑤ 9

2주 2일 필수 체크 전략 ❷

1 다음 중 y가 x에 대한 이차함수인 것을 모두 고르면? (정답 2개)

① 한 변의 길이가 x cm인 정사각형의 둘레의 길이는 y cm이다.

② 시속 x km로 2시간 동안 달린 거리는 y km이다.

③ 반지름의 길이가 x cm인 원의 넓이는 y cm^{2}이다.

④ 밑변의 길이가 8 cm이고, 높이가 x cm인 삼각형의 넓이는 y cm^{2}이다.

⑤ 한 모서리의 길이가 x cm인 정육면체의 겉넓이는 y cm^{2}이다.

문제 해결 전략

y를 x의 ❶ 으로 나타내었을 때, $y=ax^2+bx+c$(a, b, c는 상수, $a\neq0$)이면 y는 x에 대한 ❷ 함수이다.

❶ 식 ❷ 이차

2 다음 중 이차함수의 그래프에 대한 설명으로 옳은 것은?

① $y=x^2$의 그래프는 x축에 대칭이다.

② $y=2x^2$의 그래프는 위로 볼록한 포물선이다.

③ $y=3x^2$의 그래프와 $y=-2x^2$의 그래프는 x축에 대칭이다.

④ $y=-3x^2$의 그래프는 제3사분면과 제4사분면을 지난다.

⑤ $y=-4x^2$의 그래프는 $x<0$일 때, x의 값이 증가하면 y의 값은 감소한다.

문제 해결 전략

이차함수 $y=ax^2$의 그래프의 성질

- 원점을 꼭짓점으로 하고, ❶ 축에 대칭이다.
- $a>0$이면 아래로 볼록하고, $a<0$이면 위로 볼록하다.
- $y=-ax^2$의 그래프와 ❷ 축에 대칭이다.

❶ y ❷ x

3 민주는 아래 보기의 이차함수의 그래프를 다음과 같이 그렸다.

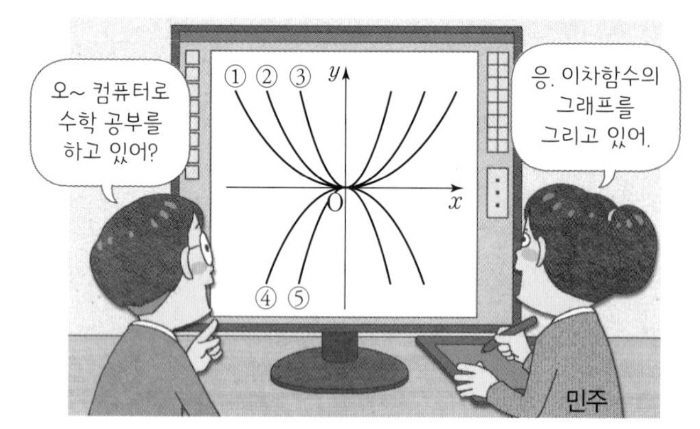

①~⑤의 그래프와 그 그래프를 나타내는 식을 옳게 짝 지으시오.

보기

ㄱ $y=x^2$　ㄴ $y=2x^2$　ㄷ $y=-2x^2$

ㄹ $y=\frac{1}{2}x^2$　ㅁ $y=-\frac{3}{4}x^2$

문제 해결 전략

- 이차함수 $y=ax^2$의 그래프가 아래로 볼록하면 $a>0$, 위로 볼록하면 a ❶ 0
- $y=ax^2$에서 a의 절댓값이 클수록 그래프의 폭은 ❷ 아진다.

❶ < ❷ 좁

4 이차함수 $y=5x^2$의 그래프와 x축에 대칭인 그래프가 점 $(-2, k)$를 지날 때, k의 값은?

① -20 ② -10 ③ -5
④ 10 ⑤ 20

문제 해결 전략

두 이차함수 $y=ax^2$, $y=-ax^2$의 그래프는 ❶ ☐ 축에 대칭이다.

❶ x

5 다음 중 이차함수 $y=-3x^2$의 그래프를 y축의 방향으로 1만큼 평행이동한 그래프에 대하여 바르게 설명한 학생을 찾으시오.

문제 해결 전략

이차함수 $y=-3x^2$의 그래프를 y축의 방향으로 1만큼 평행이동한 그래프의 식은 $y=$ ❶ ☐ x^2+ ❷ ☐ 이다.

❶ -3 ❷ 1

6 다음 중 이차함수 $y=-2(x+1)^2+3$의 그래프에 대한 설명으로 옳지 <u>않은</u> 것은?

① 위로 볼록한 포물선이다.
② 축의 방정식은 $x=-1$이다.
③ 꼭짓점의 좌표는 $(-1, 3)$이다.
④ $x<-1$일 때, x의 값이 증가하면 y의 값도 증가한다.
⑤ 이차함수 $y=-2x^2$의 그래프를 x축의 방향으로 1만큼, y축의 방향으로 3만큼 평행이동한 것이다.

문제 해결 전략

이차함수 $y=a(x-p)^2+q$의 그래프에서 x의 값이 증가할 때, y의 값의 증가, 감소는 축 $x=$ ❶ ☐ 를 기준으로 나누어진다.

(1) $a>0$인 경우 (2) a ❷ ☐ 0인 경우

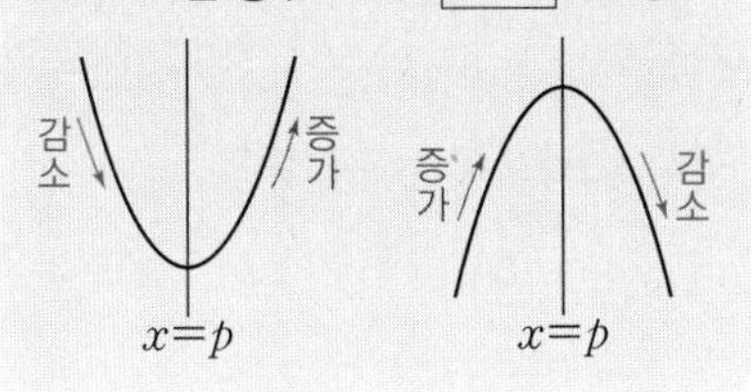

❶ p ❷ $<$

2주 3일 필수 체크 전략 ❶

전략 1 이차함수 $y=ax^2+bx+c$의 그래프

이차함수 $y=ax^2+bx+c$의 그래프의 꼭짓점의 좌표와 축의 방정식은 함수의 식을 $y=a(x-p)^2+q$의 꼴로 바꾸어 구한다.

➡ $y=ax^2+bx+c=a\left(x^2+\frac{b}{a}x\right)+c=a\left\{x^2+\frac{b}{a}x+\left(\frac{b}{2a}\right)^2-\left(\frac{b}{2a}\right)^2\right\}+c=a\left(x+\frac{b}{2a}\right)^2-\frac{b^2-4ac}{4a}$

➡ 꼭짓점의 좌표 : $\left(-\frac{b}{2a}, -\frac{❶\boxed{\quad}}{4a}\right)$, 축의 방정식 : $x=$❷$\boxed{\quad}$

식의 꼴을 바꾸면 그래프의 꼭짓점의 좌표와 축의 방정식을 구할 수 있어.

❶ b^2-4ac ❷ $-\frac{b}{2a}$

필수 예제

1-1 이차함수 $y=x^2+6x+4$의 그래프의 꼭짓점의 좌표가 (a, b), 축의 방정식이 $x=c$일 때, $a+b-c$의 값은?

① -8 ② -5 ③ -2 ④ 1 ⑤ 3

1-2 이차함수 $y=x^2+kx+6$의 그래프가 점 $(1, 9)$를 지날 때, 이 그래프의 꼭짓점의 좌표를 구하시오.

풀이

1-1 $y=x^2+6x+4=(x^2+6x+9-9)+4=(x+3)^2-5$
이므로 꼭짓점의 좌표는 $(-3, -5)$이고, 축의 방정식은 $x=-3$이다.
따라서 $a=-3$, $b=-5$, $c=-3$이므로
$a+b-c=-3+(-5)-(-3)=-5$

답 ②

1-2 이차함수 $y=x^2+kx+6$의 그래프가 점 $(1, 9)$를 지나므로 $9=1+k+6$ $\quad\therefore k=2$
따라서 이차함수 $y=x^2+2x+6=(x+1)^2+5$의 그래프의 꼭짓점의 좌표는 $(-1, 5)$이다.

답 $(-1, 5)$

확인 문제 1-1

이차함수 $y=\frac{1}{2}x^2-4x+2$의 그래프의 꼭짓점의 좌표와 축의 방정식을 차례대로 구하면?

① $(-4, -6)$, $x=-4$ ② $(4, -6)$, $x=4$
③ $(-8, -30)$, $x=-8$ ④ $(8, -30)$, $x=8$
⑤ $(16, -64)$, $x=16$

확인 문제 1-2

이차함수 $y=x^2+2px+1$의 그래프의 축의 방정식이 $x=1$일 때, 상수 p의 값은?

① -2 ② -1 ③ 0
④ 1 ⑤ 2

전략 2 이차함수 $y=ax^2+bx+c$의 그래프 그리기

이차함수 $y=ax^2+bx+c$의 그래프는 다음과 같은 순서로 그린다.

1 그래프의 모양을 결정한다. ➡ $a>0$이면 ❶ ______ 로 볼록, $a<0$이면 위로 볼록

2 이차함수 $y=ax^2+bx+c$의 그래프의 식을 $y=a(x-p)^2+q$의 꼴로 고쳐서 꼭짓점의 좌표를 구한다.

➡ 꼭짓점의 좌표 : (p, q)

3 $y=ax^2+bx+c$에 $x=$ ❷ ______ 을 대입하여 y축과의 교점의 좌표를 구한다. ➡ y축과의 교점의 좌표 : $(0, c)$

❶ 아래 ❷ 0

필수 예제

2-1 다음 중 이차함수 $y=-2x^2+4x+3$의 그래프는?

① 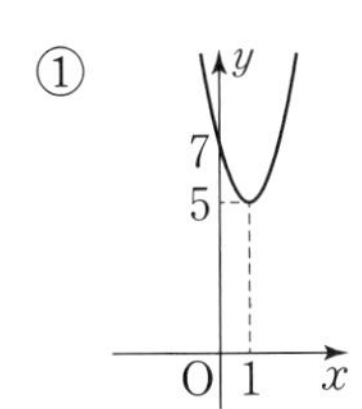

② 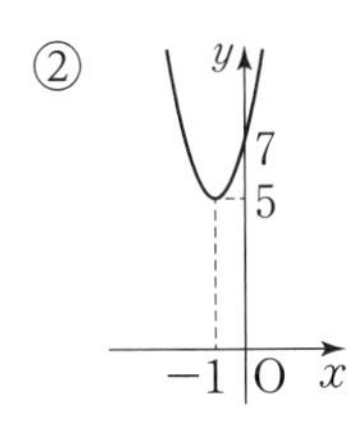

③ 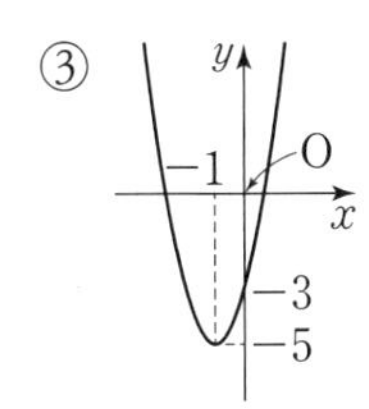

④ 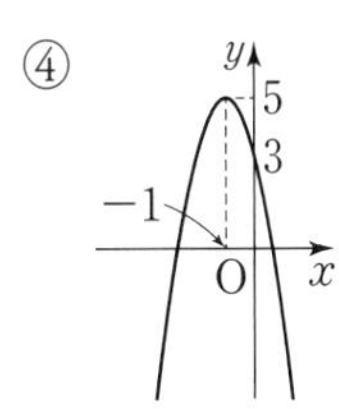

⑤ 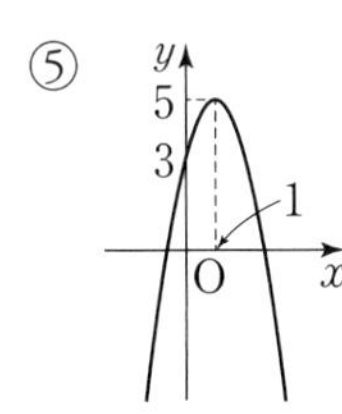

풀이 |

2-1 1 x^2의 계수가 -2로 음수이므로 위로 볼록한 포물선이다.

2 $y=-2x^2+4x+3$
$=-2(x^2-2x+1-1)+3$
$=-2(x-1)^2+5$
이므로 꼭짓점의 좌표는 $(1, 5)$이다.

3 $y=-2x^2+4x+3$에 $x=0$을 대입하면
$y=-2\times0^2+4\times0+3=3$
즉 y축과의 교점의 좌표는 $(0, 3)$이다.

따라서 주어진 이차함수의 그래프는 ⑤이다.

답 ⑤

참고 |

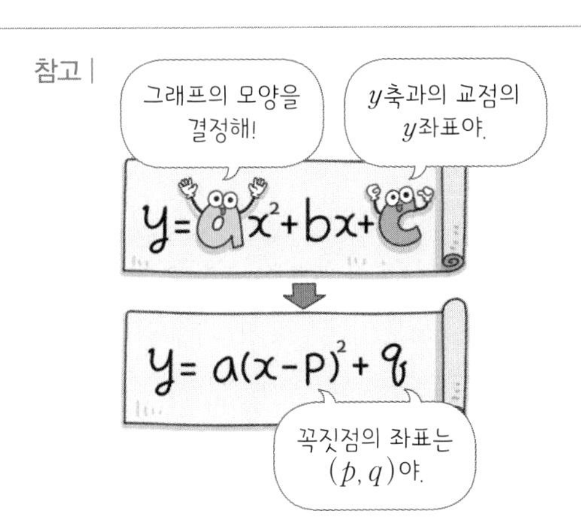

확인 문제 2-1

다음 중 이차함수 $y=x^2+2x$의 그래프는?

① 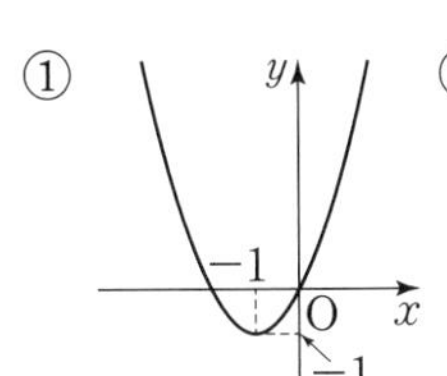

② 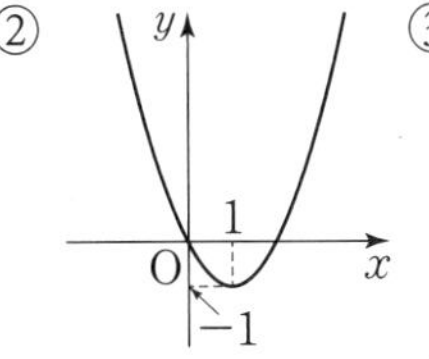

③ 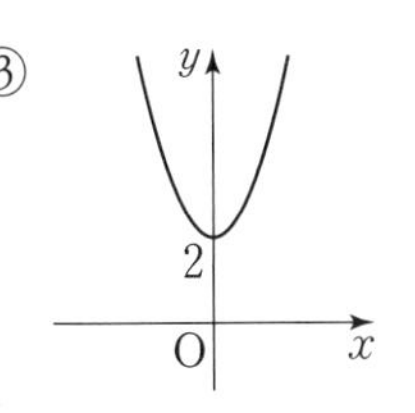

④ 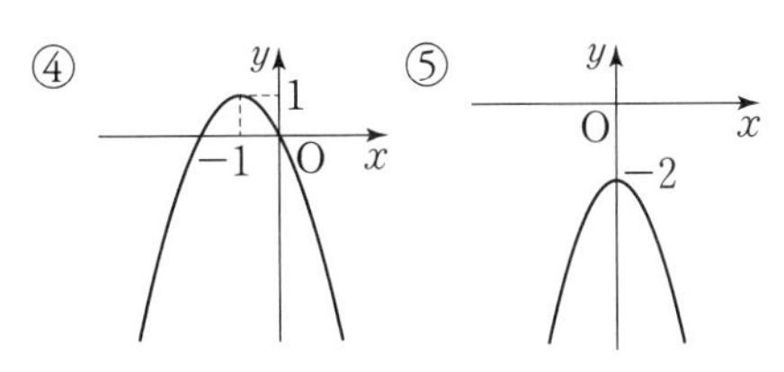

⑤

확인 문제 2-2

이차함수 $y=-x^2+6x-2$의 그래프가 지나지 않는 사분면은?

① 제1사분면
② 제2사분면
③ 제3사분면
④ 제4사분면
⑤ 제1, 4사분면

전략 3 이차함수 $y=ax^2+bx+c$의 그래프의 성질

(1) 그래프의 볼록한 방향을 조사할 때 ➡ ❶ [ ]의 부호를 확인한다.
(2) 꼭짓점의 좌표와 축의 방정식을 구할 때 ➡ $y=a(x-p)^2+q$의 꼴로 고쳐서 구한다.
➡ 꼭짓점의 좌표 : (p, q), 축의 방정식 : $x=p$
(3) x축과의 교점의 좌표를 구할 때 ➡ $y=0$을 대입하여 이차방정식 $ax^2+bx+c=0$의 해를 구한다.
(4) y축과의 교점의 좌표를 구할 때 ➡ $x=0$일 때, y의 값을 구한다. ➡ y축과의 교점의 좌표 : (0, ❷ [ ])
(5) 그래프가 지나는 사분면과 증가, 감소하는 범위를 구할 때 ➡ 그래프를 그려서 확인한다.

❶ a ❷ c

필수 예제

3-1 이차함수 $y=-3x^2-12x-7$의 그래프에서 x의 값이 증가할 때, y의 값도 증가하는 x의 값의 범위는?

① $x>-4$ ② $x<-2$ ③ $x>-2$ ④ $x<2$ ⑤ $x>2$

3-2 다음 중 이차함수 $y=x^2-2x-3$의 그래프에 대한 설명으로 옳지 않은 것은?

① 꼭짓점의 좌표는 $(1, -4)$이다.
② 축의 방정식은 $x=1$이다.
③ x축과의 교점의 x좌표는 -1, 3이다.
④ 제3사분면을 지나지 않는다.
⑤ 이차함수 $y=x^2$의 그래프를 x축의 방향으로 1만큼, y축의 방향으로 -4만큼 평행이동한 것이다.

풀이

3-1 $y=-3x^2-12x-7$
$=-3(x+2)^2+5$
이므로 그래프를 그리면 오른쪽 그림과 같다.
따라서 x의 값이 증가할 때, y의 값도 증가하는 x의 값의 범위는 $x<-2$이다.

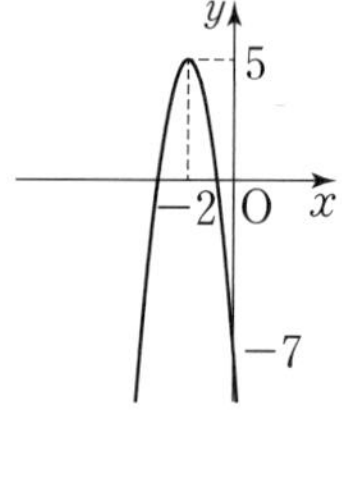

답 ②

3-2 $y=x^2-2x-3=(x-1)^2-4$
③ $y=x^2-2x-3$에 $y=0$을 대입하면 $x^2-2x-3=0$
$(x+1)(x-3)=0$
$\therefore x=-1$ 또는 $x=3$
즉 x축과의 교점의 x좌표는 -1, 3이다.
④ 그래프를 그리면 오른쪽 그림과 같으므로 모든 사분면을 지난다.
따라서 옳지 않은 것은 ④이다.

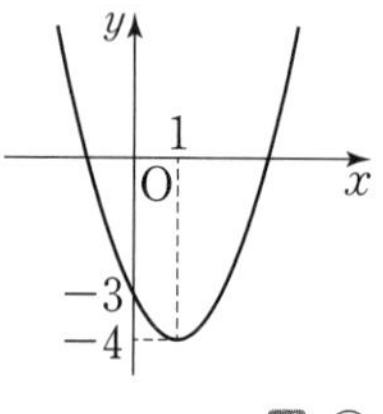

답 ④

확인 문제 3-1

이차함수 $y=-x^2-2x+5$의 그래프에서 x의 값이 증가할 때, y의 값은 감소하는 x의 값의 범위를 구하시오.

이차함수의 그래프에서 축을 기준으로 증가, 감소가 바뀐다는 사실을 기억해!

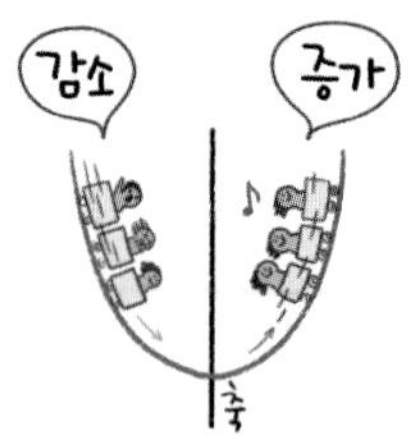

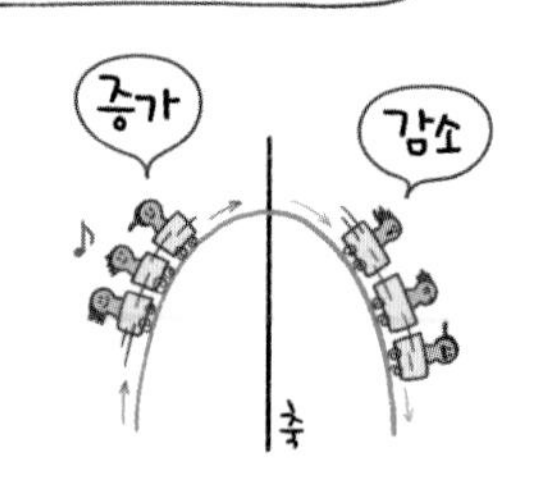

확인 문제 3-2

다음 중 이차함수 $y=2x^2-4x+1$의 그래프에 대한 설명으로 옳지 않은 것을 모두 고르면? (정답 2개)

① 아래로 볼록한 포물선이다.
② 꼭짓점의 좌표는 $(1, 3)$이다.
③ 축의 방정식은 $x=1$이다.
④ y축과의 교점의 좌표는 $(0, 1)$이다.
⑤ 모든 사분면을 지난다.

전략 4 이차함수의 식 구하기

(1) 꼭짓점 (p, q)와 그래프 위의 다른 한 점을 알 때

1 이차함수의 식을 $y=a(x-p)^2+q$로 놓는다.

2 1의 식에 주어진 한 점의 좌표를 대입하여 상수 ❶ ☐의 값을 구한다.

(2) 축의 방정식 $x=p$와 그래프 위의 두 점을 알 때

1 이차함수의 식을 $y=a(x-p)^2+q$로 놓는다.

2 1의 식에 주어진 두 점의 좌표를 각각 대입하여 상수 a, ❷ ☐의 값을 구한다.

❶ a ❷ q

필수 예제

4-1 꼭짓점의 좌표가 $(4,\ -1)$이고 점 $(3,\ -2)$를 지나는 포물선을 그래프로 하는 이차함수의 식을 $y=ax^2+bx+c$의 꼴로 나타내시오.

4-2 축의 방정식이 $x=-1$이고 두 점 $(-2, 3)$, $(1,\ -3)$을 지나는 포물선을 그래프로 하는 이차함수의 식을 $y=ax^2+bx+c$의 꼴로 나타내시오.

풀이 |

4-1 꼭짓점의 좌표가 $(4,\ -1)$이므로 이차함수의 식을 $y=a(x-4)^2-1$로 놓자.
이 그래프가 점 $(3,\ -2)$를 지나므로
$-2=a-1$ $\quad\therefore a=-1$
따라서 구하는 이차함수의 식은
$y=-(x-4)^2-1=-x^2+8x-17$

답 $y=-x^2+8x-17$

4-2 축의 방정식이 $x=-1$이므로 이차함수의 식을 $y=a(x+1)^2+q$로 놓자.
이 그래프가 점 $(-2, 3)$을 지나므로 $3=a+q$ …… ㉠
또 점 $(1, -3)$을 지나므로 $-3=4a+q$ …… ㉡
㉠, ㉡을 연립하여 풀면 $a=-2$, $q=5$
따라서 구하는 이차함수의 식은
$y=-2(x+1)^2+5=-2x^2-4x+3$

답 $y=-2x^2-4x+3$

확인 문제 4-1

꼭짓점의 좌표가 $(2, 4)$이고 점 $(4,\ -4)$를 지나는 포물선을 그래프로 하는 이차함수의 식은?

① $y=-2(x-2)^2+4$
② $y=-2(x+2)^2-4$
③ $y=-2(x+2)^2+4$
④ $y=2(x-2)^2+4$
⑤ $y=2(x+2)^2-4$

확인 문제 4-2

축의 방정식이 $x=1$인 이차함수 $y=a(x-p)^2+q$의 그래프가 오른쪽 그림과 같을 때, $a+p-q$의 값을 구하시오. (단, a, p, q는 상수)

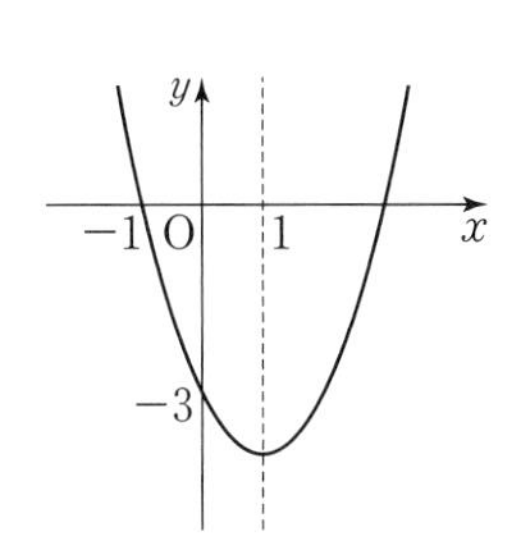

2주 3일 필수 체크 전략 ❷

1 이차함수 $y=x^2+2mx+1$의 그래프의 꼭짓점의 좌표가 $(6, n)$일 때, $m+n$의 값은?

① -41 ② -35 ③ -20
④ -11 ⑤ -6

문제 해결 전략

1 이차함수 $y=x^2+2mx+1$을 $y=a(x-p)^2+q$의 꼴로 고친 후 꼭짓점의 좌표를 구한다.
2 1에서 구한 꼭짓점의 좌표가 (❶ ___, n)과 ❷ ___을 이용하여 m, n의 값을 각각 구한다.

❶ 6 ❷ 같음

2 다음은 어느 수학 퀴즈 프로그램의 일부이다. 주어진 문제의 답을 구하시오.

문제 해결 전략

꼭짓점 (p, q)가 제4사분면 위에 있으려면 p ❶ ___ 0, q ❷ ___ 0이어야 한다.

❶ $>$ ❷ $<$

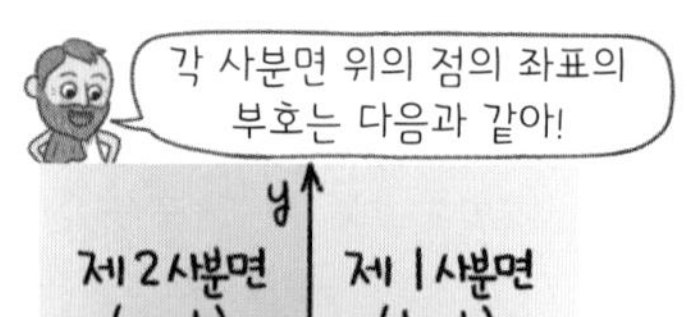

제2사분면 (−, +)	제1사분면 (+, +)
제3사분면 (−, −)	제4사분면 (+, −)

3 다음 이차함수의 그래프 중 모든 사분면을 지나는 것은?

① $y=-x^2+4x$ ② $y=-3x^2-12x-12$
③ $y=-x^2+6x-1$ ④ $y=3x^2+4x+1$
⑤ $y=2x^2-4x-1$

문제 해결 전략

1 $y=ax^2+bx+c$의 그래프의 식을 $y=a(x-p)^2+q$의 꼴로 고친다.
2 꼭짓점 (p, ❶ ___)와 y축과의 교점 (0, ❷ ___)를 좌표평면 위에 찍은 후 a의 부호에 따라 포물선을 그려서 각 그래프가 지나는 사분면을 확인한다.

❶ q ❷ c

>> 정답과 풀이 39쪽

4 다음 보기에서 이차함수 $y=-2x^2+4x-4$의 그래프에 대한 설명으로 옳지 않은 것을 모두 고르시오.

보기
- ㉠ 위로 볼록한 포물선이다.
- ㉡ 이차함수 $y=-2x^2$의 그래프를 평행이동한 것이다.
- ㉢ 꼭짓점의 좌표는 $(1, -2)$이다.
- ㉣ y축과 점 $(0, -4)$에서 만난다.
- ㉤ 제1, 3, 4사분면을 지난다.
- ㉥ $x>1$일 때, x의 값이 증가하면 y의 값도 증가한다.

문제 해결 전략

이차함수 $y=-2x^2+4x-4$를 $y=a(x-p)^2+q$의 꼴로 고친 후 ❶ [　　] 를 그려 본다.
이때 증가, 감소하는 범위는 그래프의 ❷ [　　] 을 기준으로 생각한다.

❶ 그래프 ❷ 축

5 오른쪽 그림과 같은 포물선을 그래프로 하는 이차함수의 식이 $y=ax^2+bx+c$일 때, $a+b+c$의 값은? (단, a, b, c는 상수)

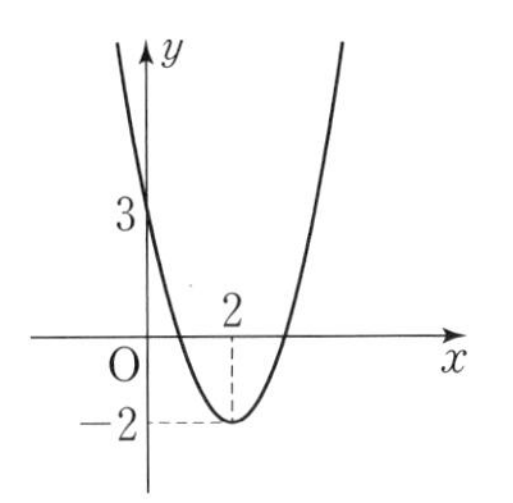

① $-\frac{9}{4}$　② $-\frac{3}{4}$　③ 1

④ 2　⑤ $\frac{9}{4}$

문제 해결 전략

주어진 그래프는 꼭짓점의 좌표가 (❶ [　　], -2)이고 점 (❷ [　　], 3)을 지난다.

❶ 2 ❷ 0

6 다음 세 학생이 말하는 조건을 모두 만족하는 포물선을 그래프로 하는 이차함수의 식을 $y=ax^2+bx+c$의 꼴로 나타내시오.

문제 해결 전략

꼭짓점이 x축 위에 있다.
➡ 꼭짓점의 좌표를 (p, ❶ [　　])으로 놓을 수 있다.
➡ 구하는 이차함수의 식을 $y=a(x-p)^2$으로 놓을 수 있다.
이때 축의 방정식은 $x=$ ❷ [　　] 이다.

❶ 0 ❷ p

2주 4일 교과서 대표 전략 1

대표 예제 1

$y=ax^2+x(1-2x)$가 x에 대한 이차함수가 되기 위한 a의 값의 조건은?

① $a\neq2$ ② $a\neq1$ ③ $a>1$
④ $a=2$ ⑤ $a\neq-2$

개념 가이드

이차함수가 되기 위한 조건
➡ $y=ax^2+bx+c$가 x에 대한 이차함수이려면 ❶ ☐ 이어야 한다.

❶ $a\neq0$

대표 예제 2

다음 중 이차함수 $y=-2x^2$의 그래프에 대한 설명으로 옳지 않은 것은?

① 꼭짓점의 좌표는 $(0, 0)$이다.
② $y=2x^2$의 그래프와 x축에 대칭이다.
③ y축을 대칭축으로 하는 위로 볼록한 포물선이다.
④ $x>0$일 때, x의 값이 증가하면 y의 값은 감소한다.
⑤ $y=\frac{1}{2}x^2$의 그래프보다 폭이 넓다.

개념 가이드

이차함수 $y=ax^2$의 그래프의 성질
(1) 꼭짓점의 좌표 : $(0, 0)$, 축의 방정식 : $x=0$ (y축)
(2) $a>0$이면 아래로 볼록하고, $a<0$이면 ❶ ☐ 로 볼록하다.
(3) 이차함수 $y=-ax^2$의 그래프와 x축에 ❷ ☐ 이다.

❶ 위 ❷ 대칭

대표 예제 3

이차함수 $y=ax^2$의 그래프가 두 점 $(3, -9)$, $(-2, b)$를 지날 때, $a-b$의 값은? (단, a는 상수)

① -5 ② -2 ③ 3
④ 4 ⑤ 5

개념 가이드

이차함수 $y=ax^2$의 그래프가 점 (p, q)를 지난다.
➡ $y=ax^2$에 $x=$ ❶ ☐, $y=$ ❷ ☐ 를 대입하면 등식이 성립한다.

❶ p ❷ q

대표 예제 4

다음 중 이차함수 $y=2x^2$의 그래프를 평행이동하여 완전히 포갤 수 있는 그래프를 나타내는 식을 들고 있는 학생을 모두 찾으시오.

개념 가이드

그래프를 평행이동하면 그래프의 모양과 폭은 변하지 않고 ❶ ☐ 만 바뀐다. 즉 x^2의 계수가 같은 이차함수의 그래프는 ❷ ☐ 이동하여 완전히 포갤 수 있다.

❶ 위치 ❷ 평행

대표 예제 5

이차함수 $y=-x^2+4$의 그래프에 대한 설명으로 옳은 것을 보기에서 모두 고른 것은?

보기
㉠ 원점을 꼭짓점으로 한다.
㉡ 위로 볼록하다.
㉢ y축에 대칭이다.
㉣ $x<0$일 때, x의 값이 증가하면 y의 값은 감소한다.

① ㉠, ㉡ ② ㉠, ㉣ ③ ㉡, ㉢
④ ㉠, ㉢, ㉣ ⑤ ㉡, ㉢, ㉣

개념 가이드

이차함수 $y=ax^2+q$의 그래프는 이차함수 $y=ax^2$의 그래프를 y축의 방향으로 ❶ [ ]만큼 평행이동한 것이다.
➡ 꼭짓점의 좌표 : $(0, q)$, 축의 방정식 : $x=$ ❷ [ ]

❶ q ❷ 0

대표 예제 6

다음 중 이차함수 $y=3(x+2)^2$의 그래프에 대하여 바르게 설명한 학생을 모두 찾으시오.

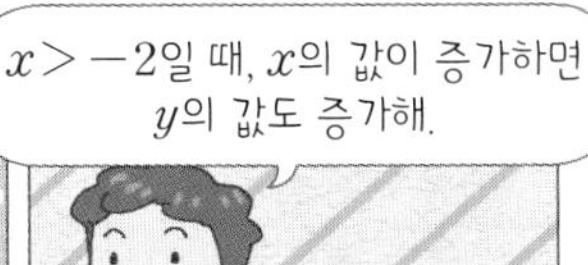

개념 가이드

이차함수 $y=a(x-p)^2$의 그래프는 이차함수 $y=ax^2$의 그래프를 x축의 방향으로 ❶ [ ]만큼 평행이동한 것이다.
➡ 꼭짓점의 좌표 : $(p, 0)$, 축의 방정식 : $x=$ ❷ [ ]

❶ p ❷ p

대표 예제 7

다음 중 이차함수 $y=-\frac{1}{2}(x+3)^2+5$의 그래프에 대한 설명으로 옳은 것은?

① 아래로 볼록한 포물선이다.
② 꼭짓점의 좌표는 $(3, 5)$이다.
③ 축의 방정식은 $x=3$이다.
④ $y=-2x^2$의 그래프와 폭이 같다.
⑤ $y=-\frac{1}{2}x^2$의 그래프를 x축의 방향으로 -3만큼, y축의 방향으로 5만큼 평행이동한 것이다.

개념 가이드

이차함수 $y=a(x-p)^2+q$의 그래프는 이차함수 $y=ax^2$의 그래프를 x축의 방향으로 ❶ [ ]만큼, y축의 방향으로 q만큼 평행이동한 것이다.
➡ 꼭짓점의 좌표 : ❷ [ ], 축의 방정식 : $x=p$

❶ p ❷ (p, q)

대표 예제 8

이차함수 $y=a(x-p)^2+q$의 그래프가 오른쪽 그림과 같을 때, a, p, q의 부호는?

(단, a, p, q는 상수)

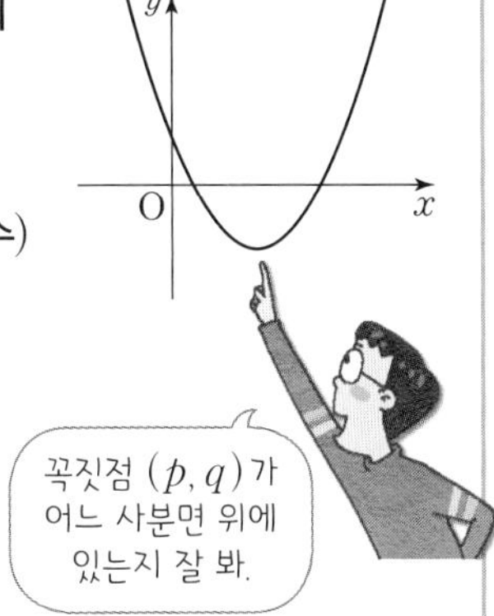

① $a<0$, $p>0$, $q>0$
② $a<0$, $p<0$, $q<0$
③ $a>0$, $p<0$, $q>0$
④ $a>0$, $p>0$, $q<0$
⑤ $a>0$, $p>0$, $q>0$

개념 가이드

이차함수 $y=a(x-p)^2+q$의 그래프에서 a, p, q의 부호
(1) a의 부호 : 그래프의 볼록한 방향으로 결정한다.
① 아래로 볼록 : $a>0$ ② 위로 볼록 : a ❶ [ ] 0
(2) p, q의 부호 : 꼭짓점의 위치로 결정한다.
① 제1사분면 : $p>0$, $q>0$ ② 제2사분면 : $p<0$, $q>0$
③ 제3사분면 : $p<0$, $q<0$ ④ 제4사분면 : $p>0$, $q<0$
⑤ x축 위 : q ❷ [ ] 0 ⑥ y축 위 : $p=0$

❶ $<$ ❷ $=$

대표 예제 9

다음 이차함수 중 그래프의 꼭짓점이 제2사분면 위에 있는 것은?

① $y=-x^2+4x-2$

② $y=x^2+8x+12$

③ $y=-2x^2+4x-1$

④ $y=2x^2-16x+30$

⑤ $y=-3x^2-12x-5$

개념 가이드

이차함수 $y=ax^2+bx+c$를 $y=a(x-p)^2+q$의 꼴로 변형한다. 이때 꼭짓점 (p, q)가 제2사분면 위에 있으려면 p ❶ ____ 0, q ❷ ____ 0이어야 한다.

❶ $<$ ❷ $>$

대표 예제 10

다음 중 이차함수 $y=-2x^2+12x-13$의 그래프에 대한 설명으로 옳은 것을 모두 고르면? (정답 2개)

① 제2사분면을 지난다.

② 축의 방정식은 $x=3$이다.

③ 꼭짓점의 좌표는 $(-3, 5)$이다.

④ y축과의 교점의 좌표는 $(0, -13)$이다.

⑤ 이차함수 $y=-x^2$의 그래프를 평행이동하여 완전히 포갤 수 있다.

개념 가이드

이차함수 $y=ax^2+bx+c$의 그래프에서

(1) 꼭짓점의 좌표, 축의 방정식을 구할 때
➡ $y=a(x-p)^2+q$의 꼴로 변형한다.

(2) y축과의 교점의 좌표를 구할 때
➡ $x=$ ❶ ____ 을 대입한다.

(3) 그래프가 지나는 사분면을 구할 때
➡ ❷ ____ 를 그린다.

❶ 0 ❷ 그래프

대표 예제 11

이차함수 $y=-4x^2+8x+5$의 그래프를 x축의 방향으로 -2만큼, y축의 방향으로 -3만큼 평행이동한 그래프의 식은?

① $y=-4x^2-4x+5$

② $y=-4x^2-4x-5$

③ $y=-4x^2-8x+2$

④ $y=-4x^2-8x-2$

⑤ $y=-4x^2+8x+6$

개념 가이드

이차함수 $y=ax^2+bx+c$의 그래프를 x축의 방향으로 m만큼, y축의 방향으로 n만큼 평행이동한 그래프의 식은

$y=ax^2+bx+c$ ➡ $y=a(x-p)^2+q$의 꼴로 변형

➡ $y=a(x-$ ❶ ____ $-p)^2+q+$ ❷ ____

x 대신 $x-m$ 대입 / n만큼 더함

❶ m ❷ n

대표 예제 12

이차함수 $y=x^2-2x-6$의 그래프가 x축과 만나는 두 점의 x좌표를 각각 p, q라 하고, y축과 만나는 점의 y좌표를 r라 할 때, $p+q+r$의 값을 구하시오. (단, $p<q$)

개념 가이드

❶ 대입 ❷ 0

대표 예제 13

이차함수 $y=ax^2+bx+c$의 그래프가 오른쪽 그림과 같을 때, a, b, c의 부호는? (단, a, b, c는 상수)

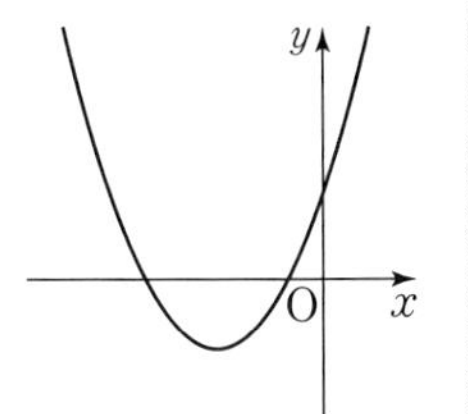

① $a>0, b>0, c>0$
② $a>0, b>0, c<0$
③ $a>0, b<0, c>0$
④ $a<0, b>0, c>0$
⑤ $a<0, b<0, c>0$

개념 가이드

이차함수 $y=ax^2+bx+c$의 그래프와 a, b, c의 부호

(1) 그래프가 아래로 볼록하면 $a>0$
그래프가 위로 볼록하면 $a<0$
(2) 축이 y축의 왼쪽에 있으면 $ab>0$
축이 y축의 오른쪽에 있으면 ab ❶ ☐ 0
(3) y축과의 교점이 원점보다 위쪽에 있으면 $c>0$
y축과의 교점이 원점보다 ❷ ☐ 쪽에 있으면 $c<0$

❶ < ❷ 아래

대표 예제 14

이차함수 $y=ax^2+bx+c$의 그래프가 오른쪽 그림과 같을 때, $a+b+c$의 값을 구하시오. (단, a, b, c는 상수)

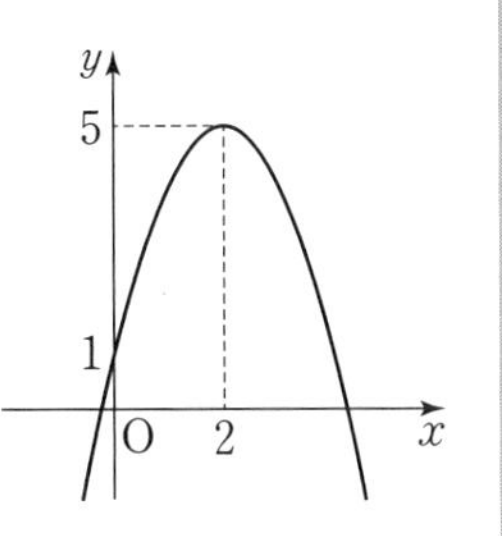

개념 가이드

꼭짓점 (p, q)와 그래프 위의 다른 한 점을 알 때

1 이차함수의 식을 $y=a(x-$ ❶ ☐ $)^2+$ ❷ ☐ 로 놓는다.
2 1의 식에 주어진 한 점의 좌표를 대입하여 상수 a의 값을 구한다.

❶ p ❷ q

대표 예제 15

오른쪽 그림은 직선 $x=-2$를 축으로 하는 이차함수 $y=ax^2+bx+c$의 그래프이다. $a+b+c$의 값은? (단, a, b, c는 상수)

① 4 ② 2 ③ 0
④ -2 ⑤ -4

축의 방정식이 $x=-2$이므로 이차함수의 식을 $y=a(x+2)^2+q$로 놓고 생각하면 되겠어.

개념 가이드

축의 방정식 $x=p$와 그래프 위의 두 점의 좌표를 알 때

1 이차함수의 식을 $y=a(x-$ ❶ ☐ $)^2+q$로 놓는다.
2 1의 식에 주어진 두 점의 좌표를 각각 ❷ ☐ 하여 상수 a, q의 값을 구한다.

❶ p ❷ 대입

대표 예제 16

이차함수 $y=ax^2+bx+c$의 그래프가 세 점 $(0, 3)$, $(1, 2)$, $(2, -3)$을 지날 때, abc의 값을 구하시오. (단, a, b, c는 상수)

그래프가 점 $(0, 3)$을 지남을 이용하여 상수 c의 값을 먼저 구할 수 있겠어.

개념 가이드

y축과 점 $(0, k)$에서 만나고, 그래프 위의 두 점을 알 때

1 이차함수의 식을 $y=ax^2+bx+$ ❶ ☐ 로 놓는다.
2 1의 식에 주어진 두 점의 좌표를 각각 대입하여 상수 a, ❷ ☐ 의 값을 구한다.

❶ k ❷ b

2주 4일 교과서 대표 전략 ②

1 다음 중 보기에 있는 이차함수의 그래프에 대한 설명으로 옳은 것은?

> 보기
> ㉠ $y=6x^2$ ㉡ $y=3x^2$ ㉢ $y=\frac{1}{3}x^2$
> ㉣ $y=-5x^2$ ㉤ $y=-\frac{1}{3}x^2$ ㉥ $y=-\frac{1}{5}x^2$

① 그래프의 폭이 가장 좁은 것은 ㉥이다.
② 그래프는 모두 x축을 축으로 하는 포물선이다.
③ 그래프의 모양이 아래로 볼록한 것은 ㉣, ㉤, ㉥이다.
④ x축에 대칭인 그래프끼리 짝 지은 것은 ㉢과 ㉤이다.
⑤ $x>0$일 때, x의 값이 증가하면 y의 값은 감소하는 것은 ㉠, ㉡, ㉢이다.

> Tip
> 이차함수 $y=ax^2$의 그래프에서 $a>0$이면 ❶ [ ] 로 볼록하고, $a<0$이면 ❷ [ ] 로 볼록하다.
>
> ❶ 아래 ❷ 위

2 이차함수 $y=a(x-p)^2$의 그래프는 꼭짓점의 좌표가 $(-1, 0)$이고 점 $(0, 2)$를 지난다. 이때 상수 a, p에 대하여 $a-p$의 값은?

① -3 ② -1 ③ 0
④ 1 ⑤ 3

> Tip
> 이차함수 $y=a(x-p)^2$의 그래프에서 꼭짓점의 좌표는 (❶ [ ], 0)임을 이용하여 p의 값을 구하고, 그래프가 점 $(0, 2)$를 지남을 이용하여 ❷ [ ] 의 값을 구한다.
>
> ❶ p ❷ a

3 $a<0$, $p<0$, $q>0$일 때, 이차함수 $y=a(x-p)^2+q$의 그래프로 적당한 것은?

①
②
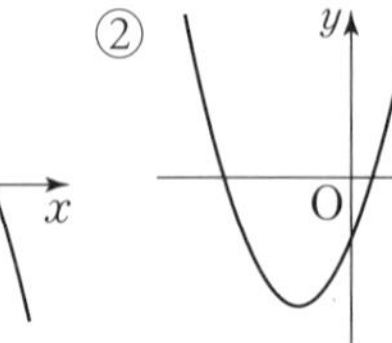
③
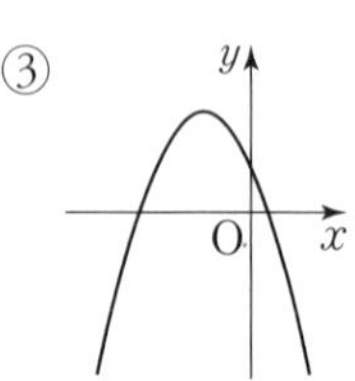
④
⑤
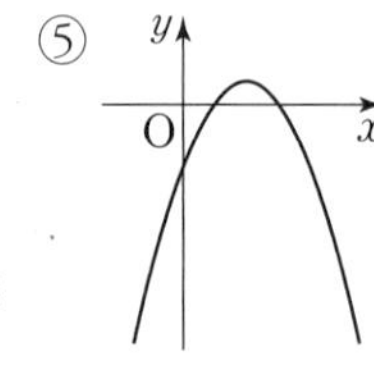

> Tip
> a의 부호는 그래프의 ❶ [ ] 을 결정하고, p, q의 부호는 꼭짓점 (p, q)의 ❷ [ ] 를 결정한다.
>
> ❶ 모양 ❷ 위치

4 다음 중 이차함수 $y=3x^2-12x+1$의 그래프의 성질에 대하여 옳지 않은 내용을 발표한 학생을 찾으시오.

> Tip
> $y=3x^2-12x+1$을 $y=a(x-p)^2+q$의 꼴로 바꾼다.
> 이때 꼭짓점의 좌표는 (p, ❶ [ ])이고, 축의 방정식은 $x=$ ❷ [ ] 이다.
>
> ❶ q ❷ p

5 이차함수 $y=ax^2+bx+c$의 그래프가 오른쪽 그림과 같을 때, a, b, c의 부호는? (단, a, b, c는 상수)

① $a<0$, $b>0$, $c>0$
② $a<0$, $b<0$, $c>0$
③ $a>0$, $b>0$, $c>0$
④ $a>0$, $b<0$, $c>0$
⑤ $a>0$, $b<0$, $c<0$

Tip
a의 부호는 그래프의 모양에 따라, b의 부호는 [❶] 의 위치에 따라, c의 부호는 [❷] 축과의 교점의 위치에 따라 결정된다.

❶ 축 ❷ y

6 오른쪽 그림과 같이 이차함수 $y=x^2-3x-4$의 그래프와 x축과의 교점을 각각 A, B라 하고, y축과의 교점을 C라 할 때, $\triangle$ACB의 넓이를 구하시오.

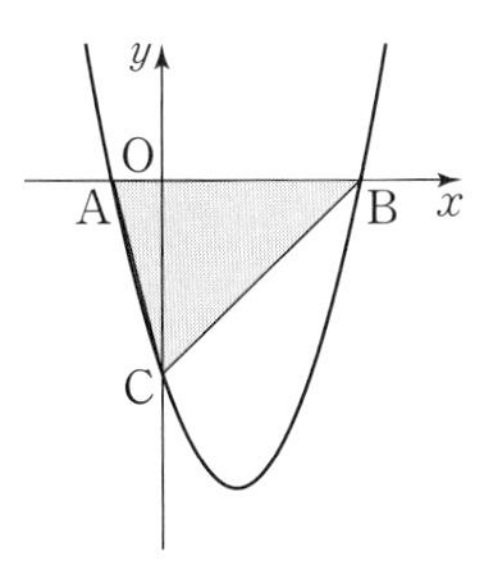

Tip
$x^2-3x-4=$ [❶] 을 이용하여 두 점 A, B의 좌표를 구한다.
이때 $\triangle \mathrm{ACB}=\frac{1}{2}\times\overline{\mathrm{AB}}\times|$(점 C의 [❷] 좌표)$|$

❶ 0 ❷ y

7 다음 세 학생이 말하는 조건을 모두 만족하는 이차함수의 그래프의 꼭짓점의 좌표를 구하시오.

Tip
구하는 이차함수의 식을 $y=a(x-p)^2+q$로 놓고, 평행이동한 그래프끼리는 x^2의 계수가 [❶] 음을 이용하여 [❷] 의 값을 먼저 구한다.

❶ 같 ❷ a

8 세 점 $(-2, 4)$, $(-1, 1)$, $(0, 2)$를 지나는 이차함수의 그래프의 꼭짓점의 좌표는?

① $\left(\frac{3}{4}, \frac{7}{8}\right)$
② $\left(\frac{3}{2}, -\frac{5}{2}\right)$
③ $\left(-\frac{3}{2}, -\frac{5}{2}\right)$
④ $\left(-\frac{3}{4}, \frac{7}{8}\right)$
⑤ $\left(\frac{5}{4}, \frac{23}{8}\right)$

Tip
이차함수의 그래프가 y축과 점 (0, [❶])에서 만나므로 이차함수의 식을 $y=ax^2+bx+$ [❷] 로 놓는다.

❶ 2 ❷ 2

2주 누구나 합격 전략

01 다음 보기에서 y가 x에 대한 이차함수인 것을 모두 고른 것은?

보기
ㄱ $y=\frac{2}{x^2}+2$　　ㄴ $y=3-x^2$
ㄷ $y=x^2-(x+x^2)$　　ㄹ $y=-x(1+2x)$

① ㄴ　② ㄱ, ㄴ　③ ㄴ, ㄹ
④ ㄷ, ㄹ　⑤ ㄴ, ㄷ, ㄹ

02 이차함수 $f(x)=x^2-4x+3$에 대하여 다음 중 옳은 것은?

① $f(-2)=5$　② $f(-1)=0$
③ $f(0)=1$　④ $f(3)=0$
⑤ $f(4)=-9$

03 다음 중 이차함수 $y=3x^2$의 그래프에 대한 설명으로 옳지 않은 것은?

① y축에 대칭이다.
② 아래로 볼록한 포물선이다.
③ x의 값이 증가하면 y의 값도 증가한다.
④ 원점을 꼭짓점으로 하는 포물선이다.
⑤ 이차함수 $y=-3x^2$의 그래프와 x축에 대칭이다.

04 다음 이차함수의 그래프 중 아래로 볼록하면서 폭이 가장 좁은 것은?

① $y=-3x^2$　② $y=-\frac{1}{3}x^2$
③ $y=\frac{1}{4}x^2$　④ $y=x^2$
⑤ $y=3x^2$

05 다음 두 학생의 대화를 읽고, (가), (나)에 알맞은 것을 써넣으시오.

06 다음 중 이차함수 $y=-\frac{1}{2}(x-3)^2$의 그래프로 알맞은 것은?

① 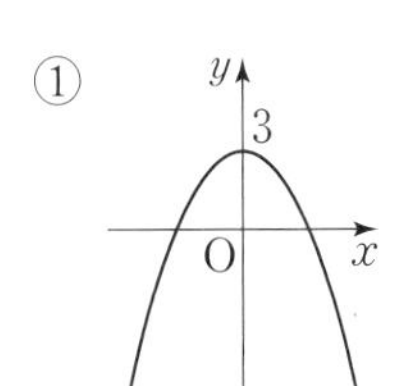

② 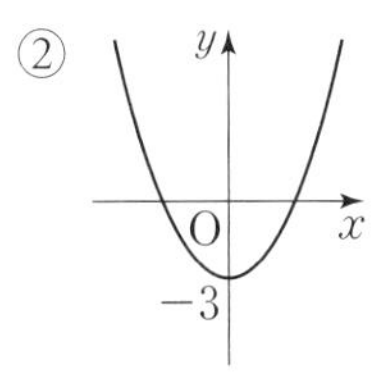

③ 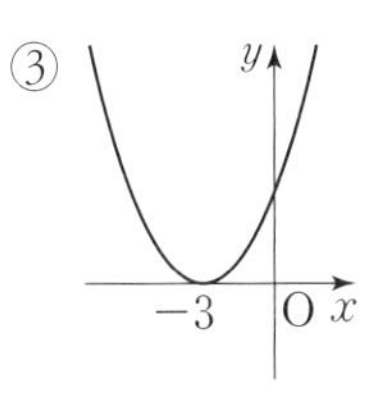

④ 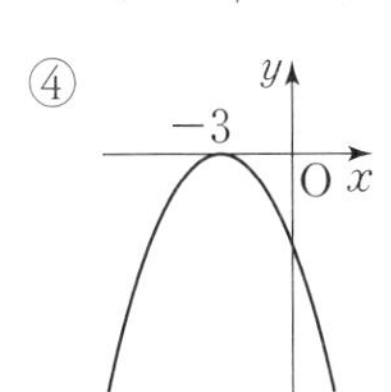

⑤ 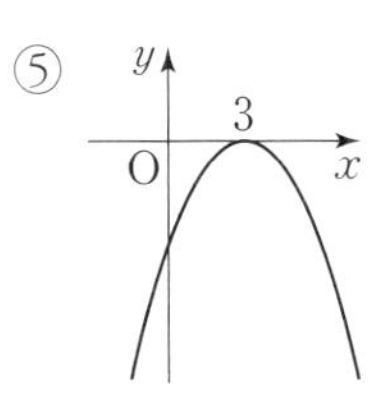

07 종훈이가 학교 게시판에 질문을 올렸더니 다음과 같이 댓글이 달렸다. 댓글 내용이 옳지 않은 학생을 찾으시오.

종훈 : 으아, 역시 3학년이 되니 수학이 어렵군. 이차함수 $y=\frac{2}{5}(x-4)^2+3$의 그래프에 대하여 누가 설명 좀 해 줘.

경태 : 축의 방정식은 $x=4$야.

수진 : 꼭짓점의 좌표는 $(4, 3)$이야.

준영 : $y=-\frac{2}{5}x^2$의 그래프와 폭이 같아.

주리 : $y=\frac{2}{5}x^2$의 그래프를 x축의 방향으로 -4만큼, y축의 방향으로 3만큼 평행이동한 것이야.

효재 : $x<4$일 때, x의 값이 증가하면 y의 값은 감소해.

08 다음은 이차함수 $y=-2x^2+8x-5$의 그래프를 그리기 위한 과정이다. □에 들어갈 내용이 옳지 않은 것은?

> $y=-2x^2+8x-5$
> $=-2(x^2-4x+4-$ ① $)-5$
> $=-2(x-$ ② $)^2+$ ③
> 이 이차함수의 그래프의 꼭짓점의 좌표는
> (② , ③)이고, x^2의 계수가 음수이므로 그래프는 ④ 로 볼록한 포물선이다.
> 또 점 (0, ⑤)를 지난다.

① 4 ② 2 ③ -7
④ 위 ⑤ -5

09 다음 중 이차함수 $y=-3x^2+6x-1$의 그래프는?

① 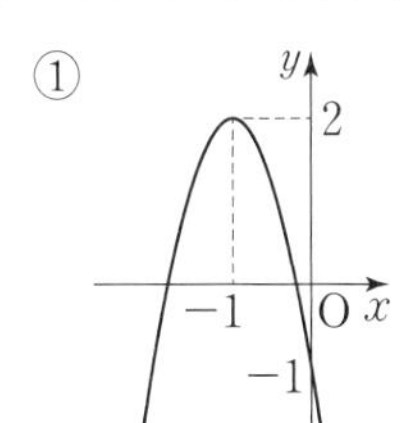

② 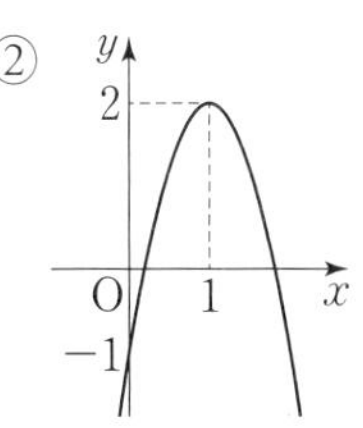

③ 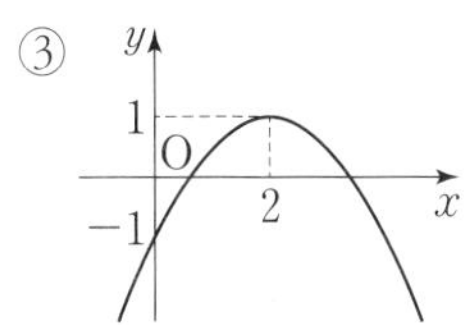

④ 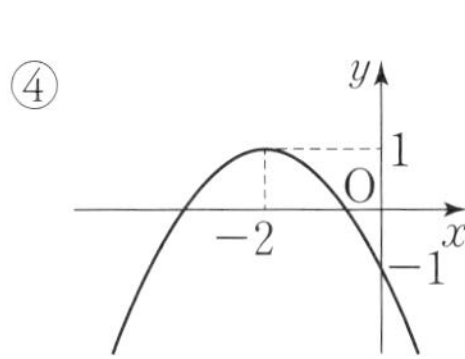

⑤ 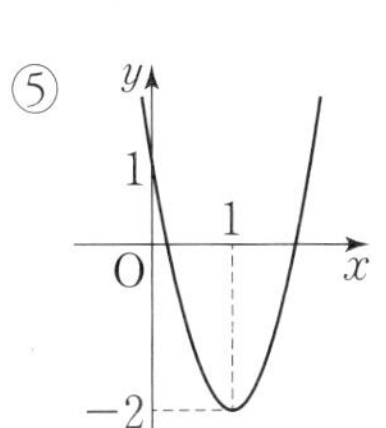

1 윤정이는 미로의 갈림길에서 주어진 함수가 일차함수이면 ➡의 방향으로 이동하고, 이차함수이면 ⬇의 방향으로 이동하여 도착하게 되는 곳을 여행지로 정하려고 한다. 윤정이가 가게 되는 여행지를 말하시오.

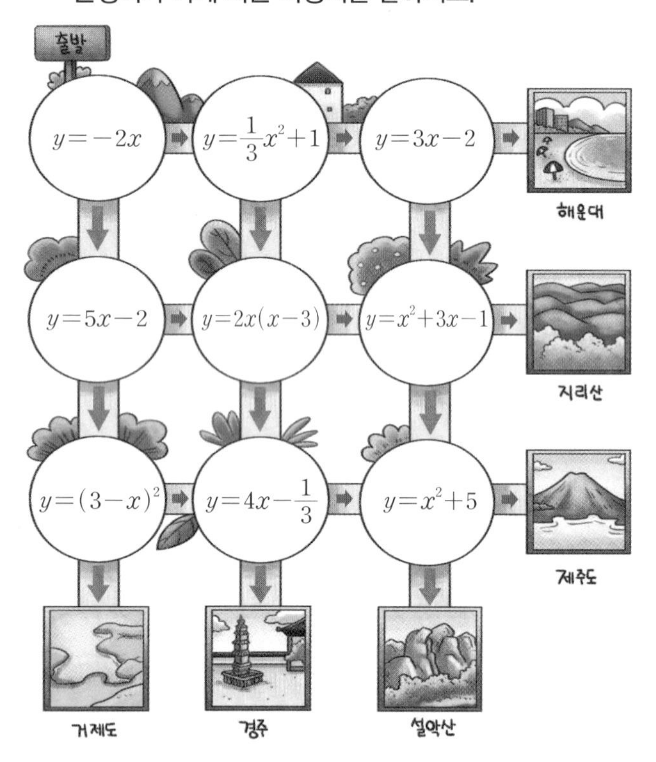

Tip
주어진 함수가 $y=ax+b(a\neq0)$의 꼴이면 y는 x에 대한 ❶ 함수이고, $y=ax^2+bx+c(a$ ❷ $0)$의 꼴이면 y는 x에 대한 이차함수이다.

❶ 일차 ❷ $\neq$

2 다음은 이차함수 $y=ax^2(a\neq0)$의 그래프의 모양을 알아보기 위한 프로그램 코드의 일부분이다. 물음에 답하시오.

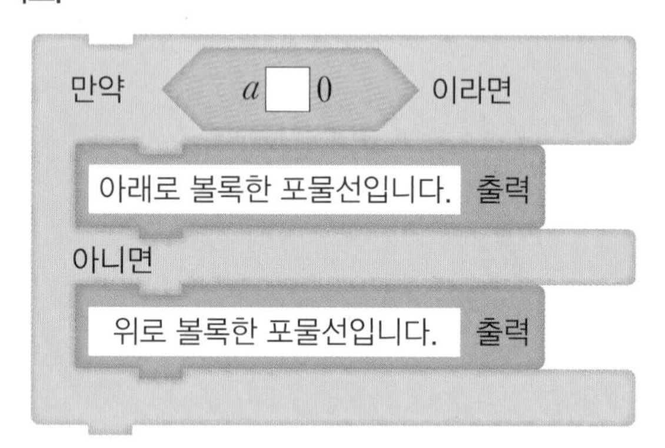

(1) □ 안에 알맞은 부등호를 써넣으시오.

(2) 이 프로그램에 $y=-\frac{4}{3}x^2$을 입력하였을 때, 어떤 답이 출력되는지 말하시오.

Tip
이차함수 $y=ax^2$의 그래프는 a ❶ 0이면 아래로 볼록하고, a ❷ 0이면 위로 볼록하다.

❶ $>$ ❷ $<$

>> 정답과 풀이 44쪽

3 다음 대화를 읽고 □ 안에 알맞은 것을 써넣으시오.

Tip

모든 실수 x에 대하여 함숫값이 모두 ❶ □가 아니면 x축의 아래쪽에 그래프가 그려지지 않는다. 모든 실수 x에 대하여 ❷ □의 값이 어떻게 되는지 확인한다.

❶ 음수 ❷ y

4 다음은 제동 거리에 대한 설명이다. 물음에 답하시오.

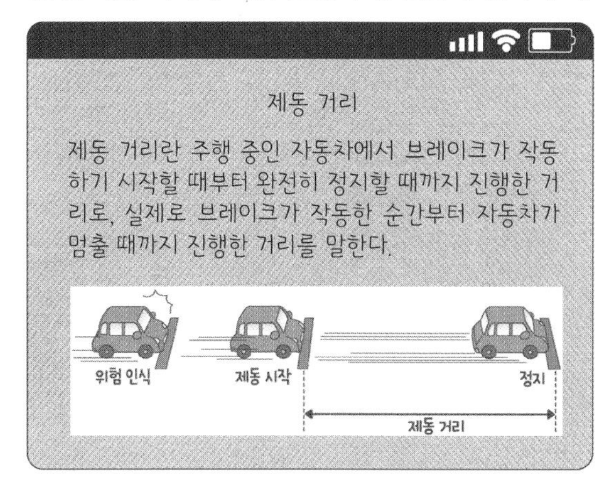

(1) 아래 표는 어느 자동차의 속력과 제동 거리를 나타낸 것이다.

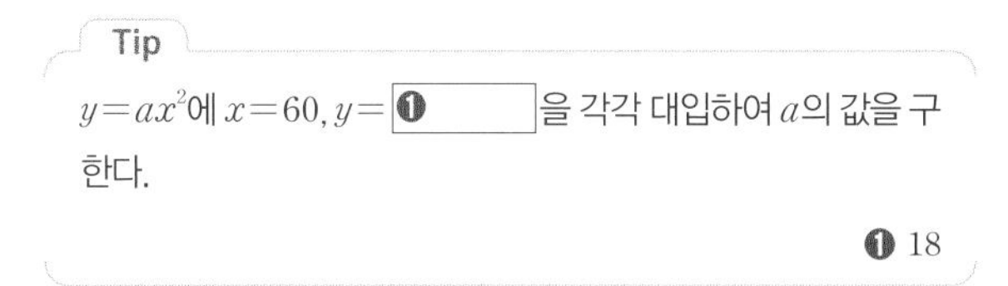

속력	제동 거리
시속 60 km	18 m
시속 80 km	32 m

시속 x km로 달리는 자동차의 제동 거리를 y m라 하면 $y=ax^2$인 관계가 성립한다고 할 때, 상수 a의 값을 구하시오.

(2) 이 자동차가 시속 100 km로 달리다가 브레이크를 밟았을 때의 제동 거리를 구하시오.

Tip

$y=ax^2$에 $x=60$, $y=$ ❶ □을 각각 대입하여 a의 값을 구한다.

❶ 18

5 다음 그림에서 (가)~(마)에 들어가는 것은 화살표의 시작 부분의 이차함수의 그래프가 화살표가 가리키는 부분의 이차함수의 그래프가 되기 위한 평행이동 조건이다. (가)~(마)에 알맞은 것을 보기에서 각각 고르시오.

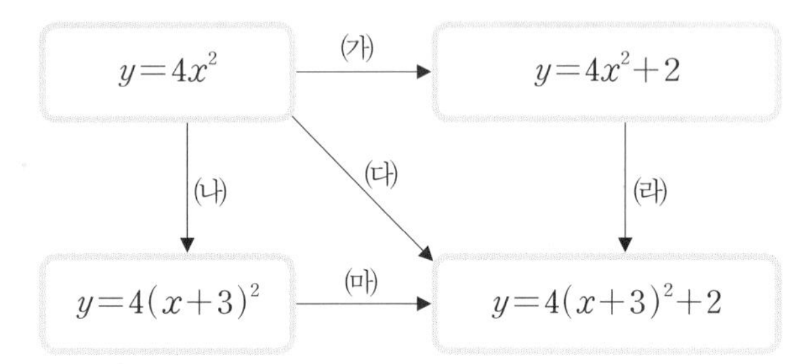

보기
- ㉠ x축의 방향으로 3만큼 평행이동
- ㉡ x축의 방향으로 -3만큼 평행이동
- ㉢ y축의 방향으로 2만큼 평행이동
- ㉣ y축의 방향으로 -2만큼 평행이동
- ㉤ x축의 방향으로 3만큼, y축의 방향으로 2만큼 평행이동
- ㉥ x축의 방향으로 -3만큼, y축의 방향으로 2만큼 평행이동

Tip
이차함수 $y=a(x+p)^2+q$의 그래프는 이차함수 $y=ax^2$의 그래프를 x축의 방향으로 ❶ 만큼, y축의 방향으로 ❷ 만큼 평행이동한 것이다.

❶ $-p$ ❷ q

6 나영이가 다음과 같이 주어진 문장이 맞으면 '예', 틀리면 '아니오'가 적힌 화살표를 따라갔을 때, 만나게 되는 동물을 말하시오.

Tip
이차함수 $y=a(x-p)^2+q$의 그래프에서
꼭짓점의 좌표 ➡ (❶ , q)
축의 방정식 ➡ $x=$❷

❶ p ❷ p

7

다음 그림은 주희가 컴퓨터 프로그램을 이용하여 이차함수의 그래프를 그린 것이다. 물음에 답하시오.

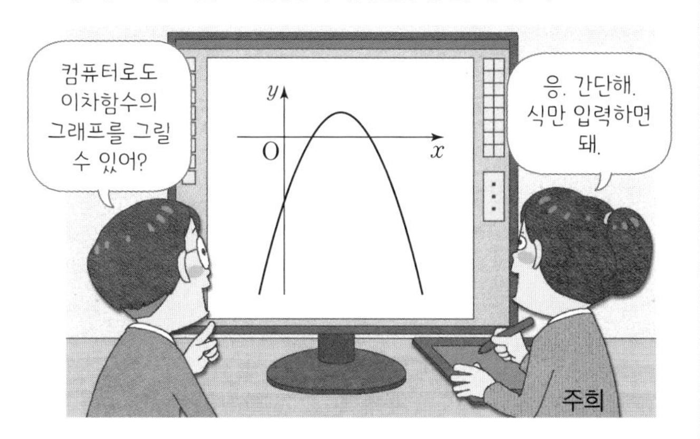

(1) 위에서 주희가 그린 이차함수의 그래프를 나타내는 식이 $y=a(x-p)^2+q$일 때, 상수 a, p, q의 부호를 구하시오.

(2) 위에서 주희가 그린 이차함수의 그래프를 나타내는 식이 $y=ax^2+bx+c$일 때, 상수 a, b, c의 부호를 구하시오.

Tip

(1) 이차함수 $y=a(x-p)^2+q$의 그래프에서
a의 부호 ➡ 그래프의 볼록한 방향으로 결정한다.
p, q의 부호 ➡ 꼭짓점 (p, q)의 위치로 결정한다.

(2) 이차함수 $y=ax^2+bx+c$의 그래프에서
a의 부호 ➡ 그래프의 ❶ ______ 한 방향으로 결정한다.
b의 부호 ➡ 축의 위치로 결정한다.
c의 부호 ➡ y축과의 ❷ ______ 의 위치로 결정한다.

❶ 볼록 ❷ 교점

8

다음을 읽고 물음에 답하시오.

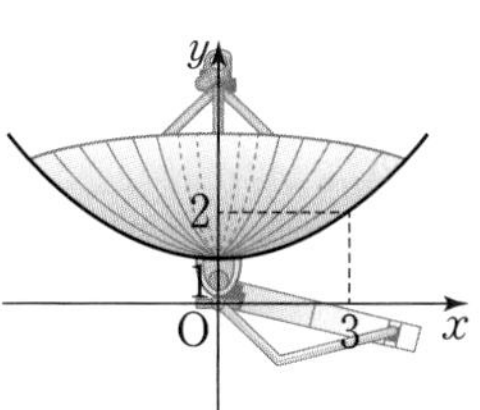

오른쪽 그림과 같이 포물선 모양의 파라볼라 안테나가 있다. 이 포물선을 그래프로 하는 이차함수의 식을 $y=a(x-p)^2+q$라 할 때, $p+aq$의 값을 구하시오. (단, a, p, q는 상수)

Tip

$y=a(x-p)^2+q$에서 꼭짓점의 좌표를 이용하여 p, q의 값을 각각 구하고 $x=$ ❶ ______, $y=$ ❷ ______ 를 대입하여 a의 값을 구한다.

❶ 3 ❷ 2

기말고사 마무리 전략

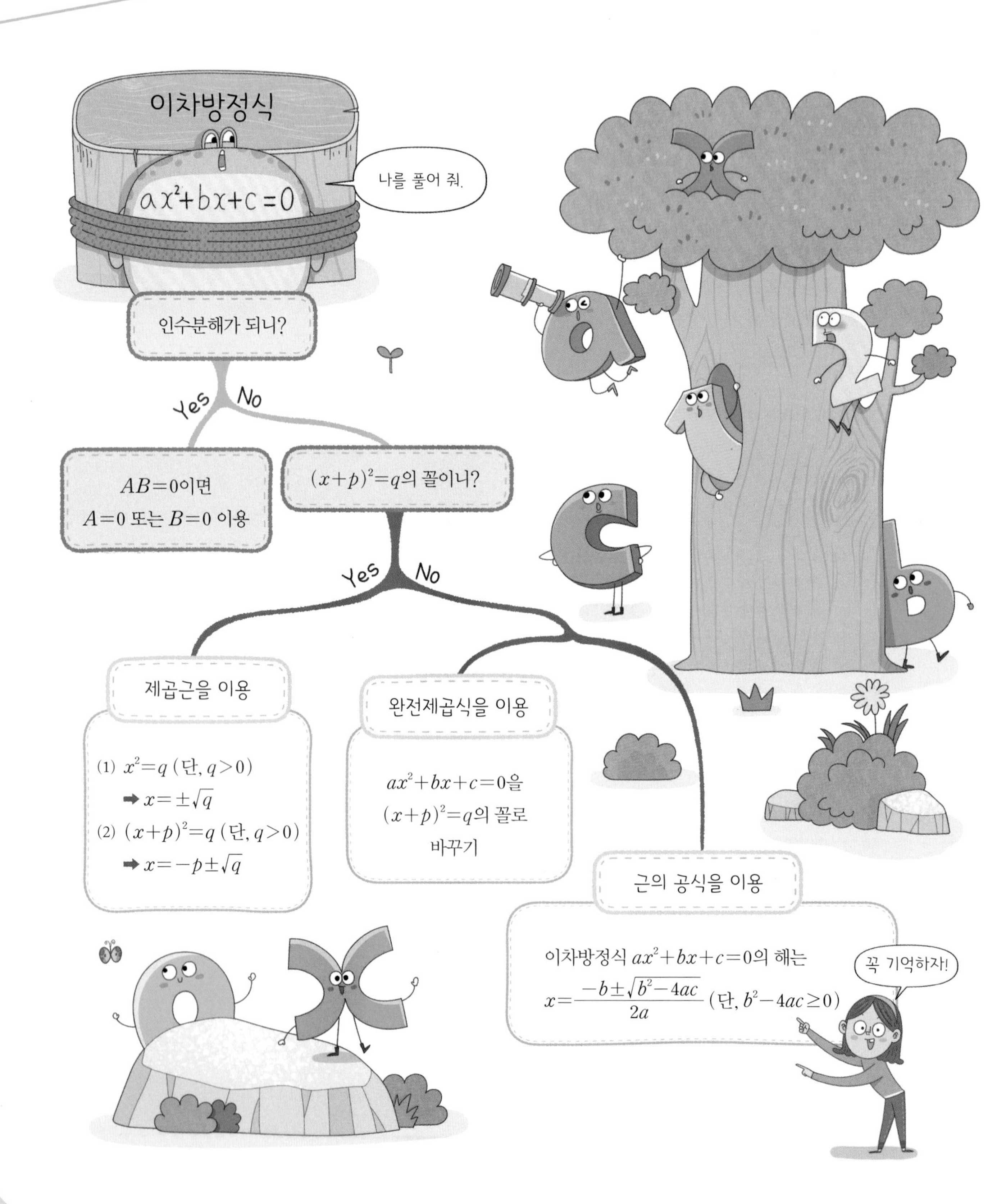

이차방정식
$ax^2+bx+c=0$
나를 풀어 줘.
인수분해가 되니?
Yes
No
$AB=0$이면
$A=0$ 또는 $B=0$ 이용
$(x+p)^2=q$의 꼴이니?
Yes
No
제곱근을 이용
(1) $x^2=q$ (단, $q>0$)
➡ $x=\pm\sqrt{q}$
(2) $(x+p)^2=q$ (단, $q>0$)
➡ $x=-p\pm\sqrt{q}$
완전제곱식을 이용
$ax^2+bx+c=0$을
$(x+p)^2=q$의 꼴로
바꾸기
근의 공식을 이용
이차방정식 $ax^2+bx+c=0$의 해는
$x=\frac{-b\pm\sqrt{b^2-4ac}}{2a}$ (단, $b^2-4ac\geq0$)
꼭 기억하자!

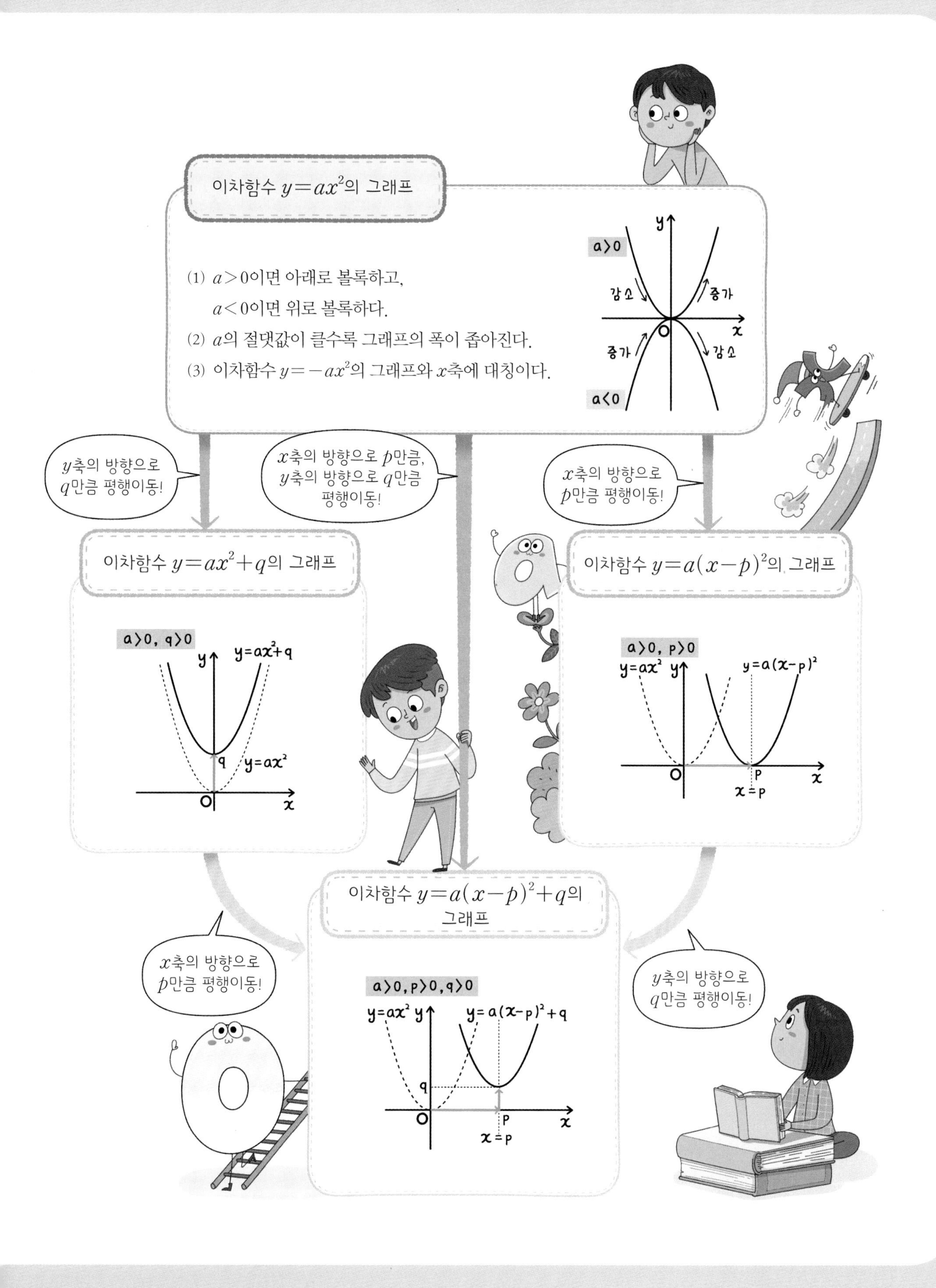
이차함수 $y=ax^2$의 그래프
(1) $a>0$이면 아래로 볼록하고,
$a<0$이면 위로 볼록하다.
(2) a의 절댓값이 클수록 그래프의 폭이 좁아진다.
(3) 이차함수 $y=-ax^2$의 그래프와 x축에 대칭이다.
a>0
a<0
감소
증가
y축의 방향으로 q만큼 평행이동!
x축의 방향으로 p만큼, y축의 방향으로 q만큼 평행이동!
x축의 방향으로 p만큼 평행이동!
이차함수 $y=ax^2+q$의 그래프
a>0, q>0
y=ax²+q
y=ax²
이차함수 $y=a(x-p)^2$의 그래프
a>0, p>0
y=ax²
y=a(x-p)²
x=p
이차함수 $y=a(x-p)^2+q$의 그래프
a>0, p>0, q>0
y=ax²
y=a(x-p)²+q
x=p
x축의 방향으로 p만큼 평행이동!
y축의 방향으로 q만큼 평행이동!

신유형·신경향·서술형 전략

1 다음은 인수분해를 이용하여 이차방정식을 푼 것인데, 식의 일부가 얼룩져서 보이지 않는다. 얼룩진 부분에 알맞은 수를 찾아 풀이를 완성하시오.

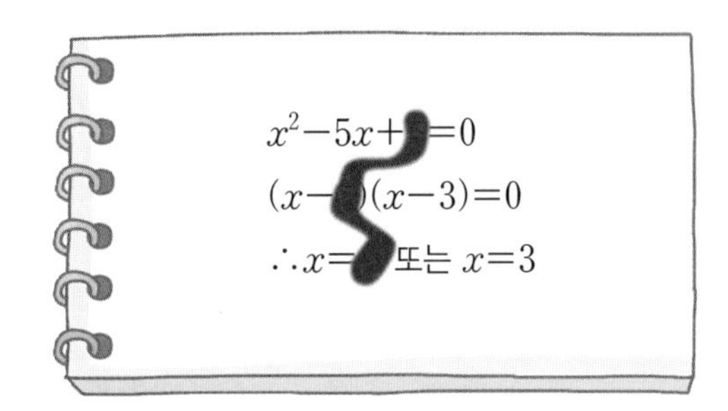

Tip

(i) 주어진 이차방정식을 $x^2-5x+a=0$으로 놓고 $x=$ ❶ 을 대입하여 a의 값을 구한다.

(ii) 주어진 이차방정식에 a의 값을 ❷ 하여 이차방정식을 푼다.

❶ 3 ❷ 대입

2 다음은 창민이와 지수가 이차방정식 $(x+3)^2=4$를 푼 과정이다. 물음에 답하시오.

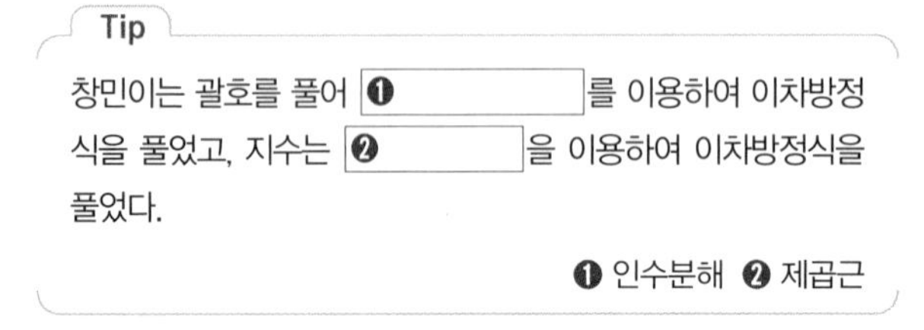

(1) 창민이가 푼 방법으로 이차방정식 $\left(x+\frac{3}{2}\right)^2=\frac{25}{4}$를 푸시오.

(2) 지수가 푼 방법으로 이차방정식 $\left(x+\frac{3}{2}\right)^2=\frac{25}{4}$를 푸시오.

Tip

창민이는 괄호를 풀어 ❶ 를 이용하여 이차방정식을 풀었고, 지수는 ❷ 을 이용하여 이차방정식을 풀었다.

❶ 인수분해 ❷ 제곱근

3 다음 표에서 가로, 세로, 대각선에 있는 세 식의 합이 같도록 만들려고 한다. 물음에 답하시오.

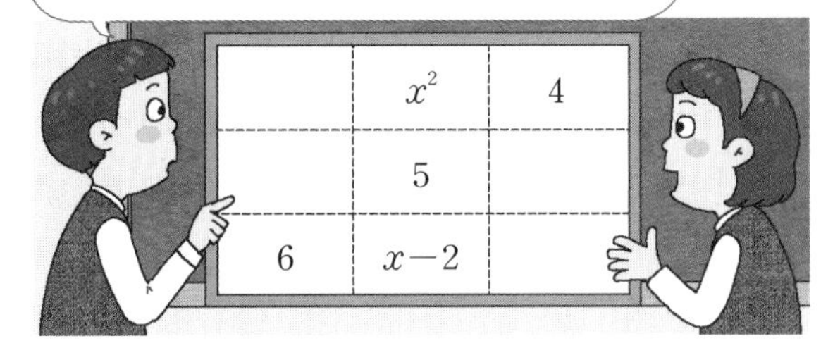

	x^2	4
	5	
6	$x-2$	

(1) 위의 표에서 x의 값을 구하기 위한 이차방정식을 $ax^2+bx+c=0$의 꼴로 나타내시오.

(2) (1)에서 세운 이차방정식을 풀어 자연수 x의 값을 구하시오.

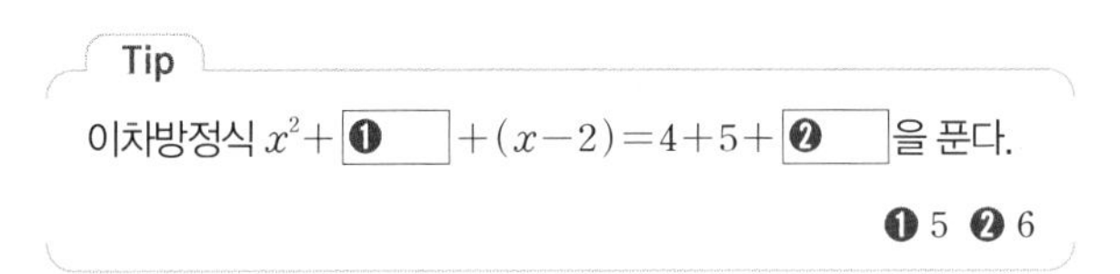
Tip

이차방정식 x^2+ ❶ $+(x-2)=4+5+$ ❷ 을 푼다.

❶ 5 ❷ 6

4 다음 두 학생의 대화를 읽고 물음에 답하시오.

(1) 진우의 생일을 6월 x일이라 할 때, x의 값을 구하기 위한 이차방정식을 세우시오.

(2) 진우의 생일을 구하시오.

Tip

진우의 생일이 6월 x일이므로 진우의 생일날보다 7일 전 같은 요일의 날짜는 (❶)일이다.
이때 그 곱이 ❷ 임을 이용한다.

❶ $x-7$ ❷ 144

5 다음 그림은 스키 점프대에서 미끄러져 내려가는 스키 점프 선수의 위치를 1초 간격으로 나타낸 것이다. 이동한 거리는 시간의 제곱에 정비례한다고 할 때, 물음에 답하시오.

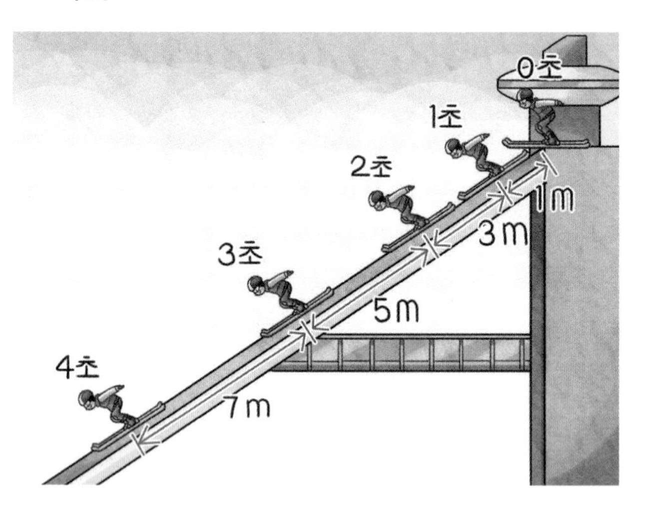

(1) 스키 점프 선수가 x초 동안 이동한 거리를 y m라 할 때, 다음 표를 완성하고 x와 y 사이의 관계식을 구하시오.

x(초)	1	2	3	4
y(m)	1	4		

(2) 스키 점프 선수가 6초 동안 움직였을 때, 이동한 거리를 구하시오.

Tip
x초 동안 이동한 거리를 y m라 하면 이동한 거리는 시간의 ❶ ____ 에 정비례하므로 $y=a$ ❷ ____ 으로 놓고 a의 값을 구한다.

❶ 제곱 ❷ x^2

6 다음 그림에서 (가), (나)의 그래프는 이차함수 $y=x^2$의 그래프를 이용하여 그린 것이다. 물음에 답하시오.

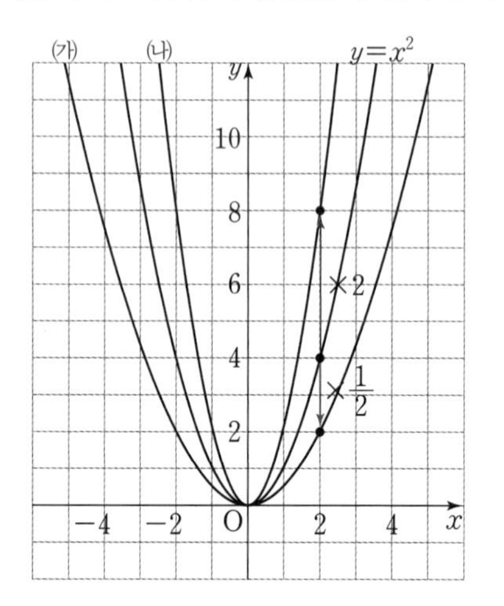

(1) (가)의 그래프를 나타내는 이차함수의 식을 구하시오.

(2) (나)의 그래프를 나타내는 이차함수의 식을 구하시오.

Tip
(가)의 그래프는 $x=2$일 때, $y=$ ❶ ____ 를 지나고,
(나)의 그래프는 $x=2$일 때, $y=$ ❷ ____ 을 지난다.

❶ 2 ❷ 8

>> 정답과 풀이 46쪽

7 이차함수 $y=-2(x+1)^2-5$의 그래프에 대한 다음 설명 중 옳은 것을 선택하시오.

	A	B
(1)	꼭짓점의 좌표는 $(1, -5)$이다.	꼭짓점의 좌표는 $(-1, -5)$이다.
(2)	그래프가 지나는 사분면은 제1, 2사분면이다.	그래프가 지나는 사분면은 제3, 4사분면이다.
(3)	$y=-2x^2$의 그래프를 x축의 방향으로 -1만큼, y축의 방향으로 -5만큼 평행이동한 것이다.	$y=-2x^2$의 그래프를 x축의 방향으로 1만큼, y축의 방향으로 -5만큼 평행이동한 것이다.
(4)	$x>-1$일 때, x의 값이 증가하면 y의 값은 감소한다.	$x>-1$일 때, x의 값이 증가하면 y의 값도 증가한다.

Tip
이차함수 $y=a(x-p)^2+q$의 그래프에서
꼭짓점의 좌표 : $(p,$ ❶ $)$
축의 방정식 : $x=$ ❷

❶ q ❷ p

8 다음을 읽고 찢겨 나간 이차함수의 그래프가 점 $(5, k)$를 지날 때, 상수 k의 값을 구하시오.

Tip
찢겨 나간 그래프를 나타내는 이차함수의 식을 $y=a(x-$ ❶ $)^2-$ ❷ 로 놓고 점 $(0, 3)$의 좌표를 대입하여 a의 값을 구한다.

❶ 2 ❷ 1

적중 예상 전략 | 1회

01 다음 중 이차방정식을 모두 고르면? (정답 2개)

① $x^2=1$
② $2x^2-x+3$
③ $x^2(1+x)=4$
④ $x(x-4)=x^2$
⑤ $3x^2-1=x(2-x)$

02 다음 중 방정식 $2(x^2+1)=x(ax-5)$가 x에 대한 이차방정식이 되도록 하는 상수 a의 값이 아닌 것을 들고 있는 학생을 찾으시오.

03 다음 중 $x=-2$를 해로 가지는 이차방정식은?

① $x^2-2x=0$
② $x^2-3x+1=0$
③ $2x^2+x+1=0$
④ $3x^2+8x+4=0$
⑤ $x^2-x-5=0$

04 이차방정식 $2x^2+4x-3=0$의 한 근은 $x=m$이고, 이차방정식 $2x^2-4x+1=0$의 한 근은 $x=n$일 때, $2m^2-2n^2+4m+4n$의 값은?

① -8　② -4　③ 4
④ 8　⑤ 10

05 다음 이차방정식을 풀면?

$$(x+1)(x-1)=2x^2-10$$

① $x=-2$ 또는 $x=2$
② $x=2$ 또는 $x=3$
③ $x=-3$ 또는 $x=3$
④ $x=-2$ 또는 $x=3$
⑤ $x=-4$ 또는 $x=4$

06 이차방정식 $x^2-3ax+8=0$의 한 근이 $x=2$이고, 다른 한 근은 이차방정식 $x^2+(b-3)x-2b=0$의 근일 때, 상수 a, b에 대하여 $a+b$의 값은?

① -3　② -1　③ 0
④ 2　⑤ 4

07 두 이차방정식 $x^2+3x+2=0$, $x^2-4x-5=0$의 공통인 해는?

① $x=-2$　② $x=-1$　③ $x=1$
④ $x=3$　⑤ $x=5$

08 다음 이차방정식 중 해가 유리수인 것은?

① $x^2=8$　② $2x^2-9=0$
③ $(x-1)^2=2$　④ $(x+3)^2=15$
⑤ $2(x-1)^2=18$

09 이차방정식 $x^2-10x-2a=0$을 완전제곱식을 이용하여 풀었더니 해가 $x=5\pm\sqrt{3}$일 때, 상수 a의 값은?

① -11 ② -5 ③ -1
④ 5 ⑤ 9

10 이차방정식 $\frac{(x-2)(x+1)}{3}=2$를 풀면?

① $x=\frac{-1\pm\sqrt{33}}{4}$ ② $x=\frac{-1\pm\sqrt{33}}{2}$
③ $x=\frac{1\pm\sqrt{33}}{2}$ ④ $x=\frac{-2\pm\sqrt{33}}{2}$
⑤ $x=\frac{2\pm\sqrt{33}}{2}$

11 이차방정식 $\frac{x^2+1}{10}+\frac{1}{5}x-\frac{5}{2}=0$을 풀면?

① $x=-6$ 또는 $x=-4$
② $x=-6$ 또는 $x=4$
③ $x=-4$ 또는 $x=6$
④ $x=2$ 또는 $x=6$
⑤ $x=4$ 또는 $x=6$

12 이차방정식 $x^2+4x+1-m=0$이 서로 다른 두 근을 가질 때, 상수 m의 값의 범위는?

① $m<-5$ ② $m>-5$ ③ $m<-3$
④ $m=-3$ ⑤ $m>-3$

13 이차방정식 $x^2+5x+a=3x-10$이 중근을 가질 때, 상수 a의 값은?

① -9 ② -6 ③ -2
④ 2 ⑤ 6

중근을 갖기 위한 미지수의 값을 구하는 방법은 두 가지가 있어. 편리한 방법을 사용하자.

① 완전제곱식 이용 ➡ (완전제곱식)$=0$
② $ax^2+bx+c=0(a\neq0)$에서 $b^2-4ac=0$ 이용

14 어떤 수의 2배를 제곱하여 3을 더해야 하는데 잘못하여 3을 더한 뒤 제곱하여 2배를 했더니 원래의 답보다 33이 커졌다. 처음의 수는?

① 1 ② 2 ③ 3
④ 4 ⑤ 5

15 영은이네 모둠이 쿠키 만들기 체험을 하면서 쿠키 32개를 만들었다. 모둠의 각 학생들이 쿠키를 남김없이 똑같이 나누어 가졌더니 각자 가진 쿠키의 개수가 모둠의 학생 수보다 4만큼 작았다. 이때 영은이네 모둠의 학생은 몇 명인가?

① 7명 ② 8명 ③ 9명
④ 10명 ⑤ 11명

16 다음 그림과 같이 정사각형 세 개가 포개져 있다. 가장 큰 정사각형의 넓이가 나머지 두 정사각형의 넓이의 합과 같을 때, 색칠한 부분의 넓이는?

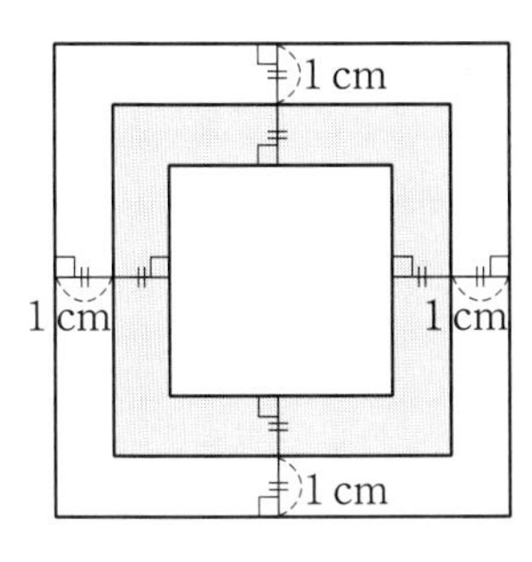

① 22 cm^2 ② 24 cm^2 ③ 26 cm^2
④ 28 cm^2 ⑤ 30 cm^2

적중 예상 전략 | 2회

01 $y=4x^2-3-kx(1-x)$가 x에 대한 이차함수일 때, 다음 중 상수 k의 값이 될 수 없는 것은?

① -6　② -5　③ -4
④ -3　⑤ -2

02 다음 중 이차함수 $y=-2x^2$의 그래프에 대한 설명으로 옳지 않은 것을 모두 고르면? (정답 2개)

① 위로 볼록한 포물선이다.
② 직선 $x=0$을 축으로 한다.
③ 꼭짓점의 좌표는 $(0, 0)$이다.
④ 모든 실수 x에 대하여 y의 값은 항상 음수이다.
⑤ $x>0$일 때, x의 값이 증가하면 y의 값도 증가한다.

03 다음 중 오른쪽 그림과 같은 이차함수의 그래프 (가), (나)를 나타내는 식으로 옳은 것은?

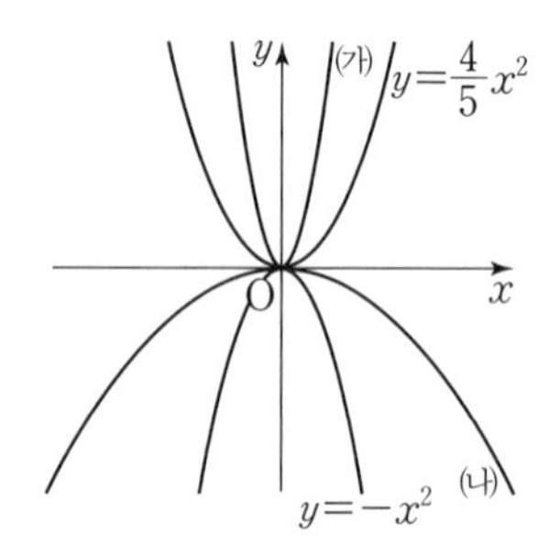

① (가) $y=\frac{1}{2}x^2$,　(나) $y=-\frac{1}{7}x^2$
② (가) $y=\frac{2}{3}x^2$,　(나) $y=-\frac{1}{5}x^2$
③ (가) $y=\frac{3}{2}x^2$,　(나) $y=-\frac{1}{4}x^2$
④ (가) $y=2x^2$,　(나) $y=-2x^2$
⑤ (가) $y=3x^2$,　(나) $y=-\frac{5}{2}x^2$

04 다음 중 이차함수 $y=5x^2-3$의 그래프에 대하여 바르게 설명한 학생을 찾으시오.

05 다음 중 이차함수 $y=\frac{1}{2}(x+4)^2$의 그래프로 적당한 것은?

①
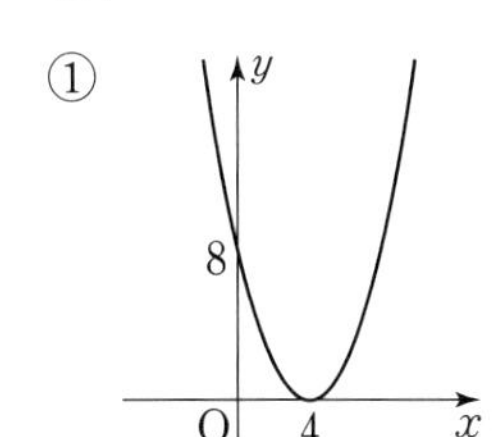

②
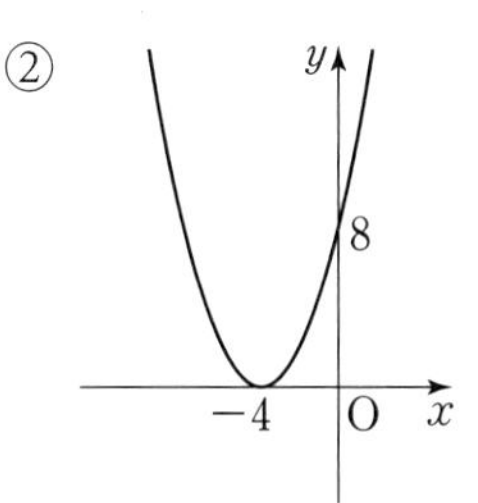

③
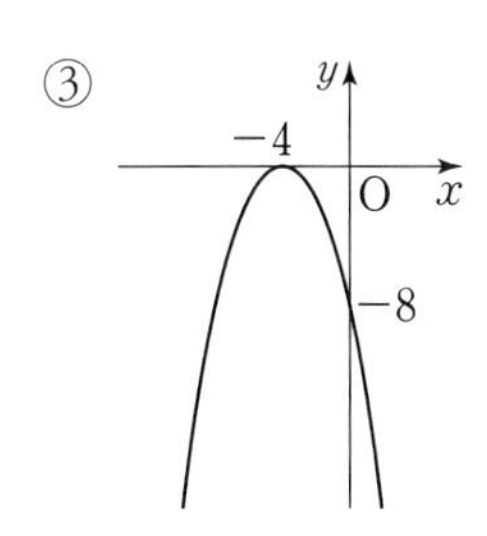

④
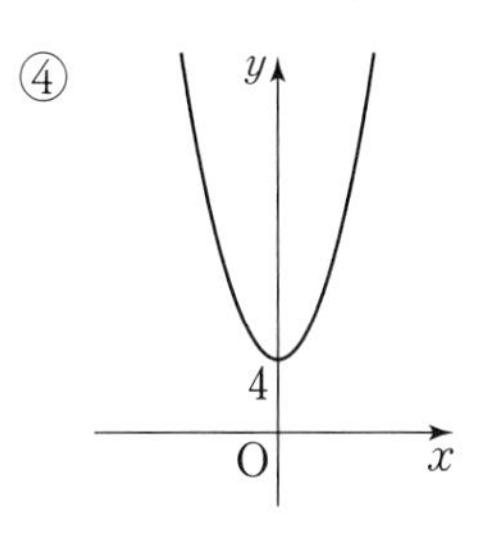

⑤
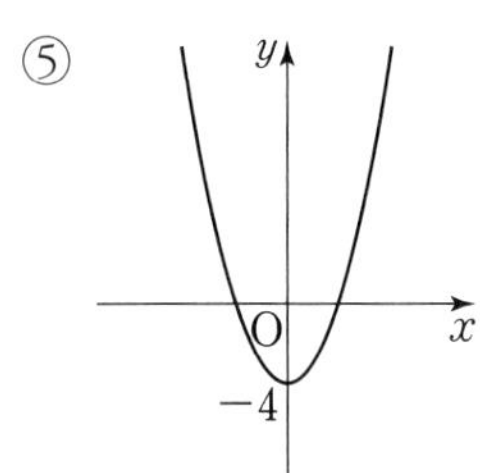

06 다음 중 이차함수 $y=2(x-4)^2+3$의 그래프에 대한 설명으로 옳은 것은?

① 축의 방정식은 $y=3$이다.
② 꼭짓점의 좌표는 $(-4, 3)$이다.
③ 이차함수 $y=3x^2$의 그래프보다 폭이 좁다.
④ $x>4$일 때, x의 값이 증가하면 y의 값도 증가한다.
⑤ 이차함수 $y=-2x^2$의 그래프를 평행이동한 것이다.

07 이차함수 $y=a(x+p)^2+q$의 그래프가 오른쪽 그림과 같을 때, 상수 a, p, q의 부호는?

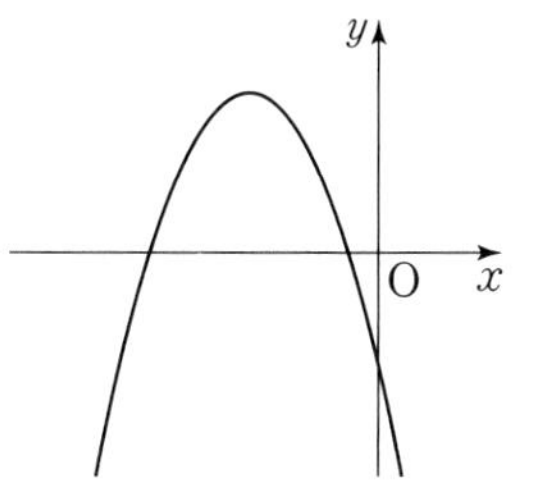

① $a<0$, $p<0$, $q<0$
② $a<0$, $p<0$, $q>0$
③ $a<0$, $p>0$, $q>0$
④ $a>0$, $p>0$, $q>0$
⑤ $a>0$, $p>0$, $q<0$

08 이차함수 $y=-\frac{1}{4}x^2+2x+a$의 그래프의 꼭짓점이 x축 위에 있을 때, 상수 a의 값은?

① -4　② -2　③ 0
④ 2　⑤ 4

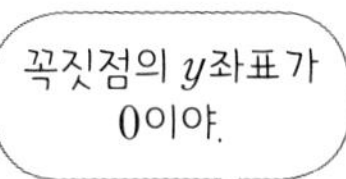

09 다음 중 이차함수 $y=-2x^2+8x-3$의 그래프에 대한 설명으로 옳은 것은?

① 축의 방정식은 $x=4$이다.
② 꼭짓점의 좌표는 $(-2, 5)$이다.
③ y축과의 교점의 y좌표는 -3이다.
④ 제3사분면을 지나지 않는다.
⑤ 이차함수 $y=-2x^2$의 그래프를 x축의 방향으로 -2만큼, y축의 방향으로 5만큼 평행이동한 것이다.

10 이차함수 $y=x^2+1$의 그래프를 x축의 방향으로 a만큼, y축의 방향으로 b만큼 평행이동하면 $y=x^2+2x-2$의 그래프와 일치한다. 이때 ab의 값은?

① 3　② 4　③ 5
④ 6　⑤ 7

11 이차함수 $y=-x^2+2x+3$의 그래프가 x축과 만나는 점의 좌표를 바르게 적은 학생을 찾으시오.

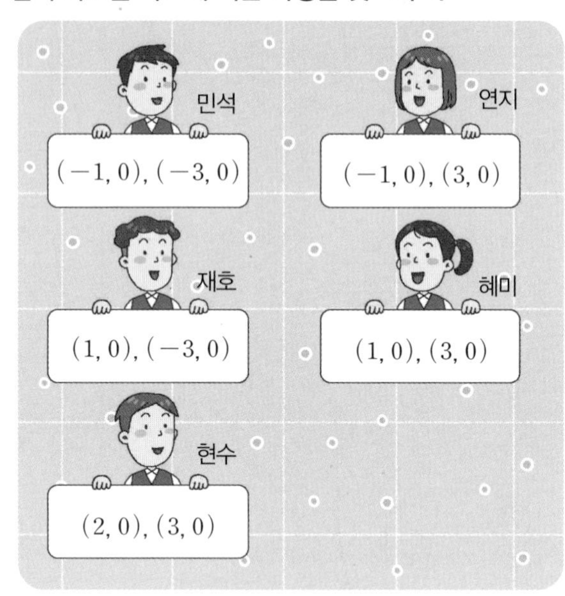

12 이차함수 $y=ax^2+bx+c$의 그래프가 오른쪽 그림과 같을 때, 상수 a, b, c의 부호는?

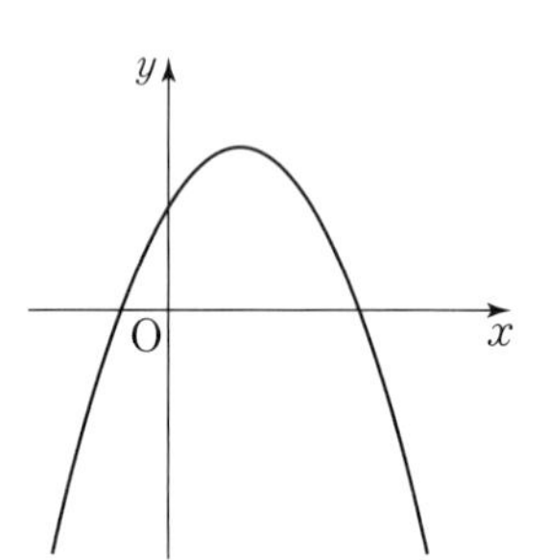

① $a>0$, $b>0$, $c>0$
② $a>0$, $b<0$, $c>0$
③ $a<0$, $b>0$, $c>0$
④ $a<0$, $b<0$, $c>0$
⑤ $a<0$, $b<0$, $c<0$

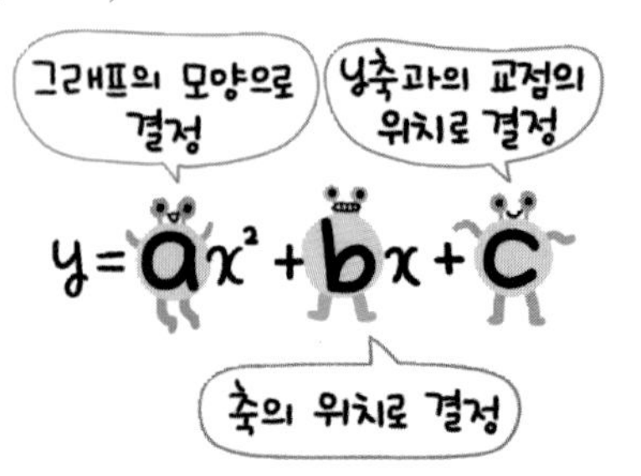

13 오른쪽 그림과 같이 이차함수 $y=-x^2-4x+5$의 그래프가 y축과 만나는 점을 A라 하고 꼭짓점을 B라 할 때, $\triangle$ABO의 넓이를 구하시오.

(단, O는 원점)

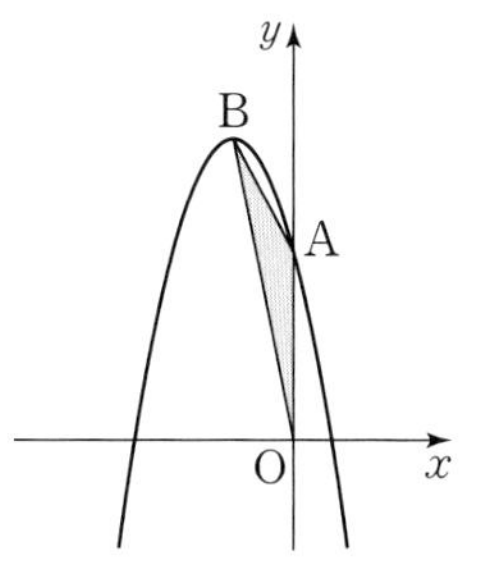

14 다음 그림은 이차함수 $y=ax^2+bx+c$의 그래프이다. 이때 $a-b-c$의 값은? (단, a, b, c는 상수)

① -7 ② -4 ③ 1
④ 2 ⑤ 5

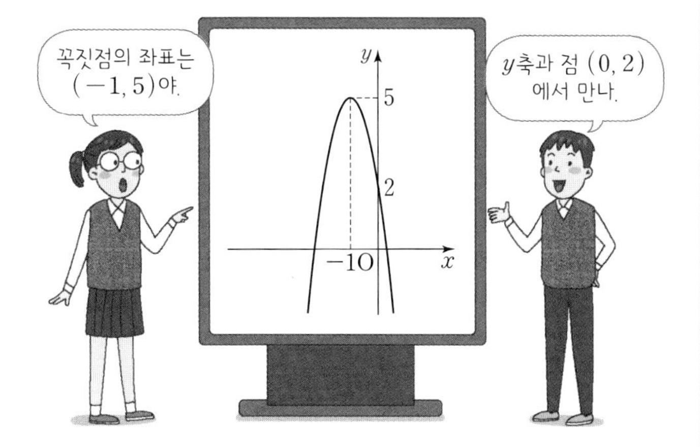

15 이차함수 $y=x^2+ax+b$의 그래프가 오른쪽 그림과 같을 때, 축의 방정식은?

(단, a, b는 상수)

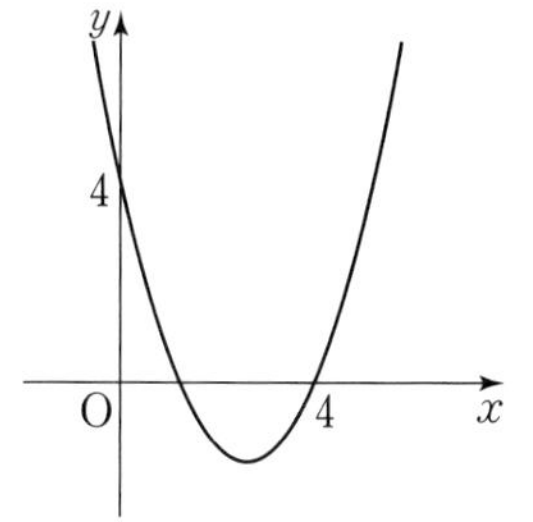

① $x=1$ ② $x=\frac{3}{2}$
③ $x=2$ ④ $x=\frac{5}{2}$
⑤ $x=3$

16 이차함수 $y=ax^2+bx+c$의 그래프가 세 점 $(0, 0)$, $(4, 0)$, $(1, -3)$을 지날 때, $a-b+c$의 값은?

(단, a, b, c는 상수)

① 1 ② 2 ③ 3
④ 4 ⑤ 5

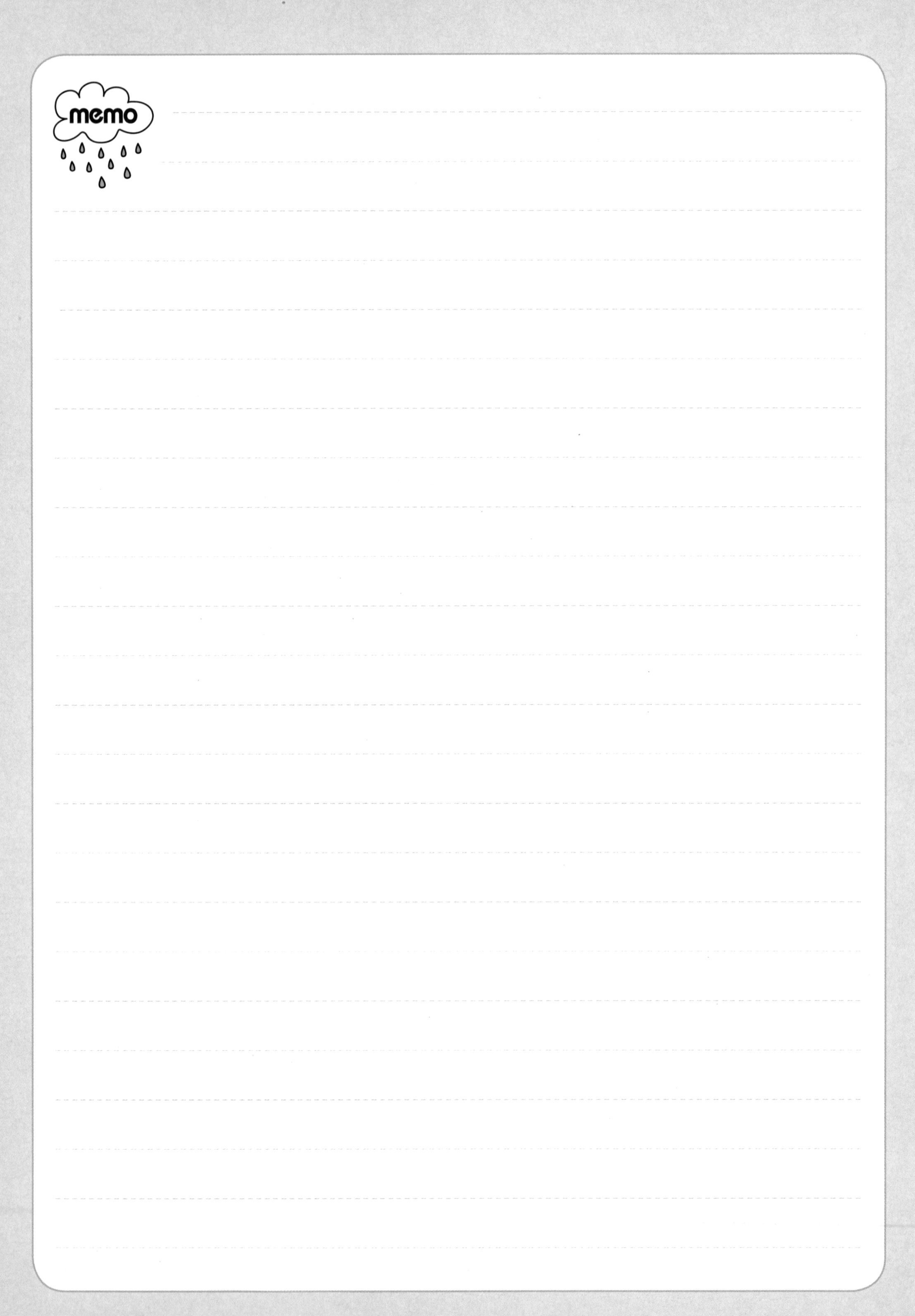
memo

book.chunjae.co.kr

교재 내용 문의 ··········· 교재 홈페이지 ▸ 중학 ▸ 교재상담
교재 내용 외 문의 ··········· 교재 홈페이지 ▸ 고객센터 ▸ 1:1문의
발간 후 발견되는 오류 ··········· 교재 홈페이지 ▸ 중학 ▸ 학습지원 ▸ 학습자료실

중간고사 기말고사
고득점을 예약하자!

시험비법

수학전략

중학 3-1

BOOK 3 정답과 풀이

천재교육

수학전략

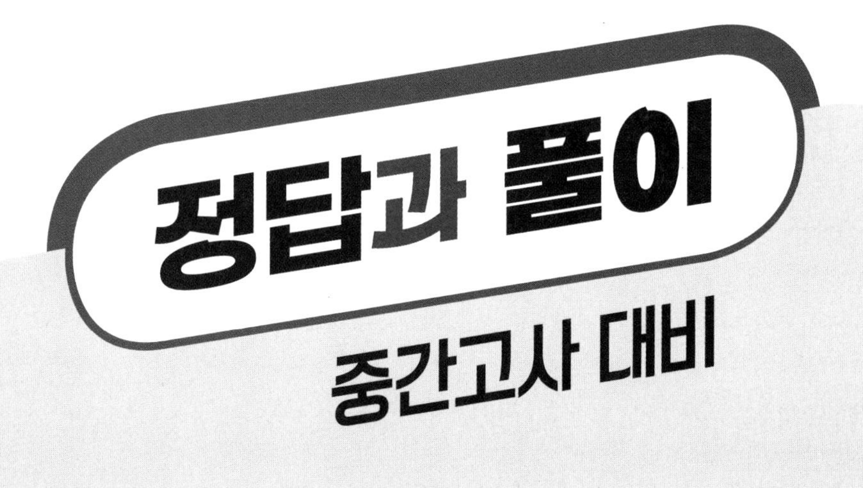

중간고사 대비

정답과 풀이 BOOK 1

1주 제곱근과 실수

1일 개념 돌파 전략 1 (9쪽, 11쪽)

1-2 ④	**2-2** ⑤
3-2 ②, ④	**4-2** ㉡, ㉢
5-2 우성	**6-2** ④

2-2 ⑤ $-(-\sqrt{6})^2=-6$

3-2 ① 무리수 ② 유리수
③ 무리수 ④ $-\sqrt{36}=-6$ (유리수)
⑤ 무리수
따라서 무리수가 아닌 것은 ②, ④이다.

근호가 있다고 해서 모두 무리수인 것은 아니야. 근호 안의 수가 (유리수)^{2}의 꼴이면 근호를 없앨 수 있으므로 무리수가 아니야.

4-2 ㉠ $\sqrt{5}\times\sqrt{3}=\sqrt{5\times3}=\sqrt{15}$
㉡ $\sqrt{125}\div\sqrt{5}=\sqrt{\frac{125}{5}}=\sqrt{25}=5$
㉢ $-6\sqrt{2}\times4\sqrt{3}=-6\times4\times\sqrt{2\times3}=-24\sqrt{6}$
㉣ $\sqrt{150}=\sqrt{5^2\times6}=5\sqrt{6}$
따라서 옳은 것은 ㉡, ㉢이다.

5-2 희철 : $\frac{\sqrt{7}}{\sqrt{3}}=\frac{\sqrt{7}\times\sqrt{3}}{\sqrt{3}\times\sqrt{3}}=\frac{\sqrt{21}}{3}$
정아 : $\frac{1}{\sqrt{2}}=\frac{1\times\sqrt{2}}{\sqrt{2}\times\sqrt{2}}=\frac{\sqrt{2}}{2}$
은아 : $\frac{\sqrt{10}}{2\sqrt{3}}=\frac{\sqrt{10}\times\sqrt{3}}{2\sqrt{3}\times\sqrt{3}}=\frac{\sqrt{30}}{6}$
우성 : $\frac{9}{4\sqrt{2}}=\frac{9\times\sqrt{2}}{4\sqrt{2}\times\sqrt{2}}=\frac{9\sqrt{2}}{8}$
따라서 분모를 바르게 유리화하지 못한 학생은 우성이다.

6-2 ① $\sqrt{3}+4\sqrt{3}=(1+4)\sqrt{3}=5\sqrt{3}$
② $12\sqrt{3}+2\sqrt{2}$는 근호 안의 수가 다르므로 더 이상 간단히 할 수 없다.
③ $4\sqrt{5}-3\sqrt{5}=(4-3)\sqrt{5}=\sqrt{5}$
④ $7\sqrt{6}-13\sqrt{6}=(7-13)\sqrt{6}=-6\sqrt{6}$
⑤ $\sqrt{2}(\sqrt{3}+\sqrt{2})=\sqrt{2}\times\sqrt{3}+\sqrt{2}\times\sqrt{2}=\sqrt{6}+2$
따라서 옳은 것은 ④이다.

1일 개념 돌파 전략 2 (12쪽~13쪽)

1 ③	**2** ③	**3** ②	**4** ④
5 ④	**6** 민준		

1 ② $\pm\sqrt{16}=\pm4$
③ 제곱근 16은 $\sqrt{16}=4$이다.
④ 16의 제곱근은 ±4이다.
⑤ $x^2=16$을 만족하는 x의 값은 16의 제곱근이므로 $x=\pm4$이다.
따라서 그 값이 나머지 넷과 다른 하나는 ③이다.

2 ① $-\sqrt{4}=-2$ ② $\sqrt{25}=5$
④ $\sqrt{6^2}=6$ ⑤ $(-\sqrt{12})^2=12$
따라서 옳은 것은 ③이다.

3 (가)에 알맞은 것은 무리수이다.
① 유리수 ② 무리수
③ $\sqrt{169}=13$ (유리수) ④ $\sqrt{0.04}=0.2$ (유리수)
⑤ 유리수
따라서 (가)에 해당하는 수는 ②이다.

4 ① $\sqrt{2}\sqrt{3}=\sqrt{2\times3}=\sqrt{6}$
② $-3\sqrt{5}\times\sqrt{2}=-3\times\sqrt{5\times2}=-3\sqrt{10}$
③ $\sqrt{35}\div\sqrt{5}=\sqrt{\frac{35}{5}}=\sqrt{7}$
④ $4\sqrt{18}\div2\sqrt{6}=\frac{4}{2}\sqrt{\frac{18}{6}}=2\sqrt{3}$
⑤ $6\sqrt{15}\div(-2\sqrt{3})=-\frac{6}{2}\sqrt{\frac{15}{3}}=-3\sqrt{5}$
따라서 옳지 않은 것은 ④이다.

5 ① $\frac{1}{\sqrt{21}}=\frac{1\times\sqrt{21}}{\sqrt{21}\times\sqrt{21}}=\frac{\sqrt{21}}{21}$

② $\frac{\sqrt{3}}{\sqrt{5}}=\frac{\sqrt{3}\times\sqrt{5}}{\sqrt{5}\times\sqrt{5}}=\frac{\sqrt{15}}{5}$

③ $\frac{\sqrt{6}}{\sqrt{7}}=\frac{\sqrt{6}\times\sqrt{7}}{\sqrt{7}\times\sqrt{7}}=\frac{\sqrt{42}}{7}$

④ $\frac{3}{2\sqrt{3}}=\frac{3\times\sqrt{3}}{2\sqrt{3}\times\sqrt{3}}=\frac{3\sqrt{3}}{6}=\frac{\sqrt{3}}{2}$

⑤ $\frac{\sqrt{3}}{\sqrt{20}}=\frac{\sqrt{3}}{2\sqrt{5}}=\frac{\sqrt{3}\times\sqrt{5}}{2\sqrt{5}\times\sqrt{5}}=\frac{\sqrt{15}}{10}$

따라서 옳은 것은 ④이다.

6 나은 : $\sqrt{11}+\sqrt{6}$은 근호 안의 수가 다르므로 더 이상 간단히 할 수 없다.

우빈 : $3\sqrt{5}+7\sqrt{2}$는 근호 안의 수가 다르므로 더 이상 간단히 할 수 없다.

혜리 : $\sqrt{10}-5\sqrt{10}=(1-5)\sqrt{10}=-4\sqrt{10}$

민준 : $6\sqrt{7}-4\sqrt{7}=(6-4)\sqrt{7}=2\sqrt{7}$

수현 : $3\sqrt{3}+2\sqrt{3}+4\sqrt{3}=(3+2+4)\sqrt{3}=9\sqrt{3}$

따라서 바르게 계산한 학생은 민준이다.

2일 필수 체크 전략 ❶ 확인 (14쪽~17쪽)

1-1 ④	**1-2** 1
2-1 ④	**2-2** 2개
3-1 ②	**3-2** $\sqrt{8}$
4-1 ㉠, ㉣	**4-2** ②

1-1 ④ $-\sqrt{(-0.09)^2}=-0.09$

1-2 $\sqrt{\frac{25}{36}}\times\sqrt{(-6)^2}-\sqrt{4^2}=\frac{5}{6}\times6-4=5-4=1$

2-1 $24=2^3\times3$이므로 $x=2\times3\times(\text{자연수})^2$의 꼴이어야 한다.

즉 $x=2\times3\times1^2, 2\times3\times2^2, 2\times3\times3^2, \cdots$

따라서 가장 작은 두 자리의 자연수 x의 값은 24이다.

2-2 $54=2\times3^3$이므로 $x=2\times3, 2\times3^3$

따라서 자연수 x는 모두 2개이다.

3-1 ① $\sqrt{12}>\sqrt{9}$이므로 $\sqrt{12}>3$

② $\sqrt{45}>\sqrt{25}$이므로 $\sqrt{45}>5$

③ $\sqrt{0.01}<\sqrt{0.1}$이므로 $0.1<\sqrt{0.1}$

④ $\sqrt{11}>\sqrt{10}$이므로 $-\sqrt{11}<-\sqrt{10}$

⑤ $\sqrt{98}>\sqrt{81}$에서 $\sqrt{98}>9$이므로 $-\sqrt{98}<-9$

따라서 대소 관계가 옳지 않은 것은 ②이다.

3-2 $3=\sqrt{9}$이므로 $\sqrt{8}<3<\sqrt{12}$

$\sqrt{\frac{1}{4}}<\sqrt{\frac{1}{3}}$에서 $\frac{1}{2}<\sqrt{\frac{1}{3}}$이므로 $-\frac{1}{2}>-\sqrt{\frac{1}{3}}$

따라서 $-\sqrt{\frac{1}{3}}<-\frac{1}{2}<\sqrt{8}<3<\sqrt{12}$이므로 작은 수부터 차례대로 나열하였을 때 세 번째에 오는 수는 $\sqrt{8}$이다.

4-1 ㉠ $\overline{AC}=\sqrt{1^2+1^2}=\sqrt{2}$

㉡ $\overline{BD}=\sqrt{1^2+1^2}=\sqrt{2}$

㉢ 점 B에 대응하는 수는 1이고 $\overline{BP}=\overline{BD}=\sqrt{2}$이므로 점 P에 대응하는 수는 $1-\sqrt{2}$이다.

㉣ 점 A에 대응하는 수는 0이고 $\overline{AQ}=\overline{AC}=\sqrt{2}$이므로 점 Q에 대응하는 수는 $0+\sqrt{2}=\sqrt{2}$이다.

따라서 옳은 것은 ㉠, ㉣이다.

4-2 ① 수직선은 유리수에 대응하는 점들만으로는 완전히 메울 수 없다. 수직선은 실수에 대응하는 점들로 완전히 메울 수 있다.

③ 서로 다른 두 유리수 사이에는 무수히 많은 무리수가 있다.

④ 서로 다른 두 무리수 사이에는 무수히 많은 유리수가 있다.

⑤ 서로 다른 두 정수 사이에는 무수히 많은 실수가 있다.

따라서 옳은 것은 ②이다.

2일 필수 체크 전략 ❷ 18쪽~19쪽

1 ④	2 ⑤	3 15	4 21
5 수연	6 ④		

1 ① $a>0$이므로 $\sqrt{a^2}=a$
② $4a^2=(2a)^2$이고 $2a>0$이므로
$\sqrt{4a^2}=\sqrt{(2a)^2}=2a$
③ $a>0$이므로 $-3a<0$
$\therefore \sqrt{(-3a)^2}=-(-3a)=3a$
④ $2a>0$이므로 $-\sqrt{(2a)^2}=-2a$
⑤ $a>0$이므로 $-5a<0$
$\therefore -\sqrt{(-5a)^2}=-\{-(-5a)\}=-5a$
따라서 옳지 않은 것은 ④이다.

2 $300=2^2\times3\times5^2$이므로
$x=3\times(\text{자연수})^2$의 꼴이어야 한다.
즉 $x=3\times1^2, 3\times2^2, 3\times3^2, 3\times4^2, 3\times5^2, \cdots$
따라서 자연수 x의 값이 될 수 없는 것은 ⑤ 70이다.

3 $240=2^4\times3\times5$이므로
$x=3\times5, 3\times5\times2^2, 3\times5\times2^4$
따라서 가장 작은 자연수 x의 값은 15이다.

4 $\sqrt{16}<\sqrt{17}$이므로 $4<\sqrt{17}$
$\sqrt{\frac{1}{2}}<\sqrt{2}<\sqrt{4}$에서 $\sqrt{\frac{1}{2}}<\sqrt{2}<2$이므로
$-2<-\sqrt{2}<-\sqrt{\frac{1}{2}}$
따라서 $-2<-\sqrt{2}<-\sqrt{\frac{1}{2}}<4<\sqrt{17}$이므로
$a=\sqrt{17}, b=-2$
$\therefore a^2+b^2=(\sqrt{17})^2+(-2)^2=17+4=21$

5 수연 : 무한소수 중 순환소수는 유리수이다.
예준 : $\sqrt{4}=2$이므로 근호를 사용하여 나타낸 수 중에는 무리수가 아닌 수도 있다.
따라서 옳지 않은 말을 한 학생은 수연이다.

6 ① $\triangle ABC$에서 $\overline{AB}=\sqrt{1^2+1^2}=\sqrt{2}$
② $\overline{AP}=\overline{AB}=\sqrt{2}$
③, ④ 점 A에 대응하는 수는 1이고
$\overline{AP}=\overline{AQ}=\overline{AB}=\sqrt{2}$이므로
두 점 P, Q의 좌표는 각각 $P(1-\sqrt{2})$, $Q(1+\sqrt{2})$이다.
⑤ $\overline{CQ}=\overline{AQ}-\overline{AC}=\sqrt{2}-1$
따라서 옳지 않은 것은 ④이다.

3일 필수 체크 전략 ❶ 확인 20쪽~23쪽

1-1 ④	1-2 2
2-1 ②, ④	2-2 $30\sqrt{2}\text{ cm}^2$
3-1 $\sqrt{6}+3\sqrt{7}$	3-2 ⑤
4-1 ②	4-2 ①

1-1 ① $\frac{2}{\sqrt{5}}=\frac{2\times\sqrt{5}}{\sqrt{5}\times\sqrt{5}}=\frac{2\sqrt{5}}{5}$
② $-\frac{\sqrt{3}}{\sqrt{7}}=-\frac{\sqrt{3}\times\sqrt{7}}{\sqrt{7}\times\sqrt{7}}=-\frac{\sqrt{21}}{7}$
③ $\sqrt{\frac{2}{3}}=\frac{\sqrt{2}}{\sqrt{3}}=\frac{\sqrt{2}\times\sqrt{3}}{\sqrt{3}\times\sqrt{3}}=\frac{\sqrt{6}}{3}$
④ $\frac{\sqrt{5}}{3\sqrt{6}}=\frac{\sqrt{5}\times\sqrt{6}}{3\sqrt{6}\times\sqrt{6}}=\frac{\sqrt{30}}{18}$
⑤ $\frac{4}{\sqrt{175}}=\frac{4}{5\sqrt{7}}=\frac{4\times\sqrt{7}}{5\sqrt{7}\times\sqrt{7}}=\frac{4\sqrt{7}}{35}$
따라서 옳은 것은 ④이다.

1-2 $\frac{\sqrt{a}}{\sqrt{48}}=\frac{\sqrt{a}}{4\sqrt{3}}=\frac{\sqrt{a}\times\sqrt{3}}{4\sqrt{3}\times\sqrt{3}}=\frac{\sqrt{3a}}{12}$
따라서 $3a=6$이므로 $a=2$

2-1 ① $\sqrt{3}\times\sqrt{7}=\sqrt{21}$
③ $\frac{\sqrt{6}}{\sqrt{2}}\times\frac{3}{\sqrt{24}}=\frac{\sqrt{6}}{\sqrt{2}}\times\frac{3}{2\sqrt{6}}=\frac{3}{2\sqrt{2}}=\frac{3\sqrt{2}}{4}$

④ $6\sqrt{28}\div2\sqrt{7}\times3\sqrt{3}=3\sqrt{4}\times3\sqrt{3}=18\sqrt{3}$

⑤ $\sqrt{\frac{3}{2}}\times\frac{\sqrt{12}}{5}\div\sqrt{2}=\frac{\sqrt{3}}{\sqrt{2}}\times\frac{2\sqrt{3}}{5}\times\frac{1}{\sqrt{2}}=\frac{3}{5}$

따라서 옳은 것은 ②, ④이다.

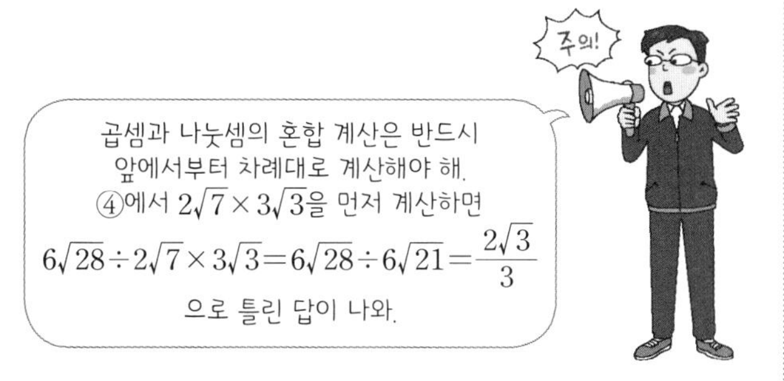

2-2 (삼각형의 넓이)$=\frac{1}{2}\times5\sqrt{6}\times4\sqrt{3}$

$=10\sqrt{18}=30\sqrt{2}\,(\text{cm}^2)$

3-1 $-2\sqrt{6}-2\sqrt{7}+3\sqrt{6}+5\sqrt{7}$

$=(-2+3)\sqrt{6}+(-2+5)\sqrt{7}$

$=\sqrt{6}+3\sqrt{7}$

3-2 ① $2\sqrt{3}+5\sqrt{2}$는 근호 안의 수가 다르므로 더 이상 간단히 할 수 없다.

② $4\sqrt{5}-9\sqrt{5}=-5\sqrt{5}$

③ $-\sqrt{12}+8\sqrt{3}=-2\sqrt{3}+8\sqrt{3}=6\sqrt{3}$

④ $-\frac{3\sqrt{10}}{\sqrt{2}}-2\sqrt{20}+\frac{15}{\sqrt{5}}=-3\sqrt{5}-4\sqrt{5}+3\sqrt{5}$

$=-4\sqrt{5}$

⑤ $\sqrt{18}+\sqrt{12}-\frac{2}{\sqrt{2}}=3\sqrt{2}+2\sqrt{3}-\sqrt{2}$

$=2\sqrt{2}+2\sqrt{3}$

따라서 옳은 것은 ⑤이다.

4-1 $\sqrt{3}(\sqrt{12}-\sqrt{15})-\sqrt{2}(\sqrt{10}+\sqrt{8})$

$=\sqrt{36}-\sqrt{45}-\sqrt{20}-\sqrt{16}$

$=6-3\sqrt{5}-2\sqrt{5}-4$

$=2-5\sqrt{5}$

따라서 $a=2$, $b=-5$이므로

$a-b=2-(-5)=7$

4-2 $\frac{\sqrt{10}-2\sqrt{15}}{\sqrt{5}}=\frac{(\sqrt{10}-2\sqrt{15})\times\sqrt{5}}{\sqrt{5}\times\sqrt{5}}$

$=\frac{\sqrt{50}-2\sqrt{75}}{5}$

$=\frac{5\sqrt{2}-10\sqrt{3}}{5}$

$=\sqrt{2}-2\sqrt{3}$

따라서 $a=1$, $b=-2$이므로

$ab=1\times(-2)=-2$

3일 필수 체크 전략 ❷ (24쪽~25쪽)

1 1	**2** 동욱	**3** 3 cm	**4** 나은
5 ②	**6** ①		

1 $\frac{7}{\sqrt{21}}=\frac{\sqrt{21}}{3}$이므로 $a=\frac{1}{3}$

$\frac{4\sqrt{3}}{\sqrt{8}}=\frac{4\sqrt{3}}{2\sqrt{2}}=\frac{2\sqrt{3}}{\sqrt{2}}=\sqrt{6}$이므로 $b=1$

$\therefore 3ab=3\times\frac{1}{3}\times1=1$

2 진운 : $\sqrt{6}\times\sqrt{5}\div\sqrt{3}=\sqrt{6}\times\sqrt{5}\times\frac{1}{\sqrt{3}}=\sqrt{10}$

현아 : $3\sqrt{3}\times5\sqrt{6}\div5\sqrt{2}=3\sqrt{3}\times5\sqrt{6}\times\frac{1}{5\sqrt{2}}=9$

민규 : $\sqrt{2}\div\sqrt{\frac{15}{8}}\times\frac{3}{\sqrt{6}}=\sqrt{2}\div\frac{\sqrt{15}}{\sqrt{8}}\times\frac{3}{\sqrt{6}}$

$=\sqrt{2}\times\frac{\sqrt{8}}{\sqrt{15}}\times\frac{3}{\sqrt{6}}$

$=\sqrt{2}\times\frac{2\sqrt{2}}{\sqrt{15}}\times\frac{3}{\sqrt{6}}$

$=\frac{6\sqrt{2}}{\sqrt{45}}=\frac{6\sqrt{2}}{3\sqrt{5}}$

$=\frac{2\sqrt{10}}{5}$

장미 : $-\frac{\sqrt{2}}{\sqrt{3}}\div\sqrt{\frac{9}{10}}\times\sqrt{\frac{3}{5}}=-\frac{\sqrt{2}}{\sqrt{3}}\div\frac{\sqrt{9}}{\sqrt{10}}\times\frac{\sqrt{3}}{\sqrt{5}}$

$=-\frac{\sqrt{2}}{\sqrt{3}}\times\frac{\sqrt{10}}{3}\times\frac{\sqrt{3}}{\sqrt{5}}$

$=-\frac{2}{3}$

동욱 : $\frac{\sqrt{20}}{\sqrt{7}} \div \frac{\sqrt{5}}{\sqrt{14}} \times \frac{9}{\sqrt{12}}$

$= \frac{2\sqrt{5}}{\sqrt{7}} \times \frac{\sqrt{14}}{\sqrt{5}} \times \frac{9}{2\sqrt{3}}$

$= \frac{9\sqrt{2}}{\sqrt{3}} = 3\sqrt{6}$

따라서 계산 결과가 옳지 않은 학생은 동욱이다.

3 직육면체의 높이를 x cm라 하면

$4\sqrt{2} \times 3\sqrt{3} \times x = 36\sqrt{6}$이므로

$12\sqrt{6}x = 36\sqrt{6}$

$\therefore x = \frac{36\sqrt{6}}{12\sqrt{6}} = 3$

따라서 직육면체의 높이는 3 cm이다.

4 미혜 : $\sqrt{5} - 3\sqrt{5} = -2\sqrt{5}$

범수 : $3\sqrt{10} + \sqrt{5} - 2\sqrt{5} = 3\sqrt{10} - \sqrt{5}$

나은 : $\sqrt{150} - \sqrt{96} - \sqrt{24} = 5\sqrt{6} - 4\sqrt{6} - 2\sqrt{6}$

$= -\sqrt{6}$

지나 : $\sqrt{32} - \sqrt{50} + 3\sqrt{18} = 4\sqrt{2} - 5\sqrt{2} + 9\sqrt{2}$

$= 8\sqrt{2}$

따라서 바르게 계산한 학생은 나은이다.

5 (사다리꼴 ABCD의 넓이)

$= \frac{1}{2} \times \{\sqrt{63} + (\sqrt{50} + \sqrt{7})\} \times \sqrt{32}$

$= \frac{1}{2} \times (3\sqrt{7} + 5\sqrt{2} + \sqrt{7}) \times 4\sqrt{2}$

$= (4\sqrt{7} + 5\sqrt{2}) \times 2\sqrt{2}$

$= 8\sqrt{14} + 20\ (\text{cm}^2)$

6 $\frac{\sqrt{48} - \sqrt{72}}{\sqrt{3}} + \frac{8\sqrt{3}}{\sqrt{2}}$

$= \frac{4\sqrt{3} - 6\sqrt{2}}{\sqrt{3}} + \frac{8\sqrt{3}}{\sqrt{2}}$

$= \frac{(4\sqrt{3} - 6\sqrt{2}) \times \sqrt{3}}{\sqrt{3} \times \sqrt{3}} + \frac{8\sqrt{3} \times \sqrt{2}}{\sqrt{2} \times \sqrt{2}}$

$= \frac{12 - 6\sqrt{6}}{3} + \frac{8\sqrt{6}}{2}$

$= 4 - 2\sqrt{6} + 4\sqrt{6}$

$= 4 + 2\sqrt{6}$

$\therefore a = 2$

4일 교과서 대표 전략 ❶ (26쪽~29쪽)

1 ②	**2** ④	**3** 희철	**4** 70
5 3	**6** ②	**7** ③, ④	
8 P$(3-\sqrt{10})$, Q$(3+\sqrt{10})$			**9** 51
10 ⑤	**11** ②	**12** ②	**13** ①
14 ①	**15** ④	**16** $-1+\sqrt{2}$	

1 ① 1의 제곱근은 ± 1이다.

② $\sqrt{16} = 4$의 제곱근은 2와 -2이다.

③ 음수의 제곱근은 없으므로 -6의 제곱근은 없다.

④ 제곱근 64는 $\sqrt{64} = 8$이다.

⑤ 2의 음의 제곱근은 $-\sqrt{2}$이다.

따라서 옳은 것은 ②이다.

2 ① $(-\sqrt{14})^2 = 14$

② $-(-\sqrt{47})^2 = -47$

③ $\sqrt{\left(\frac{15}{4}\right)^2} = \frac{15}{4}$

⑤ $-(\sqrt{25})^2 = -25$

따라서 옳은 것은 ④이다.

3 우정 : $a < 0$이므로 $-2a > 0$

$\therefore \sqrt{(-2a)^2} = -2a$

희철 : $9a^2 = (3a)^2$이고 $3a < 0$이므로

$\sqrt{9a^2} = \sqrt{(3a)^2} = -3a$

정신 : $a < 0$이므로 $-a > 0$

$\therefore -\sqrt{(-a)^2} = -(-a) = a$

따라서 옳지 않은 것을 들고 있는 학생은 희철이다.

4 $56 = 2^3 \times 7$이므로 $x = 2 \times 7,\ 2^3 \times 7$

따라서 모든 자연수 x의 값의 합은 $14 + 56 = 70$

5 $\sqrt{13+x}$가 자연수가 되려면 $13+x$는 13보다 큰 제곱수이어야 하므로

$13 + x = 16, 25, 36, \cdots$

$\therefore x = 3, 12, 23, \cdots$

따라서 가장 작은 자연수 x의 값은 3이다.

6 ① $\sqrt{15}<\sqrt{16}$에서 $\sqrt{15}<4$이므로
$-\sqrt{15}>-4$
② $\sqrt{2}<\sqrt{2.25}$이므로 $\sqrt{2}<1.5$
③ $\sqrt{\frac{1}{9}}<\sqrt{\frac{1}{3}}$ 이므로 $\frac{1}{3}<\sqrt{\frac{1}{3}}$
④ $\sqrt{24}<\sqrt{25}$에서 $\sqrt{24}<5$이므로
$-\sqrt{24}>-5$
⑤ $\frac{1}{\sqrt{2}}=\sqrt{\frac{1}{2}}$ 이고 $\sqrt{\frac{1}{16}}<\sqrt{\frac{1}{2}}$ 이므로 $\frac{1}{4}<\frac{1}{\sqrt{2}}$
따라서 두 수의 대소 관계가 옳은 것은 ②이다.

7 ② 유리수가 아닌 무리수이다.
③ 순환소수가 아닌 무한소수이다.
④ $(-\sqrt{5})^2=5$이므로 $\sqrt{5}$와 같지 않다.
따라서 옳지 않은 것은 ③, ④이다.

8 △ABC에서 $\overline{AB}=\sqrt{1^2+3^2}=\sqrt{10}$
이때 점 A에 대응하는 수는 3이고
$\overline{AP}=\overline{AQ}=\overline{AB}=\sqrt{10}$이므로 두 점 P, Q의 좌표는 각각 $P(3-\sqrt{10})$, $Q(3+\sqrt{10})$이다.

9 $\sqrt{90}=3\sqrt{10}$에서 $a=3$
$3\sqrt{6}=\sqrt{54}$에서 $b=54$
$\therefore b-a=54-3=51$

10 ① $\sqrt{500}=\sqrt{100\times5}=10\sqrt{5}$
$=10\times2.236=22.36$
② $\sqrt{5000}=\sqrt{100\times50}=10\sqrt{50}$
$=10\times7.071=70.71$
③ $\sqrt{50000}=\sqrt{10000\times5}=100\sqrt{5}$
$=100\times2.236=223.6$
④ $\sqrt{0.5}=\sqrt{\frac{50}{100}}=\frac{\sqrt{50}}{10}=\frac{7.071}{10}=0.7071$
⑤ $\sqrt{0.05}=\sqrt{\frac{5}{100}}=\frac{\sqrt{5}}{10}=\frac{2.236}{10}=0.2236$
따라서 옳지 않은 것은 ⑤이다.

11 ① $\frac{3}{\sqrt{5}}=\frac{3\times\sqrt{5}}{\sqrt{5}\times\sqrt{5}}=\frac{3\sqrt{5}}{5}$
② $\frac{\sqrt{6}}{3\sqrt{7}}=\frac{\sqrt{6}\times\sqrt{7}}{3\sqrt{7}\times\sqrt{7}}=\frac{\sqrt{42}}{21}$
③ $\sqrt{\frac{3}{13}}=\frac{\sqrt{3}}{\sqrt{13}}=\frac{\sqrt{3}\times\sqrt{13}}{\sqrt{13}\times\sqrt{13}}=\frac{\sqrt{39}}{13}$
④ $\frac{\sqrt{5}}{\sqrt{8}}=\frac{\sqrt{5}}{2\sqrt{2}}=\frac{\sqrt{5}\times\sqrt{2}}{2\sqrt{2}\times\sqrt{2}}=\frac{\sqrt{10}}{4}$
⑤ $\frac{4}{5\sqrt{2}}=\frac{4\times\sqrt{2}}{5\sqrt{2}\times\sqrt{2}}=\frac{4\sqrt{2}}{10}=\frac{2\sqrt{2}}{5}$
따라서 옳은 것은 ②이다.

12 $\frac{\sqrt{2}}{\sqrt{3}}\div\frac{\sqrt{10}}{5}\times(-2\sqrt{5})=\frac{\sqrt{2}}{\sqrt{3}}\times\frac{5}{\sqrt{10}}\times(-2\sqrt{5})$
$=-\frac{10}{\sqrt{3}}=-\frac{10\sqrt{3}}{3}$

13 $\sqrt{5}(\sqrt{3}+\sqrt{2})-\sqrt{10}(\sqrt{8}+1)=\sqrt{15}+\sqrt{10}-\sqrt{80}-\sqrt{10}$
$=\sqrt{15}+\sqrt{10}-4\sqrt{5}-\sqrt{10}$
$=\sqrt{15}-4\sqrt{5}$

14 $\frac{\sqrt{5}-5\sqrt{3}}{\sqrt{5}}+\frac{3\sqrt{3}+3\sqrt{5}}{\sqrt{3}}$
$=\frac{(\sqrt{5}-5\sqrt{3})\times\sqrt{5}}{\sqrt{5}\times\sqrt{5}}+\frac{(3\sqrt{3}+3\sqrt{5})\times\sqrt{3}}{\sqrt{3}\times\sqrt{3}}$
$=\frac{5-5\sqrt{15}}{5}+\frac{9+3\sqrt{15}}{3}$
$=1-\sqrt{15}+3+\sqrt{15}=4$

15 ① $\sqrt{2}-(3\sqrt{2}-3)=\sqrt{2}-3\sqrt{2}+3=-2\sqrt{2}+3$
$=-\sqrt{8}+\sqrt{9}>0$
$\therefore \sqrt{2}>3\sqrt{2}-3$
② $4-2\sqrt{2}-(5-3\sqrt{2})=4-2\sqrt{2}-5+3\sqrt{2}$
$=-1+\sqrt{2}=-\sqrt{1}+\sqrt{2}>0$
$\therefore 4-2\sqrt{2}>5-3\sqrt{2}$
③ $6-\sqrt{3}-(1+2\sqrt{3})=6-\sqrt{3}-1-2\sqrt{3}=5-3\sqrt{3}$
$=\sqrt{25}-\sqrt{27}<0$
$\therefore 6-\sqrt{3}<1+2\sqrt{3}$
④ $2\sqrt{5}+1-(3\sqrt{5}-1)=2\sqrt{5}+1-3\sqrt{5}+1=-\sqrt{5}+2$
$=-\sqrt{5}+\sqrt{4}<0$
$\therefore 2\sqrt{5}+1<3\sqrt{5}-1$
⑤ $2-\sqrt{7}-(5-2\sqrt{7})=2-\sqrt{7}-5+2\sqrt{7}=-3+\sqrt{7}$
$=-\sqrt{9}+\sqrt{7}<0$
$\therefore 2-\sqrt{7}<5-2\sqrt{7}$
따라서 두 실수의 대소 관계가 옳은 것은 ④이다.

16 $1<\sqrt{2}<2$에서 $-2<-\sqrt{2}<-1$이므로
$1<3-\sqrt{2}<2$ $\therefore a=1$
$b=3-\sqrt{2}-1=2-\sqrt{2}$
$\therefore a-b=1-(2-\sqrt{2})=-1+\sqrt{2}$

4일 교과서 대표 전략 ❷ 30쪽~31쪽

1 ⑤	2 a	3 54	4 주환
5 ②	6 ③	7 ④	8 $19-2\sqrt{3}$

1 ① $\sqrt{16}-\sqrt{9}+\sqrt{36}=4-3+6=7$
② $\sqrt{(-7)^2}+\sqrt{64}-(-\sqrt{5})^2=7+8-5=10$
③ $(\sqrt{4})^2-\sqrt{(-6)^2}+\sqrt{121}=4-6+11=9$
④ $(-\sqrt{3})^2-\sqrt{(-2)^2}-\sqrt{9}=3-2-3=-2$
⑤ $(\sqrt{5})^2+(-\sqrt{14})^2-\sqrt{(-2)^2}=5+14-2=17$
따라서 옳지 않은 것은 ⑤이다.

2 $a<0$일 때, $-a>0$, $3a<0$, $5a<0$이므로
$\sqrt{(-a)^2}+\sqrt{(3a)^2}-\sqrt{(5a)^2}$
$=-a+(-3a)-(-5a)$
$=-a-3a+5a=a$

3 $\sqrt{21-a}$가 자연수가 되려면 $21-a$가 21보다 작은 제곱수이어야 하므로
$21-a=1, 4, 9, 16$
$\therefore a=5, 12, 17, 20$
따라서 모든 자연수 a의 값의 합은
$5+12+17+20=54$

4 시아 : $\overline{AB}=\overline{BC}=\sqrt{1^2+1^2}=\sqrt{2}$이므로
(□ABCD의 넓이)$=(\sqrt{2})^2=2$
지수 : $\overline{BF}=\overline{BC}=\sqrt{2}$
주환 : 점 B에 대응하는 수는 1이고 $\overline{BE}=\overline{AB}=\sqrt{2}$이므로 점 E에 대응하는 수는 $1-\sqrt{2}$이다.
현우 : 점 B에 대응하는 수는 1이고 $\overline{BF}=\sqrt{2}$이므로 점 F에 대응하는 수는 $1+\sqrt{2}$ 이다.
따라서 옳지 않은 말을 한 학생은 주환이다.

5 ① $\frac{3}{\sqrt{7}}\div\frac{\sqrt{2}}{\sqrt{21}}\times\frac{2}{\sqrt{6}}=\frac{3}{\sqrt{7}}\times\frac{\sqrt{21}}{\sqrt{2}}\times\frac{2}{\sqrt{6}}$
$=3$
② $\sqrt{3}\times\frac{\sqrt{5}}{\sqrt{2}}\div\frac{1}{\sqrt{8}}=\sqrt{3}\times\frac{\sqrt{5}}{\sqrt{2}}\times\sqrt{8}$
$=\sqrt{3}\times\frac{\sqrt{5}}{\sqrt{2}}\times2\sqrt{2}$
$=2\sqrt{15}$
③ $\sqrt{39}\div\sqrt{13}+\sqrt{3}\times\sqrt{5}=\sqrt{3}+\sqrt{15}$
④ $\sqrt{8}(2-\sqrt{3})+\sqrt{3}(3\sqrt{2}-\sqrt{24})$
$=2\sqrt{2}(2-\sqrt{3})+\sqrt{3}(3\sqrt{2}-2\sqrt{6})$
$=4\sqrt{2}-2\sqrt{6}+3\sqrt{6}-2\sqrt{18}$
$=4\sqrt{2}-2\sqrt{6}+3\sqrt{6}-6\sqrt{2}$
$=-2\sqrt{2}+\sqrt{6}$
⑤ $\frac{8-4\sqrt{3}}{\sqrt{2}}+\sqrt{30}\div\sqrt{5}=\frac{8\sqrt{2}-4\sqrt{6}}{2}+\sqrt{6}$
$=4\sqrt{2}-2\sqrt{6}+\sqrt{6}$
$=4\sqrt{2}-\sqrt{6}$
따라서 계산 결과가 옳은 것은 ②이다.

6 ① $\sqrt{3.24}=1.8$
② $\sqrt{32300}=\sqrt{10000\times3.23}=100\sqrt{3.23}$
$=100\times1.797=179.7$

④ $\sqrt{0.0311}=\sqrt{\frac{3.11}{100}}=\frac{\sqrt{3.11}}{10}=\frac{1.764}{10}=0.1764$

⑤ $\sqrt{0.033}=\sqrt{\frac{3.3}{100}}=\frac{\sqrt{3.3}}{10}=\frac{1.817}{10}=0.1817$

따라서 값을 구할 수 없는 것은 ③이다.

③의 경우는
$\sqrt{310000}=\sqrt{10000\times31}$
$=100\sqrt{31}$
이므로 $\sqrt{31}$의 값을 알아야 그 값을 구할 수 있어.

7 (i) $a-b=\sqrt{2}+\sqrt{20}-(\sqrt{5}+3\sqrt{2})$
$=\sqrt{2}+2\sqrt{5}-\sqrt{5}-3\sqrt{2}$
$=-2\sqrt{2}+\sqrt{5}=-\sqrt{8}+\sqrt{5}<0$
$\therefore a<b$

(ii) $a-c=\sqrt{2}+\sqrt{20}-2\sqrt{2}=-\sqrt{2}+\sqrt{20}>0$
$\therefore a>c$

(i), (ii)에서 $c<a<b$

8 $2\sqrt{3}=\sqrt{12}$이고 $3<\sqrt{12}<4$이므로 $8<5+2\sqrt{3}<9$
$\therefore a=8$
$b=5+2\sqrt{3}-8=2\sqrt{3}-3$
$\therefore 2a-b=2\times8-(2\sqrt{3}-3)$
$=16-2\sqrt{3}+3$
$=19-2\sqrt{3}$

누구나 합격 전략 (32쪽~33쪽)

01 ④	02 ④	03 ③	04 $-1+\sqrt{10}$
05 보혜	06 ③	07 ⑤	08 ④
09 ⑤	10 재호		

01 ① 13의 제곱근은 $\pm\sqrt{13}$이다.
② $\sqrt{121}=11$의 제곱근은 $\pm\sqrt{11}$이다.
③ 0.9의 제곱근은 $\pm\sqrt{0.9}$이다.
⑤ 1의 제곱근은 ±1이다.
따라서 옳은 것은 ④이다.

02 ② $-a<0$이므로 $\sqrt{(-a)^2}=-(-a)=a$
④ $-(-\sqrt{a^2})=-(-a)=a$
따라서 옳지 않은 것은 ④이다.

03 ③ $\sqrt{196}=14$이므로 유리수이다.
④ $\sqrt{24}=2\sqrt{6}$이므로 무리수이다.
⑤ $\sqrt{4}=2$의 음의 제곱근은 $-\sqrt{2}$이므로 무리수이다.
따라서 무리수가 아닌 것은 ③이다.

04 $\triangle$ABC에서 $\overline{AB}=\sqrt{1^2+3^2}=\sqrt{10}$
점 A에 대응하는 수는 -1이고 $\overline{AP}=\overline{AB}=\sqrt{10}$이므로
점 P에 대응하는 수는 $-1+\sqrt{10}$이다.

05 광현 : 유리수가 아닌 수, 즉 무리수도 수직선 위의 점에 대응시킬 수 있다.
유정 : 서로 다른 두 무리수 사이에는 무수히 많은 유리수가 있다.
우현 : 서로 다른 두 유리수 사이에는 무수히 많은 무리수가 있다.
민재 : 유리수에 대응하는 점들만으로는 수직선을 완전히 메울 수 없다.
따라서 댓글 내용이 옳은 학생은 보혜이다.

06 ③ $\frac{12}{\sqrt{6}}=\frac{12\sqrt{6}}{6}=2\sqrt{6}$
⑤ $\frac{\sqrt{6}}{\sqrt{2}\sqrt{5}}=\frac{\sqrt{3}}{\sqrt{5}}=\frac{\sqrt{15}}{5}$
따라서 분모를 유리화한 것으로 옳지 않은 것은 ③이다.

07 ① $\sqrt{2}\times\sqrt{18}=\sqrt{36}=6$
③ $\sqrt{5}\div\sqrt{7}\times\sqrt{14}=\sqrt{5}\times\frac{1}{\sqrt{7}}\times\sqrt{14}=\sqrt{10}$
④ $\sqrt{27}\div\frac{\sqrt{8}}{\sqrt{3}}\times\sqrt{72}=\sqrt{27}\times\frac{\sqrt{3}}{\sqrt{8}}\times\sqrt{72}$
$=3\sqrt{3}\times\frac{\sqrt{3}}{2\sqrt{2}}\times6\sqrt{2}=27$

⑤ $\sqrt{12}\times\sqrt{2}\div\frac{\sqrt{5}}{\sqrt{2}}=2\sqrt{3}\times\sqrt{2}\times\frac{\sqrt{2}}{\sqrt{5}}=\frac{4\sqrt{3}}{\sqrt{5}}=\frac{4\sqrt{15}}{5}$

따라서 옳지 않은 것은 ⑤이다.

08 ① $\sqrt{13}+\sqrt{26}$은 근호 안의 수가 다르므로 더 이상 간단히 할 수 없다.

② $3\sqrt{5}+4\sqrt{5}=7\sqrt{5}$

③ $\sqrt{7}-7\sqrt{7}=-6\sqrt{7}$

⑤ $\sqrt{5}-\sqrt{28}+\sqrt{45}+4\sqrt{7}=\sqrt{5}-2\sqrt{7}+3\sqrt{5}+4\sqrt{7}$
$=4\sqrt{5}+2\sqrt{7}$

따라서 옳은 것은 ④이다.

09 $\sqrt{5}\left(\frac{1}{5}-2\sqrt{5}\right)-\frac{\sqrt{2}}{\sqrt{10}}+\sqrt{45}=\frac{\sqrt{5}}{5}-10-\frac{\sqrt{5}}{5}+3\sqrt{5}$
$=-10+3\sqrt{5}$

10 민석 : $\sqrt{2}>\sqrt{1}$이므로 $\sqrt{2}>1$

연지 : $\sqrt{7}<\sqrt{36}$이므로 $\sqrt{7}<6$

재호 : $\sqrt{80}>\sqrt{75}$이므로 $4\sqrt{5}>5\sqrt{3}$

혜미 : $\sqrt{14}+1-4=\sqrt{14}-3=\sqrt{14}-\sqrt{9}>0$

$\therefore \sqrt{14}+1>4$

현수 : $5-\sqrt{5}-(\sqrt{5}+1)=5-\sqrt{5}-\sqrt{5}-1$
$=4-2\sqrt{5}$
$=\sqrt{16}-\sqrt{20}<0$

$\therefore 5-\sqrt{5}<\sqrt{5}+1$

따라서 옳은 것을 들고 있는 학생은 재호이다.

창의 · 융합 · 코딩 전략 34쪽~37쪽

1 답 $\sqrt{6}$ m

(삼각형 모양의 우리의 넓이)$=\frac{1}{2}\times4\times3=6$ (m^2)

새로 만들 정사각형 모양의 우리의 한 변의 길이를 x m라 하면

$x^2=6$ $\quad\therefore x=\sqrt{6}$ ($\because x>0$)

따라서 새로 만들 정사각형 모양의 우리의 한 변의 길이는 $\sqrt{6}$ m이다.

2 답 (1) 2π (2) 2π

(1) (호 OA의 길이)$=\frac{1}{2}\times2\pi\times2=2\pi$

(2) $\overline{\text{OA}}$의 길이는 호 OA의 길이와 같으므로 점 A에 대응하는 수는 2π이다.

3 답 초속 19.8 m

$\sqrt{19.6h}$에 $h=20$을 대입하면

$\sqrt{19.6\times20}=\sqrt{392}=\sqrt{100\times3.92}$
$=10\sqrt{3.92}=10\times1.98=19.8$

따라서 지면으로부터 높이가 20 m인 곳에서 내려오는 롤러코스터 차량의 최대 속력은 초속 19.8 m이다.

4 답 풀이 참조

$\sqrt{12}=2\sqrt{3}$, $-\sqrt{54}=-3\sqrt{6}$, $\sqrt{32}=4\sqrt{2}$,

$-\sqrt{\frac{121}{25}}=-\frac{11}{5}$, $6\sqrt{5}=\sqrt{180}$

따라서 같은 수끼리 선분으로 연결하여 울타리를 만들면 다음 그림과 같다.

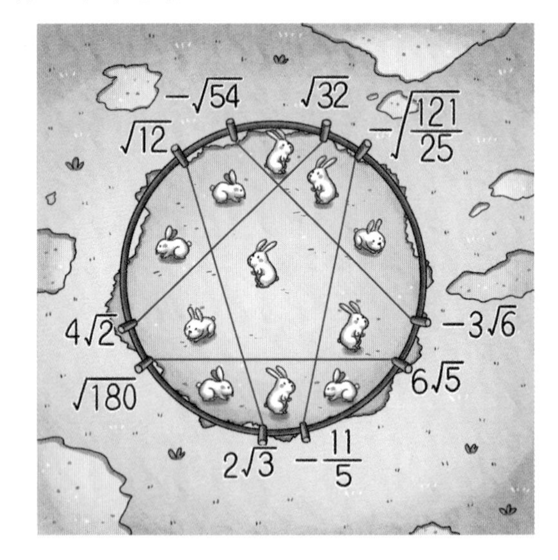

5 답 (1) 10 (2) $\frac{\sqrt{6}}{3}$

(1) $2\sqrt{15}\times\sqrt{10}\div\sqrt{6}=2\sqrt{15}\times\sqrt{10}\times\frac{1}{\sqrt{6}}$
$=2\times5=10$

(2) $\sqrt{\frac{2}{5}}\times\sqrt{10}\div\sqrt{6}=\frac{\sqrt{2}}{\sqrt{5}}\times\sqrt{10}\times\frac{1}{\sqrt{6}}$
$=\frac{\sqrt{2}}{\sqrt{3}}=\frac{\sqrt{6}}{3}$

6 답 54

눈금 6에서부터 눈금 x까지의 거리는

$\sqrt{x}-\sqrt{6}$

이것이 눈금 0에서부터 눈금 24까지의 거리인 $\sqrt{24}$와 같으므로 $\sqrt{x}-\sqrt{6}=\sqrt{24}$

$\therefore \sqrt{x}=\sqrt{24}+\sqrt{6}=2\sqrt{6}+\sqrt{6}=3\sqrt{6}=\sqrt{54}$

따라서 x의 값은 54이다.

7 답 (1) $5\sqrt{2}$ m (2) $8\sqrt{2}$ m (3) $(80+40\sqrt{2})$ m^2

(1) B 구역의 한 변의 길이는

$\sqrt{50}=5\sqrt{2}$ (m)

(2) C 구역의 한 변의 길이는

$\sqrt{128}=8\sqrt{2}$ (m)

(3) (D 구역의 가로의 길이)

=(B 구역의 한 변의 길이)+(주차장의 가로의 길이)

$=5\sqrt{2}+5$ (m)

(D 구역의 세로의 길이)=(C 구역의 한 변의 길이)

$=8\sqrt{2}$ (m)

$\therefore$ (D 구역의 넓이)$=8\sqrt{2}(5\sqrt{2}+5)$

$=80+40\sqrt{2}$ (m^2)

8 답 (1) 진규, 슬기 (2) 슬기

(1) $2-\sqrt{5}-(2-\sqrt{3})=2-\sqrt{5}-2+\sqrt{3}$

$=-\sqrt{5}+\sqrt{3}<0$

$\therefore 2-\sqrt{5}<2-\sqrt{3}$

$\sqrt{3}-(3-\sqrt{3})=\sqrt{3}-3+\sqrt{3}=2\sqrt{3}-3$

$=\sqrt{12}-\sqrt{9}>0$

$\therefore \sqrt{3}>3-\sqrt{3}$

따라서 진규, 슬기가 결승에 올라간다.

(2) $2-\sqrt{3}-\sqrt{3}=2-2\sqrt{3}=\sqrt{4}-\sqrt{12}<0$

$\therefore 2-\sqrt{3}<\sqrt{3}$

따라서 슬기가 우승한다.

2주 다항식의 곱셈과 인수분해

1일 개념 돌파 전략 1 (41쪽, 43쪽)

1-2 ②	**2-2** ④
3-2 풀이 참조	**4-2** 수진, 경태
5-2 ④	**6-2** 2, 998, 2, 996, 996000

1-2 $(x-1)(2y-3)=2xy-3x-2y+3$

따라서 y의 계수는 -2이다.

2-2 ① $(3x+1)^2=9x^2+6x+1$

② $(x-3)^2=x^2-6x+9$

③ $(y+1)(y-1)=y^2-1$

⑤ $(2x-3)(3x+1)=6x^2-7x-3$

따라서 옳은 것은 ④이다.

3-2 $\frac{2}{\sqrt{6}-\sqrt{5}}=\frac{2(\sqrt{6}+\sqrt{5})}{(\sqrt{6}-\sqrt{5})(\sqrt{6}+\sqrt{5})}$

$=\frac{2\sqrt{6}+2\sqrt{5}}{6-5}$

$=2\sqrt{6}+2\sqrt{5}$

4-2 수진 : $3x^2y-7xy=xy(3x-7)$

경태 : $ab+a^2b-2ab^3=ab(1+a-2b^2)$

따라서 인수분해를 바르게 하지 않은 학생은 수진, 경태이다.

5-2 ④ $x^2-9x+14=(x-2)(x-7)$

1일 개념 돌파 전략 2 (44쪽~45쪽)

1 ①	**2** ①	**3** ⑤	**4** ②
5 민지	**6** ④		

1 $(4x-1)(2x+3)=8x^2+10x-3$

따라서 $a=8$, $b=10$, $c=-3$이므로

$a+b+c=8+10+(-3)=15$

2 주어진 식의 전개식에서 xy항은
$x\times(-4y)+(-3y)\times 2x=-4xy-6xy=-10xy$
따라서 xy의 계수는 -10이다.

3 ⑤ $(2x-3)(3x+5)=6x^2+x-15$
따라서 옳지 않은 것은 ⑤이다.

4 $36=6^2$이므로 $a=\pm 2\times 6=\pm 12$
$\therefore a=12$ ($\because a>0$)

5 $5x(x+2y)$의 인수는
$1, 5, x, x+2y, 5x, 5(x+2y), x(x+2y), 5x(x+2y)$
따라서 $5x(x+2y)$의 인수가 아닌 것을 들고 있는 학생은 민지이다.

6 ④ $x^2+3x-10=(x-2)(x+5)$
따라서 옳지 않은 것은 ④이다.

2일 필수 체크 전략 ❶ 확인 (46쪽~49쪽)

1-1 ①	**1-2** ④
2-1 ②	**2-2** $9+4\sqrt{5}$
3-1 ⑤	**3-2** ③
4-1 (1) 29 (2) 33	**4-2** (1) 11 (2) 13

1-1 $(-5x+3)^2=25x^2-30x+9$
따라서 $a=25$, $b=-30$이므로
$a+b=25+(-30)=-5$

1-2 $(a+b)(a-b)=a^2-b^2$
① $(a+b)(-a-b)=(a+b)\{-(a+b)\}$
$=-(a+b)^2$
$=-(a^2+2ab+b^2)$
$=-a^2-2ab-b^2$
② $(b+a)(b-a)=b^2-a^2$
③ $(-a+b)(a+b)=(b-a)(b+a)=b^2-a^2$
④ $(-a+b)(-a-b)=\{-(a-b)\}\{-(a+b)\}$
$=(a-b)(a+b)$
$=a^2-b^2$
⑤ $(b-a)(-b+a)=(b-a)\{-(b-a)\}$
$=-(b-a)^2$
$=-(b^2-2ab+a^2)$
$=-b^2+2ab-a^2$
따라서 $(a+b)(a-b)$와 전개식이 같은 것은 ④이다.

2-1 ① $101\times 96=(100+1)(100-4)$ ➡ $(x+a)(x+b)$
② $103^2=(100+3)^2$ ➡ $(a+b)^2$
③ $103\times 97=(100+3)(100-3)$ ➡ $(a+b)(a-b)$
④ $5.1\times 5.2=(5+0.1)(5+0.2)$ ➡ $(x+a)(x+b)$
⑤ $31\times 29=(30+1)(30-1)$ ➡ $(a+b)(a-b)$
따라서 $(a+b)^2=a^2+2ab+b^2$을 이용하여 계산하면 편리한 것은 ②이다.

2-2 $(\sqrt{5}+2)^2=(\sqrt{5})^2+2\times\sqrt{5}\times 2+2^2$
$=5+4\sqrt{5}+4=9+4\sqrt{5}$

3-1 $\frac{12}{3-\sqrt{6}}=\frac{12(3+\sqrt{6})}{(3-\sqrt{6})(3+\sqrt{6})}$
$=\frac{36+12\sqrt{6}}{3}=12+4\sqrt{6}$
따라서 $a=12$, $b=4$이므로
$a-b=12-4=8$

3-2 $\frac{5\sqrt{6}}{2\sqrt{2}-\sqrt{3}}=\frac{5\sqrt{6}(2\sqrt{2}+\sqrt{3})}{(2\sqrt{2}-\sqrt{3})(2\sqrt{2}+\sqrt{3})}$

$=\frac{10\sqrt{12}+5\sqrt{18}}{5}$

$=2\sqrt{12}+\sqrt{18}$

$=4\sqrt{3}+3\sqrt{2}$

따라서 $a=4$, $b=3$이므로 $ab=4\times3=12$

4-1 (1) $x^2+y^2=(x-y)^2+2xy$

$=5^2+2\times2$

$=25+4=29$

(2) $(x+y)^2=(x-y)^2+4xy$

$=5^2+4\times2$

$=25+8=33$

4-2 (1) $x^2+\frac{1}{x^2}=\left(x-\frac{1}{x}\right)^2+2=3^2+2=9+2=11$

(2) $\left(x+\frac{1}{x}\right)^2=\left(x-\frac{1}{x}\right)^2+4=3^2+4=9+4=13$

2일 필수 체크 전략 ❷ 50쪽~51쪽

1 ④	**2** ①	**3** ③	**4** ②
5 3	**6** ②		

1 $2(x+3)(x-3)-(3x-5)(x+1)$

$=2(x^2-9)-(3x^2-2x-5)$

$=2x^2-18-3x^2+2x+5$

$=-x^2+2x-13$

2 $x+y=A$로 놓으면

$(x+y+3)(x+y-3)=(A+3)(A-3)$

$=A^2-9$

$=(x+y)^2-9$

$=x^2+2xy+y^2-9$

3 $205\times195+25=(200+5)(200-5)+25$

$=200^2-5^2+25$

$=40000-25+25$

$=40000$

4 $\frac{\sqrt{5}+\sqrt{3}}{\sqrt{5}-\sqrt{3}}=\frac{(\sqrt{5}+\sqrt{3})^2}{(\sqrt{5}-\sqrt{3})(\sqrt{5}+\sqrt{3})}$

$=\frac{5+2\sqrt{15}+3}{2}=\frac{8+2\sqrt{15}}{2}$

$=4+\sqrt{15}$

따라서 $a=4$, $b=1$이므로 $ab=4\times1=4$

5 $(a+b)^2=(a-b)^2+4ab$이므로

$61=7^2+4ab$, $4ab=12$

$\therefore ab=3$

6 $x+y=(2-\sqrt{2})+(2+\sqrt{2})=4$

$xy=(2-\sqrt{2})(2+\sqrt{2})=4-2=2$

$\therefore x^2+y^2=(x+y)^2-2xy$

$=4^2-2\times2=12$

3일 필수 체크 전략 ❶ 확인 52쪽~55쪽

1-1 ④	**1-2** ④
2-1 ⑤	**2-2** ⑤
3-1 ①	**3-2** $(2x-5)^2$
4-1 ③	**4-2** ③

1-1 $2b(a+b)$의 인수는

1, 2, b, $a+b$, $2b$, $2(a+b)$, $b(a+b)$, $2b(a+b)$

따라서 $2b(a+b)$의 인수가 아닌 것은 ④ $2ab$이다.

1-2 ① $2a^3-4a^2b=2a^2(a-2b)$

② $ma+mb-mc=m(a+b-c)$

③ $5xy^2+xy=xy(5y+1)$

⑤ $4a^2-4ab=4a(a-b)$

따라서 인수분해한 것이 옳은 것은 ④이다.

2-1 $6x^2-11x-10=(2x-5)(3x+2)$
따라서 $a=2$, $b=2$이므로 $a+b=2+2=4$

2-2 ① $\frac{1}{4}x^2+x+1=\left(\frac{1}{2}x+1\right)^2$
② $3x^2-12xy+12y^2=3(x^2-4xy+4y^2)$
$=3(x-2y)^2$
③ $-36x^2+y^2=(6x+y)(-6x+y)$
④ $8x^2+14xy+3y^2=(2x+3y)(4x+y)$
따라서 옳은 것은 ⑤이다.

3-1 $a^2(a-1)-(a-1)=(a-1)(a^2-1)$
$=(a-1)(a+1)(a-1)$
$=(a+1)(a-1)^2$

3-2 $x-2=A$로 놓으면
$4(x-2)^2-4(x-2)+1=4A^2-4A+1$
$=(2A-1)^2$
$=\{2(x-2)-1\}^2$
$=(2x-5)^2$

답을 쓸 때, $(2A-1)^2$으로 써서 종종 틀렸어.

공통부분을 한 문자로 놓고 인수분해한 후에는 반드시 원래의 식을 대입해야 돼.

4-1 $99^2-1=99^2-1^2$
$=(99+1)(99-1)$
$=100\times98=9800$
따라서 99^2-1을 계산하려고 할 때, 가장 편리한 인수분해 공식은 ③이다.

4-2 $x^2-2x-3=(x+1)(x-3)$
$=\{(1+\sqrt{3})+1\}\{(1+\sqrt{3})-3\}$
$=(\sqrt{3}+2)(\sqrt{3}-2)$
$=3-4=-1$

3일 필수 체크 전략 ❷

56쪽~57쪽

1 ① **2** ① **3** -8 **4** 시은
5 48000 **6** ①

1 $2a^2-6ab^2-4a^2b^2=2a(a-3b^2-2ab^2)$
따라서 $2a^2-6ab^2-4a^2b^2$의 인수는
$1, 2, a, a-3b^2-2ab^2, 2a, 2(a-3b^2-2ab^2)$,
$a(a-3b^2-2ab^2), 2a(a-3b^2-2ab^2)$
이므로 인수인 것은 ①이다.

2 $(x+3)(x-5)-2x-17$
$=x^2-2x-15-2x-17$
$=x^2-4x-32$
$=(x+4)(x-8)$
따라서 두 일차식은 $x+4$, $x-8$이므로 두 일차식의 합은
$(x+4)+(x-8)=2x-4$

3 $9x^2+12x+4=(3x+2)^2$이므로 $a=3$
$-64x^2+25y^2=(-8x+5y)(8x+5y)$이므로
$b=-8$
$8x^2-2x-3=(2x+1)(4x-3)$이므로 $c=-3$
$\therefore a+b+c=3+(-8)+(-3)=-8$

4 $a-b=A$로 놓으면
$(a-b)(a-b+7)-18=A(A+7)-18$
$=A^2+7A-18$
$=(A-2)(A+9)$
$=(a-b-2)(a-b+9)$

5 $A=111^2-22\times111+121$
$=111^2-2\times111\times11+11^2$
$=(111-11)^2$
$=100^2=10000$
$B=2.6^2-1.4^2$
$=(2.6+1.4)(2.6-1.4)$
$=4\times1.2=4.8$
$\therefore AB=10000\times4.8=48000$

6 x^2-y^2

$=(x+y)(x-y)$

$=\{(\sqrt{5}+2)+(\sqrt{5}-2)\}\{(\sqrt{5}+2)-(\sqrt{5}-2)\}$

$=2\sqrt{5}\times4=8\sqrt{5}$

4일 교과서 대표 전략 ❶

58쪽~61쪽

1 4	**2** ⑤	**3** ②	**4** 3
5 ⑤	**6** ③	**7** ③	**8** ④
9 ⑤	**10** ③	**11** ③	**12** ②
13 ②	**14** ①	**15** ③	**16** ④

1 주어진 식의 전개식에서 x^2항은

$ax\times(-4x)+3\times x^2=(-4a+3)x^2$

즉 $-4a+3=-5$이므로 $-4a=-8$ $\therefore a=2$

상수항은 $3b$이므로 $3b=6$ $\therefore b=2$

$\therefore a+b=2+2=4$

2 ① $\left(\frac{2}{3}x+3\right)^2=\frac{4}{9}x^2+4x+9$

② $(3x-4y)^2=9x^2-24xy+16y^2$

③ $(-2-a)(-2+a)=4-a^2$

④ $(x+6)(x-3)=x^2+3x-18$

따라서 옳은 것은 ⑤이다.

3 $(x+a)^2=x^2+2ax+a^2$이므로

$2a=-8,\ a^2=16$ $\therefore a=-4$

$(3x-2)(x+b)=3x^2+(3b-2)x-2b$이므로

$3b-2=19,\ -2b=-14$ $\therefore b=7$

$\therefore a+b=-4+7=3$

4 길을 한쪽으로 이동시키면 오른쪽 그림과 같으므로 길을 제외한 땅의 넓이는 가로의 길이가 $(5a-2)$ m, 세로의 길이가 $(3a-2)$ m인 직사각형의 넓이와 같다.

$\therefore$ (길을 제외한 땅의 넓이)$=(5a-2)(3a-2)$

$=15a^2-16a+4\ (\text{m}^2)$

따라서 $p=15,\ q=-16,\ r=4$이므로

$p+q+r=15+(-16)+4=3$

5 ① $201^2=(200+1)^2 \Rightarrow (a+b)^2$

② $497^2=(500-3)^2 \Rightarrow (a-b)^2$

③ $102\times98=(100+2)(100-2)$

$\Rightarrow (a+b)(a-b)$

④ $104\times102=(100+4)(100+2)$

$\Rightarrow (x+a)(x+b)$

⑤ $6.1\times6.8=(6+0.1)(6+0.8)$

$\Rightarrow (x+a)(x+b)$

따라서 주어진 수의 계산을 가장 편리하게 하기 위하여 이용되는 곱셈 공식의 연결이 옳지 않은 것은 ⑤이다.

6 $(2\sqrt{3}+5)^2=(2\sqrt{3})^2+2\times2\sqrt{3}\times\sqrt{5}+(\sqrt{5})^2$

$=12+4\sqrt{15}+5$

$=17+4\sqrt{15}$

따라서 $p=17,\ q=4$이므로

$p+q=17+4=21$

7 $\frac{8}{\sqrt{7}-\sqrt{3}}=\frac{8(\sqrt{7}+\sqrt{3})}{(\sqrt{7}-\sqrt{3})(\sqrt{7}+\sqrt{3})}$

$=\frac{8\sqrt{7}+8\sqrt{3}}{4}$

$=2\sqrt{7}+2\sqrt{3}$

따라서 $a=2,\ b=3$이므로 $ab=2\times3=6$

8 $(a+b)^2=(a-b)^2+4ab$

$=4^2+4\times3$

$=16+12=28$

9 ④ $x^2-1=(x+1)(x-1)$

⑤ $x^2+2x+1=(x+1)^2$

따라서 $x-1$을 인수로 갖지 않는 것은 ⑤이다.

10 ① $\square=\left(\frac{4}{2}\right)^2=4$

② $25=5^2$이므로 $\square=\pm2\times5=\pm10$

$\therefore \square=10$ ($\because \square>0$)

③ $\square x^2=(\sqrt{\square}x)^2$, $4=2^2$이므로

$16=2\times\sqrt{\square}\times2$, $\sqrt{\square}=4$ $\therefore \square=16$

④ $9x^2=(3x)^2$, $\frac{1}{4}=\left(\frac{1}{2}\right)^2$이므로

$\square=\pm2\times3\times\frac{1}{2}=\pm3$ $\therefore \square=3$ ($\because \square>0$)

⑤ $36x^2=(6x)^2$, $\frac{1}{9}y^2=\left(\frac{1}{3}y\right)^2$이므로

$\square=\pm2\times6\times\frac{1}{3}=\pm4$ $\therefore \square=4$ ($\because \square>0$)

따라서 □ 안에 알맞은 양수 중 가장 큰 것은 ③이다.

11 $x^2-4x-5=(x+1)(x-5)$

$4x^2+x-3=(x+1)(4x-3)$

따라서 두 다항식의 공통인 인수는 $x+1$이다.

12 $3x^2-7x+2a=(x-4)(3x+m)$ (m은 상수)으로 놓으면

$m-12=-7$, $-4m=2a$

$\therefore m=5$, $a=-10$

13 $x(y-2)-4y+8=x(y-2)-4(y-2)$

$=(y-2)(x-4)$

14 $x+2=A$로 놓으면

$(x+2)^2-7(x+2)+12$

$=A^2-7A+12$

$=(A-3)(A-4)$

$=\{(x+2)-3\}\{(x+2)-4\}$

$=(x-1)(x-2)$

따라서 $(x+2)^2-7(x+2)+12$의 인수인 것은 ①이다.

15 $x^2-8x+16=(x-4)^2$

$=(104-4)^2$

$=100^2$

$=10000$

16 $3x^2+11x+10=(x+2)(3x+5)$

이때 직사각형의 가로의 길이가 $x+2$이므로 세로의 길이는 $3x+5$이다.

4일 교과서 대표 전략 ❷

62쪽~63쪽

1 ①	**2** $9x^2-y^2+8y-16$		**3** ⑤
4 6	**5** ④	**6** 5	**7** 8
8 $4x+10$			

1 $(4x+1)(x-3)-(x+5)(x-2)$

$=(4x^2-11x-3)-(x^2+3x-10)$

$=4x^2-11x-3-x^2-3x+10$

$=3x^2-14x+7$

2 $(3x-y+4)(3x+y-4)$

$=\{3x-(y-4)\}\{3x+(y-4)\}$

$y-4=A$로 놓으면

(주어진 식)$=(3x-A)(3x+A)$

$=9x^2-A^2$

$=9x^2-(y-4)^2$

$=9x^2-(y^2-8y+16)$

$=9x^2-y^2+8y-16$

3 $997\times1003=(1000-3)(1000+3)$

$=1000^2-3^2$

$=(10^3)^2-3^2$

$=10^6-9$

따라서 $a=6$, $b=9$이므로 $a+b=6+9=15$

4 $x=\frac{1}{3+2\sqrt{2}}=\frac{3-2\sqrt{2}}{(3+2\sqrt{2})(3-2\sqrt{2})}=3-2\sqrt{2}$,

$y=\frac{1}{3-2\sqrt{2}}=\frac{3+2\sqrt{2}}{(3-2\sqrt{2})(3+2\sqrt{2})}=3+2\sqrt{2}$

이므로

$x+y=(3-2\sqrt{2})+(3+2\sqrt{2})=6$

$xy=(3-2\sqrt{2})(3+2\sqrt{2})=9-8=1$

$\therefore \frac{x+y}{xy}=\frac{6}{1}=6$

5 $(x-1)(x+3)+a=x^2+2x-3+a$

이 식이 완전제곱식이 되려면

$-3+a=\left(\frac{2}{2}\right)^2=1$

$\therefore a=4$

6 $x^2+ax+9=(x+3)(x+m)$(m은 상수)으로 놓으면

$3+m=a$, $3m=9$ $\quad\therefore m=3, a=6$

$x^2-bx-12=(x+3)(x+n)$(n은 상수)으로 놓으면

$3+n=-b$, $3n=-12$ $\quad\therefore n=-4, b=1$

$\therefore a-b=6-1=5$

7 $4x-5=A$, $3x-2=B$로 놓으면

$(4x-5)^2-(3x-2)^2$

$=A^2-B^2$

$=(A+B)(A-B)$

$=\{(4x-5)+(3x-2)\}\{(4x-5)-(3x-2)\}$

$=(7x-7)(x-3)$

$=7(x-1)(x-3)$

따라서 $a=7$, $b=-1$이므로

$a-b=7-(-1)=8$

8 새로 만든 직사각형의 넓이를 x의 식으로 나타내면

$x^2+x+x+x+x+x+1+1+1+1$

$=x^2+5x+4$

$=(x+1)(x+4)$

따라서 새로 만든 직사각형의 가로의 길이와 세로의 길이는 각각 $x+1$, $x+4$ 또는 $x+4$, $x+1$이므로 구하는 둘레의 길이는

$2\{(x+1)+(x+4)\}=2(2x+5)=4x+10$

누구나 합격 전략

64쪽~65쪽

01 ⑤	**02** ④	**03** ①	**04** 하나
05 ②	**06** 준서	**07** ⑤	**08** ④
09 ③	**10** ⑤		

01 ① $(x-1)^2=x^2-2x+1$

② $(2x+1)^2=4x^2+4x+1$

③ $(x+4)(x-4)=x^2-16$

④ $(x+8)(x-5)=x^2+3x-40$

따라서 옳은 것은 ⑤이다.

02 $(x+y)^2=x^2+2xy+y^2$

① $(x-y)^2=x^2-2xy+y^2$

② $(-x+y)^2=\{-(x-y)\}^2=(x-y)^2$
$=x^2-2xy+y^2$

③ $-(x+y)^2=-(x^2+2xy+y^2)$
$=-x^2-2xy-y^2$

④ $(-x-y)^2=\{-(x+y)\}^2=(x+y)^2$
$=x^2+2xy+y^2$

⑤ $(x+y)(x-y)=x^2-y^2$

따라서 $(x+y)^2$과 전개식이 같은 것은 ④이다.

03 $(x+4)(x+8)=x^2+12x+32$

따라서 $A=12$, $B=32$이므로

$B-A=32-12=20$

04 $1001^2=(1000+1)^2$이므로 $(a+b)^2=a^2+2ab+b^2$을 이용하는 것이 가장 편리하다.
따라서 가장 편리한 곱셈 공식을 말한 학생은 하나이다.

05 $(\sqrt{3}+1)(\sqrt{3}-2)$
$=(\sqrt{3})^2+\{1+(-2)\}\times\sqrt{3}+1\times(-2)$
$=3-\sqrt{3}-2$
$=1-\sqrt{3}$
따라서 $a=1$, $b=-1$이므로
$ab=1\times(-1)=-1$

06 준서 : ㉠의 과정에서는 분배법칙이 이용된다.

07 $ab-ab^2=ab(1-b)$
따라서 인수가 아닌 것은 ⑤ $b^2(1-b)$이다.

08 ④ $x^2+xy-12y^2=(x+4y)(x-3y)$

09 $24+k=\left(-\frac{10}{2}\right)^2=25$
$\therefore k=1$

10 $6.5^2-3.5^2=(6.5+3.5)(6.5-3.5)$
$=10\times3=30$

창의 · 융합 · 코딩 전략 66쪽~69쪽

1 답 동물원
첫 번째 갈림길에서
$(1-3x)(1+3x)=1-9x^2$이므로 $a=1$
즉 빨간색 화살표를 따라간다.
두 번째 갈림길에서
$(x-9)(x-4)=x^2-13x+36$이므로 $a=-36$
즉 파란색 화살표를 따라간다.
따라서 수아와 친구들은 동물원으로 현장학습을 가게 된다.

2 답 (1) 2 (2) $b=4$, $c=0$, $d=-16$
(1) $(x-3)(ax-4)=ax^2+(-4-3a)x+12$
$=2x^2-10x+12$
$\therefore a=2$
(2) $(2x-4)(2x+4)=4x^2-16$
$=bx^2+cx+d$
$\therefore b=4$, $c=0$, $d=-16$

3 답 3
$(x+A)(x-5)=x^2+(A-5)x-5A$
$=x^2-2x-15$
따라서 $A-5=-2$, $-5A=-15$이므로
$A=3$

4 답 (1) $(3x+y)(2x-y)$ (2) $6x^2-xy-y^2$
(1) 새로 만들어진 직사각형 모양의 수박밭의 가로의 길이는 $(3x+y)$, 세로의 길이는 $(2x-y)$이므로
(새로 만들어진 수박밭의 넓이)
$=(3x+y)(2x-y)$
(2) $(3x+y)(2x-y)=6x^2-xy-y^2$

5 답 ㈑
xy, x의 공통인 인수는 x이다. (➡)
a^2b, ab의 공통인 인수는 ab이다. (⬇)
x^2y, xy, $2xy^2$의 공통인 인수는 xy이다. (➡)
따라서 도착하는 지점은 ㈑이다.

6 답 3개
하나의 큰 정사각형을 만들기 위해 넓이가 b^2인 정사각형을 k개 더 추가한다고 하면 $a^2+4ab+(1+k)b^2$이 완전제곱식이 된다.
즉 $(1+k)b^2=\left(\frac{4b}{2}\right)^2$이므로 $1+k=4$
$\therefore k=3$

즉 넓이가 b^2인 정사각형 3개를 추가해야 다음 그림과 같이 하나의 큰 정사각형을 만들 수 있다.

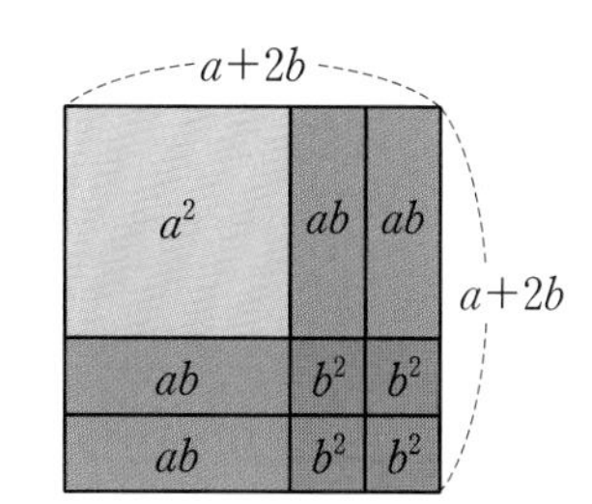

넓이가 각각 a^2, ab, b^2인 직사각형의 넓이의 합과 하나의 큰 정사각형의 넓이의 합이 같으므로 넓이가 각각 a^2, ab, b^2인 직사각형의 넓이의 합은 완전제곱식이 되어야 해.

7 답 (가) $10x^2-11x-6$ (나) $5x+2$

$10ax^2-11ax-6a=a(10x^2-11x-6)$

$=a(2x-3)(5x+2)$

따라서 (가)에 들어갈 식은 $10x^2-11x-6$

(나)에 들어갈 식은 $5x+2$이다.

8 답 $300\pi\ \mathrm{m}^2$

(분수대를 제외한 잔디밭의 넓이)

=(전체 잔디밭의 넓이)−(분수대의 넓이)

$=\pi\times17.5^2-\pi\times2.5^2$

$=\pi(17.5^2-2.5^2)$

$=\pi(17.5+2.5)(17.5-2.5)$

$=\pi\times20\times15$

$=300\pi\ (\mathrm{m}^2)$

중간고사 마무리

신유형 · 신경향 · 서술형 전략 (72쪽~75쪽)

1 답 표는 풀이 참조, 3

$-\sqrt{16}=-4$이므로 정수, 유리수, 실수에 ○표를 해야 한다.

즉 각 수가 해당하는 곳에 ○표를 하면 다음과 같다.

	자연수	정수	유리수	무리수	실수
π				○	○
$-\sqrt{16}$		○	○		○
$1.\dot{4}$			○		○
$\sqrt{7}$				○	○
5	○	○	○		○
$2+\sqrt{2}$				○	○

따라서 무리수는 π, $\sqrt{7}$, $2+\sqrt{2}$의 3개이다.

2 답 ㅁ, ㅂ

$2<\sqrt{5}<3$이므로 $3<1+\sqrt{5}<4$

$-3<-\sqrt{5}<-2$이므로 $-2<1-\sqrt{5}<-1$

ㄱ $1-\sqrt{5}<2<1+\sqrt{5}$

ㄴ $\sqrt{(-3)^2}=3$이므로 $1-\sqrt{5}<\sqrt{(-3)^2}<1+\sqrt{5}$

ㄷ $\dfrac{5}{\sqrt{5}}=\sqrt{5}$이므로 $1-\sqrt{5}<\sqrt{5}<1+\sqrt{5}$

ㄹ $1<\sqrt{2}<2$에서 $2<\sqrt{2}+1<3$이므로 $1-\sqrt{5}<\sqrt{2}+1<1+\sqrt{5}$

ㅁ 5의 음의 제곱근은 $-\sqrt{5}$이므로 $-\sqrt{5}<1-\sqrt{5}$

ㅂ $-4<1-\sqrt{5}$

따라서 □ 안에 들어갈 수 없는 수는 ㅁ, ㅂ이다.

3 답 준호, $2+\sqrt{10}$

화영 : $\overline{\mathrm{AB}}=\sqrt{1^2+3^2}=\sqrt{10}$

윤정 : (□ABCD의 넓이)$=(\sqrt{10})^2=10$

준호 : 점 B에 대응하는 수는 2이고, $\overline{\mathrm{BE}}=\overline{\mathrm{AB}}=\sqrt{10}$이므로 점 E에 대응하는 수는 $2+\sqrt{10}$이다.

4 답 (1) $\sqrt{5}$ (2) $\sqrt{6}$ (3) 6

(1) 조각 타일 A의 넓이가 5이므로

$x^2=5$ $\quad\therefore x=\sqrt{5}\ (\because x>0)$

(2) 조각 타일 B의 짧은 변의 길이가 $\sqrt{5}$이고 넓이가 $\sqrt{30}$이므로 $\sqrt{5}y=\sqrt{30}$ $\quad\therefore y=\dfrac{\sqrt{30}}{\sqrt{5}}=\sqrt{\dfrac{30}{5}}=\sqrt{6}$

(3) 조각 타일 C의 한 변의 길이는 조각 타일 B의 긴 변의 길이와 같으므로 $\sqrt{6}$이다.

따라서 조각 타일 C의 넓이는 $(\sqrt{6})^2=6$

5 답 (1) $2x^2+(-2k+5)x-5k$

(2) $-2k+5=7,\ k=-1$

(3) 5

(1) $(2x+5)(x-k)=2x^2-2kx+5x-5k$

$=2x^2+(-2k+5)x-5k$

(2) x의 계수가 7이므로 $-2k+5=7$

$-2k=2$ $\quad\therefore k=-1$

(3) 상수항은 $-5k$이므로

$-5k=-5\times(-1)=5$

6 답 $(49-8\sqrt{3})\ \mathrm{cm}^2$

$\dfrac{8}{\sqrt{3}-1}=\dfrac{8(\sqrt{3}+1)}{(\sqrt{3}-1)(\sqrt{3}+1)}=\dfrac{8\sqrt{3}+8}{2}=4\sqrt{3}+4$

따라서 가로의 길이와 세로의 길이를 각각 5 cm만큼 줄인 도형은 한 변의 길이가 $(4\sqrt{3}+4)-5=4\sqrt{3}-1\ (\mathrm{cm})$인 정사각형이므로 구하는 도형의 넓이는

$(4\sqrt{3}-1)^2=48-8\sqrt{3}+1=49-8\sqrt{3}\ (\mathrm{cm}^2)$

7 답 (1) x^2+4x+3 (2) $2x+4$

(1) 하나의 큰 직사각형의 넓이는 8개의 직사각형의 넓이의 합과 같으므로

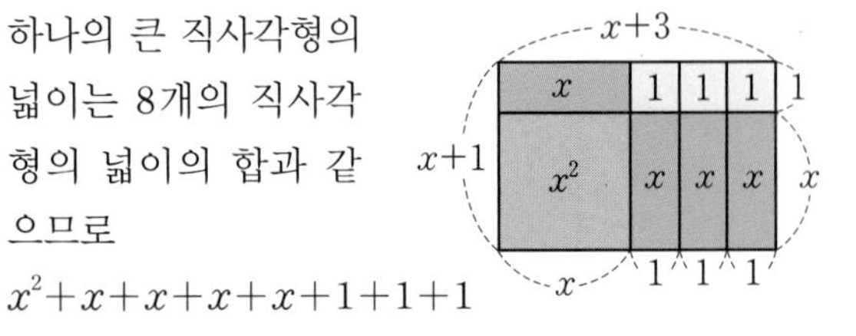

$x^2+x+x+x+x+1+1+1$

$=x^2+4x+3$

(2) $x^2+4x+3=(x+1)(x+3)$

따라서 하나의 큰 직사각형의 가로의 길이와 세로의 길이는 각각 $x+1,\ x+3$ 또는 $x+3,\ x+1$이므로 구하는 합은 $(x+1)+(x+3)=2x+4$

8 답 (1) $(3x+5)(3x-1)$ (2) $3x+5$ (3) $12x+8$

(1) (도형 B의 넓이)$=(3x+2)^2-3^2$

$3x+2=A$로 놓으면

$(3x+2)^2-3^2=A^2-3^2$

$=(A+3)(A-3)$

$=\{(3x+2)+3\}\{(3x+2)-3\}$

$=(3x+5)(3x-1)$

(2) (직사각형 A의 넓이)=(도형 B의 넓이)이므로 직사각형 A의 넓이는 $(3x+5)(3x-1)$이다.

이때 직사각형 A의 세로의 길이가 $3x-1$이므로 가로의 길이는 $3x+5$이다.

(3) $2\{(3x+5)+(3x-1)\}=2(6x+4)=12x+8$

적중 예상 전략 | 1회

76쪽~79쪽

01 ④	02 ④	03 ⑤	04 ②
05 ①	06 ②	07 $2\sqrt{2}$	08 아영
09 -10	10 혜경	11 ④	12 ①
13 ⑤	14 ③	15 ④	16 ⑤

01 ㉠ $\sqrt{16}=4$의 제곱근은 $\pm\sqrt{4}=\pm2$이다.

㉡ $\sqrt{81}=9$의 음의 제곱근은 $-\sqrt{9}=-3$이다.

㉢ $\sqrt{121}=11$의 양의 제곱근은 $\sqrt{11}$이다.

㉣ 제곱근 3^2은 $\sqrt{3^2}=3$이다.

따라서 옳은 것은 ㉡, ㉣이다.

02 정사각형의 한 변의 길이를 x라 하면

$x^2=\left(\dfrac{1}{2}\times3\times7\right)\times2=21$

$\therefore x=\sqrt{21}\ (\because x>0)$

따라서 정사각형의 한 변의 길이는 $\sqrt{21}$이다.

03 $\sqrt{6^2}\div(-\sqrt{3})^2+\sqrt{(-10)^2}\times\left(-\sqrt{\dfrac{1}{2}}\right)^2$

$=6\div3+10\times\dfrac{1}{2}$

$=2+5=7$

04 $a>0$일 때, $-a<0$, $4a>0$, $6a>0$이므로
$\sqrt{(-a)^2}-\sqrt{(4a)^2}+\sqrt{(6a)^2}$
$=-(-a)-4a+6a$
$=a-4a+6a$
$=3a$

05 $180=2^2\times3^2\times5$이므로
$x=5,\ 5\times2^2,\ 5\times3^2,\ 5\times2^2\times3^2$
따라서 가장 작은 자연수 x의 값은 5이다.

06 $\sqrt{28-A}$가 정수가 되려면 $28-A$가 0 또는 28보다 작은 제곱수이어야 하므로
$28-A=0,\ 1,\ 4,\ 9,\ 16,\ 25$
$\therefore\ A=3,\ 12,\ 19,\ 24,\ 27,\ 28$
따라서 자연수 A의 값 중 가장 큰 수는 28이고 가장 작은 수는 3이므로 그 합은 $28+3=31$

$\sqrt{28-A}$가 정수가 되어야 하므로
$28-A$가 0이 되는 경우도
빠뜨리지 않도록 주의!

07 $3=\sqrt{9}$, $2\sqrt{2}=\sqrt{8}$이므로 $2\sqrt{2}<3<\sqrt{13}$
$-1=-\sqrt{1}$이므로 $-\sqrt{10}<-1$
$\therefore\ -\sqrt{10}<-1<2\sqrt{2}<3<\sqrt{13}$
따라서 세 번째에 오는 수는 $2\sqrt{2}$이다.

08 아영 : 근호가 있더라도 $\sqrt{4}=2$와 같이 근호를 없앨 수 있는 수는 유리수이다.
따라서 옳지 않은 설명을 한 학생은 아영이다.

09 $\triangle$ABC에서 $\overline{AC}=\sqrt{2^2+2^2}=2\sqrt{2}$
이때 점 A에 대응하는 수는 5이고 $\overline{AP}=\overline{AC}=2\sqrt{2}$이므로 점 P에 대응하는 수는 $5-2\sqrt{2}$이다.
따라서 $a=5$, $b=-2$이므로
$ab=5\times(-2)=-10$

10 수연 : 수직선 위에는 $\sqrt{7}$에 대응하는 점이 있다.
환희 : $\sqrt{2}$와 $\sqrt{3}$ 사이에는 무수히 많은 무리수가 있다.
진호 : 실수에 대응하는 점들로 수직선을 완전히 메울 수 있다.
석훈 : 0과 1 사이에는 무수히 많은 유리수가 있다.
따라서 옳은 설명을 한 학생은 혜경이다.

11 ㉠ $\sqrt{351}=\sqrt{100\times3.51}=10\sqrt{3.51}$
$=10\times1.873=18.73$
㉡ $\sqrt{3510}=\sqrt{100\times35.1}=10\sqrt{35.1}$
$=10\times5.925=59.25$
㉢ $\sqrt{0.351}=\sqrt{\dfrac{35.1}{100}}=\dfrac{\sqrt{35.1}}{10}=\dfrac{5.925}{10}=0.5925$
㉣ $\sqrt{0.00351}=\sqrt{\dfrac{35.1}{10000}}=\dfrac{\sqrt{35.1}}{100}$
$=\dfrac{5.925}{100}=0.05925$
따라서 옳은 것은 ㉡, ㉣이다.

12 $2\sqrt{24}-3\sqrt{28}-\sqrt{54}+\sqrt{7}=4\sqrt{6}-6\sqrt{7}-3\sqrt{6}+\sqrt{7}$
$=\sqrt{6}-5\sqrt{7}$
따라서 $a=1$, $b=-5$이므로
$a+b=1+(-5)=-4$

13 $\dfrac{9}{\sqrt{3}}(\sqrt{3}-\sqrt{8})-\dfrac{\sqrt{8}-4\sqrt{3}}{\sqrt{2}}$
$=\dfrac{9}{\sqrt{3}}(\sqrt{3}-2\sqrt{2})-\dfrac{2\sqrt{2}-4\sqrt{3}}{\sqrt{2}}$
$=9-\dfrac{18\sqrt{2}}{\sqrt{3}}-2+\dfrac{4\sqrt{3}}{\sqrt{2}}$
$=9-6\sqrt{6}-2+2\sqrt{6}$
$=7-4\sqrt{6}$
따라서 $a=7$, $b=-4$이므로
$a-b=7-(-4)=11$

14 $\overline{AB}=\sqrt{1^2+2^2}=\sqrt{5}$이므로
$\overline{AP}=\overline{AQ}=\overline{AB}=\sqrt{5}$
이때 점 A에 대응하는 수는 3이므로 점 P에 대응하는 수는 $3-\sqrt{5}$, 점 Q에 대응하는 수는 $3+\sqrt{5}$이다.

따라서 $p=3-\sqrt{5}$, $q=3+\sqrt{5}$이므로

$3p-2q=3(3-\sqrt{5})-2(3+\sqrt{5})$

$=9-3\sqrt{5}-6-2\sqrt{5}$

$=3-5\sqrt{5}$

15 (i) $A-B=-\sqrt{6}-2-(-5)$

$=-\sqrt{6}+3$

$=-\sqrt{6}+\sqrt{9}>0$

$\therefore A>B$

(ii) $B-C=-5-(-2\sqrt{6})$

$=-5+2\sqrt{6}$

$=-\sqrt{25}+\sqrt{24}<0$

$\therefore B<C$

(iii) $A-C=-\sqrt{6}-2-(-2\sqrt{6})$

$=\sqrt{6}-2$

$=\sqrt{6}-\sqrt{4}>0$

$\therefore A>C$

(i), (ii), (iii)에서 $B<C<A$

누가 더 큰지 비교해 볼까?

$a-b>0$ 이면 $a>b$

$a-b=0$ 이면 $a=b$

$a-b<0$ 이면 $a<b$

16 $2<\sqrt{5}<3$이므로 $8<6+\sqrt{5}<9$

따라서 $a=8$, $b=6+\sqrt{5}-8=-2+\sqrt{5}$이므로

$a-b=8-(-2+\sqrt{5})=10-\sqrt{5}$

적중 예상 전략 | 2회 80쪽~83쪽

01 ④	02 우정	03 ⑤	04 ④
05 -4	06 ④	07 ③	08 ②
09 ④	10 ①	11 ③	12 ③
13 ①	14 ③	15 ③	16 $12x+8$

01 $(x+4)(5x-ay)=5x^2-axy+20x-4ay$이므로

$-a=b$, $-4a=-12$

$-4a=-12$에서 $a=3$

$-a=b$에서 $b=-3$

$\therefore ab=3\times(-3)=-9$

02 $(x-y)^2=x^2-2xy+y^2$

지은 : $(x+y)^2=x^2+2xy+y^2$

우정 : $(-x+y)^2=x^2-2xy+y^2$

희철 : $-(x+y)^2=-(x^2+2xy+y^2)$

$=-x^2-2xy-y^2$

정신 : $-(x-y)^2=-(x^2-2xy+y^2)$

$=-x^2+2xy-y^2$

은채 : $(-x-y)^2=\{-(x+y)\}^2=(x+y)^2$

$=x^2+2xy+y^2$

따라서 $(x-y)^2$과 전개식이 같은 것을 들고 있는 학생은 우정이다.

03 $(2x-a)(3x+5)=6x^2+(10-3a)x-5a$이므로

$10-3a=b$, $-5a=-15$

$-5a=-15$에서 $a=3$

$10-3a=b$에서 $b=10-3\times3=1$

$\therefore a+b=3+1=4$

04 $(-x-4y)^2=\{-(x+4y)\}^2=(x+4y)^2$

$=x^2+8xy+16y^2$

따라서 옳지 않은 것은 ④이다.

05 (직육면체의 겉넓이)

$=2(x+4)(x-1)+2(x+4)(2x+1)$

$+2(x-1)(2x+1)$

$=2(x^2+3x-4)+2(2x^2+9x+4)+2(2x^2-x-1)$

$=2x^2+6x-8+4x^2+18x+8+4x^2-2x-2$

$=10x^2+22x-2$

따라서 $a=10$, $b=22$, $c=-2$이므로

$2a-b+c=2\times10-22+(-2)=-4$

06 $42\times38=(\boxed{①\ 40}+2)(40-2)$

$=\boxed{②\ 40}^2-\boxed{③\ 2}^2$

$=\boxed{④\ 1600}-4$

$=\boxed{⑤\ 1596}$

따라서 알맞지 않은 것은 ④이다.

07 ① $(\sqrt{2}+3)^2=2+6\sqrt{2}+9=11+6\sqrt{2}$

② $(\sqrt{5}-1)^2=5-2\sqrt{5}+1=6-2\sqrt{5}$

③ $(-\sqrt{6}+\sqrt{5})(-\sqrt{6}-\sqrt{5})=6-5=1$

④ $(3+2\sqrt{2})(3-2\sqrt{2})=9-8=1$

⑤ $(\sqrt{7}+\sqrt{2})(3\sqrt{7}-2\sqrt{2})=21+\sqrt{14}-4=17+\sqrt{14}$

따라서 옳은 것은 ③이다.

08 $\frac{\sqrt{13}-\sqrt{11}}{\sqrt{13}+\sqrt{11}}=\frac{(\sqrt{13}-\sqrt{11})^2}{(\sqrt{13}+\sqrt{11})(\sqrt{13}-\sqrt{11})}$

$=\frac{13-2\sqrt{143}+11}{13-11}$

$=\frac{24-2\sqrt{143}}{2}=12-\sqrt{143}$

09 ④ $2xy^2+y=y(2xy+1)$

⑤ $6ax^3+3ax^2=3ax^2(2x+1)$

따라서 $2x+1$을 인수로 갖지 않는 것은 ④이다.

10 $x^2-11x+18=(x-2)(x-9)$

$x^2-4=(x+2)(x-2)$

따라서 두 다항식의 공통인 인수는 $x-2$이다.

11 ① $9x^2+6x+1=(3x+1)^2$이므로 ●$=3$

② $-y^2+25x^2=25x^2-y^2=(5x+y)(5x-y)$

이므로 ●$=5$

③ $x^2-10x+16=(x-2)(x-8)$이므로 ●$=8$

④ $9a^2-24ab+16b^2=(3a-4b)^2$이므로 ●$=4$

⑤ $3x^2-2x-5=(x+1)(3x-5)$이므로 ●$=1$

따라서 물감이 쏟아진 부분에 들어갈 수가 가장 큰 것은 ③이다.

12 $16x^2+(7a-2)x+25=(4x)^2+(7a-2)x+5^2$

이 식이 완전제곱식이 되려면

$7a-2=\pm2\times4\times5=\pm40$이어야 하므로

$7a-2=40$에서 $7a=42$ $\quad\therefore a=6$

$7a-2=-40$에서 $7a=-38$ $\quad\therefore a=-\frac{38}{7}$

그런데 $a>0$이므로 $a=6$

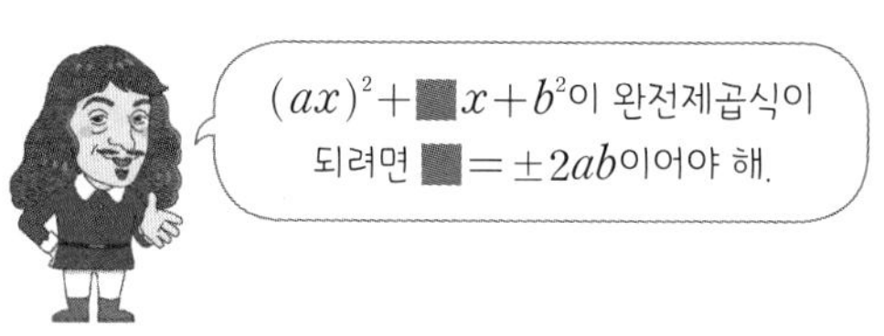

13 $(x-y)(x-z)+(y-x)(y-z)$

$=(x-y)(x-z)-(x-y)(y-z)$

$=(x-y)\{(x-z)-(y-z)\}$

$=(x-y)(x-z-y+z)$

$=(x-y)^2$

14 $x-3=A$로 놓으면

$(x-3)^2-12(x-3)+36$

$=A^2-12A+36$

$=(A-6)^2$

$=\{(x-3)-6\}^2$

$=(x-9)^2$

따라서 인수인 것은 ③이다.

15 $x^2-2xy+y^2=(x-y)^2$

$=\{(2+\sqrt{2})-(2-\sqrt{2})\}^2$

$=(2\sqrt{2})^2=8$

16 $3x^2-10x-8=(x-4)(3x+2)$

이때 직사각형의 가로의 길이가 $x-4$이므로 세로의 길이는 $3x+2$이다.

$\therefore$ (정사각형의 둘레의 길이)$=4(3x+2)$

$=12x+8$

memo

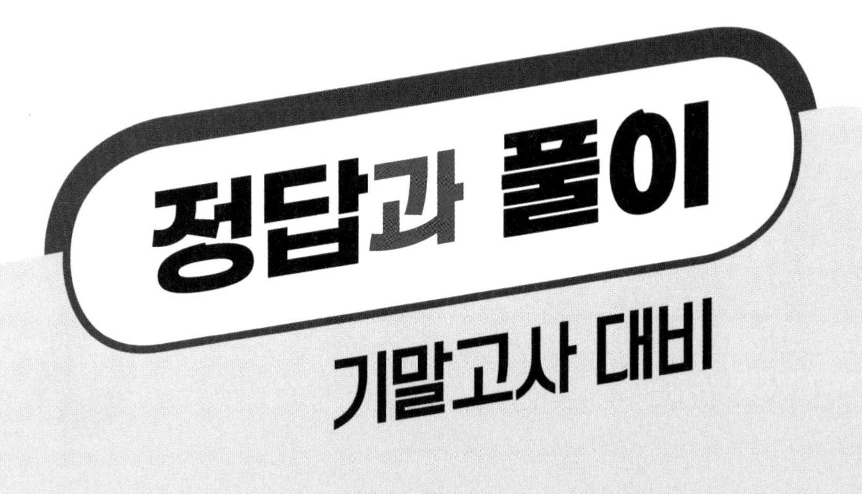
정답과 풀이
기말고사 대비

정답과 풀이 BOOK 2

1주 이차방정식

1일 개념 돌파 전략 ❶ 9쪽, 11쪽

1-2 ㉠, ㉢ **2-2** ⑤
3-2 ⑤ **4-2** ③
5-2 (1) $x=-1$ 또는 $x=-\frac{5}{2}$ (2) $x=\frac{-2\pm\sqrt{19}}{3}$
(3) $x=\frac{4\pm\sqrt{10}}{2}$
6-2 (1) $\frac{n(n-3)}{2}=27$ (2) 구각형

1-2 ㉠~㉣을 주어진 이차방정식에 각각 대입하여 등식이 성립하는 것을 찾는다.
㉠ $(-2)^2+(-2)-2=0$
㉡ $(-1)^2+(-1)-2\neq0$
㉢ $1^2+1-2=0$
㉣ $2^2+2-2\neq0$
따라서 필요한 열쇠는 ㉠, ㉢이다.

2-2 $(x-3)(x-9)=0$에서
$x-3=0$ 또는 $x-9=0$
$\therefore x=3$ 또는 $x=9$

3-2 $x^2+8x=4$의 양변에 $\left(\frac{8}{2}\right)^2=16$을 더하면
$x^2+8x+16=4+16$
$(x+4)^2=20$
따라서 $a=4$, $b=20$이므로 $a+b=4+20=24$

4-2 근의 공식에 $a=1$, $b=2$, $c=-1$을 각각 대입하면
$x=\frac{-2\pm\sqrt{2^2-4\times1\times(-1)}}{2\times1}$
$=\frac{-2\pm2\sqrt{2}}{2}=-1\pm\sqrt{2}$

5-2 (1) $(x+3)(2x+1)=-2$의 괄호를 풀면
$2x^2+7x+3=-2$, $2x^2+7x+5=0$
$(x+1)(2x+5)=0$ $\therefore x=-1$ 또는 $x=-\frac{5}{2}$

(2) $0.3x^2+0.4x-0.5=0$의 양변에 10을 곱하면
$3x^2+4x-5=0$
$\therefore x=\frac{-4\pm\sqrt{4^2-4\times3\times(-5)}}{2\times3}$
$=\frac{-4\pm2\sqrt{19}}{6}=\frac{-2\pm\sqrt{19}}{3}$

(3) $\frac{1}{6}x^2-\frac{2}{3}x+\frac{1}{4}=0$의 양변에 분모의 최소공배수 12를 곱하면 $2x^2-8x+3=0$
$\therefore x=\frac{-(-8)\pm\sqrt{(-8)^2-4\times2\times3}}{2\times2}$
$=\frac{8\pm2\sqrt{10}}{4}=\frac{4\pm\sqrt{10}}{2}$

6-2 (2) $\frac{n(n-3)}{2}=27$의 양변에 2를 곱하면
$n(n-3)=54$, $n^2-3n-54=0$
$(n+6)(n-9)=0$ $\therefore n=-6$ 또는 $n=9$
그런데 $n>3$이므로 $n=9$
따라서 구하는 다각형은 구각형이다.

1일 개념 돌파 전략 ❷ 12쪽~13쪽

1 ③, ④ **2** ④ **3** ③ **4** ③
5 ③ **6** ②

1 ① 일차방정식이다.
② 등호가 없으므로 이차식이다.
③ $x^2=3x-4$에서 $x^2-3x+4=0$이므로 이차방정식이다.
④ $x(x+1)=0$에서 $x^2+x=0$이므로 이차방정식이다.
⑤ $2x^2+3x=2x^2+1$에서 $2x^2+3x-2x^2-1=0$
즉 $3x-1=0$이므로 일차방정식이다.
따라서 이차방정식인 것은 ③, ④이다.

2 [ ] 안의 수를 각 이차방정식의 x에 대입하여 등식이 성립하지 않는 것을 찾는다.

① $0\times(0-2)=0$

② $(-3+3)^2=0$

③ $(2+3)\times(2-2)=0$

④ $(-1)^2+4\times(-1)-5\neq0$

⑤ $3^2+3-12=0$

따라서 [ ] 안의 수가 주어진 이차방정식의 해가 아닌 것은 ④이다.

3 $3x^2-5x-2=0$에서 $(3x+1)(x-2)=0$

$\therefore x=-\frac{1}{3}$ 또는 $x=2$

4 $(x+3)^2-10=0$에서 $(x+3)^2=10$

$x+3=\pm\sqrt{10}$ $\therefore x=-3\pm\sqrt{10}$

5 $x^2-6x-2=0$에서 $x^2-6x=\boxed{①\ 2}$

$x^2-6x+\boxed{②\ 9}=\boxed{①\ 2}+\boxed{②\ 9}$

$(x-\boxed{③\ 3})^2=\boxed{④\ 11}$

$x-\boxed{③\ 3}=\pm\sqrt{\boxed{④\ 11}}$

$\therefore x=\boxed{⑤\ 3\pm\sqrt{11}}$

따라서 알맞지 않은 것은 ③이다.

6 두 수 중 작은 수를 x라 하면 큰 수는 $x+4$이므로

$x(x+4)=60$, $x^2+4x-60=0$

$(x-6)(x+10)=0$ $\therefore x=6$ 또는 $x=-10$

그런데 x는 자연수이므로 $x=6$

따라서 두 수 중 작은 수는 6이다.

2일 필수 체크 전략 ❶ 확인 14쪽~17쪽

1-1 ⑤	**1-2** ④
2-1 ②	**2-2** $x=4$
3-1 ④	**3-2** 7
4-1 ⑤	**4-2** $a=2$, $b=7$

1-1 ① 이차방정식이다.

② $x^2=\frac{x^2-x}{2}$에서 $2x^2=x^2-x$

즉 $x^2+x=0$이므로 이차방정식이다.

③ $(x+1)(x+2)=3$에서 $x^2+3x+2=3$

즉 $x^2+3x-1=0$이므로 이차방정식이다.

④ $x^3=x(x^2+x)$에서 $x^3=x^3+x^2$

즉 $-x^2=0$이므로 이차방정식이다.

⑤ $(x+1)(2x+1)=2x^2$에서 $2x^2+3x+1=2x^2$

즉 $3x+1=0$이므로 일차방정식이다.

따라서 이차방정식이 아닌 것은 ⑤이다.

1-2 $x=2$를 $3x^2-ax+2=0$에 대입하면

$12-2a+2=0$, $-2a=-14$

$\therefore a=7$

2-1 $x^2-x-2=-3x+13$에서 $x^2+2x-15=0$

$(x+5)(x-3)=0$ $\therefore x=-5$ 또는 $x=3$

2-2 $x=2$를 $x^2-ax+8=0$에 대입하면

$4-2a+8=0$, $-2a=-12$

$\therefore a=6$

$a=6$을 $x^2-ax+8=0$에 대입하면

$x^2-6x+8=0$, $(x-2)(x-4)=0$

$\therefore x=2$ 또는 $x=4$

따라서 다른 한 근은 $x=4$이다.

3-1 ① $x^2-6x+9=0$에서 $(x-3)^2=0$ $\therefore x=3$

② $x^2=0$에서 $x=0$

③ $16x^2+8x+1=0$에서 $(4x+1)^2=0$

$\therefore x=-\frac{1}{4}$

④ $x^2+2x-3=0$에서 $(x-1)(x+3)=0$

$\therefore x=1$ 또는 $x=-3$

⑤ $3x^2+24x+48=0$에서 $3(x^2+8x+16)=0$

$3(x+4)^2=0$ $\therefore x=-4$

따라서 중근을 갖지 않는 것은 ④이다.

3-2 $x^2-4x+m-3=0$이 중근을 가지므로

$m-3=\left(\frac{-4}{2}\right)^2$, $m-3=4$ $\quad\therefore m=7$

4-1 $2(x+1)^2=14$에서 $(x+1)^2=7$

$x+1=\pm\sqrt{7}$ $\quad\therefore x=-1\pm\sqrt{7}$

따라서 $p=-1$, $q=7$이므로

$q-p=7-(-1)=8$

4-2 $x^2+2ax-3=0$에서 $x^2+2ax=3$

$x^2+2ax+a^2=3+a^2$, $(x+a)^2=3+a^2$

$x+a=\pm\sqrt{3+a^2}$ $\quad\therefore x=-a\pm\sqrt{3+a^2}$

이것이 $x=-2\pm\sqrt{b}$와 같으므로

$-a=-2$, $3+a^2=b$

$\therefore a=2$, $b=7$

2일 필수 체크 전략 ② 18쪽~19쪽

1 ⑤	2 ②	3 ⑤	4 3개
5 ②	6 ③		

1 $x=1$을 $3x^2+ax-6=0$에 대입하면

$3+a-6=0$ $\quad\therefore a=3$

$x=-2$를 $x^2-5x+b=0$에 대입하면

$4+10+b=0$ $\quad\therefore b=-14$

$\therefore a-b=3-(-14)=17$

2 $x=a$를 $x^2+3x-9=0$에 대입하면

$a^2+3a-9=0$, $a^2+3a=9$

$\therefore a^2+3a+1=9+1=10$

3 $(x+5)(x-3)=-4x+1$의 괄호를 풀면

$x^2+2x-15=-4x+1$

$x^2+6x-16=0$, $(x-2)(x+8)=0$

$\therefore x=2$ 또는 $x=-8$

이때 $m>n$이므로 $m=2$, $n=-8$

$\therefore m-n=2-(-8)=10$

4 ㉠ $x^2-2x=0$에서 $x(x-2)=0$

$\therefore x=0$ 또는 $x=2$

㉡ $x^2+4x-5=0$에서 $(x-1)(x+5)=0$

$\therefore x=1$ 또는 $x=-5$

㉢ $6x^2-12x+6=0$에서 $6(x^2-2x+1)=0$

$6(x-1)^2=0$ $\quad\therefore x=1$

㉣ $\frac{1}{4}x^2+x+1=0$에서 $\left(\frac{1}{2}x+1\right)^2=0$ $\quad\therefore x=-2$

㉤ $(x-3)^2=9$에서 $x-3=\pm3$

$\therefore x=0$ 또는 $x=6$

㉥ $(x-2)^2=2x^2+8$에서 $x^2+4x+4=0$

$(x+2)^2=0$ $\quad\therefore x=-2$

따라서 중근을 갖는 것은 ㉢, ㉣, ㉥의 3개이다.

5 $x^2-8x+2-k=0$이 중근을 가지므로

$2-k=\left(\frac{-8}{2}\right)^2$, $2-k=16$ $\quad\therefore k=-14$

$k=-14$를 $x^2-8x+2-k=0$에 대입하면

$x^2-8x+16=0$, $(x-4)^2=0$ $\quad\therefore x=4$, 즉 $a=4$

$\therefore a+k=4+(-14)=-10$

6 $2x^2+4x+a=0$에서 $x^2+2x+\frac{a}{2}=0$

$x^2+2x=-\frac{a}{2}$, $x^2+2x+1=-\frac{a}{2}+1$

$(x+1)^2=-\frac{a}{2}+1$

이것이 $(x+b)^2=\frac{5}{2}$와 같으므로

$b=1$, $-\frac{a}{2}+1=\frac{5}{2}$

$-\frac{a}{2}+1=\frac{5}{2}$에서 $-\frac{a}{2}=\frac{3}{2}$이므로 $a=-3$

한편 $(x+1)^2=\frac{5}{2}$에서 $x+1=\pm\sqrt{\frac{5}{2}}=\pm\frac{\sqrt{10}}{2}$

$\therefore x=-1\pm\frac{\sqrt{10}}{2}=\frac{-2\pm\sqrt{10}}{2}$

이것이 $x=\frac{c\pm\sqrt{10}}{2}$과 같으므로 $c=-2$

$\therefore a+b-c=-3+1-(-2)=0$

완전제곱식을 이용한다는 건…

$(x-p)^2=q$의 꼴로 만들기 → 제곱근 이용

3일 필수 체크 전략 ❶ 확인 (20쪽~23쪽)

1-1 ②	**1-2** ④
2-1 ④	**2-2** ④
3-1 ①	**3-2** 3초
4-1 ①	**4-2** 8 cm

1-1 $x=\dfrac{-2\pm\sqrt{2^2-4\times3\times(-3)}}{2\times3}$

$=\dfrac{-2\pm2\sqrt{10}}{6}=\dfrac{-1\pm\sqrt{10}}{3}$

이차방정식의 x의 계수가 짝수일 때, 짝수인 경우의 공식을 쓰면 분모, 분자를 약분하는 과정이 생략되어 계산이 간단해져.

$3x^2+2x-3=0$에서

$x=\dfrac{-1\pm\sqrt{1^2-3\times(-3)}}{3}=\dfrac{-1\pm\sqrt{10}}{3}$

1-2 $0.3x^2+0.1x-1=0$의 양변에 10을 곱하면

$3x^2+x-10=0$, $(x+2)(3x-5)=0$

$\therefore x=-2$ 또는 $x=\dfrac{5}{3}$

$\dfrac{1}{2}x^2-\dfrac{1}{3}x-\dfrac{5}{6}=0$의 양변에 6을 곱하면

$3x^2-2x-5=0$, $(x+1)(3x-5)=0$

$\therefore x=-1$ 또는 $x=\dfrac{5}{3}$

따라서 두 이차방정식의 공통인 해는 $x=\dfrac{5}{3}$이다.

2-1 ① $(-5)^2-4\times1\times3=13>0$ ➡ 근이 2개

② $x^2=2x-1$에서 $x^2-2x+1=0$

$(-2)^2-4\times1\times1=0$ ➡ 근이 1개

③ $(-6)^2-4\times3\times(-5)=96>0$ ➡ 근이 2개

④ $1^2-4\times1\times1=-3<0$ ➡ 근이 없다.

⑤ $(-1)^2-4\times2\times(-3)=25>0$ ➡ 근이 2개

따라서 이차방정식 중 근이 없는 것은 ④이다.

2-2 $x^2-2x+k-1=0$이 서로 다른 두 근을 가지므로

$(-2)^2-4\times1\times(k-1)>0$

$4-4k+4>0$, $-4k>-8$ $\quad\therefore k<2$

3-1 연속하는 두 자연수를 x, $x+1$이라 하면

$x^2+(x+1)^2=265$

$2x^2+2x-264=0$, $x^2+x-132=0$

$(x-11)(x+12)=0$ $\quad\therefore x=11$ 또는 $x=-12$

그런데 x는 자연수이므로 $x=11$

따라서 연속하는 두 자연수 중 작은 수는 11이다.

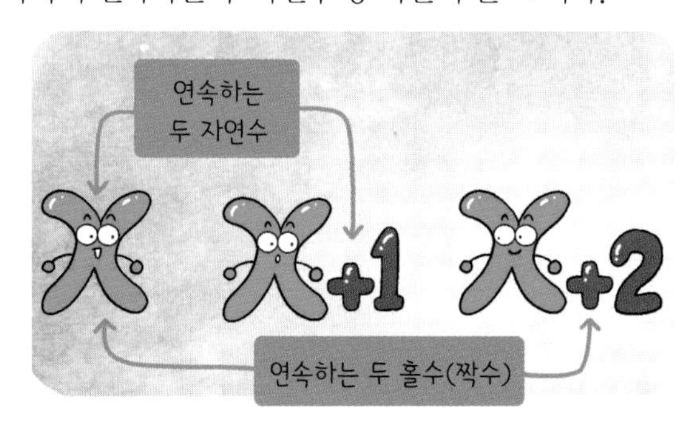

3-2 $45t-5t^2=90$에서 $5t^2-45t+90=0$

$t^2-9t+18=0$, $(t-3)(t-6)=0$

$\therefore t=3$ 또는 $t=6$

따라서 폭죽이 처음으로 지면으로부터 높이가 90 m인 지점에서 터지도록 하려면 3초 후에 터지도록 해야 한다.

4-1 삼각형의 밑변의 길이를 x cm라 하면 삼각형의 높이는 $(x+3)$ cm이므로 그 넓이는 $\dfrac{1}{2}x(x+3)=5$

$x(x+3)=10$, $x^2+3x-10=0$

$(x-2)(x+5)=0$ $\quad\therefore x=2$ 또는 $x=-5$

그런데 $x>0$이므로 $x=2$

따라서 삼각형의 밑변의 길이는 2 cm이다.

4-2 새로운 직사각형의 가로의 길이는 $(x+5)$ cm, 세로의 길이는 $(x+2)$ cm이므로 그 넓이는

$(x+5)(x+2)=40$

$x^2+7x-30=0$, $(x-3)(x+10)=0$

$\therefore x=3$ 또는 $x=-10$

그런데 $x>0$이므로 $x=3$

따라서 처음 직사각형의 가로의 길이는 $3+5=8$ (cm)이다.

3일 필수 체크 전략 ❷

24쪽~25쪽

1 ②	2 ⑤	3 ②	4 ③
5 ④	6 ③		

1 $x=\dfrac{-(-2)\pm\sqrt{(-2)^2-2\times a}}{2}=\dfrac{2\pm\sqrt{4-2a}}{2}$

이것이 $x=\dfrac{b\pm\sqrt{6}}{2}$과 같으므로 $b=2$, $4-2a=6$

$4-2a=6$에서 $-2a=2$ $\quad\therefore a=-1$

$\therefore a-b=-1-2=-3$

2 $0.3x^2=-x-\dfrac{1}{4}$에서 $\dfrac{3}{10}x^2+x+\dfrac{1}{4}=0$

양변에 20을 곱하면 $6x^2+20x+5=0$

$\therefore x=\dfrac{-10\pm\sqrt{10^2-6\times5}}{6}=\dfrac{-10\pm\sqrt{70}}{6}$

따라서 $A=6$, $B=70$이므로 $A+B=6+70=76$

3 $x^2+2x-k=0$이 중근을 가지려면

$2^2-4\times1\times(-k)=0$이어야 하므로

$4+4k=0$, $4k=-4$ $\quad\therefore k=-1$

즉 $3x^2-ax+a+1=0$의 한 근이 $x=-1$이므로

이 방정식에 $x=-1$을 대입하면

$3+a+a+1=0$, $2a=-4$ $\quad\therefore a=-2$

4 연속하는 세 짝수를 $x-2$, x, $x+2$라 하면

$(x+2)^2=(x-2)^2+x^2$

$x^2+4x+4=x^2-4x+4+x^2$

$x^2-8x=0$, $x(x-8)=0$ $\quad\therefore x=0$ 또는 $x=8$

그런데 x는 $x>2$인 자연수이므로 $x=8$

따라서 세 짝수는 6, 8, 10이므로 그 합은

$6+8+10=24$

5 $40t-5t^2=0$이므로

$t^2-8t=0$

$t(t-8)=0$

$\therefore t=0$ 또는 $t=8$

그런데 $t>0$이므로 $t=8$

따라서 공을 던진 지 8초 후에 지면에 떨어진다.

6 처음 원의 넓이는 $\pi\times8^2=64\pi$ (cm^2)이고 반지름의 길이를 x cm만큼 늘인 원의 넓이는

$\pi\times(8+x)^2=(x^2+16x+64)\pi$ (cm^2)이다.

이때 반지름의 길이를 늘였더니 넓이가 57π cm^{2}만큼 넓어졌으므로

$(x^2+16x+64)\pi-64\pi=57\pi$, $x^2+16x-57=0$

$(x-3)(x+19)=0$ $\quad\therefore x=3$ 또는 $x=-19$

그런데 $x>0$이므로 $x=3$

4일 교과서 대표 전략 ❶

26쪽~29쪽

1 ⑤	2 ①	3 ①	4 ②
5 ②	6 $x=7$	7 ①	8 ⑤
9 ④	10 ⑤	11 ③	12 ③
13 ①	14 ②	15 6명	16 7 m

1 $ax^2-3x+4=2x(x-1)$에서 $(a-2)x^2-x+4=0$

이 방정식이 x에 대한 이차방정식이 되려면 $a-2\neq0$이어야 하므로 $a\neq2$

따라서 상수 a의 값이 아닌 것은 ⑤ 2이다.

2 $x=4$를 $x^2-2x+a=0$에 대입하면

$16-8+a=0$ $\quad\therefore a=-8$

3 $x=a$를 $x^2-x-1=0$에 대입하면

$a^2-a-1=0$ $\quad\therefore a^2-a=1$

$x=b$를 $x^2-x-1=0$에 대입하면

$b^2-b-1=0$ $\quad\therefore b^2-b=1$

$\therefore (a^2-a+1)(b^2-b-4)=(1+1)\times(1-4)$

$=2\times(-3)=-6$

4 $(x+1)(x-4)=6$에서 $x^2-3x-10=0$

$(x+2)(x-5)=0$ $\quad\therefore x=-2$ 또는 $x=5$

5 $x=1$을 $x^2+2ax-a-3=0$에 대입하면

$1+2a-a-3=0$ $\quad\therefore a=2$

$a=2$를 $x^2+2ax-a-3=0$에 대입하면

$x^2+4x-5=0$, $(x-1)(x+5)=0$

$\therefore x=1$ 또는 $x=-5$

즉 $b=-5$이므로 $a+b=2+(-5)=-3$

6 은채 : $x^2-4x-21=0$에서 $(x+3)(x-7)=0$

$\therefore x=-3$ 또는 $x=7$

정신 : $x^2-12x+35=0$에서 $(x-5)(x-7)=0$

$\therefore x=5$ 또는 $x=7$

따라서 두 학생이 들고 있는 이차방정식의 공통인 근은 $x=7$이다.

7 $2(x+3)^2=a$에서 $(x+3)^2=\frac{a}{2}$

$x+3=\pm\sqrt{\frac{a}{2}}$ $\quad\therefore x=-3\pm\sqrt{\frac{a}{2}}$

이것이 $x=b\pm\sqrt{2}$와 같으므로 $b=-3$, $\frac{a}{2}=2$

$\frac{a}{2}=2$에서 $a=4$

$\therefore ab=4\times(-3)=-12$

8 $x^2-7x+4=0$에서 $x^2-7x=-4$

$x^2-7x+\boxed{①\ \frac{49}{4}}=-4+\boxed{①\ \frac{49}{4}}$

$\left(x-\boxed{②\ \frac{7}{2}}\right)^2=\boxed{③\ \frac{33}{4}}$, $x-\boxed{②\ \frac{7}{2}}=\pm\frac{\boxed{④\ \sqrt{33}}}{2}$

$\therefore x=\boxed{⑤\ \frac{7\pm\sqrt{33}}{2}}$

따라서 알맞지 않은 것은 ⑤이다.

9 $x=\frac{-7\pm\sqrt{7^2-4\times3\times3}}{2\times3}=\frac{-7\pm\sqrt{13}}{6}$

따라서 $A=-7$, $B=13$이므로

$A+B=-7+13=6$

10 $\frac{1}{6}(x-1)^2-\frac{1}{2}=1$의 양변에 6을 곱하면

$(x-1)^2-3=6$, $x^2-2x-8=0$

$(x+2)(x-4)=0$ $\quad\therefore x=-2$ 또는 $x=4$

따라서 $\alpha=4$, $\beta=-2$이므로

$3\alpha+\beta=3\times4+(-2)=10$

11 ① $1^2-4\times1\times5=-19<0$ ➡ 근이 없다.

② $(-12)^2-4\times4\times9=0$ ➡ 근이 1개

③ $x^2-7x=-12$에서 $x^2-7x+12=0$

$(-7)^2-4\times1\times12=1>0$ ➡ 근이 2개

④ $x^2-18x=-81$에서 $x^2-18x+81=0$

$(-18)^2-4\times1\times81=0$ ➡ 근이 1개

⑤ $9x^2=3x-2$에서 $9x^2-3x+2=0$

$(-3)^2-4\times9\times2=-63<0$ ➡ 근이 없다.

따라서 서로 다른 두 근을 갖는 것은 ③이다.

12 $3x^2-18x+7a-8=0$이 중근을 가지므로

$(-18)^2-4\times3\times(7a-8)=0$

$-84a=-420$ $\quad\therefore a=5$

다른 풀이

$3x^2-18x+7a-8=0$에서 $x^2-6x+\frac{7a-8}{3}=0$

이 방정식이 중근을 가지므로

$\frac{7a-8}{3}=\left(\frac{-6}{2}\right)^2$, $\frac{7a-8}{3}=9$

$7a-8=27$, $7a=35$ $\quad\therefore a=5$

13 두 근이 -2, 3이고 x^2의 계수가 2인 이차방정식은

$2(x+2)(x-3)=0$, $2(x^2-x-6)=0$

$\therefore 2x^2-2x-12=0$

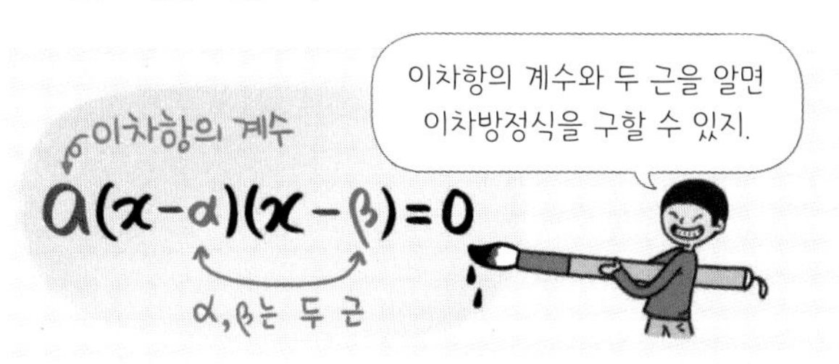

14 연속하는 두 홀수를 x, $x+2$라 하면

$x^2+(x+2)^2=x(x+2)+39$

$x^2+2x-35=0$, $(x-5)(x+7)=0$

$\therefore x=5$ 또는 $x=-7$

그런데 x는 자연수이므로 $x=5$

따라서 두 홀수는 5, 7이므로 그 곱은 $5\times7=35$

15 나람이네 가족을 x명이라 하면 한 사람이 먹은 사과는 $(x+3)$개이므로 $x(x+3)=54$

$x^2+3x-54=0$, $(x-6)(x+9)=0$

$\therefore x=6$ 또는 $x=-9$

그런데 x는 자연수이므로 $x=6$

따라서 나람이네 가족은 6명이다.

16 길의 폭을 x m라 하면 길을 제외한 밭의 넓이는 오른쪽 그림과 같이 가로의 길이가 $(50-x)$ m, 세로의 길이가 $(30-x)$ m인 직사각형의 넓이와 같으므로

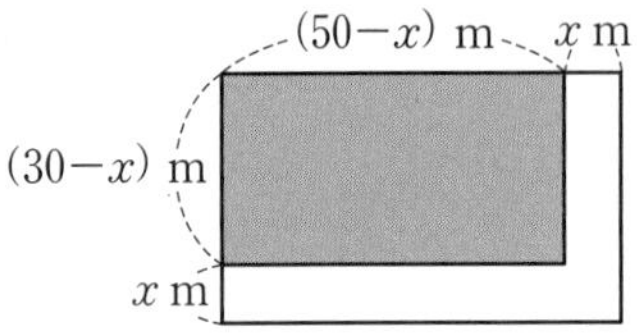

$(50-x)(30-x)=989$

$x^2-80x+511=0$, $(x-7)(x-73)=0$

$\therefore x=7$ 또는 $x=73$

그런데 $0<x<30$이므로 $x=7$

따라서 길의 폭은 7 m이다.

4일 교과서 대표 전략 ❷ (30쪽~31쪽)

1 ①	2 4	3 ②	4 ③
5 ⑤	6 ②	7 18권	8 15 cm

1 $x=-5$를 $x^2+ax+b=0$에 대입하면

$25-5a+b=0 \quad \therefore 5a-b=25$ ...... ㉠

$x=2$를 $x^2+ax+b=0$에 대입하면

$4+2a+b=0 \quad \therefore 2a+b=-4$ ...... ㉡

㉠, ㉡을 연립하여 풀면 $a=3$, $b=-10$

$\therefore a+b=3+(-10)=-7$

다른 풀이

x^2의 계수가 1이고 두 근이 -5, 2인 이차방정식은

$(x+5)(x-2)=0$, $x^2+3x-10=0$

따라서 $a=3$, $b=-10$이므로 $a+b=3+(-10)=-7$

두 근이 α, β이고 x^2의 계수가 a인 이차방정식 ➡ $a(x-\alpha)(x-\beta)=0$

2 $x=a$를 $2x^2-4x-1=0$에 대입하면

$2a^2-4a-1=0 \quad \therefore 2a^2-4a=1$

$x=b$를 $x^2-3x-3=0$에 대입하면

$b^2-3b-3=0 \quad \therefore b^2-3b=3$

$\therefore 2a^2-4a+b^2-3b=1+3=4$

3 $x^2+6x-16=0$에서 $(x-2)(x+8)=0$

$\therefore x=2$ 또는 $x=-8$

즉 $x^2-ax+6a=0$의 한 근이 $x=2$이므로

$x=2$를 이 방정식에 대입하면

$4-2a+6a=0$, $4a=-4 \quad \therefore a=-1$

4 $x=\dfrac{-(-1)\pm\sqrt{(-1)^2-4\times1\times(-5)}}{2\times1}=\dfrac{1\pm\sqrt{21}}{2}$

이므로 $k=\dfrac{1+\sqrt{21}}{2}$

$\therefore 2k-1=2\times\dfrac{1+\sqrt{21}}{2}-1=\sqrt{21}$

5 $0.2x^2+0.1x=\dfrac{3}{2}$에서 $\dfrac{1}{5}x^2+\dfrac{1}{10}x-\dfrac{3}{2}=0$

양변에 10을 곱하면 $2x^2+x-15=0$

$(x+3)(2x-5)=0 \quad \therefore x=-3$ 또는 $x=\dfrac{5}{2}$

따라서 $\alpha=\dfrac{5}{2}$, $\beta=-3$이므로

$2\alpha+\beta=2\times\dfrac{5}{2}+(-3)=2$

6 두 근이 -1, $\dfrac{3}{4}$이고 x^2의 계수가 4인 이차방정식은

$4(x+1)\left(x-\dfrac{3}{4}\right)=0$, $4\left(x^2+\dfrac{1}{4}x-\dfrac{3}{4}\right)=0$

$\therefore 4x^2+x-3=0$

7 x명이 공책을 나눠 가졌다고 하면 한 사람이 갖게 되는 공책은 $(3x+6)$권이므로 $x(3x+6)=72$

$3x^2+6x-72=0$, $x^2+2x-24=0$

$(x-4)(x+6)=0 \quad \therefore x=4$ 또는 $x=-6$

그런데 x는 자연수이므로 $x=4$

따라서 한 사람이 갖게 되는 공책은 $3\times4+6=18$(권)

8 $\overline{AP}=x$ cm라 하면
$\overline{BP}=(20-x)$ cm이므로
$x^2+(20-x)^2=250$
$x^2-20x+75=0$
$(x-5)(x-15)=0$
$\therefore x=5$ 또는 $x=15$
그런데 $\overline{AP}>\overline{BP}$이므로 $x=15$
따라서 $\overline{AP}$의 길이는 15 cm이다.

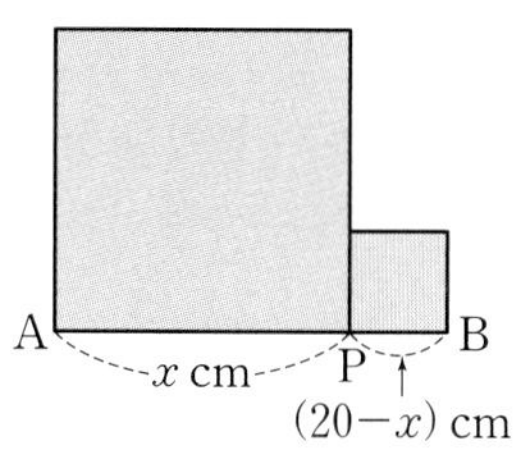

누구나 합격 전략

32쪽~33쪽

01 재호	02 ⑤	03 ①	04 ⑤
05 ③	06 ④	07 ①	08 ⑤
09 ③	10 2		

01 민석 : 이차방정식이다.
연지 : $x^2=3x-4$에서 $x^2-3x+4=0$이므로
이차방정식이다.
재호 : $x(x+1)=x^2+1$에서 $x^2+x=x^2+1$
즉 $x-1=0$이므로 일차방정식이다.
혜미 : $(2x+1)(x-1)=0$에서 $2x^2-x-1=0$이므로
이차방정식이다.
현수 : $2+x-x^2=-2x^2$에서 $x^2+x+2=0$이므로
이차방정식이다.
따라서 이차방정식이 아닌 것을 들고 있는 학생은 재호이다.

02 [ ] 안의 수를 각 이차방정식의 x에 대입하여 등식이 성립하는 것을 찾는다.
① $(-1)^2\neq3\times(-1+1)$
② $3^2-2\times3\neq0$
③ $2^2+3\times2-2\neq0$
④ $(-2)^2-3\times(-2)+1\neq0$
⑤ $2\times1^2+1-3=0$
따라서 [ ] 안의 수가 주어진 이차방정식의 해인 것은 ⑤이다.

03 $x=3$을 $2x^2+ax-6=0$에 대입하면 $18+3a-6=0$
$3a=-12$ $\therefore a=-4$

04 $2x^2-9x+4=0$에서 $(x-4)(2x-1)=0$
$\therefore x=4$ 또는 $x=\frac{1}{2}$
따라서 $a=4$, $b=\frac{1}{2}$이므로 $a-b=4-\frac{1}{2}=\frac{7}{2}$

05 $x^2-8x+9=0$에서 $x^2-8x=-9$
$x^2-8x+16=-9+16$, $(x-4)^2=7$
$x-4=\pm\sqrt{7}$ $\therefore x=4\pm\sqrt{7}$
따라서 $A=-9$, $B=16$, $C=-4$, $D=7$, $E=4\pm\sqrt{7}$이므로 옳지 않은 것은 ③이다.

06 $x=\frac{-(-2)\pm\sqrt{(-2)^2-3\times(-5)}}{3}=\frac{2\pm\sqrt{19}}{3}$
이것이 $x=\frac{a\pm\sqrt{b}}{3}$와 같으므로 $a=2$, $b=19$
$\therefore a+b=2+19=21$

07 $x^2-\frac{3}{2}x-\frac{1}{2}=0$의 양변에 2를 곱하면
$2x^2-3x-1=0$
$\therefore x=\frac{-(-3)\pm\sqrt{(-3)^2-4\times2\times(-1)}}{2\times2}=\frac{3\pm\sqrt{17}}{4}$

08 $x^2+4x+k-3=0$이 중근을 가지므로 $k-3=\left(\frac{4}{2}\right)^2$
$k-3=4$ $\therefore k=7$

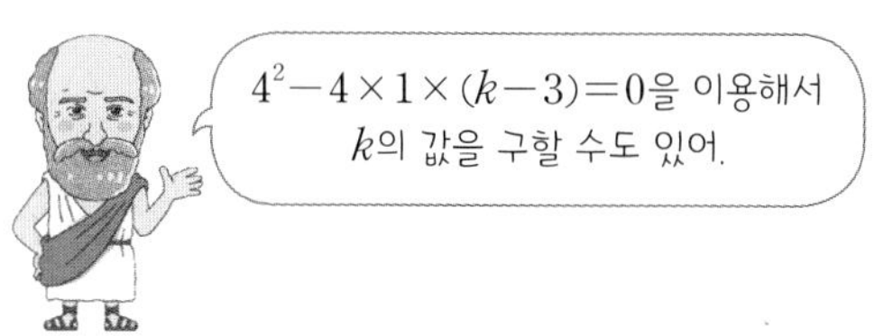

09 펼쳐진 두 면의 쪽수를 각각 x, $x+1$이라 하면
$x(x+1)=156$, $x^2+x-156=0$
$(x-12)(x+13)=0$ $\therefore x=12$ 또는 $x=-13$
그런데 x는 자연수이므로 $x=12$
따라서 두 면의 쪽수는 12, 13이므로 그 합은
$12+13=25$

10 도로를 제외한 땅의 넓이는 오른쪽 그림과 같이 가로의 길이가 $(10-x)$ m, 세로의 길이가 $(7-x)$ m인 직사각형의 넓이와 같으므로

$(10-x)(7-x)=40$

$x^2-17x+70=40$, $x^2-17x+30=0$

$(x-2)(x-15)=0$ $\quad\therefore x=2$ 또는 $x=15$

그런데 $0<x<7$이므로 $x=2$

창의 · 융합 · 코딩 전략 34쪽~37쪽

1 답 (1) 민호, 시은, 현우 (2) $x=\frac{1}{2}$ 또는 $x=-\frac{1}{3}$

(2) $6x^2-x-1=0$에서 $(2x-1)(3x+1)=0$

$\therefore x=\frac{1}{2}$ 또는 $x=-\frac{1}{3}$

2 답 C

(i) $x=1$을 $x^2+4x-5=0$에 대입하면

$1^2+4\times1-5=0$

$x=1$을 $x^2+10x+25=0$에 대입하면

$1^2+10\times1+25\neq0$

따라서 $\boxed{x=1}$ ➡ $\boxed{x^2+4x-5=0}$

(ii) $x^2+4x-5=0$에서 $(x-1)(x+5)=0$

$\therefore x=1$ 또는 $x=-5$

따라서 $\boxed{x^2+4x-5=0}$ ➡ $\boxed{x=-5}$

(iii) $x=-5$를 $x^2+2x=0$에 대입하면

$(-5)^2+2\times(-5)\neq0$

$x=-5$를 $x^2+8x+15=0$에 대입하면

$(-5)^2+8\times(-5)+15=0$

따라서 $\boxed{x=-5}$ ➡ $\boxed{\begin{matrix}\text{C}\\ x^2+8x+15=0\end{matrix}}$

3 답 영호, 풀이 참조

영호의 풀이 과정을 바르게 고치면 다음과 같다.

근의 공식을 이용하여 풀면

$x=\frac{-5\pm\sqrt{5^2-4\times2\times3}}{2\times2}=\frac{-5\pm1}{4}$

$\therefore x=\frac{-5+1}{4}=-1$ 또는 $x=\frac{-5-1}{4}=-\frac{3}{2}$

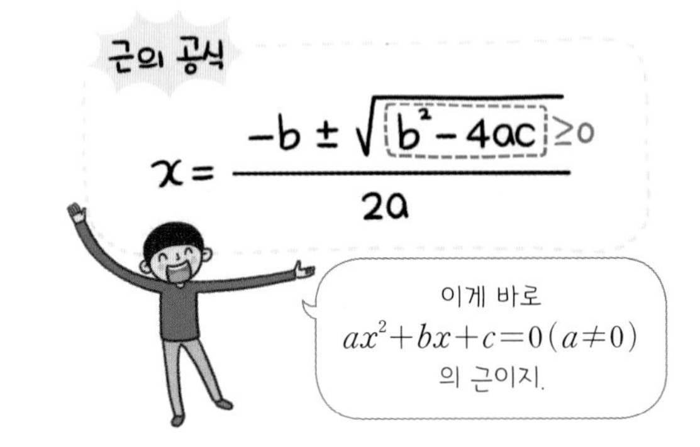

4 답 324

① $x^2-12x+27=0$에서 $(x-3)(x-9)=0$

$\therefore x=\boxed{3}$ 또는 $x=9$

② $5x^2-10=0$에서 $5x^2=10$

$x^2=2$ $\quad\therefore x=\pm\sqrt{\boxed{2}}$

③ $x^2-8x+3=0$에서

$x=\frac{-(-4)\pm\sqrt{(-4)^2-1\times3}}{1}=\boxed{4}\pm\sqrt{13}$

따라서 현관문의 비밀번호는 324이다.

5 답 A : ㉢, ㉤, B : ㉡, ㉥, C : ㉠, ㉣

㉠ $3^2-4\times1\times5=-11<0$ ➡ 근이 없다. ➡ C

㉡ $(-6)^2-4\times1\times9=0$ ➡ 근이 1개(중근) ➡ B

㉢ $5^2-4\times1\times(-24)=121>0$ ➡ 근이 2개 ➡ A

㉣ $(-3)^2-4\times2\times4=-23<0$ ➡ 근이 없다. ➡ C

㉤ $(-4)^2-4\times3\times(-5)=76>0$ ➡ 근이 2개 ➡ A

㉥ $4^2-4\times4\times1=0$ ➡ 근이 1개(중근) ➡ B

6 답 (1) $x+4$ (2) 7, 11

(2) $x^2+(x+4)^2=170$에서 $2x^2+8x-154=0$

$x^2+4x-77=0$, $(x-7)(x+11)=0$

$\therefore x=7$ 또는 $x=-11$

그런데 x는 자연수이므로 $x=7$

따라서 두 자연수는 7, 11이다.

7 답 (1) 1초 또는 3초 (2) 2초 (3) 맞힐 수 없다.

(1) $20x-5x^2=15$에서 $5x^2-20x+15=0$

$x^2-4x+3=0$, $(x-1)(x-3)=0$

$\therefore x=1$ 또는 $x=3$

따라서 물 로켓이 15 m의 높이에 있을 때는 쏘아 올린 지 1초 후 또는 3초 후이다.

(2) $20x-5x^2=20$에서 $5x^2-20x+20=0$

$x^2-4x+4=0$, $(x-2)^2=0$

$\therefore x=2$

따라서 물 로켓이 20 m의 높이에 있을 때는 쏘아 올린 지 2초 후이므로 20 m의 높이에 있는 표적을 맞히는 데 2초가 걸린다.

(3) $20x-5x^2=25$에서 $5x^2-20x+25=0$

$x^2-4x+5=0$

이때 $(-4)^2-4\times1\times5=-4<0$이므로

이 이차방정식은 근이 없다. 따라서 이 물 로켓으로 25 m의 높이에 있는 표적을 맞힐 수 없다.

8 답 (1) $x^2=4x+12$ (2) 6장

(1) 조원이 4명이므로 조원 전체가 가져올 색종이는 $4x$장이다.

$\therefore x^2=4x+12$

(2) $x^2=4x+12$에서 $x^2-4x-12=0$

$(x+2)(x-6)=0$ $\quad\therefore x=-2$ 또는 $x=6$

그런데 x는 자연수이므로 $x=6$

따라서 유진이가 가져가야 할 색종이는 6장이다.

이차함수

1일 개념 돌파 전략 ❶ (41쪽, 43쪽)

1-2 ④	**2-2** ①, ③
3-2 ①	**4-2** ④
5-2 ①	**6-2** ③

1-2 ① y는 x에 대한 일차함수이다.

② 이차식이다.

③ 분모에 x^2이 있으므로 이차함수가 아니다.

④ $y=x(x-1)+x=x^2$ ➡ y는 x에 대한 이차함수이다.

⑤ 이차함수가 아니다.

따라서 y가 x에 대한 이차함수인 것은 ④이다.

2-2 $y=ax^2$에서 $a<0$이면 그래프가 위로 볼록하므로

① $y=-\frac{1}{2}x^2$, ③ $y=-3x^2$이다.

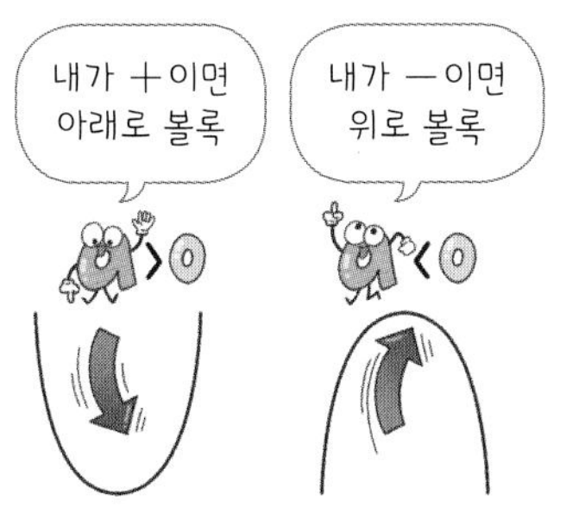

5-2 $y=-x^2+2x-5$

$=-(x^2-2x+1-1)-5$

$=-(x-1)^2-4$

따라서 $a=-1$, $p=1$, $q=-4$이므로

$a+p+q=-1+1+(-4)=-4$

6-2 꼭짓점의 좌표가 $(3, -1)$이므로

구하는 이차함수의 식을 $y=a(x-3)^2-1$로 놓자.

이 그래프가 점 $(4, -2)$를 지나므로

$-2=a\times(4-3)^2-1$, $a-1=-2$ $\quad\therefore a=-1$

따라서 구하는 이차함수의 식은 $y=-(x-3)^2-1$

1일 개념 돌파 전략 ❷ 44쪽~45쪽

1 ⑤ **2** ② **3** 지수 **4** ②
5 ⑤
6 (1) $(-1, 1)$ (2) $x=-1$ (3) $(0, 3)$
(4)

1 $f(0)=3\times0^2-2\times0+1=1$
$f(-1)=3\times(-1)^2-2\times(-1)+1=6$
$\therefore f(0)+f(-1)=1+6=7$

2 이차함수 $y=ax^2$의 그래프가 점 $(4, -32)$를 지나므로
$-32=a\times4^2$, $16a=-32$ $\therefore a=-2$

3 지수 : $y=ax^2$에서 a의 절댓값이 클수록 그래프의 폭이 좁아진다. 이때
$\left|-\frac{1}{2}\right|<\left|\frac{4}{5}\right|<\left|-\frac{5}{4}\right|=\left|\frac{5}{4}\right|<|-2|<|3|$
이므로 그래프의 폭이 가장 좁은 것은 ㉤이다.
주환 : 이차함수 $y=ax^2$의 그래프는 이차함수 $y=-ax^2$의 그래프와 x축에 대칭이므로 ㉣과 ㉥은 x축에 대칭이다.
현우 : $y=ax^2$에서 $a>0$이면 그래프가 아래로 볼록하므로 아래로 볼록한 포물선은 ㉢, ㉤, ㉥이다.
따라서 잘못 설명한 학생은 지수이다.

4 ② 이차함수 $y=-\frac{2}{3}x^2$의 그래프를 y축의 방향으로 5만큼 평행이동하면 이차함수 $y=-\frac{2}{3}x^2+5$의 그래프와 포개진다.
따라서 평행이동하여 완전히 포갤 수 있는 것은 ②이다.

5 ⑤ 이차함수 $y=(x-1)^2-1$의 그래프의 축의 방정식은 $x=1$이다.
따라서 잘못 연결한 것은 ⑤이다.

6 (1), (2) $y=2x^2+4x+3$
$=2(x^2+2x+1-1)+3$
$=2(x+1)^2+1$
따라서 꼭짓점의 좌표는 $(-1, 1)$이고 축의 방정식은 $x=-1$이다.
(3) $y=2x^2+4x+3$에 $x=0$을 대입하면 $y=3$
따라서 y축과의 교점의 좌표는 $(0, 3)$이다.

2일 필수 체크 전략 ❶ 확인 46쪽~49쪽

1-1 2 **1-2** ⑤
2-1 ② **2-2** ②
3-1 ① **3-2** 6
4-1 ③ **4-2** ⑤

1-1 ㉠ 분모에 x^2이 있으므로 이차함수가 아니다.
㉡ y는 x에 대한 이차함수이다.
㉢ y는 x에 대한 일차함수이다.
㉣ $y=3x^2-2x(x+3)=x^2-6x$
➡ y는 x에 대한 이차함수이다.
㉤ $y=(x+2)(x-1)-x^2=x-2$
➡ y는 x에 대한 일차함수이다.
따라서 y가 x에 대한 이차함수인 것은 ㉡, ㉣의 2개이다.

1-2 $f(a)=a^2-4a-9=-4$이므로 $a^2-4a-5=0$
$(a+1)(a-5)=0$ $\therefore a=-1$ 또는 $a=5$
그런데 a는 자연수이므로 $a=5$

2-1 ㉡ 제3사분면과 제4사분면을 지난다.
㉢ 원점을 지나며 위로 볼록한 포물선이다.
따라서 옳은 것은 ㉠, ㉣이다.

2-2 이차함수 $y=ax^2$의 그래프의 폭은 이차함수 $y=-2x^2$의 그래프의 폭보다 넓고 이차함수 $y=-\frac{1}{2}x^2$의 그래프의 폭보다 좁으므로
$-2<a<-\frac{1}{2}$
따라서 a의 값이 될 수 있는 것은 ② -1이다.

3-1 이차함수 $y=ax^2$의 그래프를 y축의 방향으로 -5만큼 평행이동한 그래프의 식은

$y=ax^2-5$

이 식이 $y=\frac{2}{5}x^2+b$와 같으므로

$a=\frac{2}{5}$, $b=-5$

$\therefore ab=\frac{2}{5}\times(-5)=-2$

3-2 이차함수 $y=\frac{2}{3}x^2$의 그래프를 x축의 방향으로 -2만큼 평행이동한 그래프의 식은

$y=\frac{2}{3}(x+2)^2$

이 그래프가 점 $(-5, k)$를 지나므로

$k=\frac{2}{3}\times(-5+2)^2=6$

4-1 이차함수 $y=-\frac{1}{2}(x+2)^2+2$의 그래프의 꼭짓점의 좌표는 $(-2, 2)$

$y=-\frac{1}{2}(x+2)^2+2$에 $x=0$을 대입하면

$y=-\frac{1}{2}\times(0+2)^2+2=0$

즉 y축과의 교점의 좌표는 $(0, 0)$이다.

따라서 $y=-\frac{1}{2}(x+2)^2+2$의 그래프는 ③이다.

4-2 이차함수 $y=4x^2$의 그래프를 x축의 방향으로 2만큼, y축의 방향으로 5만큼 평행이동한 그래프의 식은

$y=4(x-2)^2+5$

이 그래프가 점 $(3, a)$를 지나므로

$a=4\times(3-2)^2+5=9$

2일 필수 체크 전략 ❷ (50쪽~51쪽)

1 ③, ⑤ **2** ④
3 ①-㉣, ②-㉠, ③-㉡, ④-㉤, ⑤-㉢
4 ① **5** 호석 **6** ⑤

1 ① $y=4x$ ➡ y는 x에 대한 일차함수이다.
② $y=2x$ ➡ y는 x에 대한 일차함수이다.
③ $y=\pi x^2$ ➡ y는 x에 대한 이차함수이다.
④ $y=\frac{1}{2}\times8\times x=4x$ ➡ y는 x에 대한 일차함수이다.
⑤ $y=6x^2$ ➡ y는 x에 대한 이차함수이다.
따라서 이차함수인 것은 ③, ⑤이다.

2 ① $y=x^2$의 그래프는 y축에 대칭이다.
② $y=2x^2$의 그래프는 아래로 볼록한 포물선이다.
③ $y=3x^2$의 그래프와 $y=-2x^2$의 그래프는 x축에 대칭이 아니다.
⑤ $y=-4x^2$의 그래프는 $x<0$일 때, x의 값이 증가하면 y의 값도 증가한다.
따라서 옳은 것은 ④이다.

3 이차함수 $y=ax^2$의 그래프에서 $a>0$인 것은 ①, ②, ③, $a<0$인 것은 ④, ⑤이다.
이때 a의 절댓값이 클수록 그래프의 폭이 좁으므로
①-㉣, ②-㉠, ③-㉡, ④-㉤, ⑤-㉢이다.

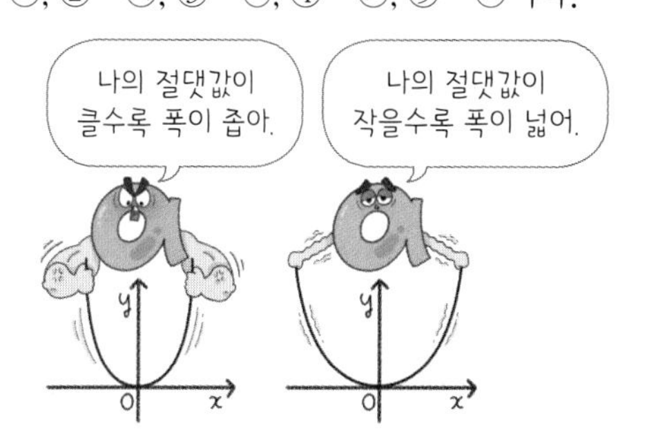

4 이차함수 $y=5x^2$의 그래프와 x축에 대칭인 그래프의 식은
$y=-5x^2$
이 그래프가 점 $(-2, k)$를 지나므로
$k=-5\times(-2)^2=-20$

5 이차함수 $y=-3x^2$의 그래프를 y축의 방향으로 1만큼 평행이동한 그래프의 식은
$y=-3x^2+1$
승봉 : y축에 대칭이다.
정민 : 위로 볼록한 포물선이다.
연아 : 꼭짓점의 좌표는 $(0, 1)$이다.
호석 : x^2의 계수의 절댓값이 같으므로 $y=3x^2$의 그래프와 폭이 같다.
따라서 바르게 설명한 학생은 호석이다.

6 ⑤ 이차함수 $y=-2x^2$의 그래프를 x축의 방향으로 -1만큼, y축의 방향으로 3만큼 평행이동한 그래프이다.
따라서 옳지 않은 것은 ⑤이다.

3일 필수 체크 전략 ❶ 확인 52쪽~55쪽

1-1 ②	**1-2** ②
2-1 ①	**2-2** ②
3-1 $x>-1$	**3-2** ②, ⑤
4-1 ①	**4-2** 6

1-1 $y=\frac{1}{2}x^2-4x+2$
$=\frac{1}{2}(x^2-8x+16-16)+2$
$=\frac{1}{2}(x-4)^2-6$
이므로 꼭짓점의 좌표는 $(4, -6)$이고 축의 방정식은 $x=4$이다.

1-2 $y=x^2+2px+1$
$=(x^2+2px+p^2-p^2)+1$
$=(x+p)^2-p^2+1$
이므로 축의 방정식은 $x=-p$이다.
즉 $-p=1$이므로 $p=-1$

2-1 1 x^2의 계수가 1로 양수이므로 아래로 볼록한 포물선이다.
2 $y=x^2+2x$
$=x^2+2x+1-1$
$=(x+1)^2-1$
이므로 꼭짓점의 좌표는 $(-1, -1)$이다.
3 $y=x^2+2x$에 $x=0$을 대입하면
$y=0^2+2\times0=0$
즉 y축과의 교점의 좌표는 $(0, 0)$이다.
따라서 1, 2, 3에서 이차함수 $y=x^2+2x$의 그래프는 ①이다.

2-2 1 x^2의 계수가 -1로 음수이므로 위로 볼록한 포물선이다.
2 $y=-x^2+6x-2$
$=-(x^2-6x+9-9)-2$
$=-(x-3)^2+7$
이므로 꼭짓점의 좌표는 $(3, 7)$이다.
3 $y=-x^2+6x-2$에 $x=0$을 대입하면
$y=-0^2+6\times0-2=-2$
즉 y축과의 교점의 좌표는 $(0, -2)$이다.
따라서 1, 2, 3에 의해 $y=-x^2+6x-2$의 그래프를 그리면 오른쪽 그림과 같으므로 그래프가 지나지 않는 사분면은 제2사분면이다.

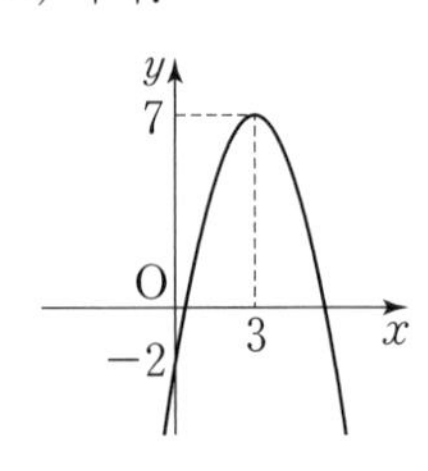

3-1 $y=-x^2-2x+5$
$=-(x^2+2x+1-1)+5$
$=-(x+1)^2+6$
이므로 그래프를 그리면 오른쪽 그림과 같다.
따라서 x의 값이 증가할 때, y의 값은 감소하는 x의 값의 범위는 $x>-1$이다.

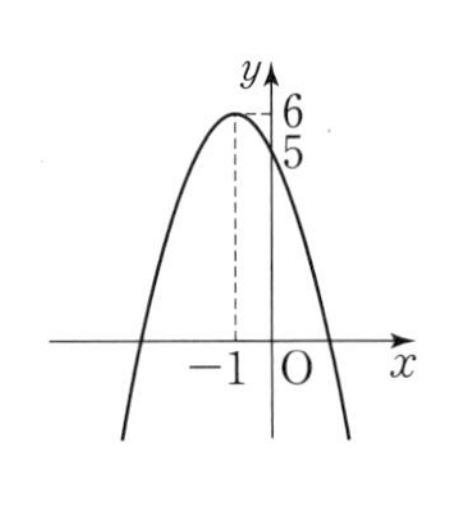

3-2 $y=2x^2-4x+1$
$=2(x^2-2x+1-1)+1$
$=2(x-1)^2-1$
① x^2의 계수가 2로 양수이므로 아래로 볼록한 포물선이다.
② 꼭짓점의 좌표는 $(1, -1)$이다.

④ $y=2x^2-4x+1$에 $x=0$을 대입하면
$y=2\times0^2-4\times0+1=1$
즉 y축과의 교점의 좌표는 $(0, 1)$이다.

⑤ 그래프를 그리면 오른쪽 그림과 같으므로 제3사분면을 지나지 않는다.

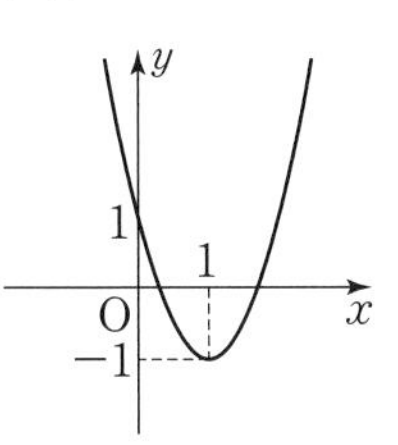

따라서 옳지 않은 것은 ②, ⑤이다.

4-1 꼭짓점의 좌표가 $(2, 4)$이므로 이차함수의 식을 $y=a(x-2)^2+4$로 놓자.
이 그래프가 점 $(4, -4)$를 지나므로
$-4=a\times(4-2)^2+4$
$4a+4=-4$, $4a=-8$ $\quad\therefore a=-2$
따라서 구하는 이차함수의 식은
$y=-2(x-2)^2+4$

4-2 축의 방정식이 $x=1$이므로 이차함수의 식은
$y=a(x-1)^2+q$, 즉 $p=1$
이 그래프가 점 $(-1, 0)$을 지나므로
$0=a\times(-1-1)^2+q$, $4a+q=0$ …… ㉠
또 점 $(0, -3)$을 지나므로
$-3=a\times(0-1)^2+q$, $a+q=-3$ …… ㉡
㉠, ㉡을 연립하여 풀면 $a=1$, $q=-4$
$\therefore a+p-q=1+1-(-4)=6$

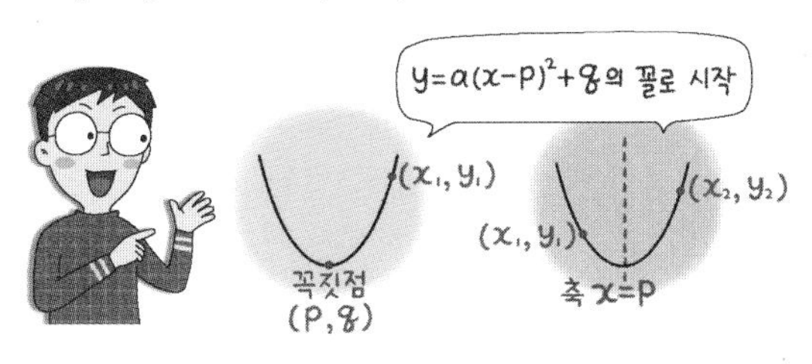

3일 필수 체크 전략 ② 56쪽~57쪽

1 ①	**2** ③	**3** ⑤	**4** ㉤, ㉥
5 ②	**6** $y=3x^2+12x+12$		

1 $y=x^2+2mx+1$
$=(x^2+2mx+m^2-m^2)+1$
$=(x+m)^2-m^2+1$
이므로 꼭짓점의 좌표는 $(-m, -m^2+1)$이다.
즉 $-m=6$, $-m^2+1=n$이므로
$m=-6$, $n=-(-6)^2+1=-35$
$\therefore m+n=-6+(-35)=-41$

2 $y=3x^2-6x+k$
$=3(x^2-2x+1-1)+k$
$=3(x-1)^2-3+k$
이므로 꼭짓점의 좌표는 $(1, -3+k)$이다.
이때 꼭짓점이 제4사분면 위에 있으려면 $-3+k<0$이어야 하므로 $k<3$

3 각 이차함수의 식을 $y=a(x-p)^2+q$의 꼴로 고치고 그래프를 그리면 다음과 같다.

① $y=-x^2+4x$
$=-(x-2)^2+4$

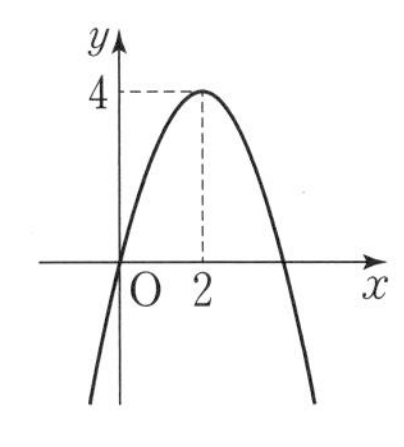

② $y=-3x^2-12x-12$
$=-3(x+2)^2$

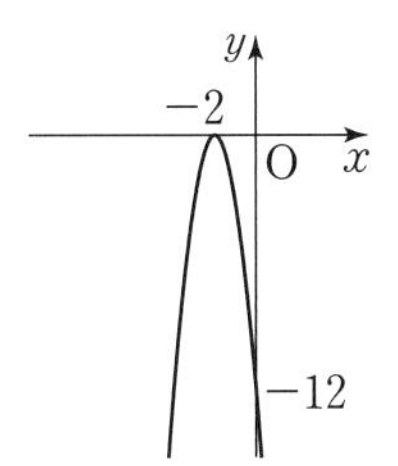

③ $y=-x^2+6x-1$
$=-(x-3)^2+8$

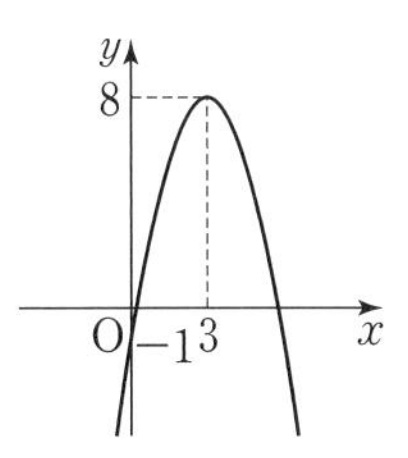

④ $y=3x^2+4x+1$
$=3\left(x+\frac{2}{3}\right)^2-\frac{1}{3}$

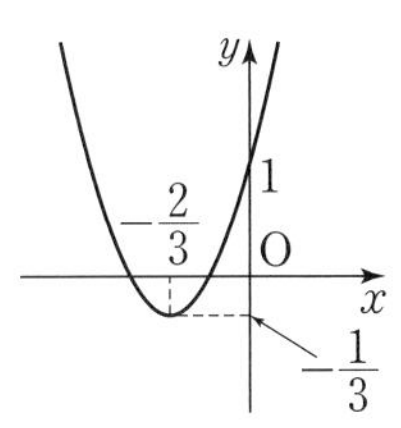

⑤ $y=2x^2-4x-1$
$=2(x-1)^2-3$

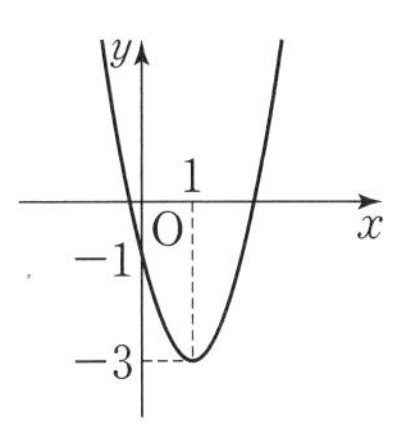

따라서 모든 사분면을 지나는 것은 ⑤이다.

4 $y=-2x^2+4x-4=-2(x-1)^2-2$

㉡ $y=-2x^2$의 그래프를 x축의 방향으로 1만큼, y축의 방향으로 -2만큼 평행이동한 것이다.

㉤ 그래프를 그리면 오른쪽 그림과 같으므로 제3, 4사분면을 지난다.

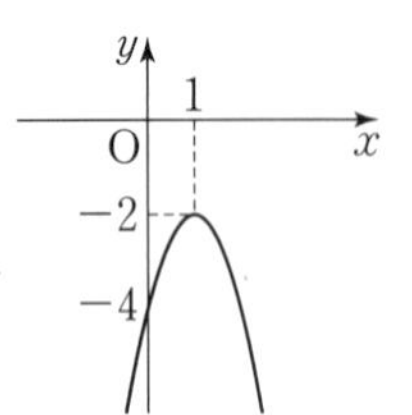

㉥ $x>1$일 때, x의 값이 증가하면 y의 값은 감소한다.

따라서 옳지 않은 것은 ㉤, ㉥이다.

5 꼭짓점의 좌표가 $(2,\ -2)$이므로 이차함수의 식을 $y=a(x-2)^2-2$로 놓자.

이 그래프가 점 $(0, 3)$을 지나므로

$3=a\times(0-2)^2-2,\ 4a-2=3$

$4a=5 \quad \therefore a=\frac{5}{4}$

따라서 $y=\frac{5}{4}(x-2)^2-2=\frac{5}{4}x^2-5x+3$이므로

$b=-5,\ c=3$

$\therefore a+b+c=\frac{5}{4}+(-5)+3=-\frac{3}{4}$

6 예서 : 꼭짓점이 x축 위에 있으므로 이차함수의 식을 $y=a(x-p)^2$으로 놓을 수 있다.

효은 : 축의 방정식이 $x=-2$이므로 $p=-2$

정욱 : $y=a(x+2)^2$의 그래프가 점 $(-1, 3)$을 지나므로 $3=a\times(-1+2)^2 \quad \therefore a=3$

따라서 세 학생이 말하는 조건을 모두 만족하는 포물선을 그래프로 하는 이차함수의 식은

$y=3(x+2)^2=3x^2+12x+12$

4일 교과서 대표 전략 ❶ 58쪽~61쪽

1 ①	2 ⑤	3 ③	4 연지, 재호
5 ③	6 연진, 지훈	7 ⑤	8 ④
9 ⑤	10 ②, ④	11 ③	12 -4
13 ①	14 4	15 ②	16 -6

1 $y=ax^2+x(1-2x)=(a-2)x^2+x$

이 함수가 x에 대한 이차함수가 되려면 $a-2\neq0$이어야 하므로 $a\neq2$

2 ⑤ $y=ax^2$의 그래프에서 a의 절댓값이 클수록 폭이 좁으므로 $y=-2x^2$의 그래프는 $y=\frac{1}{2}x^2$의 그래프보다 폭이 좁다.

따라서 옳지 않은 것은 ⑤이다.

3 이차함수 $y=ax^2$의 그래프가 점 $(3,\ -9)$를 지나므로

$-9=a\times3^2,\ 9a=-9 \quad \therefore a=-1$

즉 이차함수 $y=-x^2$의 그래프가 점 $(-2,\ b)$를 지나므로 $b=-(-2)^2=-4$

$\therefore a-b=-1-(-4)=3$

4 이차함수 $y=2x^2$의 그래프를 평행이동하여 완전히 포개지려면 x^2의 계수가 2이어야 한다.

따라서 그래프를 평행이동하여 완전히 포갤 수 있는 그래프를 나타내는 식을 들고 있는 학생은 연지, 재호이다.

5 ㉠ 꼭짓점의 좌표는 $(0, 4)$이다.

㉣ $x<0$일 때, x의 값이 증가하면 y의 값도 증가한다.

따라서 옳은 것은 ㉡, ㉢이다.

6 희서 : 꼭짓점의 좌표는 $(-2, 0)$이다.

석진 : x축과 한 점에서 만난다.

따라서 바르게 설명한 학생은 연진, 지훈이다.

7 ① 위로 볼록한 포물선이다.

② 꼭짓점의 좌표는 $(-3, 5)$이다.

③ 축의 방정식은 $x=-3$이다.

④ $y=-2x^2$의 그래프보다 폭이 넓다.

따라서 옳은 것은 ⑤이다.

평행이동한 그래프끼리는 x^2의 계수가 같아.

8 그래프가 아래로 볼록하므로 $a>0$
꼭짓점 (p, q)가 제4사분면 위에 있으므로
$p>0$, $q<0$

9 ① $y=-x^2+4x-2=-(x-2)^2+2$이므로
그래프의 꼭짓점의 좌표는 $(2, 2)$이다.
② $y=x^2+8x+12=(x+4)^2-4$이므로
그래프의 꼭짓점의 좌표는 $(-4, -4)$이다.
③ $y=-2x^2+4x-1=-2(x-1)^2+1$이므로
그래프의 꼭짓점의 좌표는 $(1, 1)$이다.
④ $y=2x^2-16x+30=2(x-4)^2-2$이므로
그래프의 꼭짓점의 좌표는 $(4, -2)$이다.
⑤ $y=-3x^2-12x-5=-3(x+2)^2+7$이므로
그래프의 꼭짓점의 좌표는 $(-2, 7)$이다.
따라서 꼭짓점이 제2사분면 위에 있는 것은 ⑤이다.

10 $y=-2x^2+12x-13=-2(x-3)^2+5$
① 그래프를 그리면 오른쪽 그림과 같으므로 제2사분면을 지나지 않는다.
③ 꼭짓점의 좌표는 $(3, 5)$이다.
⑤ x^2의 계수가 다르므로 이차함수 $y=-x^2$의 그래프를 평행이동하여 완전히 포갤 수 없다.
따라서 옳은 것은 ②, ④이다.

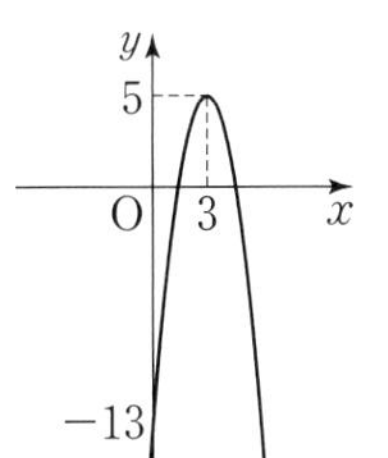

11 $y=-4x^2+8x+5=-4(x-1)^2+9$의 그래프를 x축의 방향으로 -2만큼, y축의 방향으로 -3만큼 평행이동한 그래프의 식은
$y=-4(x+2-1)^2+9-3$
$=-4(x+1)^2+6$
$=-4x^2-8x+2$

12 $y=x^2-2x-6$에 $y=0$을 대입하면
$x^2-2x-6=0$ $\therefore x=1\pm\sqrt{7}$
$\therefore p=1-\sqrt{7}$, $q=1+\sqrt{7}$ $(\because p<q)$
$y=x^2-2x-6$에 $x=0$을 대입하면
$y=-6$ $\therefore r=-6$
$\therefore p+q+r=(1-\sqrt{7})+(1+\sqrt{7})+(-6)=-4$

13 그래프가 아래로 볼록하므로 $a>0$
축이 y축의 왼쪽에 있으므로 $ab>0$
이때 $a>0$이므로 $b>0$
y축과의 교점이 x축보다 위쪽에 있으므로 $c>0$

14 꼭짓점의 좌표가 $(2, 5)$이므로 이차함수의 식을
$y=a(x-2)^2+5$로 놓자.
이 그래프가 점 $(0, 1)$을 지나므로 $1=4a+5$
$4a=-4$ $\therefore a=-1$
따라서 $y=-(x-2)^2+5=-x^2+4x+1$이므로
$b=4$, $c=1$
$\therefore a+b+c=-1+4+1=4$

15 축의 방정식이 $x=-2$이므로 이차함수의 식을
$y=a(x+2)^2+q$로 놓자.
이 그래프가 점 $(-3, -6)$을 지나므로
$-6=a+q$ ······ ㉠
또 점 $(0, -3)$을 지나므로
$-3=4a+q$ ······ ㉡
㉠, ㉡을 연립하여 풀면 $a=1$, $q=-7$
따라서 $y=(x+2)^2-7=x^2+4x-3$이므로
$b=4$, $c=-3$
$\therefore a+b+c=1+4+(-3)=2$

16 이차함수 $y=ax^2+bx+c$의 그래프가 점 $(0, 3)$을 지나므로 $c=3$
$y=ax^2+bx+3$의 그래프가 점 $(1, 2)$를 지나므로
$2=a+b+3$ $\therefore a+b=-1$ ······ ㉠
또 점 $(2, -3)$을 지나므로
$-3=4a+2b+3$ $\therefore 2a+b=-3$ ······ ㉡
㉠, ㉡을 연립하여 풀면 $a=-2$, $b=1$
$\therefore abc=-2\times1\times3=-6$

4일 교과서 대표 전략 ❷

62쪽~63쪽

1 ④	2 ⑤	3 ③	4 지선
5 ④	6 10	7 (2, 3)	8 ④

1 ① 그래프의 폭이 가장 좁은 것은 x^2의 계수의 절댓값이 가장 큰 ㉠이다.
② 그래프는 모두 y축을 축으로 하는 포물선이다.
③ 그래프의 모양이 아래로 볼록한 것은 (x^2의 계수)>0인 ㉠, ㉡, ㉢이다.
⑤ $x>0$일 때, x의 값이 증가하면 y의 값은 감소하는 것은 ㉣, ㉤, ㉥이다.
따라서 옳은 것은 ④이다.

2 꼭짓점의 좌표가 $(-1, 0)$이므로 $p=-1$
즉 이차함수 $y=a(x+1)^2$의 그래프가 점 $(0, 2)$를 지나므로
$2=a\times(0+1)^2$ $\quad\therefore a=2$
$\therefore a-p=2-(-1)=3$

3 이차함수 $y=a(x-p)^2+q$의 그래프는
(i) $a<0$이므로 위로 볼록하다.
(ii) 꼭짓점의 좌표가 (p, q)이고 $p<0$, $q>0$이므로 꼭짓점은 제2사분면 위에 있다.
(i), (ii)에서 이차함수 $y=a(x-p)^2+q$의 그래프로 적당한 것은 ③이다.

4 $y=3x^2-12x+1=3(x-2)^2-11$
석진 : $y=3x^2-12x+1$에 $x=0$을 대입하면 $y=1$
즉 y축과 만나는 점의 좌표는 $(0, 1)$이다.
지선 : 그래프를 그리면 오른쪽 그림과 같으므로 제3사분면을 지나지 않는다.
따라서 옳지 않은 내용을 발표한 학생은 지선이다.

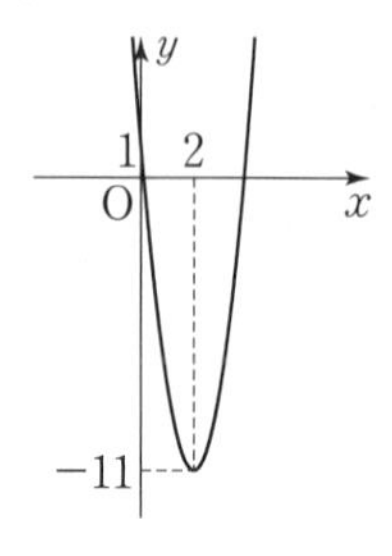

5 그래프가 아래로 볼록하므로 $a>0$
축이 y축의 오른쪽에 있으므로 $ab<0$
이때 $a>0$이므로 $b<0$
y축과의 교점이 x축보다 위쪽에 있으므로 $c>0$

6 $y=x^2-3x-4$에 $y=0$을 대입하면
$x^2-3x-4=0$, $(x+1)(x-4)=0$
$\therefore x=-1$ 또는 $x=4$
따라서 $A(-1, 0)$, $B(4, 0)$이므로
$\overline{AB}=4-(-1)=5$
$y=x^2-3x-4$에 $x=0$을 대입하면 $y=-4$
$\therefore C(0, -4)$
$\therefore \triangle ACB=\frac{1}{2}\times5\times4=10$

7 이차함수 $y=-\frac{1}{2}x^2$의 그래프를 평행이동한 것이고 축의 방정식이 $x=2$이므로 이차함수의 식을
$y=-\frac{1}{2}(x-2)^2+q$로 놓자.
이 그래프가 점 $(0, 1)$을 지나므로
$1=-2+q$ $\quad\therefore q=3$
따라서 이차함수 $y=-\frac{1}{2}(x-2)^2+3$의 그래프의 꼭짓점의 좌표는 $(2, 3)$이다.

8 y축과의 교점의 좌표가 $(0, 2)$이므로 이차함수의 식을 $y=ax^2+bx+2$로 놓자.
이 그래프가 점 $(-2, 4)$를 지나므로
$4=4a-2b+2$ $\quad\therefore 2a-b=1$ ...... ㉠
또 점 $(-1, 1)$을 지나므로
$1=a-b+2$ $\quad\therefore a-b=-1$ ...... ㉡
㉠, ㉡을 연립하여 풀면 $a=2$, $b=3$

따라서 $y=2x^2+3x+2=2\left(x+\frac{3}{4}\right)^2+\frac{7}{8}$이므로

꼭짓점의 좌표는 $\left(-\frac{3}{4}, \frac{7}{8}\right)$이다.

누구나 합격 전략 (64쪽~65쪽)

01 ③	02 ④	03 ③	04 ⑤
05 ㈎ ax^2+3 ㈏ -1		06 ⑤	07 주리
08 ③	09 ②		

01 ㉠ x^2이 분모에 있으므로 이차함수가 아니다.

㉢ $y=x^2-(x+x^2)=-x$ ➡ y는 x에 대한 일차함수이다.

㉣ $y=-x(1+2x)=-x-2x^2$ ➡ y는 x에 대한 이차함수이다.

따라서 y가 x에 대한 이차함수인 것은 ㉡, ㉣이다.

02 ① $f(-2)=(-2)^2-4\times(-2)+3=15$

② $f(-1)=(-1)^2-4\times(-1)+3=8$

③ $f(0)=3$

④ $f(3)=3^2-4\times3+3=0$

⑤ $f(4)=4^2-4\times4+3=3$

따라서 옳은 것은 ④이다.

03 ③ $x<0$일 때 x의 값이 증가하면 y의 값은 감소하고, $x>0$일 때 x의 값이 증가하면 y의 값도 증가한다.

따라서 옳지 않은 것은 ③이다.

04 이차함수 $y=ax^2$의 그래프에서 $a>0$이면 아래로 볼록하므로 ③, ④, ⑤는 아래로 볼록하다.

이때 a의 절댓값이 클수록 그래프의 폭이 좁으므로 아래로 볼록하면서 폭이 가장 좁은 것은 ⑤이다.

05 이차함수 $y=ax^2$의 그래프를 y축의 방향으로 3만큼 평행이동한 그래프의 식은 $y=$ [㈎ ax^2+3]

이 그래프가 점 $(1, 2)$를 지나므로

$2=a+3$ $\therefore a=$ [㈏ -1]

06 이차함수 $y=-\frac{1}{2}(x-3)^2$의 그래프는 위로 볼록하고 꼭짓점의 좌표가 $(3, 0)$이므로 그래프로 알맞은 것은 ⑤이다.

07 준영 : $y=-\frac{2}{5}x^2$의 그래프와 x^2의 계수의 절댓값이 같으므로 그래프의 폭이 같다.

주리 : $y=\frac{2}{5}x^2$의 그래프를 x축의 방향으로 4만큼, y축의 방향으로 3만큼 평행이동한 것이다.

따라서 댓글 내용이 옳지 않은 학생은 주리이다.

08 $y=-2x^2+8x-5$

$=-2(x^2-4x+4-$ [① 4] $)-5$

$=-2(x-$ [② 2] $)^2+$ [③ 3]

이 이차함수의 그래프의 꼭짓점의 좌표는

([② 2], [③ 3])이고, x^2의 계수가 음수이므로 그래프는 [④ 위]로 볼록한 포물선이다.

또 점 (0, [⑤ -5])를 지난다.

따라서 [ ] 안에 들어갈 내용이 옳지 않은 것은 ③이다.

09 $y=-3x^2+6x-1=-3(x-1)^2+2$이므로 꼭짓점의 좌표는 $(1, 2)$이고, y축과의 교점의 좌표는 $(0, -1)$이다.

따라서 이차함수 $y=-3x^2+6x-1$의 그래프는 ②이다.

창의 · 융합 · 코딩 전략 66쪽~69쪽

1 답 설악산

$y=-2x$: 일차함수이다. (➡)

$y=\frac{1}{3}x^2+1$: 이차함수이다. (⬇)

$y=2x(x-3)=2x^2-6x$: 이차함수이다. (⬇)

$y=4x-\frac{1}{3}$: 일차함수이다. (➡)

$y=x^2+5$: 이차함수이다. (⬇)

따라서 윤정이가 가게 되는 여행지는 설악산이다.

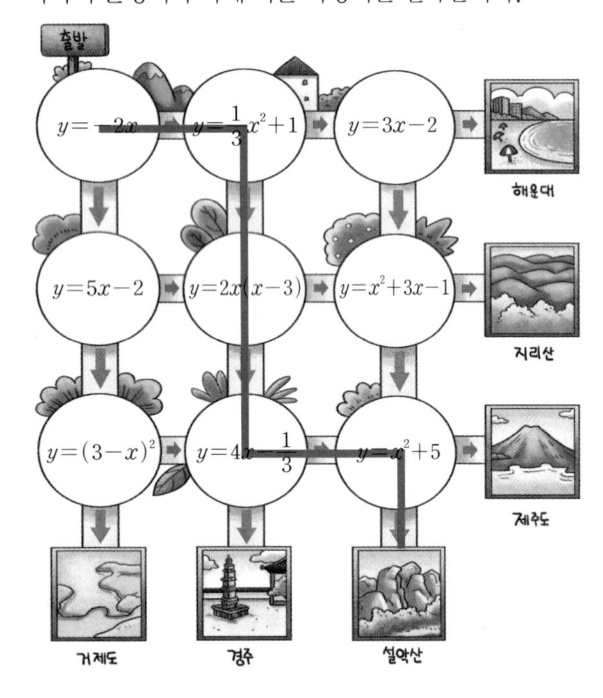

2 답 (1) > (2) 위로 볼록한 포물선입니다.

(2) $y=ax^2$에서 $a<0$, 즉 $a>0$이 아니므로 '위로 볼록한 포물선입니다.'가 출력된다.

3 답 ≥

모든 실수 x에 대하여 $x^2\geq 0$이다.

즉 이차함수 $y=x^2$에서 모든 실수 x에 대하여 $y\geq 0$이므로 이차함수 $y=x^2$의 그래프는 x축의 아래쪽에 그려지지 않는다.

4 답 (1) $\frac{1}{200}$ (2) 50 m

(1) $y=ax^2$에 $x=60$, $y=18$을 대입하면

$18=3600a \qquad \therefore a=\frac{1}{200}$

(2) $y=\frac{1}{200}x^2$에 $x=100$을 대입하면

$y=\frac{1}{200}\times 100^2=50$

따라서 시속 100 km로 달리다가 브레이크를 밟았을 때의 제동 거리는 50 m이다.

다른 풀이

(1) $y=ax^2$에 $x=80$, $y=32$를 대입하면

$32=6400a \qquad \therefore a=\frac{1}{200}$

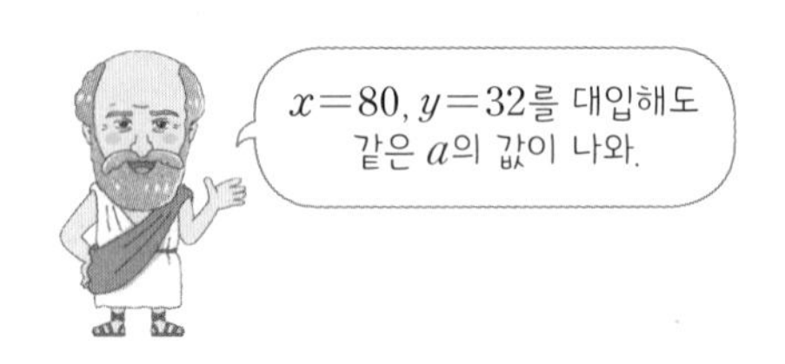

5 답 (가) ㄷ (나) ㄴ (다) ㅂ (라) ㄴ (마) ㄷ

(가) 이차함수 $y=4x^2+2$의 그래프는 이차함수 $y=4x^2$의 그래프를 y축의 방향으로 2만큼 평행이동한 것이다. (ㄷ)

(나) 이차함수 $y=4(x+3)^2$의 그래프는 이차함수 $y=4x^2$의 그래프를 x축의 방향으로 -3만큼 평행이동한 것이다. (ㄴ)

(다) 이차함수 $y=4(x+3)^2+2$의 그래프는 이차함수 $y=4x^2$의 그래프를 x축의 방향으로 -3만큼, y축의 방향으로 2만큼 평행이동한 것이다. (ㅂ)

(라) 이차함수 $y=4(x+3)^2+2$의 그래프는 이차함수 $y=4x^2+2$의 그래프를 x축의 방향으로 -3만큼 평행이동한 것이다. (ㄴ)

(마) 이차함수 $y=4(x+3)^2+2$의 그래프는 이차함수 $y=4(x+3)^2$의 그래프를 y축의 방향으로 2만큼 평행이동한 것이다. (ㄷ)

6 답 토끼

- 이차함수 $y=2x^2$의 그래프는 아래로 볼록하면서 이차함수 $y=x^2$의 그래프보다 폭이 좁다. (예)
- 이차함수 $y=x^2-2$의 그래프는 y축에 대칭이다. (아니오)

• 이차함수 $y=(x-2)^2-4$의 그래프를 그리면 오른쪽 그림과 같으므로 제3사분면을 지나지 않는다. (예)

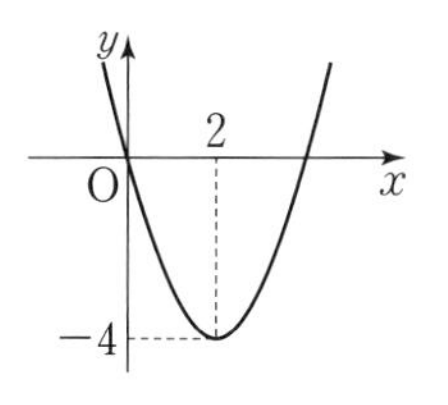

따라서 나영이가 만나게 되는 동물은 토끼이다.

7 답 (1) $a<0, p>0, q>0$ (2) $a<0, b>0, c<0$

(1) 그래프가 위로 볼록하므로 $a<0$
꼭짓점 (p, q)가 제1사분면 위에 있으므로
$p>0, q>0$

(2) 그래프가 위로 볼록하므로 $a<0$
축이 y축의 오른쪽에 있으므로 $ab<0$
이때 $a<0$이므로 $b>0$
y축과의 교점이 x축보다 아래쪽에 있으므로 $c<0$

8 답 $\frac{1}{9}$

이차함수 $y=a(x-p)^2+q$의 그래프에서 꼭짓점의 좌표가 $(0, 1)$이므로 $p=0, q=1$
즉 이차함수 $y=ax^2+1$의 그래프가 점 $(3, 2)$를 지나므로 $2=9a+1$

$9a=1 \quad \therefore a=\frac{1}{9}$

$\therefore p+aq=0+\frac{1}{9}\times 1=\frac{1}{9}$

기말고사 마무리

신유형 · 신경향 · 서술형 전략

72쪽~75쪽

1 답 풀이 참조

주어진 이차방정식을 $x^2-5x+a=0$으로 놓고
$x=3$을 대입하면
$9-15+a=0 \quad \therefore a=6$
즉 $x^2-5x+6=0$에서 $(x-2)(x-3)=0$
$\therefore x=2$ 또는 $x=3$

2 답 (1) 풀이 참조 (2) 풀이 참조

(1) $\left(x+\frac{3}{2}\right)^2=\frac{25}{4}$에서 $x^2+3x+\frac{9}{4}=\frac{25}{4}$
$x^2+3x-4=0, (x-1)(x+4)=0$
$\therefore x=1$ 또는 $x=-4$

(2) $\left(x+\frac{3}{2}\right)^2=\frac{25}{4}$에서 $x+\frac{3}{2}=\pm\sqrt{\frac{25}{4}}=\pm\frac{5}{2}$
$x=-\frac{3}{2}\pm\frac{5}{2}$
$\therefore x=1$ 또는 $x=-4$

이차방정식이 (완전제곱식)=(상수)의 꼴일 때는 지수가 푼 방법처럼 제곱근을 이용하여 푸는 것이 더 편리해.

3 답 (1) $x^2+x-12=0$ (2) 3

(1) $x^2+5+(x-2)=4+5+6$이므로
$x^2+x-12=0$

(2) $x^2+x-12=0$에서 $(x-3)(x+4)=0$
$\therefore x=3$ 또는 $x=-4$
그런데 x는 자연수이므로 $x=3$

4 답 (1) $x(x-7)=144$ (2) 6월 16일

(1) 진우의 생일이 6월 x일이므로 진우의 생일날보다 7일 전 같은 요일의 날짜는 $(x-7)$일이다.
$\therefore x(x-7)=144$

(2) $x(x-7)=144$에서 $x^2-7x-144=0$
$(x+9)(x-16)=0 \quad \therefore x=-9$ 또는 $x=16$
이때 $x>7$이므로 $x=16$
따라서 진우의 생일은 6월 16일이다.

5 답 (1) 9, 16 / $y=x^2$ (2) 36 m

(1) $x=3$일 때, $y=1+3+5=9$

$x=4$일 때, $y=1+3+5+7=16$

x초 동안 이동한 거리가 y m이고 이동한 거리는 시간의 제곱에 정비례하므로 $y=ax^2$으로 놓을 수 있다.

$y=ax^2$에 $x=1$, $y=1$을 대입하면

$1=a\times 1^2 \qquad \therefore a=1$

따라서 x와 y 사이의 관계식은 $y=x^2$이다.

(2) $y=x^2$에 $x=6$을 대입하면 $y=6^2=36$

따라서 스키 점프 선수가 6초 동안 움직였을 때 이동한 거리는 36 m이다.

$x=2$, $y=4$를 $y=ax^2$에 대입해도 같은 결과가 나와.

6 답 (1) $y=\frac{1}{2}x^2$ (2) $y=2x^2$

(1) (가)의 그래프의 식을 $y=ax^2$이라 하면 그래프가 점 (2, 2)를 지나므로

$2=4a \qquad \therefore a=\frac{1}{2}$

따라서 (가)의 그래프를 나타내는 이차함수의 식은 $y=\frac{1}{2}x^2$이다.

(2) (나)의 그래프의 식을 $y=bx^2$이라 하면 그래프가 점 (2, 8)을 지나므로

$8=4b \qquad \therefore b=2$

따라서 (나)의 그래프를 나타내는 이차함수의 식은 $y=2x^2$이다.

7 답 (1) B (2) B (3) A (4) A

(2) 이차함수 $y=-2(x+1)^2-5$의 그래프를 그리면 오른쪽 그림과 같으므로 제3, 4사분면을 지난다.

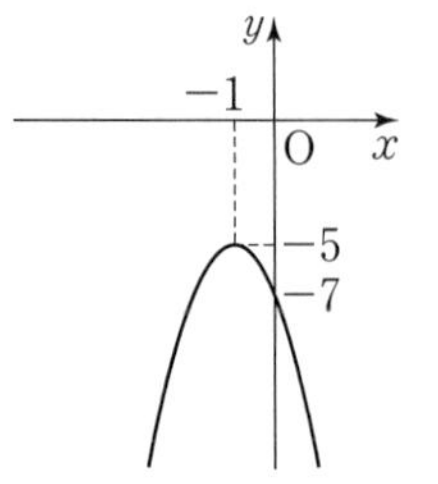

따라서 옳은 것은 B이다.

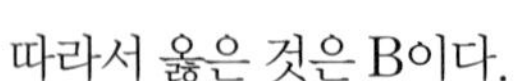

8 답 8

꼭짓점의 좌표가 (2, −1)이므로

이차함수의 식을 $y=a(x-2)^2-1$로 놓자.

이 그래프가 점 (0, 3)을 지나므로

$3=4a-1$, $4a=4 \qquad \therefore a=1$

따라서 $y=(x-2)^2-1$의 그래프가 점 $(5, k)$를 지나므로

$k=(5-2)^2-1=8$

적중 예상 전략 | 1회 76쪽~79쪽

01 ①, ⑤	02 재용	03 ④	04 ③	05 ③
06 ③	07 ②	08 ⑤	09 ①	10 ③
11 ②	12 ⑤	13 ①	14 ③	15 ②
16 ④				

01 ① $x^2=1$에서 $x^2-1=0$ ➡ 이차방정식이다.

② 이차식이다.

③ $x^2(1+x)=4$에서 $x^3+x^2-4=0$

➡ 이차방정식이 아니다.

④ $x(x-4)=x^2$에서 $-4x=0$ ➡ 일차방정식이다.

⑤ $3x^2-1=x(2-x)$에서 $3x^2-1=2x-x^2$

$4x^2-2x-1=0$ ➡ 이차방정식이다.

따라서 이차방정식은 ①, ⑤이다.

02 $2(x^2+1)=x(ax-5)$에서 $(2-a)x^2+5x+2=0$

이 방정식이 이차방정식이 되려면 $2-a\neq 0$이어야 하므로 $a\neq 2$

따라서 상수 a의 값이 아닌 것을 들고 있는 학생은 재용이다.

03 주어진 이차방정식에 $x=-2$를 대입하면 다음과 같다.

① $(-2)^2-2\times(-2)\neq 0$

② $(-2)^2-3\times(-2)+1\neq 0$

③ $2\times(-2)^2+(-2)+1\neq 0$

④ $3\times(-2)^2+8\times(-2)+4=0$

⑤ $(-2)^2-(-2)-5\neq 0$

따라서 $x=-2$를 해로 가지는 이차방정식은 ④이다.

04 $x=m$을 $2x^2+4x-3=0$에 대입하면

$2m^2+4m-3=0$ $\quad\therefore 2m^2+4m=3$

$x=n$을 $2x^2-4x+1=0$에 대입하면

$2n^2-4n+1=0$ $\quad\therefore 2n^2-4n=-1$

$\therefore 2m^2-2n^2+4m+4n$

$=2m^2+4m-(2n^2-4n)$

$=3-(-1)=4$

05 $(x+1)(x-1)=2x^2-10$의 괄호를 풀면

$x^2-1=2x^2-10$

$x^2-9=0$, $(x+3)(x-3)=0$

$\therefore x=-3$ 또는 $x=3$

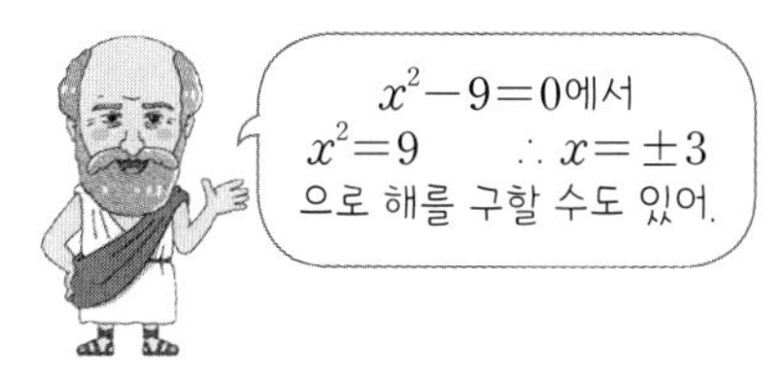

06 $x=2$를 $x^2-3ax+8=0$에 대입하면

$4-6a+8=0$, $-6a=-12$ $\quad\therefore a=2$

$a=2$를 $x^2-3ax+8=0$에 대입하면

$x^2-6x+8=0$, $(x-2)(x-4)=0$

$\therefore x=2$ 또는 $x=4$

따라서 이차방정식 $x^2+(b-3)x-2b=0$의 한 근이 $x=4$이므로

$x=4$를 $x^2+(b-3)x-2b=0$에 대입하면

$16+4(b-3)-2b=0$

$2b=-4$ $\quad\therefore b=-2$

$\therefore a+b=2+(-2)=0$

07 $x^2+3x+2=0$에서 $(x+1)(x+2)=0$

$\therefore x=-1$ 또는 $x=-2$

$x^2-4x-5=0$에서 $(x+1)(x-5)=0$

$\therefore x=-1$ 또는 $x=5$

따라서 두 이차방정식의 공통인 해는 $x=-1$이다.

08 ① $x^2=8$에서 $x=\pm\sqrt{8}=\pm 2\sqrt{2}$

② $2x^2-9=0$에서 $2x^2=9$, $x^2=\dfrac{9}{2}$

$\therefore x=\pm\sqrt{\dfrac{9}{2}}=\pm\dfrac{3\sqrt{2}}{2}$

③ $(x-1)^2=2$에서 $x-1=\pm\sqrt{2}$

$\therefore x=1\pm\sqrt{2}$

④ $(x+3)^2=15$에서 $x+3=\pm\sqrt{15}$

$\therefore x=-3\pm\sqrt{15}$

⑤ $2(x-1)^2=18$에서 $(x-1)^2=9$

$x-1=\pm\sqrt{9}=\pm 3$ $\quad\therefore x=4$ 또는 $x=-2$

따라서 해가 유리수인 것은 ⑤이다.

09 $x^2-10x-2a=0$에서 $x^2-10x=2a$

$x^2-10x+25=2a+25$, $(x-5)^2=2a+25$

$x-5=\pm\sqrt{2a+25}$ $\quad\therefore x=5\pm\sqrt{2a+25}$

이때 $2a+25=3$이므로 $2a=-22$

$\therefore a=-11$

10 $\dfrac{(x-2)(x+1)}{3}=2$의 양변에 3을 곱하면

$(x-2)(x+1)=6$, $x^2-x-2=6$

$x^2-x-8=0$

$\therefore x=\dfrac{-(-1)\pm\sqrt{(-1)^2-4\times 1\times(-8)}}{2\times 1}$

$=\dfrac{1\pm\sqrt{33}}{2}$

11 $\dfrac{x^2+1}{10}+\dfrac{1}{5}x-\dfrac{5}{2}=0$의 양변에 10을 곱하면

$x^2+1+2x-25=0$, $x^2+2x-24=0$

$(x+6)(x-4)=0$ $\quad\therefore x=-6$ 또는 $x=4$

12 $x^2+4x+1-m=0$이 서로 다른 두 근을 가지려면

$4^2-4\times 1\times(1-m)>0$

$16-4+4m>0$, $4m>-12$ $\quad\therefore m>-3$

13 $x^2+5x+a=3x-10$에서 $x^2+2x+a+10=0$

이 이차방정식이 중근을 가지려면

$2^2-4\times1\times(a+10)=0$

$4-4a-40=0,\ -4a=36 \qquad \therefore a=-9$

$x^2+2x+a+10$이 완전제곱식이 되어야 하므로 $a+10=\left(\frac{2}{2}\right)^2$임을 이용하여 a의 값을 구할 수도 있어.

14 어떤 수를 x라 하면

$(2x)^2+3=2(x+3)^2-33$

$4x^2+3=2x^2+12x+18-33$

$2x^2-12x+18=0,\ x^2-6x+9=0$

$(x-3)^2=0 \qquad \therefore x=3$

따라서 처음의 수는 3이다.

15 영은이네 모둠의 학생 수를 x명이라 하면

각자 가진 쿠키의 개수가 $x-4$이므로

$x(x-4)=32$

$x^2-4x-32=0,\ (x+4)(x-8)=0$

$\therefore x=-4$ 또는 $x=8$

그런데 x는 자연수이므로 $x=8$

따라서 영은이네 모둠의 학생은 8명이다.

16 가장 작은 정사각형의 한 변의 길이를 x cm라 하면 나머지 두 정사각형의 한 변의 길이는 각각 $(x+2)$ cm, $(x+4)$ cm이므로

$(x+4)^2=x^2+(x+2)^2$

$x^2+8x+16=x^2+x^2+4x+4$

$x^2-4x-12=0,\ (x+2)(x-6)=0$

$\therefore x=-2$ 또는 $x=6$

그런데 $x>0$이므로 $x=6$

따라서 세 정사각형의 한 변의 길이는 각각 6 cm, 8 cm, 10 cm이므로

(색칠한 부분의 넓이)=(두 번째로 큰 정사각형의 넓이)

−(가장 작은 정사각형의 넓이)

$=8^2-6^2=28\ (\text{cm}^2)$

적중 예상 전략 | 2회

80쪽~83쪽

01 ③	02 ④, ⑤	03 ③	04 지선	05 ②
06 ④	07 ③	08 ①	09 ③	10 ②
11 연지	12 ③	13 5	14 ③	15 ④
16 ⑤				

01 $y=4x^2-3-kx(1-x)$

$=(4+k)x^2-kx-3$

이 함수가 x에 대한 이차함수가 되려면 x^2의 계수가 0이 아니어야 하므로

$4+k\neq0 \qquad \therefore k\neq-4$

02 ④ $x=0$일 때, $y=-2\times0^2=0$이므로 모든 실수 x에 대하여 y의 값이 항상 음수인 것은 아니다.

⑤ $x>0$일 때, x의 값이 증가하면 y의 값은 감소한다.

따라서 옳지 않은 것은 ④, ⑤이다.

03 주어진 이차함수의 그래프가 모두 원점을 지나므로 그래프를 나타내는 식을 (가) $y=ax^2$, (나) $y=bx^2$이라 하자.

(가)는 아래로 볼록하고 $y=\frac{4}{5}x^2$의 그래프보다 폭이 좁으므로 $a>\frac{4}{5}$ …… ㉠

(나)는 위로 볼록하고 $y=-x^2$의 그래프보다 폭이 넓으므로 $-1<b<0$ …… ㉡

따라서 ㉠, ㉡을 모두 만족하는 것은 ③이다.

04 재용 : 축의 방정식은 $x=0$이다.

승호 : 꼭짓점의 좌표는 $(0,\ -3)$이다.

혜진 : x^2의 계수의 절댓값이 1보다 크므로 이차함수 $y=x^2-3$의 그래프보다 폭이 좁다.

기철 : 이차함수 $y=5x^2$의 그래프를 y축의 방향으로 -3만큼 평행이동한 것이다.

따라서 바르게 설명한 학생은 지선이다.

05 아래로 볼록하고 꼭짓점의 좌표가 $(-4, 0)$인 것을 찾으면 ②이다.

06 ① 축의 방정식은 $x=4$이다.
② 꼭짓점의 좌표는 $(4, 3)$이다.
③ x^2의 계수의 절댓값이 3보다 작으므로 이차함수 $y=3x^2$의 그래프보다 폭이 넓다.
⑤ 이차함수 $y=2x^2$의 그래프를 x축의 방향으로 4만큼, y축의 방향으로 3만큼 평행이동한 것이다.
따라서 옳은 것은 ④이다.

07 그래프가 위로 볼록하므로 $a<0$
꼭짓점 $(-p, q)$가 제2사분면 위에 있으므로
$-p<0, q>0 \quad \therefore p>0, q>0$

각 사분면 위의 점의 좌표의 부호는 다음과 같아! 잊지 않았지?

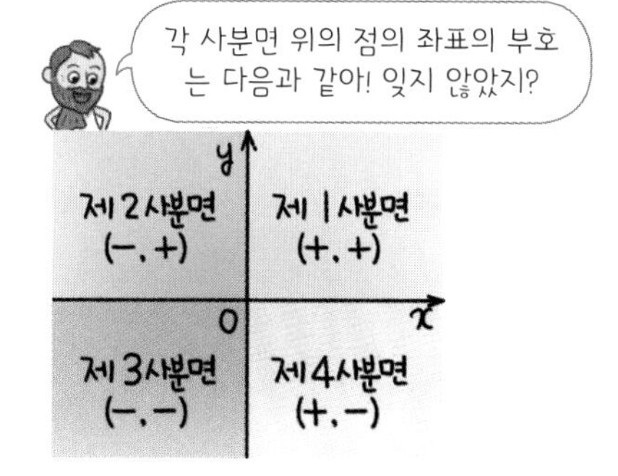

08 $y=-\frac{1}{4}x^2+2x+a$
$=-\frac{1}{4}(x^2-8x+16-16)+a$
$=-\frac{1}{4}(x-4)^2+4+a$
따라서 꼭짓점의 좌표는 $(4, 4+a)$이고 꼭짓점이 x축 위에 있으므로
$4+a=0 \quad \therefore a=-4$

09 $y=-2x^2+8x-3=-2(x-2)^2+5$
① 축의 방정식은 $x=2$이다.
② 꼭짓점의 좌표는 $(2, 5)$이다.
③ $x=0$을 대입하면 $y=-3$이므로 y축과의 교점의 y좌표는 -3이다.

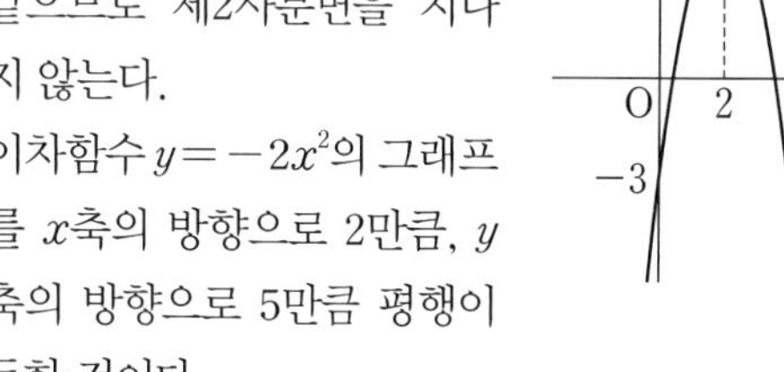
④ 이차함수 $y=-2x^2+8x-3$의 그래프는 오른쪽 그림과 같으므로 제2사분면을 지나지 않는다.

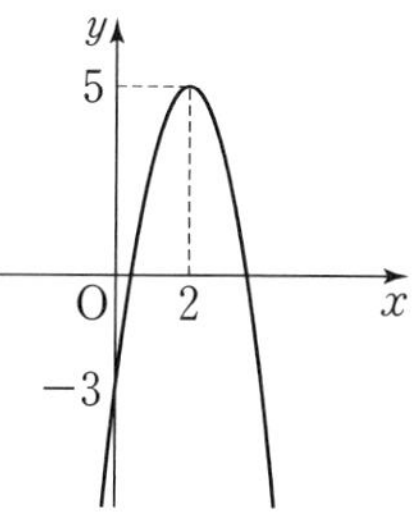

⑤ 이차함수 $y=-2x^2$의 그래프를 x축의 방향으로 2만큼, y축의 방향으로 5만큼 평행이동한 것이다.
따라서 옳은 것은 ③이다.

10 이차함수 $y=x^2+1$의 그래프를 x축의 방향으로 a만큼, y축의 방향으로 b만큼 평행이동한 그래프를 나타내는 식은
$y=(x-a)^2+1+b$
이때 $y=x^2+2x-2=(x+1)^2-3$이므로
$-a=1, 1+b=-3$
따라서 $a=-1, b=-4$이므로
$ab=-1\times(-4)=4$

11 $y=0$을 $y=-x^2+2x+3$에 대입하면
$-x^2+2x+3=0, x^2-2x-3=0$
$(x+1)(x-3)=0$
$\therefore x=-1$ 또는 $x=3$
따라서 그래프가 x축과 만나는 점의 좌표는
$(-1, 0), (3, 0)$이므로 바르게 적은 학생은 연지이다.

12 그래프가 위로 볼록하므로 $a<0$
축이 y축의 오른쪽에 있으므로 $ab<0$
이때 $a<0$이므로 $b>0$
y축과의 교점이 x축보다 위쪽에 있으므로 $c>0$

13 $x=0$을 $y=-x^2-4x+5$에 대입하면 $y=5$이므로
$A(0, 5)$
$y=-x^2-4x+5=-(x+2)^2+9$이므로 $B(-2, 9)$
$\therefore \triangle ABO=\frac{1}{2}\times\overline{AO}\times|(\text{점 B의 }x\text{좌표})|$
$=\frac{1}{2}\times5\times2=5$

14 꼭짓점의 좌표가 $(-1, 5)$이므로 이차함수의 식을
$y=a(x+1)^2+5$로 놓자.
이 그래프가 점 $(0, 2)$를 지나므로
$2=a+5 \quad \therefore a=-3$
따라서 $y=-3(x+1)^2+5=-3x^2-6x+2$이므로
$b=-6, c=2$
$\therefore a-b-c=-3-(-6)-2=1$

15 이차함수 $y=x^2+ax+b$의 그래프가 점 $(0, 4)$를 지나므로 $b=4$ ······ ㉠
또 점 $(4, 0)$을 지나므로
$0=16+4a+b \quad \therefore 4a+b=-16$ ······ ㉡
㉠을 ㉡에 대입하면 $4a+4=-16$
$4a=-20 \quad \therefore a=-5$
따라서 $y=x^2-5x+4=\left(x-\frac{5}{2}\right)^2-\frac{9}{4}$이므로
축의 방정식은 $x=\frac{5}{2}$이다.

16 이차함수 $y=ax^2+bx+c$의 그래프가 점 $(0, 0)$을 지나므로 $c=0$
$y=ax^2+bx$의 그래프가 점 $(4, 0)$을 지나므로
$0=16a+4b \quad \therefore 4a+b=0$ ······ ㉠
또 점 $(1, -3)$을 지나므로
$-3=a+b$ ······ ㉡
㉠, ㉡을 연립하여 풀면 $a=1, b=-4$
$\therefore a-b+c=1-(-4)+0=5$

memo

memo

상위권 필수 내신 대비서

2022 신간

내신 고득점을 위한 필수 심화 학습서

중학 일등전략

전과목 시리즈

체계적인 시험대비

주 3일, 하루 6쪽 구성
총 2~3주의 분량으로
빠르고 완벽하게 시험 대비!

1등을 위한 공부법

탄탄한 중학 개념 기본기에
실전 문제풀이의 감각을 더해
어떠한 상황에도 자신감 UP!

문제유형 완전 정복

기출문제 분석을 통해
개념 확인 유형부터 서술형,
고난도 유형까지 다양하게 마스터!

완벽한 1등 만들기! 전과목 내신 대비서

국어: 예비중~중3(문학1~3/문법1~3)
영어: 중2~3
수학: 중1~3(학기용)
사회: 중1~3(사회①, 사회②, 역사①, 역사②)
과학: 중1~3(학기용)

정답은
이안에
있어!

#내신 대비서
#고득점 예약하기

수학전략

[수학전략] 중학 3-1

개발총괄 김덕유
편집개발 마영희, 정광혜, 서진원
디자인총괄 김희정
표지디자인 윤순미, 한은비
내지디자인 박희춘, 이혜미
제작 황성진, 조규영

발행일 2022년 2월 15일 초판 2022년 2월 15일 1쇄
발행인 (주)천재교육
주소 서울시 금천구 가산로9길 54
신고번호 제2001-000018호
고객센터 1577-0902
교재 내용 문의 (02)3282-8852

※ 정답 분실 시에는 천재교육 교재 홈페이지에서 내려받으세요.

고득점을 예약하는 내신 대비서

수학전략

중학 3-1

시험에 잘 나오는

개념BOOK 1

천재교육

수학전략

수학전략

중학 3-1 중간고사

시험에 잘 나오는

개념BOOK

개념BOOK 하나면
수학 공부 끝!

차례

1 제곱근의 뜻

(1) 제곱근 : 어떤 수 x를 제곱하여 a가 될 때, x를 a의 제곱근이라 한다.

즉 $x^2=a$일 때 ➡ x는 ❶ ☐ 의 제곱근

(2) 제곱근 구하기

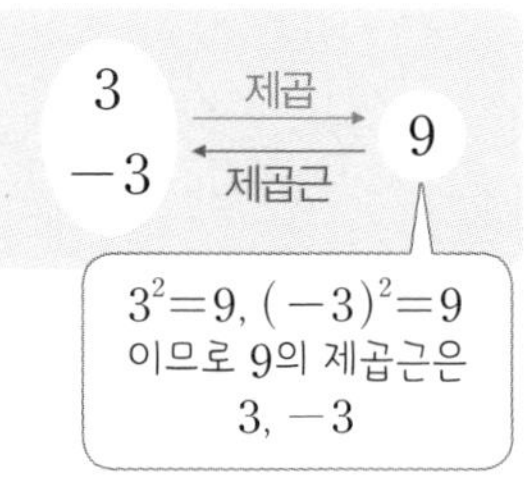

9의 제곱근

➡ 제곱하여 ❷ ☐ 가 되는 수

➡ $x^2=9$를 만족하는 x의 값

➡ 3, -3

❶ a ❷ 9

바로 확인

다음 중 ( ) 안의 알맞은 것에 ○표 하시오.

(1) 49의 제곱근은 (7, ±7)이다.

(2) 0의 제곱근은 (0, 1)이다.

(3) 25의 제곱근은 (±5, 5)이다.

답 | (1) ±7 (2) 0 (3) ±5

2 제곱근의 개수

(1) 양수의 제곱근은 양수와 음수로 항상 ❶ ☐ 개이며 그 절댓값은 같다.

(2) 0의 제곱근은 0뿐이므로 ❷ ☐ 개이다.

(3) 양수나 음수를 제곱하면 항상 양수이므로 음수의 제곱근은 생각하지 않는다.

예 9의 제곱근은 3, -3 ➡ 2개

0의 제곱근은 0 ➡ 1개

-4의 제곱근은 생각하지 않는다.

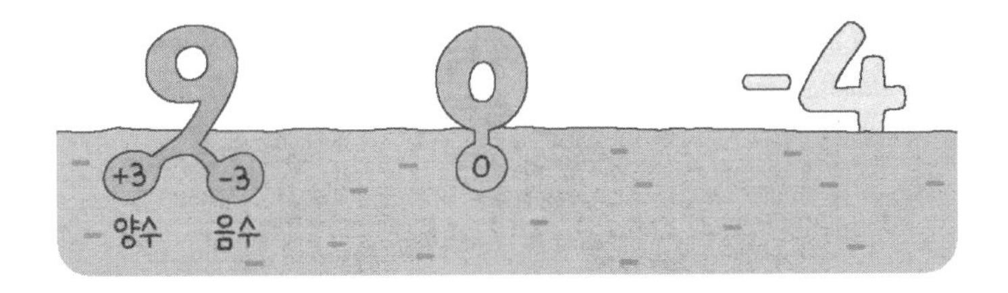

❶ 2 ❷ 1

바로 확인

다음 ㉠, ㉡ 중 옳은 것을 고르시오.

(1) ㉠ 모든 수의 제곱근은 2개이다. ㉡ 양수의 제곱근은 2개이다.

(2) ㉠ 0의 제곱근은 없다. ㉡ 0의 제곱근은 0뿐이다.

답 | (1) ㉡ (2) ㉡

3 제곱근의 표현

(1) 제곱근은 기호 $\sqrt{\ }$(근호)를 사용하여 나타내고, $\sqrt{a}$를 '제곱근 a' 또는 '루트 a'라 읽는다.

(2) 양수 a의 제곱근 중 양수인 것을 ❶ ☐의 제곱근, 음수인 것을 ❷ ☐의 제곱근이라 하고, 기호 $\sqrt{\ }$를 사용하여 각각 $\sqrt{a}$, ❸ ☐와 같이 나타낸다.

(3) $\sqrt{a}$와 $-\sqrt{a}$를 한꺼번에 $\pm\sqrt{a}$로 나타내기도 하며 $\pm\sqrt{a}$를 '플러스 마이너스 루트 a'라 읽는다.

예 2의 양의 제곱근은 $\sqrt{2}$, 음의 제곱근은 $-\sqrt{2}$이다.
즉 2의 제곱근은 $\pm\sqrt{2}$이다.

❶ 양 ❷ 음 ❸ $-\sqrt{a}$

바로 확인

다음 ☐ 안에 알맞은 것을 써넣으시오.

(1) 5의 제곱근 ➡ 제곱하여 ☐가 되는 수 ➡ $x^2=5$를 만족하는 x의 값
➡ $\sqrt{5}$, ☐

(2) $\sqrt{4}$ ➡ 4의 양의 제곱근 ➡ ☐

(3) $-\sqrt{16}$ ➡ 16의 음의 제곱근 ➡ ☐

답 | (1) 5, $-\sqrt{5}$ (2) 2 (3) -4

a의 제곱근, 제곱근 a

(1) $\sqrt{\ }$ 안의 수가 어떤 수의 ❶ ☐ 이면 $\sqrt{\ }$ 를 사용하지 않고 나타낼 수 있다.

예 $\sqrt{4}$ ➡ 4의 양의 제곱근 ➡ 2

$-\sqrt{4}$ ➡ 4의 음의 제곱근 ➡ -2

(2) $a>0$일 때

① a의 제곱근 ➡ $\pm\sqrt{a}$ ➡ 제곱하여 a가 되는 수

② 제곱근 a ➡ ❷ ☐ ➡ a의 양의 제곱근

예 2의 제곱근 ➡ ❸ ☐, 제곱근 2 ➡ $\sqrt{2}$

a의 제곱근과 제곱근 a의 차이점을 정리해 줄게.
시험에 잘 나오니까 반드시 기억해야 해!

a의 제곱근 ➡ $\pm\sqrt{a}$ ➡ 제곱하여 a가 되는 수
제곱근 a ➡ $\sqrt{a}$ ➡ a의 양의 제곱근
↓ ↓
$\sqrt{\ }$ a → $\sqrt{a}$

❶ 제곱 ❷ $\sqrt{a}$ ❸ $\pm\sqrt{2}$

바로 확인

다음 ㉠, ㉡ 중 옳은 것을 고르시오.

(1) ㉠ 9의 제곱근은 3, -3이다. ㉡ 제곱근 9는 3, -3이다.

(2) ㉠ $\sqrt{16}$의 양의 제곱근은 4이다. ㉡ $\sqrt{16}$의 양의 제곱근은 2이다.

답 | (1) ㉠ (2) ㉡

5 제곱근의 성질

$a>0$일 때

(1) a의 제곱근을 제곱하면 a가 된다.

➡ $(\sqrt{a})^2=a$, $(-\sqrt{a})^2=$ ❶ ☐

예 $(\sqrt{2})^2=2$, $(-\sqrt{2})^2=2$

(2) $\sqrt{}$ 안의 수가 어떤 수의 제곱이면 $\sqrt{}$를 사용하지 않고 나타낼 수 있다.

➡ $\sqrt{a^2}=a$, $\sqrt{(-a)^2}=$ ❷ ☐

예 $\sqrt{2^2}=2$, $\sqrt{(-2)^2}=2$

❶ a ❷ a

바로 확인

다음 중 옳은 것을 모두 고르시오.

㉠ $\sqrt{81}=\pm9$　　㉡ $\sqrt{(-2)^2}=-2$

㉢ $\sqrt{(-3)^2}=3$　　㉣ $\sqrt{9}=3$

답 | ㉢, ㉣

6 근호 안이 문자일 때, 제곱근의 성질 이용하기

모든 수 a에 대하여 $\sqrt{a^2}=|a|=\begin{cases} a(a\geq 0) \\ -a(a<0) \end{cases}$

($-a$ → 양수)

예 ① $\sqrt{5^2}=|5|=$ ❶ ☐ (부호 그대로)

② $\sqrt{(-5)^2}=|-5|=$ ❷ ☐ (부호 반대로)

주의 | $\sqrt{A^2}$은 A^2의 양의 제곱근이므로 A의 부호에 관계없이 항상 음이 아닌 값을 가진다.

① $a>0$일 때, $-a<0$이므로

$\sqrt{(-a)^2}=-a$ (×), $\sqrt{(-a)^2}=-(-a)=a$ (○)

② $a<0$일 때, $2a<0$이므로

$\sqrt{(2a)^2}=2a$ (×), $\sqrt{(2a)^2}=-2a$ (○)

❶ 5 ❷ 5

바로 확인

다음 ☐ 안에 알맞은 것을 써넣으시오.

$a<0$일 때, $\sqrt{a^2}=$ ☐, $\sqrt{(-a)^2}=$ ☐

답 | $-a$, $-a$

7 제곱근의 대소 관계

$a>0$, $b>0$일 때

(1) $a<b$이면 $\sqrt{a}<\sqrt{b}$

(2) $\sqrt{a}<\sqrt{b}$이면 $a<b$

(3) $\sqrt{a}<\sqrt{b}$이면 $-\sqrt{a}$ ❶ $-\sqrt{b}$

넓이 a / $\sqrt{a}$ 넓이 b / $\sqrt{b}$

예 $2<3$이므로 $\sqrt{2}<\sqrt{3}$

$\therefore -\sqrt{2}$ ❷ $-\sqrt{3}$

참고 | 2, $\sqrt{3}$의 대소 비교

➡ $\sqrt{\ }$가 없는 수를 $\sqrt{\ }$가 있는 수로 바꾸어 대소를 비교한다.

$2=\sqrt{4}$이므로 $\sqrt{4}>\sqrt{3}$ $\quad\therefore 2>\sqrt{3}$

❶ > ❷ >

바로 확인

다음 □ 안에 부등호 >, < 중 알맞은 것을 써넣으시오.

(1) $\sqrt{3}$ □ $\sqrt{5}$

(2) $-\sqrt{3}$ □ $-\sqrt{4}$

(3) 0.3 □ $\sqrt{0.3}$

(4) $-\sqrt{\frac{1}{3}}$ □ $-\sqrt{\frac{1}{2}}$

답 | (1) < (2) > (3) < (4) >

8 유리수와 무리수

(1) 유리수 ➡ $\dfrac{(\text{정수})}{(0\text{이 아닌 정수})}$ 의 꼴로 나타낼 수 있는 수

➡ 정수, 유한소수, 순환소수

➡ ❶ ☐ 를 벗길 수 있는 수

예 $-1,\ 2,\ 1.21,\ 0.\dot{3},\ \sqrt{9},\ \cdots$

(2) 무리수 ➡ ❷ ☐ 가 아닌 수

➡ 순환하지 않는 무한소수

➡ 근호를 벗길 수 없는 수

예 $\sqrt{2},\ \pi,\ 3.1212345\cdots,\ \sqrt{2}+1,\ \cdots$

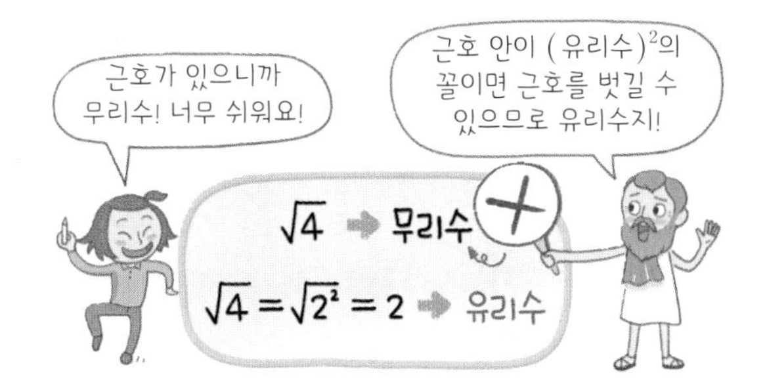

❶ 근호 ❷ 유리수

바로 확인

다음 중 무리수를 모두 고르시오.

㉠ $0.\dot{1}\dot{4}$	㉡ $\sqrt{5}$	㉢ 0
㉣ $\sqrt{25}$	㉤ $\sqrt{2}-1$	㉥ $\sqrt{9}-1$

답 | ㉡, ㉤

9 실수

(1) 실수 : 유리수와 무리수를 통틀어 ❶ ______ 라 한다.

(2) 실수의 분류

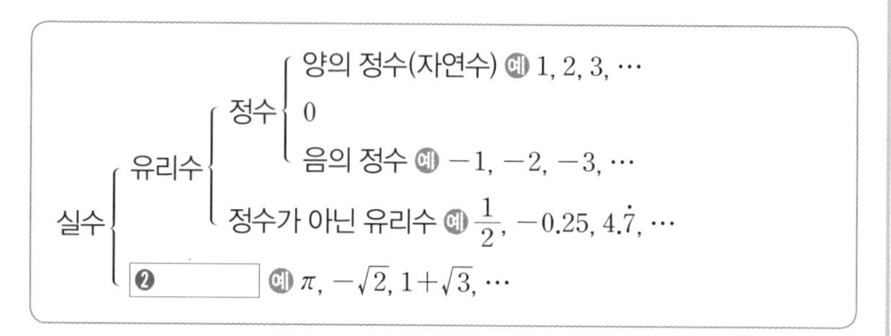

❶ 실수 ❷ 무리수

바로 확인

다음 중 옳은 것에는 ○표, 옳지 않은 것에는 ×표를 하시오.

(1) 0은 실수이다. ( )

(2) 0.3은 실수가 아니다. ( )

(3) $-\sqrt{7}$은 실수이다. ( )

답 | (1) ○ (2) × (3) ○

10 제곱근의 값

(1) 제곱근표 : 1.00부터 99.9까지의 수에 대하여 양의 ❶ ________ 의 값을 반올림하여 소수점 아래 셋째 자리까지 나타낸 표

(2) 제곱근표 읽기 : 처음 두 자리 수의 가로줄과 끝자리 수의 세로줄이 만나는 곳에 있는 수를 읽는다.

예 제곱근표에서 $\sqrt{3.37}$의 값은 3.3의 가로줄과 7의 세로줄이 만나는 곳에 적힌 수인 ❷ ________ 이다.

수	0	1	…	7	8
3.2	1.789	1.792	…	1.808	1.811
3.3	1.817	1.819	…	1.836	1.838
3.4	1.844	1.847	…	1.863	1.865

❶ 제곱근 ❷ 1.836

바로 확인

위의 제곱근표를 보고 다음 제곱근의 값을 구하시오.

(1) $\sqrt{3.28}$　　(2) $\sqrt{3.31}$

(3) $\sqrt{3.40}$　　(4) $\sqrt{3.47}$

답 | (1) 1.811 (2) 1.819 (3) 1.844 (4) 1.863

11 무리수를 수직선 위에 나타내기

유리수뿐만 아니라 무리수도 수직선 위에 나타낼 수 있다.

예 $\sqrt{2}$, $-\sqrt{2}$를 각각 수직선 위에 나타내기

① 다음 그림과 같이 한 눈금의 길이가 1인 모눈종이 위에 $\angle B=90°$, $\overline{AB}=\overline{OB}=1$인 직각삼각형 AOB와 수직선을 그린다.

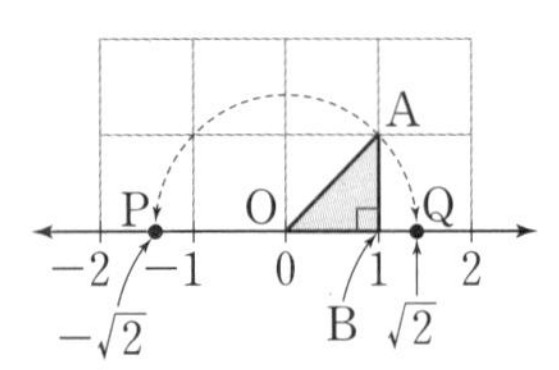

② 직각삼각형 AOB의 빗변의 길이를 구한다.

➡ $\overline{OA}=\sqrt{1^2+1^2}=$ ❶ [ ]

③ 원점 O를 중심으로 하고 $\overline{OA}$를 반지름으로 하는 원을 그려 수직선과 만나는 두 점을 각각 P, Q라 하면 두 점 P, Q에 대응하는 수는 각각 ❷ [ ], $\sqrt{2}$이다.

❶ $\sqrt{2}$ ❷ $-\sqrt{2}$

바로 확인

오른쪽 그림은 한 눈금의 길이가 1인 모눈종이 위에 직각삼각형 AOB와 수직선을 그린 것이다. $\overline{OA}=\overline{OP}=\overline{OQ}$일 때, 두 점 P, Q에 대응하는 수를 구하는 다음 과정에서 □ 안에 알맞은 수를 써넣으시오.

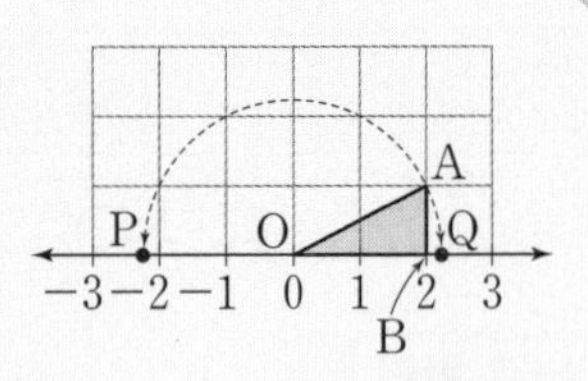

> $\triangle$AOB에서 피타고라스 정리에 의하여 $\overline{OA}=\sqrt{2^2+\square^2}=\sqrt{\square}$
> 이때 $\overline{OP}=\overline{OQ}=\overline{OA}$이므로 두 점 P, Q에 대응하는 수는 각각 [ ], □이다.

답 | 1, 5, $-\sqrt{5}$, $\sqrt{5}$

12 실수와 수직선

(1) 모든 실수는 각각 수직선 위의 한 ❶ 에 대응한다.

(2) 서로 다른 두 실수 사이에는 무수히 많은 실수가 있다.

(3) 수직선은 ❷ 에 대응하는 점들로 완전히 메울 수 있다.

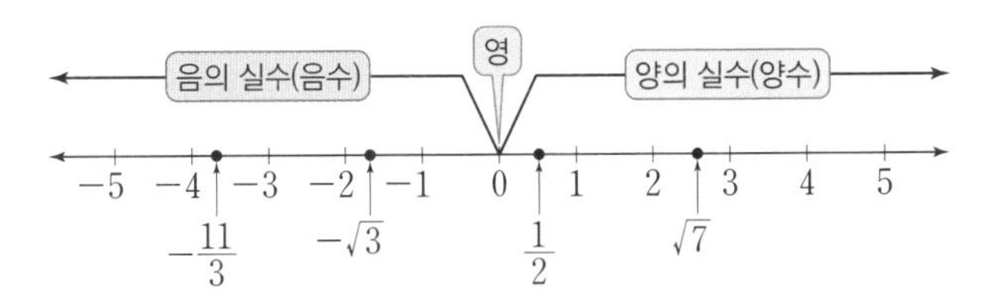

참고 | 간단히 양의 실수를 양수, 음의 실수를 음수라 한다.

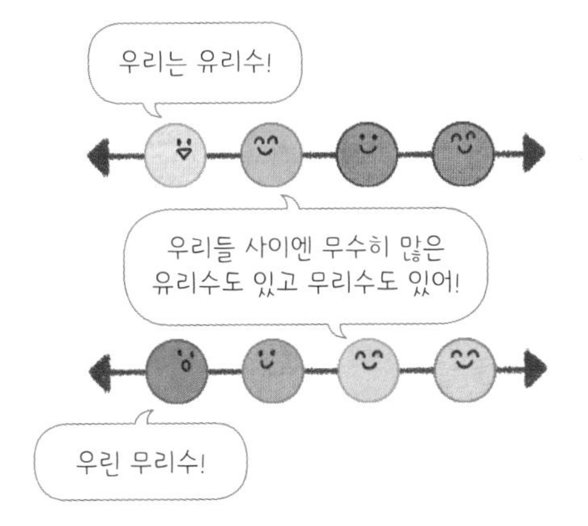

❶ 점 ❷ 실수

바로 확인

다음 중 (   ) 안의 알맞은 것에 ○표 하시오.

(1) 수직선은 무리수에 대응하는 점들로 완전히 메울 수 (있다, 없다).

(2) 수직선 위의 한 점은 한 실수에 대응(한다, 하지 않는다).

(3) $\sqrt{10}$은 수직선 위에 나타낼 수 (있다, 없다).

(4) 1과 2 사이에는 무리수가 (있다, 없다).

답 | (1) 없다 (2) 한다 (3) 있다 (4) 있다

13 실수의 대소 관계

(1) 실수의 대소 관계

① 양수는 0보다 크고, 음수는 0보다 작다. ➡ (음수)$<0<$(양수)

② 양수끼리는 ❶ ☐ 이 큰 수가 크다.

③ 음수끼리는 절댓값이 큰 수가 ❷ ☐.

(2) 두 실수의 대소 비교 방법

a, b가 실수일 때, 두 실수의 차를 이용한다.

① $a-b>0$이면 $a>b$

② $a-b=0$이면 $a=b$

③ $a-b<0$이면 a ❸ ☐ b

① $\sqrt{5}-1$에서 2를 뺀다.
$(\sqrt{5}-1)-2=\sqrt{5}-3$

② $\sqrt{5}-3$의 부호를 판단한다.
$\sqrt{5}-3=\sqrt{5}-\sqrt{9}<0$
$\therefore \sqrt{5}-1<2$

❶ 절댓값 ❷ 작다 ❸ $<$

바로 확인

다음은 $2+\sqrt{2}$와 3의 대소를 비교하는 과정이다. ☐ 안에 알맞은 부등호를 써넣으시오.

$(2+\sqrt{2})-3=\sqrt{2}-1=\sqrt{2}-\sqrt{1}$ ☐ 0
$\therefore 2+\sqrt{2}$ ☐ 3

답 | $>$, $>$

14 무리수의 정수 부분과 소수 부분

(1) 무리수는 정수 부분과 소수 부분으로 나눌 수 있다.

예 $\sqrt{2}=1.414\cdots=1+0.414\cdots$

정수 부분 ← 1, 소수 부분: $0.414\cdots$

(2) 소수 부분은 무리수에서 ❶ [ ] 부분을 빼서 나타낸다.

예 $\sqrt{2}=1+0.414\cdots$

$\sqrt{2}-1=0.414\cdots$ (소수 부분)

즉 $\sqrt{2}$의 소수 부분은 ❷ [ ] 이다.

$\sqrt{a}$가 무리수일 때

$\sqrt{a}=$(정수 부분)$+$(소수 부분)

↓ 이항

$\sqrt{a}-$(정수 부분)$=$(소수 부분)

❶ 정수 ❷ $\sqrt{2}-1$

바로 확인

다음은 $\sqrt{5}$의 정수 부분과 소수 부분을 구하는 과정이다. □ 안에 알맞은 수를 써넣으시오.

$\sqrt{4}<\sqrt{5}<\sqrt{9}$에서 $2<\sqrt{5}<3$이므로 $\sqrt{5}$의 정수 부분은 □이다.
따라서 $\sqrt{5}$의 소수 부분은 □이다.

답ㅣ2, $\sqrt{5}-2$

15 제곱근의 곱셈

$a>0$, $b>0$이고 m, n이 유리수일 때

(1) 제곱근끼리 곱할 때에는 근호 안의 수끼리 곱한다.

➡ $\sqrt{a}\times\sqrt{b}=\sqrt{a\times b}=$ ❶ $\square$

(2) 근호 밖에 수가 곱해져 있을 때에는 근호 밖의 수끼리, 근호 안의 수끼리 곱한다.

➡ $m\sqrt{a}\times n\sqrt{b}=m\times n\times\sqrt{a\times b}=$ ❷ $\square\sqrt{ab}$

예 $\sqrt{2}\times\sqrt{3}=\sqrt{2\times3}=\sqrt{6}$

$2\sqrt{3}\times3\sqrt{7}=(2\times3)\times\sqrt{3\times7}=6\sqrt{21}$

❶ $\sqrt{ab}$ ❷ mn

바로 확인

다음 $\square$ 안에 알맞은 수를 써넣으시오.

(1) $\sqrt{3}\times\sqrt{5}=\sqrt{3\times\square}=\square$

(2) $-2\sqrt{5}\times3\sqrt{6}=(-2\times\square)\times\sqrt{5\times\square}=\square$

답 | (1) 5, $\sqrt{15}$ (2) 3, 6, $-6\sqrt{30}$

16 제곱근의 나눗셈

$a>0$, $b>0$이고 m, n이 유리수일 때

(1) 제곱근끼리 나눌 때에는 근호 안의 수끼리 나눈다.

$\Rightarrow \sqrt{a}\div\sqrt{b}=\dfrac{\sqrt{a}}{\sqrt{b}}=\sqrt{\dfrac{a}{\boxed{❶}}}$

(2) 근호 밖에 수가 곱해져 있을 때에는 근호 밖의 수끼리, 근호 안의 수끼리 나눈다.

$\Rightarrow m\sqrt{a}\div n\sqrt{b}=\dfrac{m\sqrt{a}}{n\sqrt{b}}=\dfrac{m}{\boxed{❷}}\sqrt{\dfrac{a}{b}}$ (단, $n\neq0$)

예 $\sqrt{15}\div\sqrt{5}=\dfrac{\sqrt{15}}{\sqrt{5}}=\sqrt{\dfrac{15}{5}}=\sqrt{3}$

$4\sqrt{15}\div2\sqrt{5}=\dfrac{4\sqrt{15}}{2\sqrt{5}}=\dfrac{4}{2}\sqrt{\dfrac{15}{5}}=2\sqrt{3}$

❶ b ❷ n

바로 확인

다음 □ 안에 알맞은 수를 써넣으시오.

(1) $\sqrt{12}\div\sqrt{4}=\dfrac{\sqrt{12}}{\sqrt{4}}=\sqrt{\dfrac{12}{\square}}=\square$

(2) $4\sqrt{18}\div(-2\sqrt{6})=-\dfrac{4\sqrt{18}}{\square}=-\dfrac{4}{2}\sqrt{\dfrac{18}{\square}}=\square$

답 | (1) 4, $\sqrt{3}$ (2) $2\sqrt{6}$, 6, $-2\sqrt{3}$

17 근호가 있는 식의 변형 - 근호 안의 수를 밖으로

근호 안의 수를 소인수분해하여 ❶ [　　] 인 인수가 있으면 근호 밖으로 꺼낸다.

$a>0, b>0$일 때

(1) $\sqrt{a^2b}=a\sqrt{b}$　　(2) $\sqrt{\frac{a}{b^2}}=\frac{\sqrt{a}}{❷\ [\quad]}$

예 $\sqrt{12}=\sqrt{2^2\times3}=\sqrt{2^2}\sqrt{3}=2\sqrt{3}$

주의 | $a\sqrt{b}$의 꼴로 나타낼 때, b는 제곱인 인수가 없는 가장 작은 자연수가 되게 한다.

예 $\sqrt{72}=\sqrt{6^2\times2}=6\sqrt{2}$ (○)

$\sqrt{72}=2\sqrt{18}$ (×)
$2\sqrt{2\times3^2}$ ← 제곱인 인수가 있다.

$\sqrt{72}=3\sqrt{8}$ (×)
$3\sqrt{2\times2^2}$ ← 제곱인 인수가 있다.

❶ 제곱 ❷ b

바로 확인

다음 ㉠, ㉡ 중 옳은 것을 고르시오.

㉠ $\sqrt{27}=\sqrt{9\times3}=9\sqrt{3}$
㉡ $\sqrt{27}=\sqrt{9\times3}=3\sqrt{3}$

답 | ㉡

18 근호가 있는 식의 변형 - 근호 밖의 수를 안으로

근호 밖의 양수를 제곱하여 ❶ ☐ 안으로 넣을 수 있다.

$a>0$, $b>0$일 때

(1) $a\sqrt{b}=\sqrt{a^2}\sqrt{b}=\sqrt{\text{❷}\ \square}$

(2) $\dfrac{\sqrt{a}}{b}=\dfrac{\sqrt{a}}{\sqrt{b^2}}=\sqrt{\dfrac{a}{b^2}}$

예 $2\sqrt{5}=\sqrt{2^2\times5}=\sqrt{20}$

주의 | 근호 밖의 음수는 근호 안으로 넣을 수 없다.

예 $-3\sqrt{5}=\sqrt{(-3)^2\times5}=\sqrt{45}$ (×)

$-3\sqrt{5}=-\sqrt{3^2\times5}=-\sqrt{45}$ (○)

❶ 근호 ❷ a^2b

바로 확인

다음 ㉠, ㉡ 중 옳은 것을 고르시오.

㉠ $-2\sqrt{7}=\sqrt{(-2)^2\times7}=\sqrt{28}$

㉡ $-2\sqrt{7}=-\sqrt{2^2\times7}=-\sqrt{28}$

답 | ㉡

19 제곱근표에 없는 제곱근의 값

(1) 100보다 큰 수

➡ $\sqrt{100a}=$ ❶ [ ] $\sqrt{a}$, $\sqrt{10000a}=100\sqrt{a}$, ⋯ 이용

(2) 0과 1 사이의 수

➡ $\sqrt{\frac{a}{100}}=\frac{\sqrt{a}}{❷\ \square}$, $\sqrt{\frac{a}{10000}}=\frac{\sqrt{a}}{100}$, ⋯ 이용

❶ 10 ❷ 10

바로 확인

다음은 $\sqrt{5.5}=2.345$임을 이용하여 제곱근의 값을 구하는 과정이다. □ 안에 알맞은 수를 써넣으시오.

(1) $\sqrt{550}=\sqrt{100\times5.5}=\sqrt{10^2\times5.5}=\square\sqrt{5.5}=\square$

(2) $\sqrt{0.055}=\sqrt{\frac{5.5}{100}}=\sqrt{\frac{5.5}{10^2}}=\frac{\sqrt{5.5}}{\square}=\square$

답 | (1) 10, 23.45 (2) 10, 0.2345

20 분모의 유리화

분수의 분모가 근호를 포함한 무리수일 때, 분모와 분자에 0이 아닌 같은 수를 곱하여 분모를 유리수로 고치는 것을 분모의 ❶ [   ]라 한다.

예 ① $\dfrac{\sqrt{5}}{\sqrt{7}}=\dfrac{\sqrt{5}\times\sqrt{7}}{\sqrt{7}\times\sqrt{7}}=\dfrac{❷\ [\quad]}{7}$

② $\dfrac{\sqrt{7}}{3\sqrt{3}}=\dfrac{\sqrt{7}\times\sqrt{3}}{3\sqrt{3}\times\sqrt{3}}=\dfrac{\sqrt{21}}{3\times3}=\dfrac{\sqrt{21}}{9}$

③ $\dfrac{1}{\sqrt{18}}=\dfrac{1}{3\sqrt{2}}=\dfrac{\sqrt{2}}{3\sqrt{2}\times\sqrt{2}}=\dfrac{\sqrt{2}}{6}$

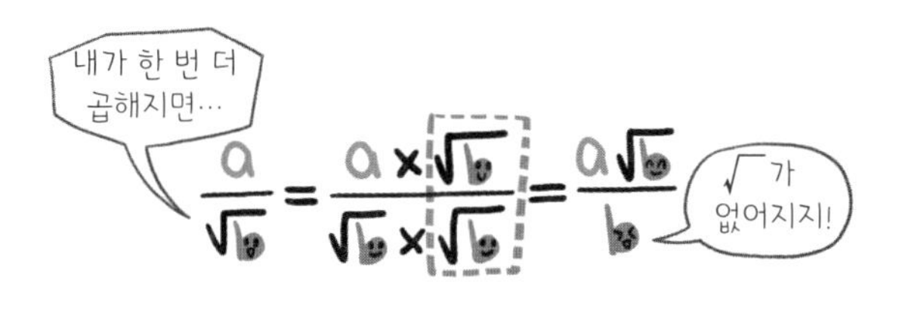

❶ 유리화 ❷ $\sqrt{35}$

바로 확인

다음 ㉠, ㉡ 중 옳은 것을 고르시오.

㉠ $\dfrac{1}{\sqrt{3}}=\dfrac{1}{\sqrt{3}\times\sqrt{3}}=\dfrac{1}{3}$

㉡ $\dfrac{1}{\sqrt{3}}=\dfrac{\sqrt{3}}{\sqrt{3}\times\sqrt{3}}=\dfrac{\sqrt{3}}{3}$

답 | ㉡

21 근호를 포함한 식의 곱셈과 나눗셈

제곱근의 곱셈과 나눗셈이 섞여 있을 때, 유리수에서와 마찬가지로 앞에서부터 차례대로 계산한다.

예 ① $a\sqrt{b}$의 꼴로 고치기

$$\sqrt{12}\div\frac{\sqrt{3}}{\sqrt{2}}\times\frac{9}{\sqrt{6}}=2\sqrt{3}\times\frac{\sqrt{2}}{\sqrt{3}}\times\frac{9}{\sqrt{6}}$$

② 나눗셈은 역수의 곱셈으로

$$=\frac{18}{\sqrt{3}}=\frac{18\times\sqrt{3}}{\sqrt{3}\times\sqrt{3}}=\frac{18\sqrt{3}}{3}=\text{❶ }\boxed{}$$

③ 앞에서부터 차례대로 계산 ④ 분모의 유리화

근호 안이 $\sqrt{a^2b}$의 꼴이면 $a\sqrt{b}$의 꼴로 고치고 계산!

답을 쓸 때, 분모에 무리수가 있으면 꼭 ❷ ☐ !

❶ $6\sqrt{3}$ ❷ 유리화

바로 확인

다음 ☐ 안에 알맞은 수를 써넣으시오.

$$\sqrt{8}\times3\sqrt{5}\div\sqrt{2}=\square\sqrt{2}\times3\sqrt{5}\times\frac{1}{\square}=\square$$

답 | 2, $\sqrt{2}$, $6\sqrt{5}$

22 근호를 포함한 식의 덧셈과 뺄셈 (1)

(1) 근호 안의 수가 ❶ 것을 동류항으로 보고, 다항식의 덧셈, 뺄셈과 같은 방법으로 계산한다.

예 $5\sqrt{2}+3\sqrt{2}=(5+3)\sqrt{2}=8\sqrt{2}$

$5\sqrt{2}-3\sqrt{2}=(5-3)\sqrt{2}=2\sqrt{2}$

주의 | $a>0, b>0$일 때 ① $\sqrt{a}+\sqrt{b}\neq\sqrt{a+b}$

② $\sqrt{a}-\sqrt{b}\neq\sqrt{a-b}$ (단, $a\neq b$)

(2) 근호 안의 수가 다른 무리수끼리는 더 이상 계산할 수 ❷ .

예 $\sqrt{2}+\sqrt{3}$ ➡ 근호 안의 수가 다르므로 더 이상 계산할 수 없다.

❶ 같은 ❷ 없다

바로 확인

다음 □ 안에 알맞은 수를 써넣으시오.

(1) $3\sqrt{5}+2\sqrt{5}=(3+2)$□$=$□

(2) $\sqrt{3}-5\sqrt{3}=(1-5)$□$=$□

답 | (1) $\sqrt{5}$, $5\sqrt{5}$ (2) $\sqrt{3}$, $-4\sqrt{3}$

23 근호를 포함한 식의 덧셈과 뺄셈 (2)

(1) 근호 안에 제곱인 인수가 있으면 근호 안의 수를 간단히 정리한 후 계산한다.

예 $\sqrt{2}+\sqrt{8}=\sqrt{2}+\sqrt{2^2\times 2}=\sqrt{2}+$ ❶ $\square$ $=3\sqrt{2}$

(2) 분모에 무리수가 있으면 분모를 ❷ $\square$ 한 후 계산한다.

예 $\dfrac{6}{\sqrt{2}}-\sqrt{2}=\dfrac{6\times\sqrt{2}}{\sqrt{2}\times\sqrt{2}}-\sqrt{2}=3\sqrt{2}-\sqrt{2}=2\sqrt{2}$

분모의 유리화

❶ $2\sqrt{2}$ ❷ 유리화

바로 확인

다음 $\square$ 안에 알맞은 수를 써넣으시오.

(1) $3\sqrt{18}-4\sqrt{2}+\sqrt{8}=3\sqrt{3^2\times\square}-4\sqrt{2}+\sqrt{2^2\times\square}$

$=\square\sqrt{2}-4\sqrt{2}+2\sqrt{2}$

$=\square$

(2) $3\sqrt{7}-\dfrac{7}{\sqrt{7}}=3\sqrt{7}-\dfrac{7\times\square}{\sqrt{7}\times\square}=3\sqrt{7}-\square=\square$

답 | (1) 2, 2, 9, $7\sqrt{2}$ (2) $\sqrt{7}$, $\sqrt{7}$, $\sqrt{7}$, $2\sqrt{7}$

분배법칙을 이용한 근호가 있는 식의 계산

실수에서도 유리수의 계산과 마찬가지로 분배법칙이 성립한다.

➡ 괄호가 있을 때에는 ❶ [　　] 법칙을 이용하여 괄호를 푼다.

예 ① $\sqrt{5}(\sqrt{2}+\sqrt{3})=$ ❷ [　　] $\times\sqrt{2}+$ ❸ [　　] $\times\sqrt{3}=\sqrt{10}+\sqrt{15}$

② $(\sqrt{5}-\sqrt{2})\sqrt{3}=\sqrt{5}\times\sqrt{3}-\sqrt{2}\times\sqrt{3}=\sqrt{15}-\sqrt{6}$

$$\frac{1+\sqrt{2}}{\sqrt{3}}=\frac{(1+\sqrt{2})\times\sqrt{3}}{\sqrt{3}\times\sqrt{3}}=\frac{1\times\sqrt{3}+\sqrt{2}\times\sqrt{3}}{3}=\frac{\sqrt{3}+\sqrt{6}}{3}$$

❶ 분배 ❷ $\sqrt{5}$ ❸ $\sqrt{5}$

바로 확인

다음 중 $\frac{\sqrt{3}-\sqrt{2}}{\sqrt{3}}$의 분모를 유리화한 것으로 옳은 것을 고르시오.

㉠ $\frac{\sqrt{3}-\sqrt{6}}{3}$　　㉡ $\frac{3-\sqrt{6}}{3}$　　㉢ $\frac{3-\sqrt{2}}{3}$

답 | ㉡

25 근호를 포함한 복잡한 식의 계산

유리수의 사칙계산과 같이 ❶ ___, 나눗셈 ➡ ❷ ___, 뺄셈의 순서로 계산한다.

$$\sqrt{2}(5+2\sqrt{6})-\frac{4-2\sqrt{6}}{\sqrt{2}}$$

$$=5\sqrt{2}+2\sqrt{12}-\frac{4-2\sqrt{6}}{\sqrt{2}}$$

$$=5\sqrt{2}+2\sqrt{12}-\frac{\overset{2}{\cancel{4}}\sqrt{2}-\overset{1}{\cancel{2}}\sqrt{12}}{\underset{1}{\cancel{2}}}$$

$$=5\sqrt{2}+4\sqrt{3}-2\sqrt{2}+2\sqrt{3}$$

$$=3\sqrt{2}+6\sqrt{3}$$

❶ 곱셈 ❷ 덧셈

바로 확인

다음 □ 안에 알맞은 수를 써넣으시오.

$$\sqrt{12}-\frac{6}{\sqrt{3}}+\sqrt{108}=\square\sqrt{3}-\frac{6\sqrt{3}}{\square}+6\sqrt{\square}=\square$$

답 | $2, 3, 3, 6\sqrt{3}$

26 다항식의 곱셈

다항식과 다항식의 곱셈은 ❶ ______ 을 이용하여 전개하고 동류항이 있으면 간단히 정리한다.

➡ $(a+b)(c+d)=\underset{①}{ac}+\underset{②}{ad}+\underset{③}{❷\ \ \ \ \ }+\underset{④}{bd}$

참고 | 직사각형의 넓이와 다항식의 곱셈

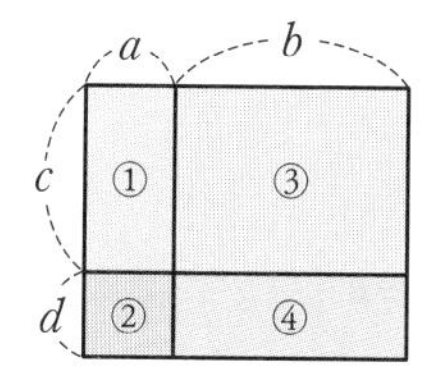

(큰 직사각형의 넓이)

=①+②+③+④이므로

$(a+b)(c+d)$

$=ac+ad+bc+bd$

$(x+3)(x+5)=\underset{①}{x\times x}+\underset{②}{x\times 5}+\underset{③}{3\times x}+\underset{④}{3\times 5}$

$=x^2+\underbrace{5x+3x}_{\text{동류항}}+15$

$=x^2+8x+15$

전개한 식에 동류항이 있으면 모아서 정리한다.

❶ 분배법칙 ❷ bc

바로 확인

$(x-2)(3y+1)$의 전개식에서 xy의 계수를 a, y의 계수를 b라 할 때, $a-b$의 값을 구하시오.

답 | 9

27 곱셈 공식 (1)

① $(a+b)^2=a^2$ ❶ $2ab+b^2$

② $(a-b)^2=a^2$ ❷ $2ab+b^2$

예 $(x+2)^2=x^2+2\times x\times 2+2^2=x^2+4x+4$

$(x-2)^2=x^2-2\times x\times 2+2^2=x^2-4x+4$

참고 | 정사각형의 넓이와 곱셈 공식 (1)

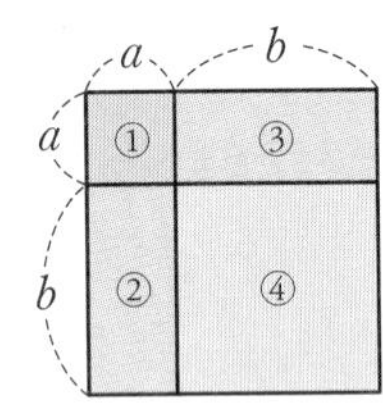

(큰 정사각형의 넓이)

=①+②+③+④이므로

$(a+b)^2=a^2+ab+ab+b^2$

$=a^2+2ab+b^2$

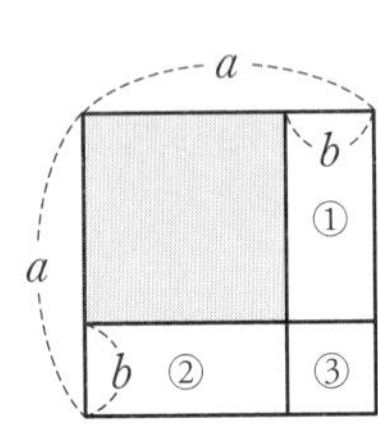

(색칠한 정사각형의 넓이)

=(큰 정사각형의 넓이)−①−②−③이므로

$(a-b)^2=a^2-b(a-b)-b(a-b)-b^2$

$=a^2-2ab+b^2$

도형의 넓이를 이용하여 곱셈 공식을 설명할 수 있어.

❶ + ❷ −

바로 확인

다음 중 전개한 것이 옳은 것에는 ○표, 옳지 않은 것에는 ×표를 하시오.

(1) $(a-5)^2=a^2-10a-25$ ( )

(2) $(x+7)^2=x^2+49$ ( )

(3) $(x-2y)^2=x^2-4xy+4y^2$ ( )

답 | (1) × (2) × (3) ○

28 곱셈 공식 (2)

$(a+b)(a-b)=a^2$ ❶ b^2

예 $(x+2)(x-2)=x^2-2^2=x^2-$ ❷

참고 | 직사각형의 넓이와 곱셈 공식 (2)

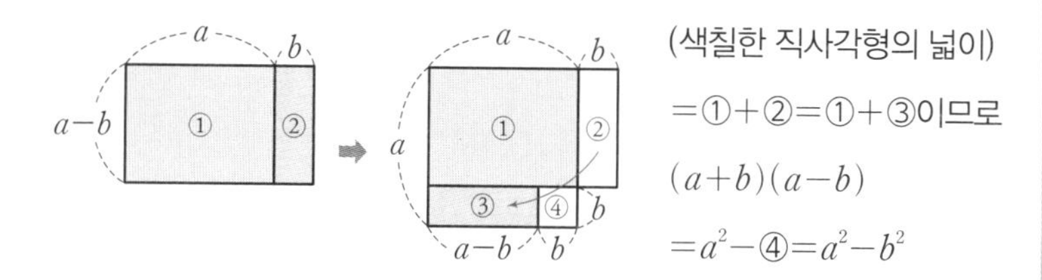

(색칠한 직사각형의 넓이)

$=$①$+$②$=$①$+$③이므로

$(a+b)(a-b)$

$=a^2-$④$=a^2-b^2$

다음은 가장 실수를 많이 하는 것이니 주의해!

① $(-a+b)(a+b)=(b-a)(b+a)=b^2-a^2=-a^2+b^2$

② $(-a-b)(-a+b)=(-a)^2-b^2=a^2-b^2$

③ $(-a-b)(a-b)=(-b-a)(-b+a)=(-b)^2-a^2$

$=b^2-a^2=-a^2+b^2$

❶ $-$ ❷ 4

바로 확인

다음 중 전개한 것이 옳은 것에는 ○표, 옳지 않은 것에는 ×표를 하시오.

(1) $(a+2)(a-2)=a^2+4$ (　　)

(2) $(5-x)(5+x)=25-x^2$ (　　)

(3) $(-a+b)(-a-b)=-a^2-b^2$ (　　)

답 | (1) × (2) ○ (3) ×

29 곱셈 공식 (3)

$$(x+a)(x+b)=x^2+(\text{❶}\boxed{\quad})x+ab$$

예 $(x+2)(x+3)=x^2+(2+3)x+2\times3=x^2+5x+$ ❷ $\boxed{\quad}$

참고 | 직사각형의 넓이와 곱셈 공식 (3)

(큰 직사각형의 넓이)=①+②+③+④이므로

$$(x+a)(x+b)=x^2+bx+ax+ab$$
$$=x^2+(a+b)x+ab$$

$(x+2y)(x+3y)$를 전개할 때에는 문자 y를 빠뜨리지 않도록 주의해!

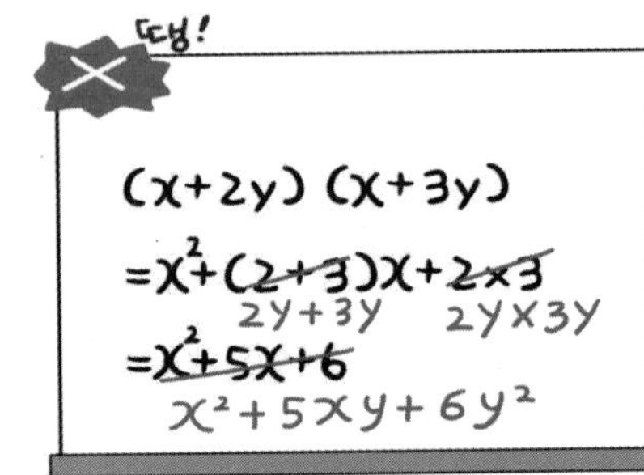

❶ $a+b$ ❷ 6

바로 확인

다음 중 전개한 것이 옳은 것에는 ○표, 옳지 않은 것에는 ×표를 하시오.

(1) $(x-4)(x-2)=x^2-6x+6$ ( )

(2) $(a+1)(a-4)=a^2-3a-4$ ( )

(3) $(x-5y)(x+3y)=x^2-2xy-15y^2$ ( )

답 | (1) × (2) ○ (3) ○

30 곱셈 공식 (4)

$(ax+b)(cx+d)=$ ❶ $\boxed{}\,x^2+(ad+bc)x+bd$

예 $(2x+1)(5x+3)=(2\times5)x^2+(2\times3+1\times5)x+1\times3$

$=10x^2+$ ❷ $\boxed{}\,x+3$

참고 | 직사각형의 넓이와 곱셈 공식 (4)

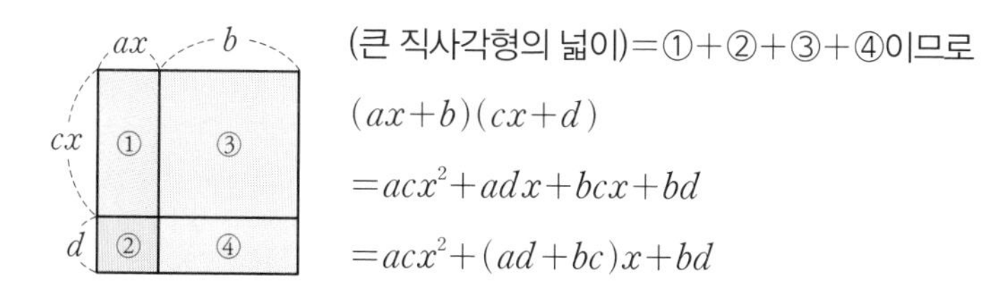

(큰 직사각형의 넓이)=①+②+③+④이므로

$(ax+b)(cx+d)$

$=acx^2+adx+bcx+bd$

$=acx^2+(ad+bc)x+bd$

❶ ac ❷ 11

바로 확인

다음 중 전개한 것이 옳은 것에는 ○표, 옳지 않은 것에는 ×표를 하시오.

(1) $(4x-3)(-2x+1)=-8x^2+10x-3$ ( )

(2) $(x+3y)(2x-5y)=2x^2-11xy+15y^2$ ( )

(3) $(3a-2b)(5a+4b)=15a^2+2ab-8b^2$ ( )

답 | (1) ○ (2) × (3) ○

31 곱셈 공식을 이용한 분모의 유리화

분모가 두 수의 합 또는 차로 되어 있는 무리수일 때, 곱셈 공식 $(a+b)(a-b)=$ ❶ [   ] 을 이용하여 분모를 유리화한다.

예 $\dfrac{\sqrt{2}}{\sqrt{3}+\sqrt{2}}=\dfrac{\sqrt{2}(\sqrt{3}-\sqrt{2})}{(\sqrt{3}+\sqrt{2})(\text{❷ }\boxed{\quad})}$

$=\dfrac{\sqrt{6}-2}{3-2}$

$=\sqrt{6}-2$

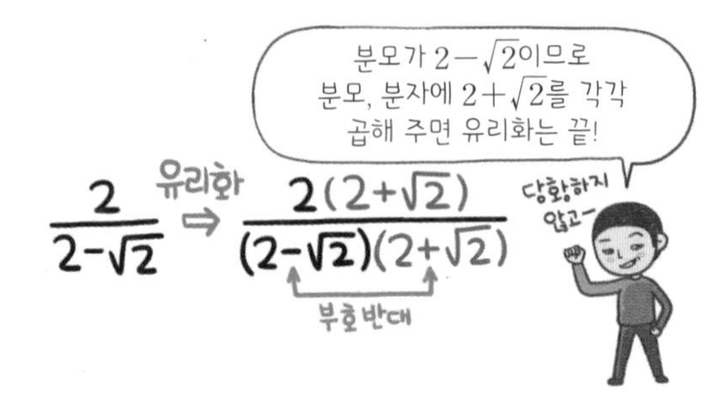

❶ a^2-b^2 ❷ $\sqrt{3}-\sqrt{2}$

바로 확인

다음 □ 안에 알맞은 수를 써넣으시오.

(1) $\dfrac{1}{\sqrt{2}+1}$의 분모를 유리화하려면 분모, 분자에 각각 [   ] 을 곱한다.

(2) $\dfrac{2}{\sqrt{5}-\sqrt{3}}$의 분모를 유리화하려면 분모, 분자에 각각 [   ] 을 곱한다.

답 | (1) $\sqrt{2}-1$ (2) $\sqrt{5}+\sqrt{3}$

32 곱셈 공식의 활용

주어진 수의 특징에 따라 곱셈 공식을 이용하여 어떤 수의 제곱 또는 두 수의 ❶ [ ] 을 간편하게 계산할 수 있다.

예 $101^2=(100+1)^2$

$=100^2+2\times100\times1+1^2$

$=$ ❷ [ ]

❶ 곱 ❷ 10201

바로 확인

다음 □ 안에 알맞은 수를 써넣으시오.

(1) $51^2=(50+1)^2=50^2+2\times\square\times1+1^2=\square$

(2) $48\times52=(50-\square)(50+\square)=50^2-\square^2=\square$

답 | (1) 50, 2601 (2) 2, 2, 2, 2496

인수분해의 뜻

(1) 인수 : 하나의 다항식을 두 개 이상의 다항식의 곱으로 나타낼 때, 각각의 식을 처음 다항식의 ❶ [ ] 라 한다.

참고 | 모든 다항식에서 1과 자기 자신은 그 다항식의 인수이다.

(2) 인수분해 : 하나의 다항식을 두 개 이상의 ❷ [ ] 의 곱으로 나타내는 것

$$x^2+5x+6 \underset{\text{전개}}{\overset{\text{인수분해}}{\rightleftarrows}} (x+2)(x+3)$$

예 x^2+5x+6의 인수는 1, $x+2$, $x+3$, $(x+2)(x+3)$이다.

인수분해를 거꾸로 하면 전개야.
즉 인수분해된 식을 전개하면 인수분해하기 전의 다항식을 알 수 있어.

❶ 인수 ❷ 인수

바로 확인

다음 보기에서 다항식 $(x+2)(2x-1)$의 인수를 모두 고르시오.

보기

ㄱ x ㄴ $x+2$ ㄷ $3x-1$

ㄹ $2x-1$ ㅁ $-x+1$

답 | ㄴ, ㄹ

34 공통인 인수를 이용한 인수분해

다항식에 공통인 인수가 있을 때에는 분배법칙을 이용하여 공통인 ❶ ______ 를 묶어 내어 인수분해한다.

➡ $ma+mb=$ ❷ ____ $(a+b)$

참고 | 인수분해할 때에는 공통인 인수가 남지 않도록 모두 묶어 낸다.

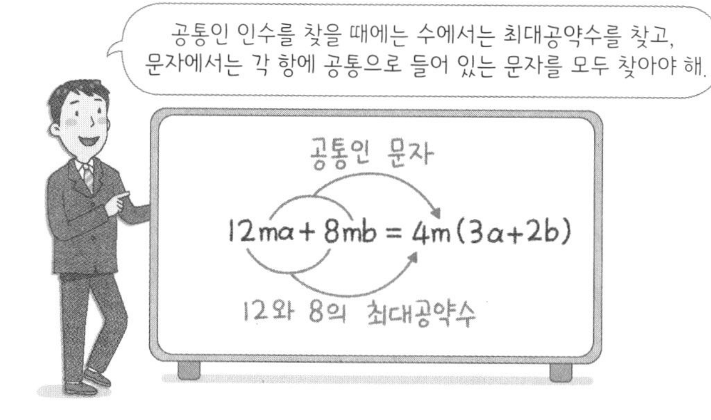

❶ 인수 ❷ m

바로 확인

다음 ㉠, ㉡ 중 인수분해를 바르게 한 것을 고르시오.

㉠ $4ab^2-2a^2=2(2ab^2-a^2)$

㉡ $4ab^2-2a^2=2a(2b^2-a)$

답 | ㉡

35 인수분해 공식 (1)

① $a^2+2ab+b^2=(a$ ❶ $b)^2$

② $a^2-2ab+b^2=(a$ ❷ $b)^2$

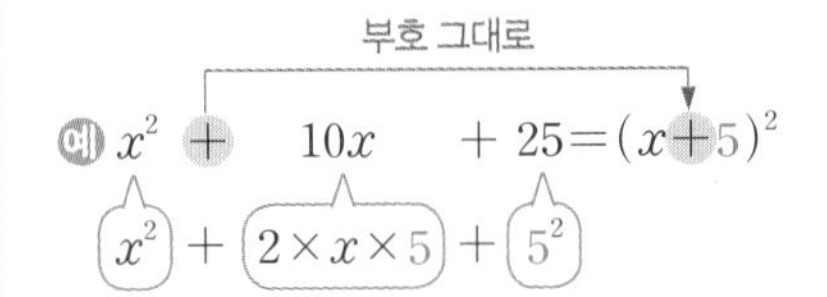

곱셈 공식의 좌변과 우변을 바꾸면 인수분해 공식이야!

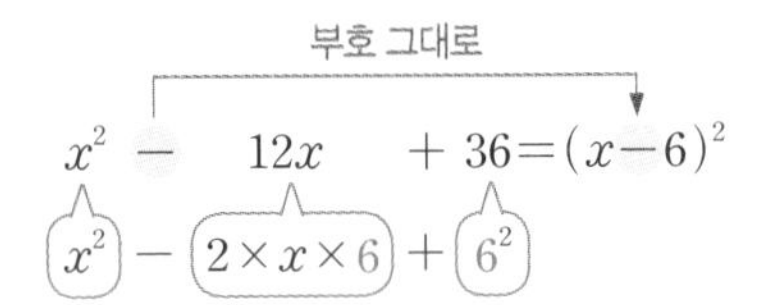

❶ + ❷ −

바로 확인

1. 다음 ㉠, ㉡ 중 인수분해를 바르게 한 것을 고르시오.

㉠ $9x^2+12xy+4y^2=(3x+2)^2$

㉡ $9x^2+12xy+4y^2=(3x+2y)^2$

2. $3x^2+6x+3$을 인수분해하시오.

답 | 1. ㉡ 2. $3(x+1)^2$

36 완전제곱식이 되는 조건 (1)

(1) 완전제곱식 : 다항식의 제곱으로 된 식 또는 이 식에 ❶ ____ 를 곱한 식

예 x^2, $(x+3)^2$, $2(a-b)^2$, $-(x-2)^2$

(2) x^2+ax+b가 완전제곱식이 되는 조건

➡ $b=(\text{❷ }\square)^2$

예 $x^2+10x+■=x^2+2\times x\times 5+■$이므로 이 식이 완전제곱식이 되려면

$■=5^2=25$

❶ 상수 ❷ $\frac{a}{2}$

바로 확인

다음 식이 완전제곱식이 되도록 □ 안에 알맞은 수를 써넣으시오.

(1) $x^2-8x+\square$

(2) $x^2-12x+\square$

(3) $x^2+(\square)x+25$

답 | (1) 16 (2) 36 (3) ±10

37 완전제곱식이 되는 조건 (2)

x^2의 계수가 1이 아닐 때, 완전제곱식이 되는 조건

➡ $■^2 \pm 2 \times ■ \times ▲ + ▲^2 = (■ \pm ▲)^2$

❶ -20 ❷ -20

바로 확인

다음 식이 완전제곱식이 되도록 □ 안에 알맞은 것을 써넣으시오.

(1) $9x^2 - 6x + \square$

(2) $9x^2 + \square + 16y^2$

답 | (1) 1 (2) $\pm 24xy$

38 인수분해 공식 (2)

$$a^2-b^2=(a+b)(\text{❶}\boxed{})$$

예 ① $a^2-25=a^2-5^2=(a+5)(a-5)$

② $4x^2-9y^2=(2x)^2-(3y)^2=(\text{❷}\boxed{})(2x-3y)$

주의 | 모든 항에 공통인 인수가 있으면 공통인 인수로 먼저 묶어 낸 후 인수분해 공식을 이용한다.

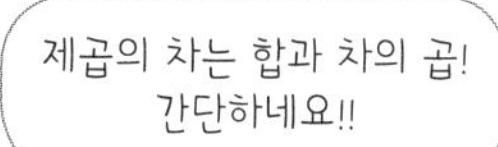

$4x^2-16y^2$
$=4(x^2-4y^2)$
$=4\{x^2-(2y)^2\}$
$=4(x+2y)(x-2y)$

❶ $a-b$ ❷ $2x+3y$

바로 확인

다음 ㉠, ㉡ 중 인수분해를 바르게 한 것을 고르시오.

(1)
㉠ $x^2-4=(x+2)(x-2)$
㉡ $x^2-49=(x+49)(x-49)$

(2)
㉠ $4x^2-36y^2=(2x+6y)(2x-6y)$
㉡ $4x^2-36y^2=4(x+3y)(x-3y)$

답 | (1) ㉠ (2) ㉡

39 인수분해 공식 (3)

$$x^2+(a+b)x+ab=(x+a)(\boxed{❶\quad})$$

참고 | $x^2+(a+b)x+ab$를 인수분해할 때, 더해서 $a+b$가 되는 두 정수는 가짓수가 많으므로 곱해서 ab가 되는 두 정수를 먼저 찾는 것이 편리하다.

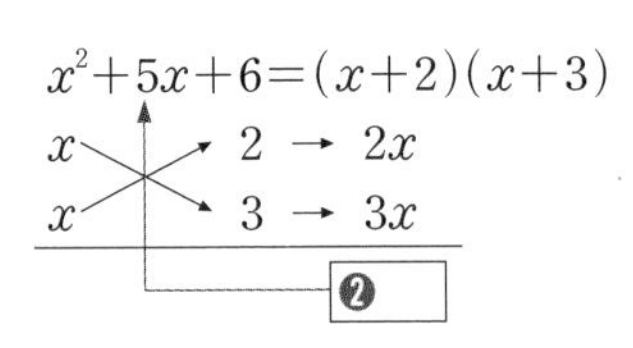

곱이 6인 두 정수	두 정수의 합
1, 6	7
2, 3	5
−1, −6	−7
−2, −3	−5

정답입니다.

❶ $x+b$ ❷ $5x$

바로 확인

다음 중 인수분해를 바르게 한 것을 고르시오.

㉠ $x^2+6x+5=(x+2)(x+3)$ ㉡ $x^2-6x+8=(x-1)(x-8)$
㉢ $x^2-xy-20y^2=(x-5)(x+4)$ ㉣ $y^2-8y+12=(y-2)(y-6)$

답 | ㉣

40 인수분해 공식 (4)

$acx^2+(ad+bc)x+bd=($ ❶ $\boxed{}$ $)(cx+d)$

예 $2x^2+9x-5$를 인수분해하여 보자.

$ac=2$, $ad+bc=9$, $bd=-5$인 네 정수 a, b, c, d를 찾아 인수분해하면 다음과 같다.

$2x^2+9x-5=(x+5)($ ❷ $\boxed{}$ $)$

$2x^2+9x-5$

$x \quad 5 \to 10x \cdots x+5$

$2x \quad -1 \to -x \cdots 2x-1$

$9x$

❶ $ax+b$ ❷ $2x-1$

바로 확인

다음 중 인수분해를 바르게 한 것을 고르시오.

㉠ $3x^2+7x-6=(x+1)(3x-6)$

㉡ $4x^2-16xy+15y^2=(2x-3)(2x-5)$

㉢ $2x^2+5x+2=(x+2)(2x+1)$

㉣ $4x^2-12x-7=(2x-1)(2x-7)$

답 | ㉢

41 인수분해 공식을 이용한 수의 계산

(1) $ma+mb=$ ❶ $\square$ $(a+b)$를 이용

예 $18\times53-18\times43=18\times(53-43)=18\times10=180$

(2) $a^2-b^2=(a+b)($❷ $\square$ $)$를 이용

예 $29^2-21^2=(29+21)(29-21)=50\times8=400$

(3) $a^2\pm2ab+b^2=(a\pm b)^2$을 이용

예 $95^2+2\times95\times5+5^2=(95+$❸ $\square$ $)^2=100^2=10000$

복잡한 수의 계산은
인수분해 공식을 이용하여
간단히 할 수 있어.

$45^2-15^2=(45+15)(45-15)$
A^2-B^2 $(A+B)$ $(A-B)$
$=60\times30$
$=1800$

인수분해 공식

❶ m ❷ $a-b$ ❸ 5

바로 확인

다음 $\square$ 안에 알맞은 수를 써넣으시오.

(1) $35\times69-35\times67=\square\times(69-67)=\square$

(2) $125^2-75^2=(125+\square)(125-\square)=\square$

답 | (1) 35, 70 (2) 75, 75, 10000

42 인수분해 공식을 이용한 식의 값 구하기

인수분해 공식을 이용하면 복잡한 식의 값을 편리하게 구할 수 있다.

예 $a=2+\sqrt{3}$일 때, a^2-4a+4의 값을 구하시오.

$a^2-4a+4=(a-$ ❶ $\square$ $)^2$ ← 인수분해하기

$=(2+\sqrt{3}-2)^2$ ← $a=2+\sqrt{3}$을 대입하기

$=(\sqrt{3})^2=$ ❷ $\square$

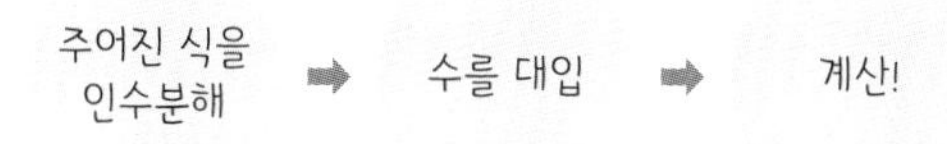

❶ 2 ❷ 3

바로 확인

다음 $\square$ 안에 알맞은 수를 써넣으시오.

(1) $x=96$일 때, $x^2+8x+16=(x+\square)^2=(96+\square)^2=\square$

(2) $x=3-\sqrt{2}$일 때, $x^2-6x+9=(x-\square)^2=(3-\sqrt{2}-\square)^2=\square$

답| (1) 4, 4, 10000 (2) 3, 3, 2

memo

memo

memo

수학전략

고득점을 예약하는 내신 대비서

수학전략

중학 3-1

시험에 잘 나오는

개념BOOK 2

천재교육

수학전략

수학전략
중학 3-1 기말고사

시험에 잘 나오는

개념BOOK

개념BOOK 하나면
수학 공부 끝!

차례

1 이차방정식의 뜻

방정식의 우변에 있는 모든 항을 좌변으로 이항하여 정리한 식이

(x에 대한 ❶ ______)$=0$

의 꼴로 나타나는 방정식을 x에 대한 이차방정식이라 한다.

$x(x+6)=72$
이항
$x^2+6x-72=0$
x에 대한 이차식

$ax^2+bx+c=0$ (단, a, b, c는 상수, $a\neq$ ❷ ______)

예 ① $3x^2+4=2x^2+x$ ➡ $x^2-x+4=0$ ➡ 이차방정식

② $4x^2-1=4x^2-3x-5$ ➡ $3x+4=0$ ➡ 일차방정식

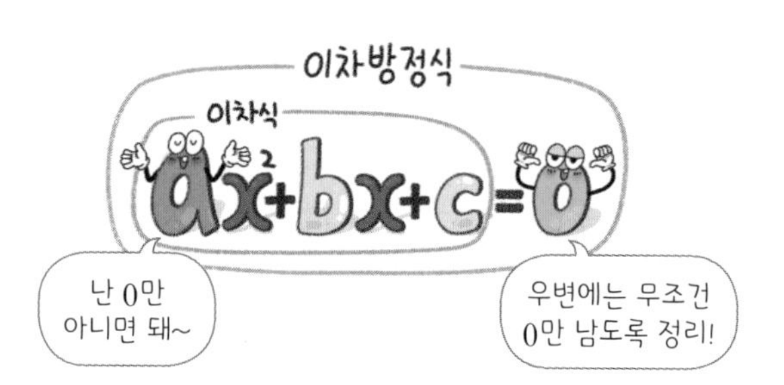

❶ 이차식 ❷ 0

바로 확인

다음 보기에서 이차방정식인 것을 모두 고르시오.

보기

㉠ $-2x^2=0$　　㉡ x^2-6x-3

㉢ $x=x^2-2$　　㉣ $x(x-1)=x^2$

답 | ㉠, ㉢

2 이차방정식의 해

(1) 이차방정식의 해(근) : x에 대한 이차방정식을 참이 되게 하는 x의 값

(2) 이차방정식을 푼다 : 이차방정식의 해를 모두 구하는 것

예 이차방정식 $x^2+3x-4=0$에

$x=1$을 대입 ➡ $1^2+3\times1-4=$ ❶

➡ $x=1$은 $x^2+3x-4=0$의 해이다.

$x=2$를 대입 ➡ $2^2+3\times2-4=6\neq0$

➡ $x=2$는 $x^2+3x-4=0$의 해가 ❷ .

'$x=$●가 어떤 방정식의 해'라는 말은 그 방정식에 x의 값을 대입하면 등식이 성립한다는 뜻이야.

이차방정식 $ax^2+bx+c=0$의 해가 $x=$●

$x=$●을 $ax^2+bx+c=0$에 대입

a●^2+b●$+c=0$이 성립

❶ 0 ❷ 아니다

바로 확인

다음 보기의 이차방정식 중 $x=3$을 해로 갖는 것을 모두 고르시오.

보기

ㄱ $(x-1)(x+3)=0$ ㄴ $x^2-11x+24=0$

ㄷ $(x-5)^2=4$ ㄹ $2x^2-8x+3=0$

답 | ㄴ, ㄷ

3 $AB=0$ 꼴의 이차방정식의 풀이

두 수 또는 두 식 A, B에 대하여 $AB=0$이면 다음 세 가지 중에서 어느 하나가 성립한다.

① $A=0$, $B=0$ ② $A=0$, $B\neq0$ ③ A ❶ ☐ 0, $B=0$

이 세 가지를 통틀어 $A=0$ 또는 $B=0$이라 한다.

> $AB=0$이면 $A=0$ 또는 $B=$ ❷ ☐

예 $(x+2)(x-3)=0$에서

$x+2=0$ 또는 $x-3=0$

$\therefore x=-2$ 또는 $x=3$

❶ $\neq$ ❷ 0

바로 확인

다음 ㉠, ㉡ 중 옳은 것을 고르시오.

㉠ $x(x+1)=0$의 해는 $x=-1$이다.

㉡ $x(x+1)=0$의 해는 $x=0$ 또는 $x=-1$이다.

답 | ㉡

4 인수분해를 이용한 이차방정식의 풀이

이차방정식 $ax^2+bx+c=0(a\neq0)$의 좌변을 두 일차식의 곱으로 ❶ [ ] 할 수 있는 경우에는 인수분해를 이용하여 이차방정식을 풀 수 있다.

예 이차방정식 $x^2+4x-12=0$을 풀기 위해 좌변을 인수분해하면

$(x+6)(x-2)=0$

$x+6=$ ❷ [ ] 또는 $x-2=$ ❸ [ ]

$\therefore x=-6$ 또는 $x=2$

❶ 인수분해 ❷ 0 ❸ 0

바로 확인

다음 이차방정식을 푸시오.

(1) $2x^2+x-3=0$

(2) $x^2+6x-16=0$

답 | (1) $x=-\frac{3}{2}$ 또는 $x=1$ (2) $x=-8$ 또는 $x=2$

5 이차방정식의 중근

(1) 이차방정식의 두 해가 중복되어 서로 같을 때, 이 해를 이차방정식의 중근이라 한다.

예 이차방정식 $x^2+4x+4=0$에서

$(x+2)^2=0$ $\therefore x=$ ❶

(2) 이차방정식이 '(❷ 제곱식)$=0$'의 꼴로 나타나면 중근을 가진다.

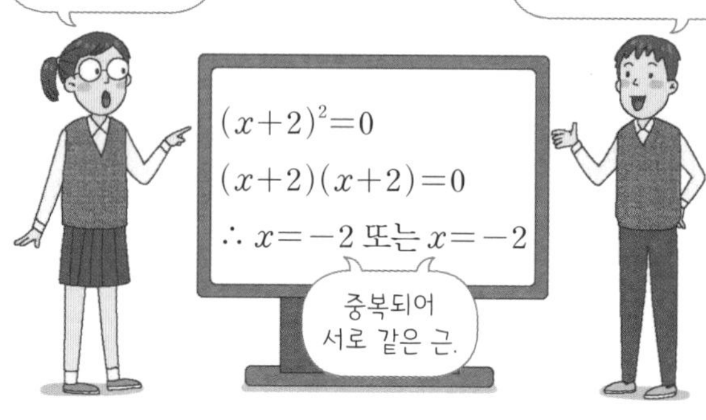

❶ -2 ❷ 완전

바로 확인

다음 보기의 이차방정식 중 중근을 갖는 것을 고르시오.

보기

ㄱ $x^2=1$ ㄴ $x^2-4=0$

ㄷ $(x-1)^2=0$ ㄹ $(x-1)^2=9$

ㅁ $(x-1)(x-2)=0$

답 | ㄷ

6 이차방정식이 중근을 가질 조건

(1) 이차방정식이 (❶ ______)$=0$의 꼴로 나타나면 이 이차방정식은 중근을 가진다.

(2) 이차방정식 $x^2+ax+b=0$이 중근을 가지려면 $b=\left(\frac{❷\ \square}{2}\right)^2$이어야 한다.

참고 | 이차방정식 $x^2+ax+b=0$이 중근을 가지려면 좌변이 완전제곱식이어야 하므로

$x^2+ax+b=x^2+2\times x\times\frac{a}{2}+\left(\frac{a}{2}\right)^2$ $\therefore b=\left(\frac{a}{2}\right)^2$

완전제곱식이 되도록 b를 만들어야지.

예 ① 이차방정식 $x^2+4x+k=0$이 중근을 가지려면

$k=\left(\frac{4}{2}\right)^2=4$

② 이차방정식 $x^2+kx+16=0$이 중근을 가지려면

$16=\left(\frac{k}{2}\right)^2$에서 $k^2=64$ $\therefore k=$ ❸ ______

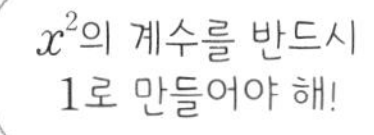

③ 이차방정식 $3x^2+6x+k=0$의 양변을 3으로 나누면 $x^2+2x+\frac{k}{3}=0$이므로 중근을 가지려면

$\frac{k}{3}=\left(\frac{2}{2}\right)^2=1$ $\therefore k=3$

❶ 완전제곱식 ❷ a ❸ ±8

바로 확인

다음 이차방정식이 중근을 갖도록 하는 상수 k의 값을 구하시오.

(1) $x^2+10x+k=0$

(2) $x^2+kx+25=0$

답 | (1) 25 (2) ±10

7 제곱근을 이용한 이차방정식의 풀이 (1)

이차방정식 $x^2=q\,(q>0)$의 해

➡ $x=\sqrt{q}$ 또는 $x=-\sqrt{q}$

참고 | $x=\sqrt{q}$ 또는 $x=-\sqrt{q}$를 간단히 $x=$ ❶ ______ 로 나타내기도 한다.

예 $x^2-10=0$

상수항을 우변으로 이항한다.

$x^2=10$

제곱근을 이용하여 해를 구한다.

$\therefore x=$ ❷ ______

* $x^2=q$의 해

① $q>0$이면 $x=\pm\sqrt{q}$ ② $q=0$이면 $x=0$ (중근) ③ $q<0$이면 해가 없다.

❶ $\pm\sqrt{q}$ ❷ $\pm\sqrt{10}$

바로 확인

다음 ( ) 안의 알맞은 것에 ○표 하시오.

(1) 이차방정식 $4x^2-5=0$을 풀면 $\left(x=\pm\dfrac{\sqrt{5}}{2},\ x=\pm\dfrac{5}{4}\right)$이다.

(2) 이차방정식 $3x^2-6=0$을 풀면 $(x=\sqrt{2},\ x=\pm\sqrt{2})$이다.

답 | (1) $x=\pm\dfrac{\sqrt{5}}{2}$ (2) $x=\pm\sqrt{2}$

8 제곱근을 이용한 이차방정식의 풀이 (2)

이차방정식 $(x-p)^2=q\,(q>0)$의 해

➡ $x-p=$ ❶ [　　]　　$\therefore x=p\pm\sqrt{q}$

예 ① 이차방정식 $(x-1)^2=3$에서 $x-1=$ ❷ [　　]　　$\therefore x=1\pm\sqrt{3}$

② 이차방정식 $(x-2)^2=1$에서 $x-2=\pm1$

$x-2=-1$ 또는 $x-2=1$　　$\therefore x=1$ 또는 $x=3$

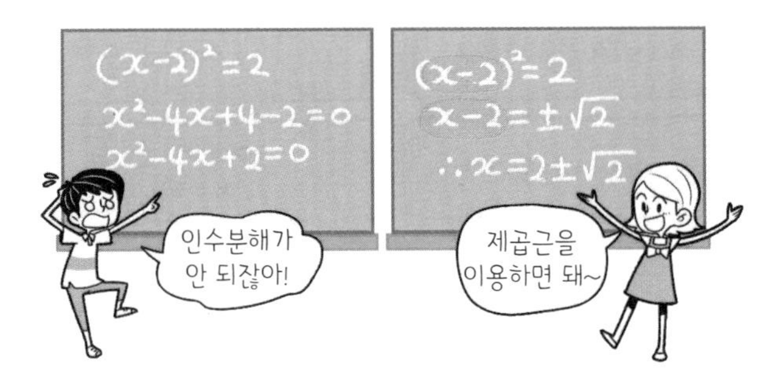

❶ $\pm\sqrt{q}$ ❷ $\pm\sqrt{3}$

바로 확인

다음은 제곱근을 이용하여 이차방정식 $2(x+7)^2=10$의 해를 구하는 과정이다. □ 안에 알맞은 수를 써넣으시오.

$2(x+7)^2=10$
　↓ 양변을 □로 나누기
$(x+7)^2=\square$
　↓ 제곱근 이용
$x+7=\pm\sqrt{\square}$
　↓ 해 구하기
$\therefore x=\square$

답 | $2,\ 5,\ 5,\ -7\pm\sqrt{5}$

9 완전제곱식을 이용한 이차방정식의 풀이

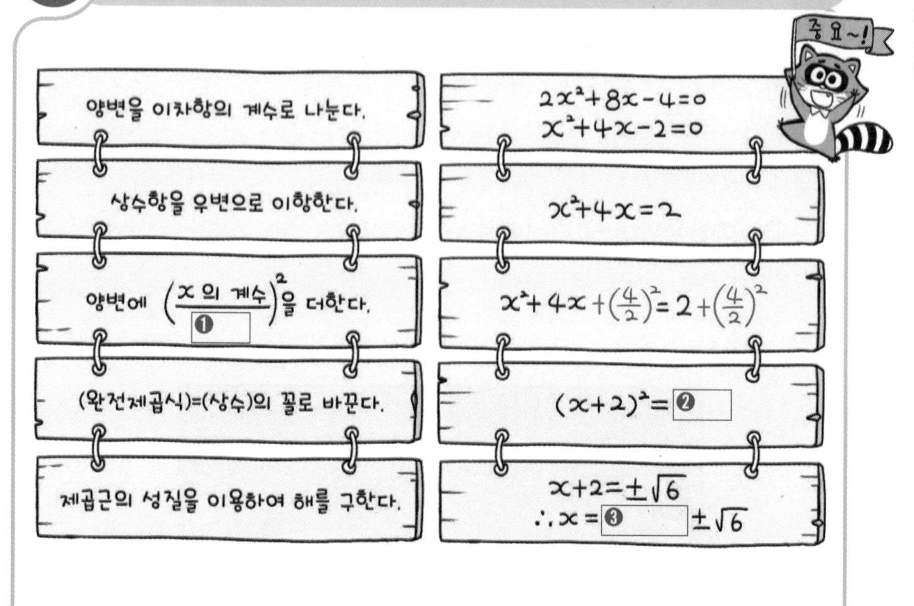

❶ 2 ❷ 6 ❸ −2

바로 확인

다음은 완전제곱식을 이용하여 이차방정식 $x^2-2x-4=0$을 푸는 과정이다. □ 안에 알맞은 수를 써넣으시오.

> 상수항 −4를 우변으로 이항하면 $x^2-2x=4$
>
> 양변에 $\left(\frac{\square}{2}\right)^2=\square$을 더하면 $x^2-2x+\square=4+\square$
>
> 좌변을 완전제곱식으로 고치면 $(x-1)^2=\square$
>
> 제곱근을 이용하여 풀면 $x-1=\square$ $\quad\therefore x=\square$

답 | $-2, 1, 1, 1, 5, \pm\sqrt{5}, 1\pm\sqrt{5}$

10 이차방정식의 근의 공식을 구하는 과정

이차방정식 $ax^2+bx+c=0(a\neq0)$의 좌변을 완전제곱식의 꼴로 바꾸면 근의 공식을 얻을 수 있다.

	$ax^2+bx+c=0(a\neq0)$의 풀이
1 양변을 x^2의 계수로 나누기	$x^2+\frac{b}{a}x+\frac{c}{a}=0$
2 상수항을 우변으로 이항하기	$x^2+\frac{b}{a}x=-\frac{c}{a}$
3 양변에 $\left(\frac{x\text{의 계수}}{2}\right)^2$을 더하기	$x^2+\frac{b}{a}x+\left(\boxed{❶}\right)^2=-\frac{c}{a}+\left(\frac{b}{2a}\right)^2$
4 좌변을 완전제곱식으로 고치기	$\left(x+\frac{b}{2a}\right)^2=\frac{b^2-4ac}{4a^2}$
5 제곱근을 이용하여 풀기	$x+\frac{b}{2a}=\pm\frac{\sqrt{b^2-4ac}}{2a}$ $\therefore x=\frac{\boxed{❷}\pm\sqrt{b^2-4ac}}{2a}$

❶ $\frac{b}{2a}$ ❷ $-b$

이차방정식의 근의 공식

이차방정식 $ax^2+bx+c=0(a\neq0)$의 해를 구하는 식을 ❶ ☐ 의 공식이라 한다.

$$x=\frac{-b\pm\sqrt{b^2-4ac}}{2a} \text{ (단, } b^2-4ac\geq \text{❷ ☐)}$$

참고 | 이차방정식 $ax^2+bx+c=0(a\neq0)$에서 x의 계수가 짝수,

즉 $b=2b'$일 때, 이차방정식 $ax^2+2b'x+c=0$의 해는

$$x=\frac{-b'\pm\sqrt{b'^2-ac}}{a} \text{ (단, } b'^2-ac\geq0)$$

예 $x^2-3x-2=0$에서 $a=1$, $b=-3$, $c=-2$이므로

$$x=\frac{-(-3)\pm\sqrt{(-3)^2-4\times1\times(-2)}}{2\times1}$$

$$=\frac{3\pm\sqrt{9+8}}{2}=\frac{3\pm\sqrt{17}}{2}$$

근의 공식을 외우면 완전제곱식을 이용하여 푸는 것보다 빨리 풀 수 있어.

❶ 근 ❷ 0

바로 확인

다음 ㉠, ㉡ 중 옳은 풀이를 고르시오.

㉠ $3x^2-x-1=0$에서

$a=3$, $b=-1$, $c=-1$이므로

$$x=\frac{-1\pm\sqrt{(-1)^2-4\times3\times(-1)}}{2\times3}$$

$$=\frac{-1\pm\sqrt{13}}{6}$$

㉡ $3x^2-x-1=0$에서

$a=3$, $b=-1$, $c=-1$이므로

$$x=\frac{-(-1)\pm\sqrt{(-1)^2-4\times3\times(-1)}}{2\times3}$$

$$=\frac{1\pm\sqrt{13}}{6}$$

답 | ㉡

12 괄호가 있는 이차방정식의 풀이

1 괄호를 풀어 $ax^2+bx+c=$ ❶ ☐ 의 꼴로 정리한다.

2 인수분해 또는 근의 공식을 이용한다.

예 $(x+1)(x-7)=-15$

좌변의 괄호를 풀기

$x^2-6x-7=-15$

$x^2-6x+8=0$

$(x-2)(x-$ ❷ ☐ $)=0$

$\therefore x=2$ 또는 $x=4$

$ax^2+bx+c=0$의 꼴로 나타낸 후 인수분해 또는 근의 공식을 이용하여 이차방정식을 푼다.

❶ 0 ❷ 4

바로 확인

다음 이차방정식을 푸시오.

(1) $x(x+5)=6$

(2) $(x+1)(x-5)=x-11$

답 | (1) $x=1$ 또는 $x=-6$ (2) $x=2$ 또는 $x=3$

13 계수가 소수인 이차방정식의 풀이

계수가 소수인 이차방정식은 양변에 ❶ ☐의 거듭제곱을 곱하여 계수를 ❷ ☐로 바꾼다.

예 $0.1x^2-0.3x-0.2=0$ ⌐ 양변에 10을 곱한다.

$x^2-3x-2=0$

$\therefore x=\dfrac{-(-3)\pm\sqrt{(-3)^2-4\times1\times(-2)}}{2\times1}=\dfrac{3\pm\sqrt{17}}{2}$

주의 | 계수를 정수로 만들기 위해 어떤 수를 곱할 때는 소수에만 곱하는 것이 아니라 모든 항에 같은 수를 곱해야 한다.

예 $x^2-0.3x-0.2=0$에 10을 곱하는 경우

➡ $x^2-3x-2=0$ (×), $10x^2-3x-2=0$ (○)

❶ 10 ❷ 정수

바로 확인

다음 ☐ 안에 알맞은 것을 써넣고, 이차방정식을 푸시오.

$0.1x^2-0.2x-1.5=0$ $\xrightarrow{(\text{양변})\times10}$ ☐ $=0$

답 | $x^2-2x-15$, $x=-3$ 또는 $x=5$

14 계수가 분수인 이차방정식의 풀이

계수가 분수인 이차방정식은 양변에 분모의 최소 ❶ ☐ 를 곱하여 계수를 ❷ ☐ 로 바꾼다.

예 $\frac{1}{4}x^2-\frac{1}{2}x-\frac{1}{3}=0$
$3x^2-6x-4=0$ ← 양변에 분모의 최소공배수 12를 곱한다.

$\therefore x=\frac{-(-6)\pm\sqrt{(-6)^2-4\times3\times(-4)}}{2\times3}=\frac{\overset{3}{\cancel{6}}\pm\overset{1}{\cancel{2}}\sqrt{21}}{\underset{3}{\cancel{6}}}=\frac{3\pm\sqrt{21}}{3}$

주의 | 계수를 정수로 만들기 위해 어떤 수를 곱할 때는 분수에만 곱하는 것이 아니라 모든 항에 같은 수를 곱해야 한다.

예 $\frac{1}{4}x^2-\frac{1}{2}x-1=0$에 분모의 최소공배수 4를 곱하는 경우

➡ $x^2-2x-1=0$ (×), $x^2-2x-4=0$ (○)

❶ 공배수 ❷ 정수

바로 확인

다음 ☐ 안에 알맞은 것을 써넣고, 이차방정식을 푸시오.

$\frac{1}{3}x^2+\frac{1}{2}x+\frac{1}{6}=0 \xrightarrow{(양변)\times6}$ ☐ $=0$

답 | $2x^2+3x+1$, $x=-\frac{1}{2}$ 또는 $x=-1$

15 이차방정식의 활용

참고 | 수에 대한 활용 문제

① 연속하는 두 자연수(정수) : $x-1$, x 또는 x, $x+1$

② 연속하는 세 자연수(정수) : $x-1$, x, $x+$ ❶ 또는 x, $x+1$, $x+2$

③ 연속하는 두 홀수(짝수) : x, $x+$ ❷

❶ 1 ❷ 2

바로 확인

차가 3인 두 자연수의 곱이 88일 때, 두 자연수 중 작은 수를 구하시오.

답 | 8

16 이차방정식의 활용-대표 문제 눈으로 확인하기

지면에서 초속 40 m로 쏘아 올린 물 로켓의 t초 후의 높이가 $(40t-5t^2)$ m이다. 다음 물음에 답하시오.

(1) 지면에서 이 물로켓의 높이가 35 m가 되는 것은 쏘아 올린 지 몇 초 후인지 구하시오.

➡ $40t-5t^2=$ ❶ [　　] 에서 $t^2-8t+7=0$

$(t-1)(t-7)=0$ $\quad\therefore t=1$ 또는 $t=7$

따라서 물 로켓의 높이가 처음으로 35 m가 되는 것은 쏘아 올린 지 ❷ [　　] 초 후이다.

(2) 물 로켓을 쏘아 올린 지 몇 초 후에 지면에 떨어지는지 구하시오.

➡ $40t-5t^2=$ ❸ [　　] 에서 $t^2-8t=0$

$t(t-8)=0$ $\quad\therefore t=0$ 또는 $t=8$

따라서 8초 후에 지면에 떨어진다.

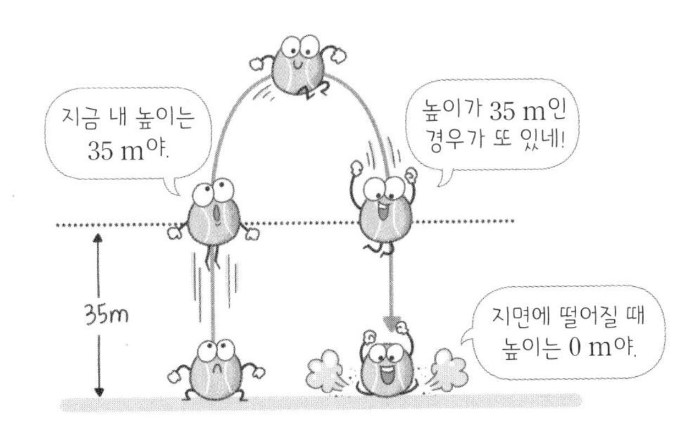

❶ 35 ❷ 1 ❸ 0

이차방정식의 활용-대표 문제 눈으로 확인하기

가로, 세로의 길이가 각각 50 m, 30 m인 직사각형 모양의 밭에 폭이 x m로 일정한 길을 만들었다. 길을 제외한 밭의 넓이는

➡ $(50-x)(30-x)$ m^2 (단, $0<x<30$)

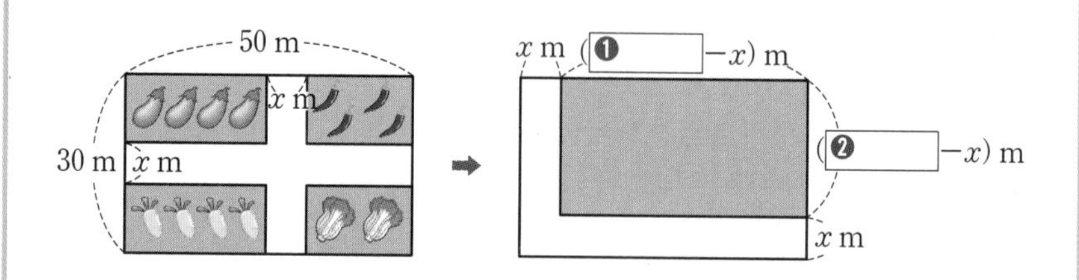

❶ 50 ❷ 30

바로 확인

위에서 길을 제외한 밭의 넓이가 989 m^2일 때, 길의 폭을 구하시오.

답 | 7 m

18 이차방정식의 활용-대표 문제 눈으로 확인하기

한 변의 길이가 x cm인 정사각형 모양의 종이의 네 귀퉁이에서 한 변의 길이가 5 cm인 정사각형을 각각 잘라 내어 만든 윗면이 없는 직육면체 모양의 상자의 부피

➡ $5(x-10)^2$ cm^3

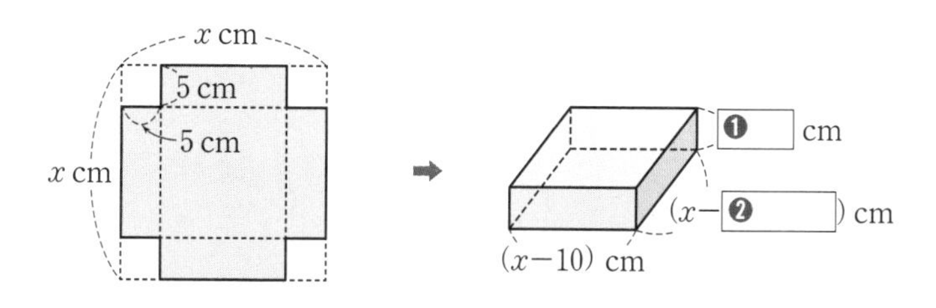

(직육면체의 부피)
=(밑면의 가로의 길이)×(밑면의 세로의 길이)×(높이)
임을 이용하여 이차방정식을 세운다.

❶ 5 ❷ 10

바로 확인

위에서 직육면체 모양의 상자의 부피가 1620 cm^{3}일 때, 처음 정사각형 모양의 종이의 한 변의 길이를 구하시오.

답 | 28 cm

19 이차함수의 뜻

함수 $y=f(x)$에서 y가 x에 대한 이차식

$y=ax^2+bx+c$ (단, a, b, c는 상수, a ❶ ☐ 0)

로 나타날 때, 이 함수를 x에 대한 ❷ ☐ 라 한다.

참고 | $y=ax^2+bx+c$를 $f(x)=ax^2+bx+c$로 나타내기도 한다.

예 ① $y=x^2-x+1$, $f(x)=-2x^2+x$ ➡ 이차함수

② $y=3x-1$, $f(x)=-\dfrac{7}{x^2}$ ➡ 이차함수가 아니다.

❶ $\neq$ ❷ 이차함수

바로 확인

다음 보기에서 이차함수를 모두 고르시오.

보기

ㄱ. $y=-x^2$

ㄴ. $y=5x$

ㄷ. $y=x(x-1)+2$

ㄹ. $y=\dfrac{1}{x^2}+\dfrac{2}{x}+3$

답 | ㄱ, ㄷ

20 이차함수의 함숫값

함수 $y=f(x)$에서 x의 값에 따라 결정되는 y의 값 $f(x)$를 x에 대한 ❶ ____ 이라 한다.

➡ $f(a)$는 $x=$ ❷ ____ 일 때의 함숫값

예 함수 $f(x)=x^2+3x+1$에 대하여 $f(1)$은 $x=1$일 때의 함숫값이므로

$f(1)=1^2+3\times1+1=1+3+1=5$
└→ $x=1$을 대입 └→ $x=1$일 때의 함숫값

❶ 함숫값 ❷ a

바로 확인

이차함수 $f(x)=x^2-2x+3$에 대하여 다음을 구하시오.

(1) $f(-2)$

(2) $f(3)$

답 | (1) 11 (2) 6

21 이차함수 $y=x^2$의 그래프의 성질

(1) 원점을 지나고, 아래로 ❶ [ ] 한 곡선이다.

(2) y축에 ❷ [ ] 이다.

(3) $x<0$일 때, x의 값이 증가하면 y의 값은 감소한다.

$x>0$일 때, x의 값이 증가하면 y의 값도 증가한다.

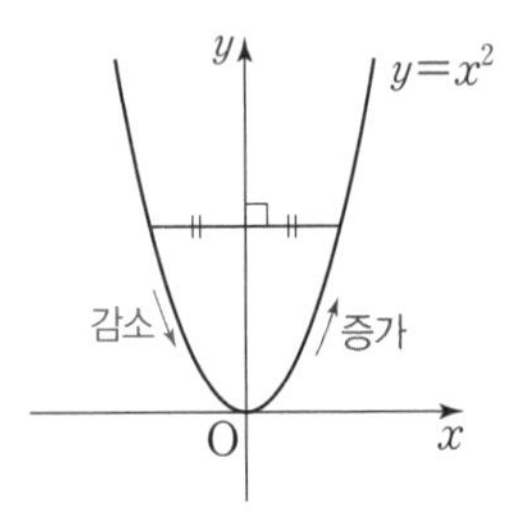

❶ 볼록 ❷ 대칭

바로 확인

다음은 이차함수 $y=x^2$의 그래프에 대한 설명이다. ( ) 안의 알맞은 것에 ○표 하시오.

(1) 원점을 지나고 (위로, 아래로) 볼록한 곡선이다.

(2) (x축, y축)에 대칭이다.

(3) $x<0$일 때, x의 값이 증가하면 y의 값은 (증가, 감소)한다.

(4) $x>0$일 때, x의 값이 증가하면 y의 값은 (증가, 감소)한다.

답 | (1) 아래로 (2) y축 (3) 감소 (4) 증가

이차함수 $y=-x^2$의 그래프의 성질

(1) 원점을 지나고, ❶ ☐ 로 볼록한 곡선이다.

(2) y축에 대칭이다.

(3) $x<0$일 때, x의 값이 ❷ ☐ 하면 y의 값도 증가한다.

$x>0$일 때, x의 값이 증가하면 y의 값은 감소한다.

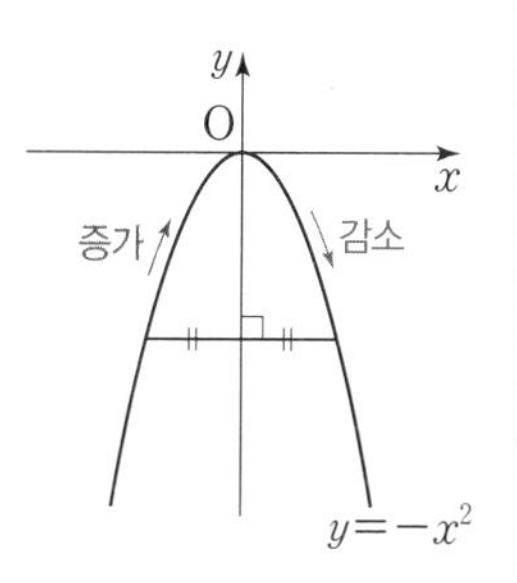

❶ 위 ❷ 증가

바로 확인

다음은 이차함수 $y=-x^2$의 그래프에 대한 설명이다. (　　) 안의 알맞은 것에 ○표 하시오.

(1) 원점을 지나고 (위로, 아래로) 볼록한 곡선이다.

(2) (x축, y축)에 대칭이다.

(3) $x<0$일 때, x의 값이 증가하면 y의 값은 (증가, 감소)한다.

(4) $x>0$일 때, x의 값이 증가하면 y의 값은 (증가, 감소)한다.

답 | (1) 위로 (2) y축 (3) 증가 (4) 감소

23 이차함수 $y=ax^2$의 그래프의 성질

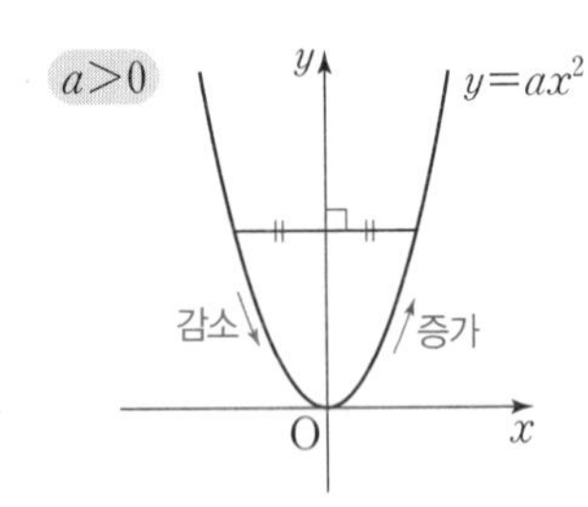

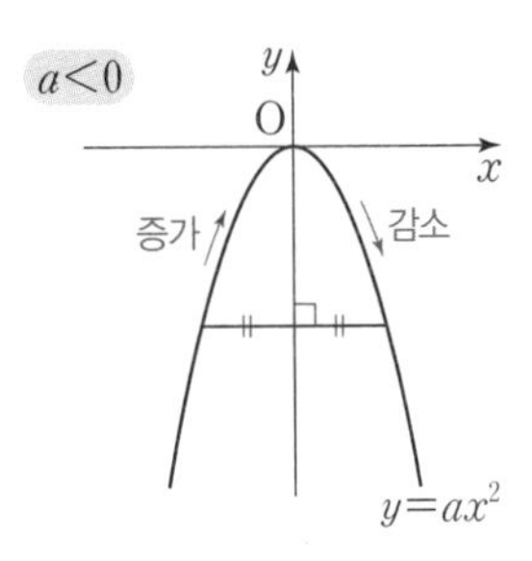

(1) 원점을 꼭짓점으로 하고, y축을 축으로 하는 포물선이다.

① 꼭짓점의 좌표 : $(0, 0)$

② 축의 방정식 : $x=0$ (y축)

(2) $a>0$이면 ❶ [　　] 로 볼록하고, $a<0$이면 ❷ [　　] 로 볼록하다.

(3) a의 절댓값이 클수록 그래프의 폭이 좁아진다.

(4) 이차함수 $y=-ax^2$의 그래프와 x축에 대칭이다.

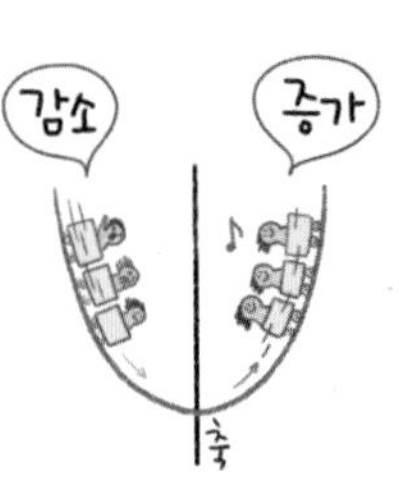

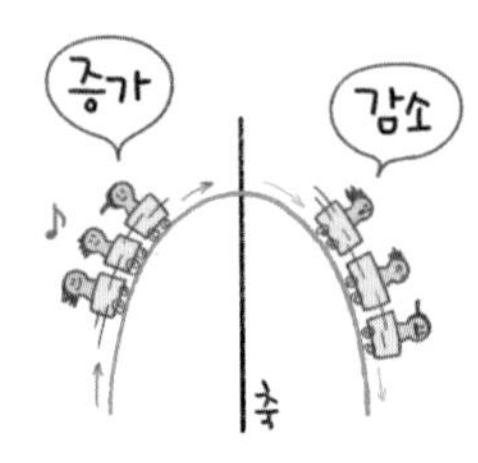

❶ 아래 ❷ 위

바로 확인

다음 (　　) 안의 알맞은 것에 ○표 하시오.

(1) $y=2x^2$의 그래프의 꼭짓점의 좌표는 ($(0, 0)$, $(2, 0)$)이고 축의 방정식은 ($x=0$, $y=0$)이다.

(2) $y=2x^2$의 그래프와 x축에 대칭인 그래프의 식은 $\left(y=-2x^2, y=\frac{1}{2}x^2\right)$이다.

답 | (1) $(0, 0)$, $x=0$ (2) $y=-2x^2$

24 이차함수 $y=ax^2$에서 a의 역할

(1) 그래프의 모양 결정 : $a>0$이면 아래로 볼록, $a<0$이면 ❶ [ ] 로 볼록

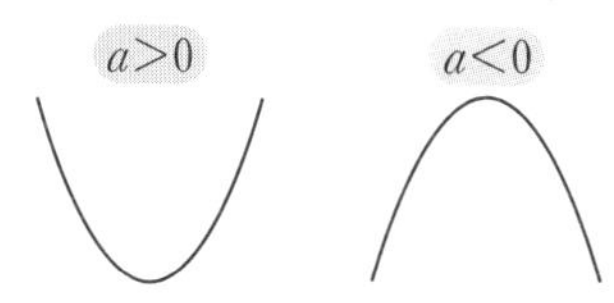

(2) 그래프의 폭 결정 : a의 절댓값이 클수록 그래프의 폭이 ❷ [ ] 아진다.

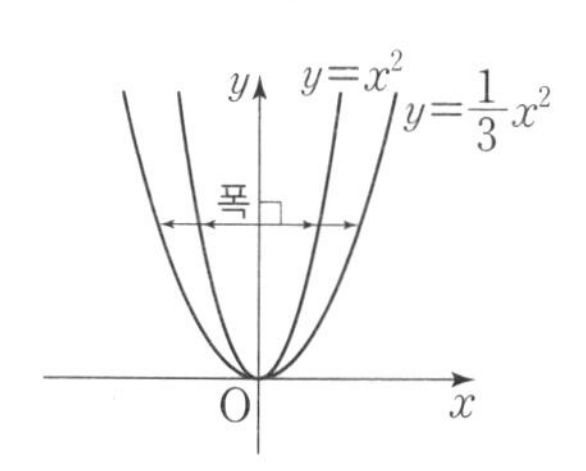

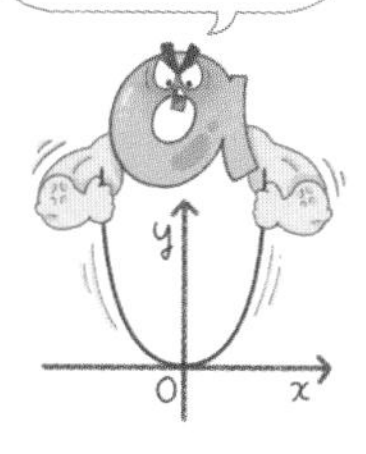

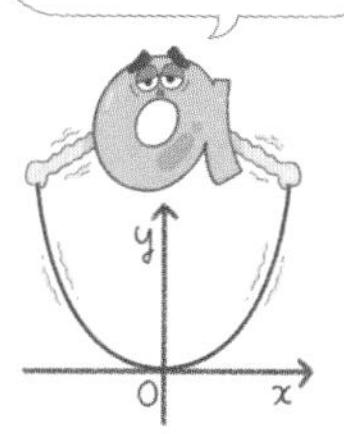

❶ 위 ❷ 좁

바로 확인

다음 ( ) 안의 알맞은 것에 ○표 하시오.

(1) $y=2x^2$의 그래프는 (위로, 아래로) 볼록하다.

(2) $y=-4x^2$의 그래프는 (위로, 아래로) 볼록하다.

(3) $y=-4x^2$의 그래프가 $y=2x^2$의 그래프보다 폭이 (좁다, 넓다).

답 | (1) 아래로 (2) 위로 (3) 좁다

25 이차함수 $y=ax^2+q$의 그래프

(1) 이차함수 $y=ax^2$의 그래프를 y축의 방향으로 ❶ 만큼 평행이동한 것이다.

① $q>0$이면

y축의 양의 방향으로 평행이동

② $q<0$이면

y축의 음의 방향으로 평행이동

(2) 꼭짓점의 좌표 : $(0,$ ❷ $)$

(3) 축의 방정식 : $x=0$ (y축)

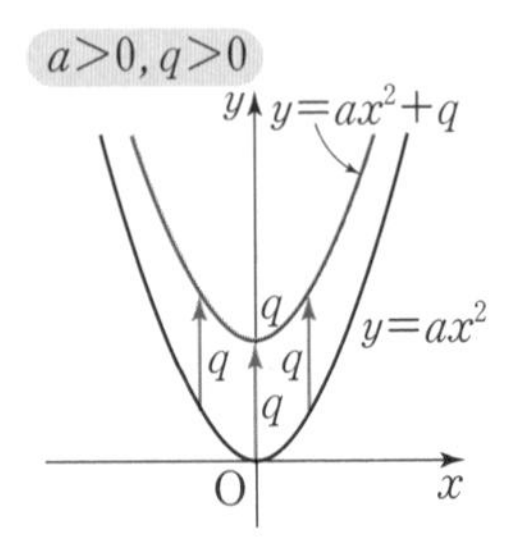

$y=-x^2+2$의 그래프는
$y=-x^2$의 그래프를
y축의 방향으로
2만큼 평행이동!

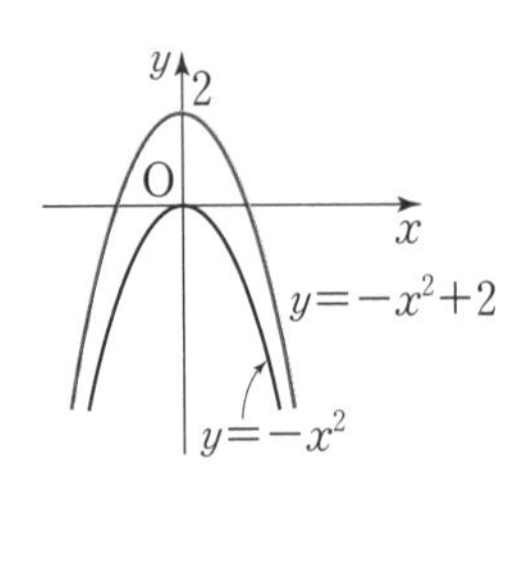

❶ q ❷ q

바로 확인

다음 ( ) 안의 알맞은 것에 ○표 하시오.

(1) 이차함수 $y=-5x^2+4$의 그래프는 이차함수 $y=-5x^2$의 그래프를 (x축, y축)의 방향으로 $(-4, 4)$만큼 평행이동한 것이다.

(2) 이차함수 $y=-5x^2-3$의 그래프는 이차함수 ($y=-5x^2$, $y=5x^2$)의 그래프를 (x축, y축)의 방향으로 $(-3, 3)$만큼 평행이동한 것이다.

답 | (1) y축, 4 (2) $y=-5x^2$, y축, -3

26 이차함수 $y=a(x-p)^2$의 그래프

(1) 이차함수 $y=ax^2$의 그래프를 ❶ ☐ 축의 방향으로 p만큼 평행이동한 것이다.

① $p>0$이면
x축의 양의 방향으로 평행이동

② $p<0$이면
x축의 음의 방향으로 평행이동

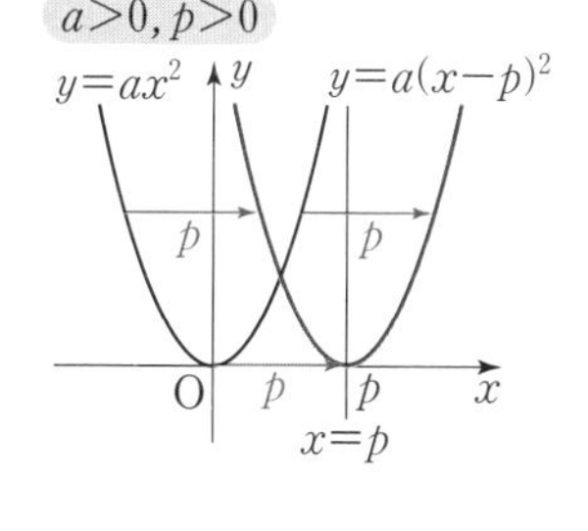

(2) 꼭짓점의 좌표 : (❷ ☐, 0)

(3) 축의 방정식 : $x=$❸ ☐

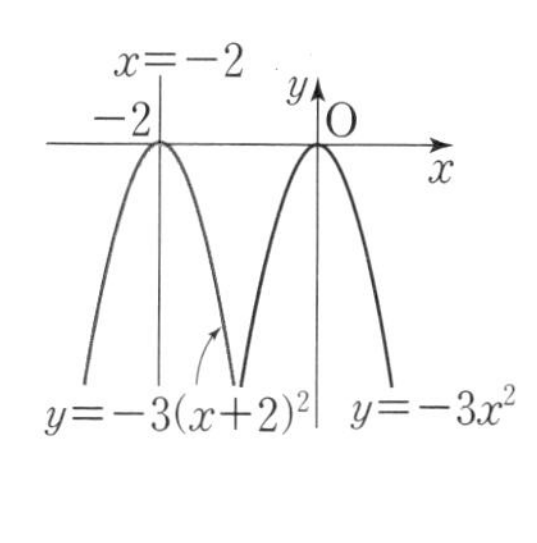

❶ x ❷ p ❸ p

바로 확인

다음 ( ) 안의 알맞은 것에 ○표 하시오.

(1) 이차함수 $y=-2(x+3)^2$의 그래프는 이차함수 $y=-2x^2$의 그래프를 (x축, y축)의 방향으로 (-3, 3)만큼 평행이동한 것이다.

(2) 이차함수 $y=3(x-1)^2$의 그래프는 이차함수 ($y=x^2$, $y=3x^2$)의 그래프를 (x축, y축)의 방향으로 (-1, 1)만큼 평행이동한 것이다

답 | (1) x축, -3 (2) $y=3x^2$, x축, 1

27 이차함수 $y=a(x-p)^2+q$의 그래프

(1) 이차함수 $y=ax^2$의 그래프를 x축의 방향으로 ❶ [ ] 만큼, y축의 방향으로 ❷ [ ] 만큼 평행이동한 것이다.

(2) 꼭짓점의 좌표 : (p, q)

(3) 축의 방정식 : $x=$ ❸ [ ]

$a>0, p>0, q>0$

$y=ax^2$ $\xrightarrow[\text{y축의 방향으로 } q\text{만큼 평행이동}]{\text{x축의 방향으로 } p\text{만큼,}}$ $y=a(x-p)^2+q$

$y=-2(x+3)^2-1$의 그래프는 $y=-2x^2$의 그래프를 x축의 방향으로 -3만큼, y축의 방향으로 -1만큼 평행이동!

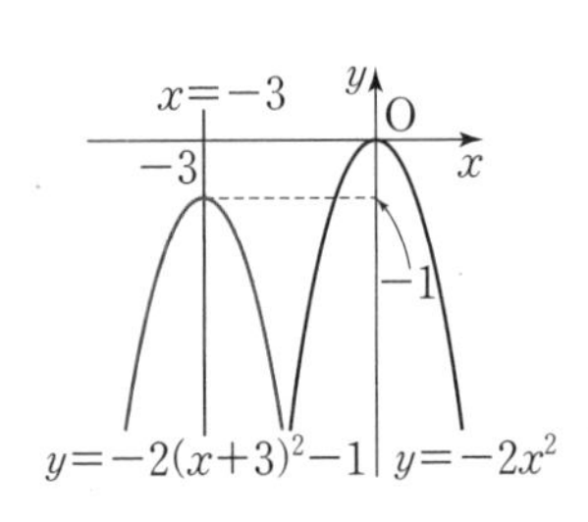

❶ p ❷ q ❸ p

바로 확인

다음 ( ) 안의 알맞은 것에 ○표 하시오.

이차함수 $y=2(x-1)^2+3$의 그래프는 이차함수 ($y=x^2$, $y=2x^2$)의 그래프를 x축의 방향으로 $(-1, 1)$만큼, y축의 방향으로 $(-3, 3)$만큼 평행이동한 것이다.

답 | $y=2x^2$, 1, 3

이차함수 $y=a(x-p)^2+q$의 그래프에서 a, p, q의 부호

(1) a의 부호 : 그래프의 모양으로 결정한다.

① 아래로 볼록 ➡ $a>0$

② 위로 볼록 ➡ a ❶ □ 0

(2) p, q의 부호 : 꼭짓점 (p, q)가 제몇 사분면에 있는지 확인하여 결정한다.

제1사분면	제2사분면	제3사분면	제4사분면
$p>0$, $q>0$	❷ □	$p<0$, $q<0$	$p>0$, $q<0$

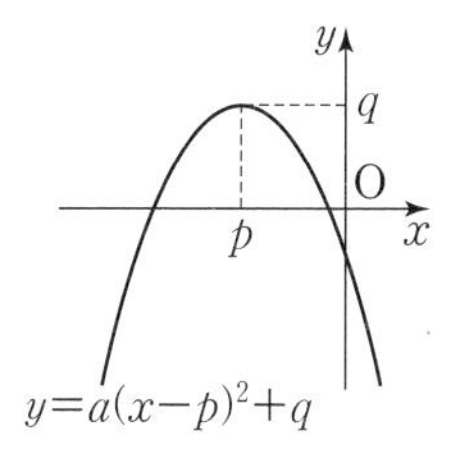

그래프가 위로 볼록하므로
$a<0$
꼭짓점이 제2사분면 위에
있으므로 $p<0$, $q>0$

❶ $<$ ❷ $p<0$, $q>0$

바로 확인

다음은 이차함수 $y=a(x-p)^2+q$의 그래프에 대한 설명이다. □ 안에 $>$, $<$ 중 알맞은 것을 써넣으시오.

(1) 아래로 볼록하면 a □ 0이고, 위로 볼록하면 a □ 0이다.

(2) 꼭짓점이 제1사분면 위에 있으면 p □ 0, q □ 0이다.

답 | (1) $>$, $<$ (2) $>$, $>$

29 이차함수의 그래프의 평행이동 한눈에 보기

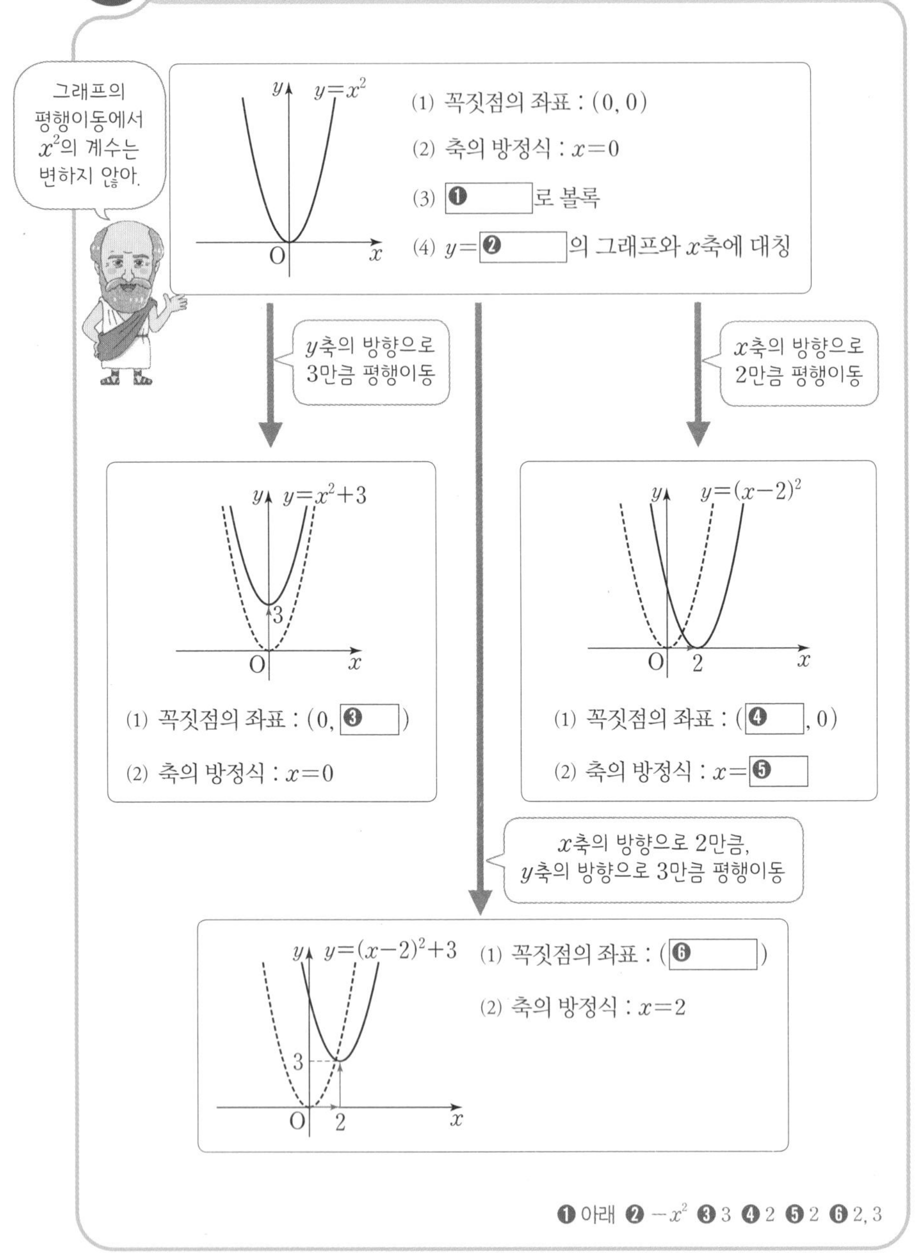

이차함수 $y=a(x-p)^2+q$의 그래프의 평행이동

평행이동. 들으면 알 것 같은데 문제를 풀 땐 헷갈려.

그럼 평행이동과 관련된 문제를 푸는 핵심 체크 사항을 알려주지! 다음 2가지를 꼭 기억하고 문제를 풀자.

(1) 그래프를 평행이동하여도 그래프의 ❶ [　　　] 과 폭은 변하지 않으므로 x^2의 계수는 변하지 않는다.

(2) 그래프의 평행이동에서는 ❷ [　　　] 의 좌표의 변화에 주목하여 문제를 해결한다.

예 이차함수 $y=2(x-1)^2+1$의 그래프를 x축의 방향으로 3만큼, y축의 방향으로 2만큼 평행이동한 그래프의 꼭짓점의 좌표는

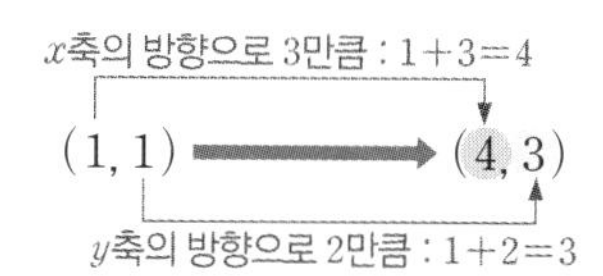

따라서 평행이동한 그래프의 식은 $y=2(x-4)^2+3$

← 그래프의 모양과 폭은 변하지 않으므로 x^2의 계수는 변하지 않는다.

❶ 모양 ❷ 꼭짓점

바로 확인

이차함수 $y=-(x+3)^2-3$의 그래프를 x축의 방향으로 2만큼, y축의 방향으로 3만큼 평행이동한 그래프의 꼭짓점의 좌표를 구하시오.

답 | $(-1, 0)$

31 이차함수 $y=ax^2+bx+c$의 그래프 그리기

(1) $a>0$이면 ❶ [　　] 로 볼록하고, $a<0$이면 ❷ [　　] 로 볼록한 포물선이다.

(2) a의 절댓값이 클수록 그래프의 폭이 좁아진다.

(3) y축과의 교점의 좌표는 $(0, c)$이다.

예 이차함수 $y=-x^2+6x-5$의 그래프는

$y=-x^2+6x-5$

$=-(x^2-6x)-5$

$=-(x^2-6x+9-9)-5$

$=-(x-3)^2+4$

이므로 꼭짓점의 좌표는 $(3, 4)$이고

y축 위의 점 $(0, -5)$를 지난다.

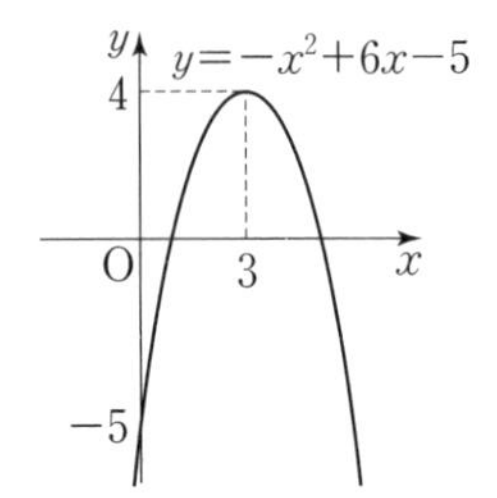

➡ $y=a(x-p)^2+q$

❶ 아래 ❷ 위

바로 확인

다음은 주어진 이차함수를 $y=a(x-p)^2+q$의 꼴로 나타내는 과정이다. □ 안에 알맞은 수를 써넣으시오. (단, a, p, q는 상수)

$y=2x^2-4x+5=2(x^2-2x+1-\square)+5$

$=2(x^2-2x+1)-\square+5=2(x-\square)^2+\square$

답 | 1, 2, 1, 3

32 이차함수 $y=ax^2+bx+c$의 그래프에서 a, b, c의 부호

(1) a의 부호 : 그래프의 모양으로 결정한다.

① 아래로 볼록 ➡ $a>0$

② 위로 볼록 ➡ a ❶ ☐ 0

(2) b의 부호 : 축의 위치로 결정한다.

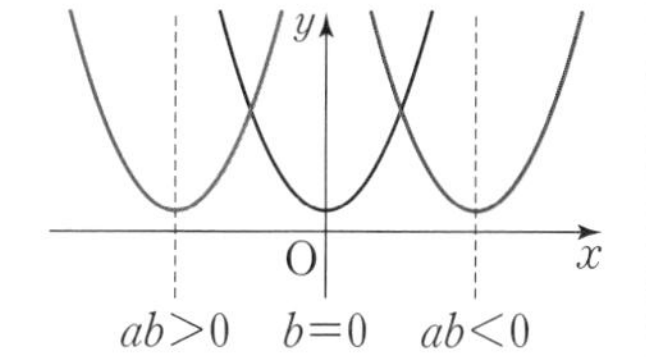

① 축이 y축의 왼쪽

➡ $ab>0$ (a, b는 같은 부호)

② 축이 y축 ➡ $b=0$

③ 축이 y축의 오른쪽

➡ $ab<0$ (a, b는 다른 부호)

(3) c의 부호 : y축과의 교점의 위치로 결정한다.

① x축보다 위쪽 ➡ c ❷ ☐ 0

② 원점 ➡ $c=0$

③ x축보다 아래쪽 ➡ $c<0$

그래프의 모양으로 결정

y축과의 교점의 위치로 결정

축의 위치로 결정

❶ < ❷ >

바로 확인

이차함수 $y=ax^2+bx+c$의 그래프가 오른쪽 그림과 같을 때, ☐ 안에 >, < 중 알맞은 것을 써넣으시오. (단, a, b, c는 상수)

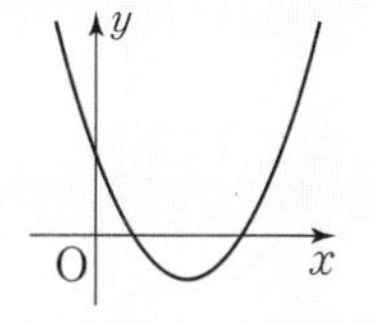

(1) a ☐ 0 (2) b ☐ 0 (3) c ☐ 0

답 | (1) > (2) < (3) >

33 이차함수 $y=ax^2+bx+c$의 그래프의 x축과의 교점

x축과의 교점은 $y=ax^2+bx+c$에 $y=0$을 대입하여 구한다.

$ax^2+bx+c=0$을 만족하는 x의 값을 구한다. ➡ $x=\alpha$ 또는 $x=\beta$	➡	x축과의 교점의 좌표는 $(\alpha, 0)$, $(\beta, 0)$

예 이차함수 $y=x^2-4x+3$의 그래프와 x축과의 교점의 좌표를 모두 구하시오.

$y=x^2-4x+3$에 $y=$ ❶ ______ 을 대입하면

$x^2-4x+3=0$

$(x-1)(x-3)=0$

$\therefore$ $x=1$ 또는 $x=3$

따라서 x축과의 교점의 좌표는

(❷ ______, 0), (3, 0)이다.

❶ 0 ❷ 1

바로 확인

이차함수 $y=-2x^2+4x+6$의 그래프가 x축과 만나는 점의 좌표를 모두 구하시오.

답 | $(-1, 0)$, $(3, 0)$

34 이차함수의 식 구하기 (1)

꼭짓점의 좌표가 $(2, 5)$이고 점 $(1, 1)$을 지날 때

1 이차함수의 식을 $y=a(x-2)^2+5$로 놓는다.

2 **1**의 식에 $x=1$, $y=1$을 대입하면

$1=a+5 \qquad \therefore a=-4$

3 이차함수의 식은 $y=-4(x-2)^2+5$

참고 | 꼭짓점의 좌표에 따른 이차함수의 식의 꼴

꼭짓점의 좌표	이차함수의 식
$(0, 0)$	$y=ax^2$
$(0, q)$	$y=ax^2+$ ❶
$(p, 0)$	$y=a(x-$ ❷ $)^2$
(p, q)	$y=a(x-p)^2+q$

❶ q ❷ p

바로 확인

꼭짓점의 좌표가 $(1, 2)$이고 점 $(2, 5)$를 지나는 포물선을 그래프로 하는 이차함수의 식을 구하려고 한다. □ 안에 알맞은 수를 써넣으시오.

1 이차함수의 식을 $y=a(x-\square)^2+2$로 놓는다.

2 **1**의 식에 $x=2$, $y=5$를 대입하면 $a=\square$

3 구하는 이차함수의 식은 $y=\square(x-\square)^2+2$

답 | **1** 1 **2** 3 **3** 3, 1

35 이차함수의 식 구하기 (2)

축의 방정식이 $x=-1$이고 두 점 $(1, 2)$, $(-2, -1)$을 지날 때

1 이차함수의 식을 $y=a(x+$ ❶ $)^2+q$로 놓는다.

2 **1**의 식에 $x=1$, $y=2$를 대입하면 $2=4a+q$ ······ ㉠

$x=-2$, $y=-1$을 대입하면 $-1=a+q$ ······ ㉡

㉠, ㉡을 연립하여 풀면 $a=1$, $q=$ ❷

3 이차함수의 식은 $y=(x+1)^2-2$

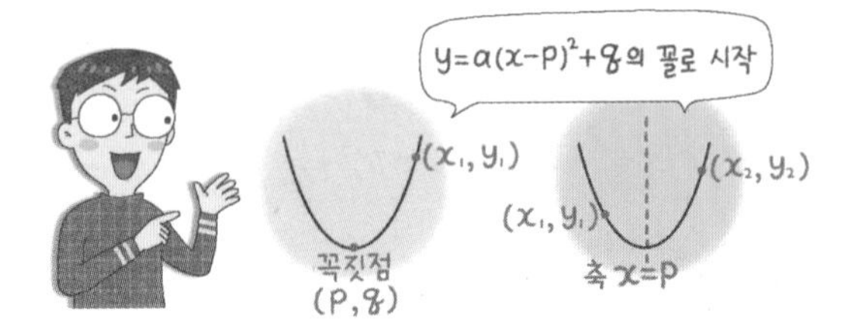

❶ 1 ❷ -2

바로 확인

축의 방정식이 $x=3$이고 두 점 $(1, 5)$, $(2, 2)$를 지나는 포물선을 그래프로 하는 이차함수의 식을 구하려고 한다. □ 안에 알맞은 수를 써넣으시오.

1 이차함수의 식을 $y=a(x-\square)^2+q$로 놓는다.

2 **1**의 식에 두 점 $(1, 5)$, $(2, 2)$의 좌표를 각각 대입하면

$5=\square a+q$, $2=a+q$ $\quad\therefore a=\square$, $q=\square$

3 구하는 이차함수의 식은 $y=(x-\square)^2+\square$

답 | **1** 3 **2** 4, 1, 1 **3** 3, 1

36 이차함수의 식 구하기 (3)

세 점 $(-1, -2)$, $(1, 2)$, $(0, -1)$을 지날 때

1 이차함수의 식을 $y=ax^2+bx+c$로 놓는다.

2 **1**의 식에 $x=0$, $y=-1$을 대입하면 $c=$ ❶ ☐

$y=ax^2+bx-1$에 $x=-1$, $y=-2$를 대입하면 $-2=a-b-1$ …… ㉠

$x=1$, $y=2$를 대입하면 $2=a+b-1$ …… ㉡

㉠, ㉡을 연립하여 풀면 $a=1$, $b=$ ❷ ☐

3 이차함수의 식은 $y=x^2+2x-1$

❶ -1 ❷ 2

바로 확인

세 점 $(0, 1)$, $(-2, -1)$, $(1, 8)$을 지나는 포물선을 그래프로 하는 이차함수의 식을 구하려고 한다. ☐ 안에 알맞은 것을 써넣으시오.

1 이차함수의 식을 $y=ax^2+bx+c$로 놓는다.

2 **1**의 식에 $x=0$, $y=1$을 대입하면 $c=$ ☐

$y=ax^2+bx+$ ☐ 에 두 점 $(-2, -1)$, $(1, 8)$의 좌표를 각각 대입하면

$-1=4a-2b+1$, $8=a+b+1$ $\quad\therefore a=$ ☐, $b=$ ☐

3 구하는 이차함수의 식은 $y=$ ☐

답 | **2** 1, 1, 2, 5 **3** $2x^2+5x+1$

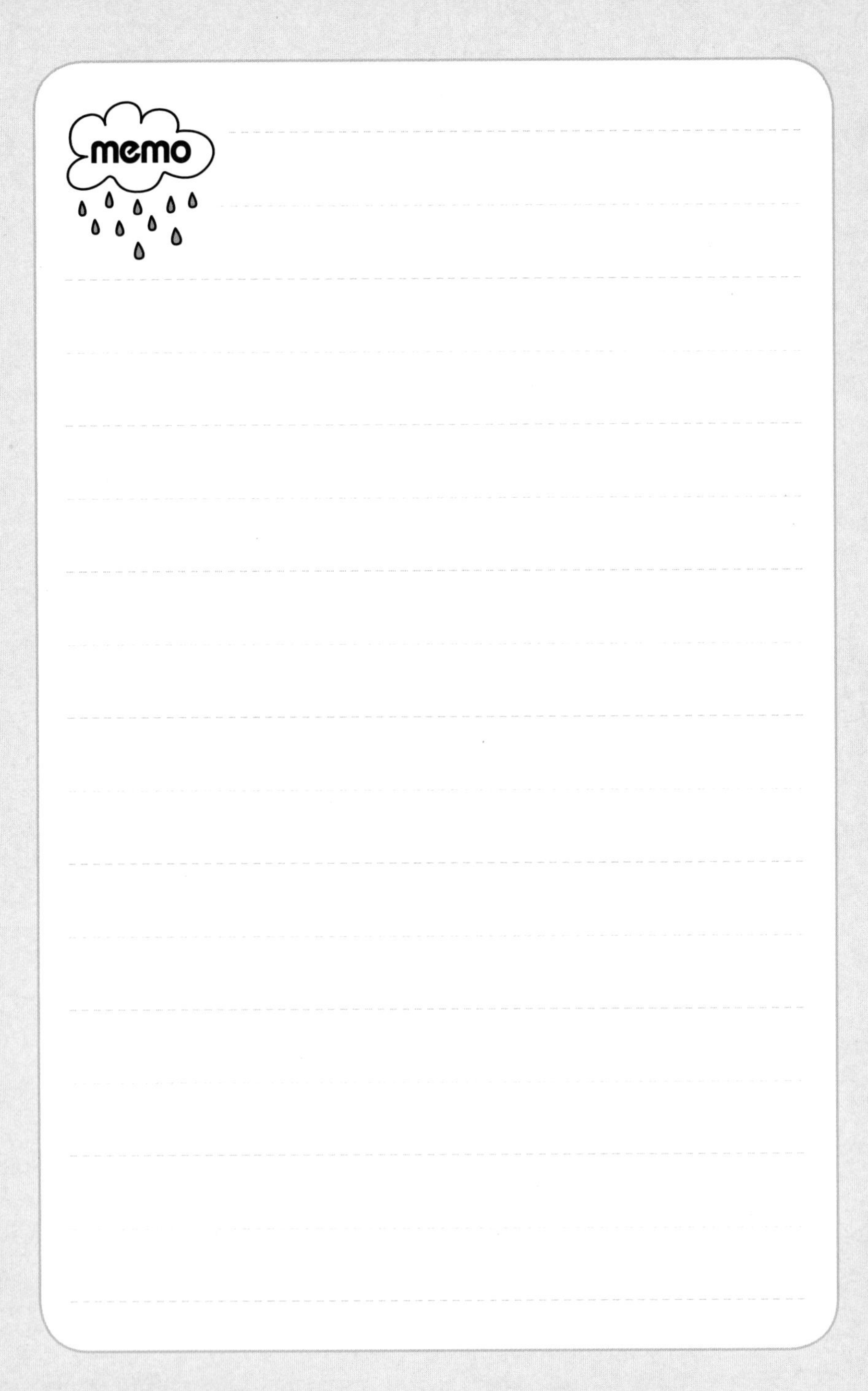
memo

수학전략